РОССИЙСКИЙ
БОЕВИК

РОССИЙСКИЙ БОЕВИК

НИКОЛАЙ АЛЕКСАНДРОВ

ЧЕРЕЗ ПРОПАСТЬ В ДВА ПРЫЖКА

ИЗДАТЕЛЬСКИЙ ДОМ «ДРОФА»
ИЗДАТЕЛЬСТВО «ЛИРУС»
МОСКВА 1994

ББК 84Р7
А46

Александров Н. Н.

А46 Через пропасть в два прыжка; Помощь — бум: Романы; **В. Н. Татаринцев**: Один против всех! : Повесть. М. : Дрофа — Лирус, 1994. — с.

В сборник вошли произведения Николая Александрова, в прошлом — следователя московской милиции, ныне — журналиста и автора романов — «Через пропасть в два прыжка» о разоблачении скандального случая взяточничества в органах милиции и «Помощь — бум» о событиях весной 1992 года, происходящих в разных странах мира, президенты США и России, руководители ЦРУ и КГБ (МБ), послы присутствуют здесь. Новая повесть Владимира Татаринцева «Один против всех!» рассказывает о загадочном убийстве в сумасшедшем доме.

А $\frac{4702010201-002}{3ПП(03)-94}$ Без объявл. ББК 84Р7

ISBN 5-87675-023-9
ISBN 5-7107-0227-7

ЧЕРЕЗ ПРОПАСТЬ
В ДВА ПРЫЖКА

РОМАН

Книга 1
КИРИЛОВ

«Не тяните за хвост, если недостаточно точно знаете, что находится на другом конце...»

(Из школьного анекдота)

1. ПРОБЛЕМА, КОТОРОЙ ТЫСЯЧИ ЛЕТ

Под окном маячила фигура мужчины. Кирилов привычным взглядом окинул едва угадываемый в темноте силуэт и посмотрел на небо. Луна вяло плыла в полынье тающих облаков. Их полотнища, еще недавно раздираемые грозовым ветром, успокоились, замедлили бег, стали прозрачными. В центр лунного диска математически точно вписалось висящее на ветке яблоко. А без него бессменная спутница земли походила на расколотый на части красновато-медный круг — колышущиеся от ветра ветки яблони, словно трещины, хаотично делили ее на неравные части.

В помещении царил приятный полумрак. Тусклый свет чертил на полу квадрат окна, в котором была как бы натянута длинная тень сидящего на подоконнике Кирилова. Сквозь стекло двери с надписью «Операционная» от мощного софита лился ровный поток света, в котором загадочно бликовал портрет первого человека страны. По идее, висеть ему надо было не здесь, в предбаннике операционной, а совсем в ином месте, например, в кабинете главврача, кубатура которого могла потягаться со средних размеров дворцом культуры.

Кирилов некоторое время смотрел на портрет и вдруг вспомнил, что когда-то, очень давно, задолго до его прихода сюда, операционная была кабинетом расстрелянного в тридцать девятом наркома, а комната, в которой он сейчас находился, служила приемной. Так ему рассказывали, и он в это верил. Иначе как объяснить постоянное, ставшее традиционным, вывешивание этого портрета в столь неподходящем месте. К нему, кстати, все тоже давно уже привыкли и не обращали никакого внимания. А изображенный на нем человек тиражированно-умильно взирал на окружающее пространство, сохраняя при этом достоинство и высоту положения. И умиляться, вообще говоря, было чем: в бывшей приемной стройными рядками стояло двадцать восемь крашеных железных кроваток. А человек, безнадежно маячивший за окном, вполне возможно, имел отношение к одной из них. Однако, может быть, его интересовала стоящая пока пустой двадцать девятая? В кроватках, смежив крохотные красные веки, лежали маленькие, спеленутые простынками с черными инвентарными номерами, человечки.

Кирилов сидел на подоконнике и отдыхал. Эти, появившиеся недавно на свет двадцать восемь, были его. Он их принимал и, помогая в крике захлебнуться первым глотком воздуха, первым шлепал по задницам. Двадцать девятый будет не его. Двадцать девятого примет начинающий собственный отсчет студент-выпускник.

Повернувшись к окну, Кирилов удивился стойкости потенциального отца. Ночь уже основательно вступила в свои права. Сначала дождь, а потом и прохладный сентябрьский ветер, должны были прогнать мужчину, но этого не произошло. Тем не менее картина за окном была настолько привычной, что Кирилов перевел взгляд на небо. Луна заметно сместилась в сторону и, очистившись от ветвей, засияла в полной красе. Теперь она походила на чеканный червонец...

Ассоциация в сознании Юрия Николаевича была отнюдь не случайной. В раздевалке стоял старенький потрепанный портфель, а в нем лежала приготовленная им к продаже любимая книга. Иного пути выбраться из сложного финансового положения он не видел. До зарплаты полторы недели, а в кармане трешка с мелочью...

Из-за светящейся двери раздался звон. Металл, как камертон, протяжно зазвенел, постепенно стихая. Кто-то чертыхался в операционной. Кирилов по звуку понял, что упал не скальпель или, скажем, похожие на сильно вытянутые ножницы корцанги, а пинцет. Только он способен звучать от удара о кафельный пол так долго и мелодично. Юрий Николаевич резко поднялся и собрался пойти на помощь, но подумал, что его появление будет для практиканта скорее вредным, чем полезным. Если присутствие Кирилова станет необходимым, его позовут. Спокойный голос Юдифь Рувимовны — пожилого врача-анестезиолога — укрепил Юрия Николаевича в решении остаться на месте. Он вообще мог бы преспокойно уйти в ординаторскую и пить там чай, но сидел здесь, на подоконнике, понимая, что именно тут, в пределах звуковой досягаемости от операционной, его место.

Юдифь Рувимовна — невысокая с крючковатым носом и непомерными габаритами тела женщина, напоминающая, как это ни парадоксально, добрую бабу ягу, была опытным врачом и не доверять ее спокойствию означало не доверять самому себе.

— Спокойнее, Ванья... Теперь щипцы! Так, смелее... — подбадривала она стажера, которого величала неизменно в полушутливой форме, вставляя в его имя мягкий знак. Так, от робости, он сам назвал себя, когда появился здесь в первый раз: «Здравствуйте. Меня прислали к вам. Зовите Ванья...»

Дело шло к концу. Кирилов только теперь удивился — что-то на этот раз пациентка попалась молчаливая. За все время операции он слышал два или три коротких глухих стона.

Эту женщину, что недавно доставили в операционную, Кирилов не запомнил. Он вообще старался не вглядываться в лица пациенток. Его же, как ни странно — работает в халате с марлевой повязкой на лице — порой узнавали на улице. «Костик, познакомься! Этот дядя лечил твою маму, когда ты родился. Скажи дяде спасибо! Видите, какой он у меня скромный». Кирилов в таких случаях краснел, шарахался в сторону и старался как можно быстрее исчезнуть из поля зрения благодарной мамаши.

Мужик за окном был, как видно, из стоиков. Ни дождь, ни ветер не в силах был поколебать его решение дождаться известий от жены. «Интересно, — подумал Кирилов, — какая сейчас „такса" у нянечек за выдачу информации в неположенное время? Года два назад это стоило, помнится, рубль. А сейчас? Цены ведь растут...»

Доразмышлять ему не удалось. Роженица застонала в полный голос, да так громко, что в кроватках раздался плач, новорожденные зашевелились и загукали. Конечно, для них надо бы подобрать другое место, не на проходе, более тихое. Но тут уж как всегда: и людей не хватает — одна сестра едва успевает в операционную и к малышам, и с помещением совсем плохо.

«Почему не слышно младенца? — уже не на шутку встревожился Кирилов, поднимаясь с места. — Вроде бы не должно быть никаких осложнений. Положение плода нормальное». Но его опасения оказались напрасными. Из двери операционной тотчас появился практикант, халат на его спине потемнел от пота. Стянув повязку с лица, он с облегчением вздохнул полной грудью.

— У-ух! Ну и упорная девка попалась...

— Ты про мамашу? Да, похоже терпеливая баба... Из лимитчиц, наверно. Они в деревнях все крепкие, без врачей обходятся.

— Да я про новорожденную! Шлепаю, понимаете, ее по заднице, заставляю закричать-задышать, а она ни ответа, ни привета. Хотел еще раз покрепче врезать, глянь, пошло дело само...

Появившаяся следом за стажером Юдифь Рувимовна сразу от дверей сделала жест, видимый Кирилову и незаметный для Ивана. Поднятый вверх большой палец правой руки означал, что все сделано высшим классом.

— Ты чего так дышишь? — Кирилов похлопал студента по плечу. — Можно подумать, сам рожал. Не надо чего перевязать тебе? — он засмеялся.

— От лампы жарко. Так, понимаете, шпарит, что сил нет...

— Не замечал. Может, дело в привычке. Вроде, нормально светит... Я тебя, Вань, чего спросить хотел... — замялся вдруг Кирилов, оглядывая торжествующего стажера с головы до ног. — Ты, случаем, не при деньгах? Мне бы двадцатник до пятницы...

Парень потускнел и стушевался.

— Честно говоря, я сам хотел к вам подойти... Пришлось стипендию матери отправить...

— Ты в общежитии в корпусе «Б» живешь? На втором этаже? Еще один вопрос — комендантом у вас, случайно, не Петр Михайлович? Ну, колченогий такой... Еще, помнится, исключительно «Прибой» курил...

— Он! — удивленно смотрел на врача Иван. — Значит вы все знаете?

— А ты думал, я сказкам про мамку и больную сестренку поверю? Это мы уже проходили. В наше время у Михалыча кличка была «Полкопеич».

— И сейчас такая же... — засмеялся стажер. — Он всегда, когда карты тасует, приговаривает: «Понемногу, братики, по полкопеечки».

— Не ввязывайся ты в это дело, — веско сказал Кирилов, поправляя пеленку на шестнадцатой кровати. Его руки действовали экономно и ловко. — Полкопеич и не таких как ты надувал... Где же нам с тобой подхарчиться? — он легким шагом прошелся по комнате. — Знаешь что... подкати-ка ты к Рувимовне. Мне она даст, но я просить не стану, уже должен сороковник, а ты попроси — студенту не откажет.

— Так я и на вас попрошу, — с готовностью откликнулся Иван.

— Не суетись... Я знаю, у кого взять, выкручусь.

Взять он решил у Тимура Гоглидзе — толстяка, балагура и бабника, который ко всему прочему был еще и сменщиком Кирилова по бригаде. Тот всегда был при деньгах, и они приходили к нему не с рынка или базара, о чем могли бы подумать иные, увидев его колоритные черты лица, а совсем другим путем. Вокруг грузина постоянно крутились женщины и девчонки, которым от него нужна была не столько любовь, сколько помощь в устранении ее последствий.

Из операционной выкатили на каталке роженицу. Она, хотя и была предельно измучена, но улыбалась искусанными губами. Взгляд ее следил не за Кириловым, и это его сначала удивило, а за студентом. А ведь так и надо, подумал он, студенту она обязана жизнью. Младенца еще держали в операционной — обмывали, пеленали. Ласковым, чуть хрипловатым голосом санитарка тетя Маша наговаривала первую молитву во здравие младенца. Отучить ее от этой привычки даже не пытались. Зачем, если дело свое она знала лучше других, знала до тонкостей. И когда Кирилову тонко намекали или прямо в лоб заявляли, что держишь, мол, верующую, набожную санитарку, а об этом знали все вплоть до главного врача, он просто рекомендовал этому советчику бросить все и идти на тетимашину зарплату. Старушка, видимо, догадывалась об этих разговорах на ее счет. В присутствии Кирилова она смотрела на него кротким выцветшим взглядом, часто помаргивая и скромно улыбаясь, а зная, что он три года назад развелся с женой, старалась подкормить его то домашними блинчиками, то положить котлетку побольше.

«Христе, Христе, — доносилось до ушей Кирилова. — Возлюби дитя твое. Милуй во здравие и спаси от греха. Весь мир твой и ты дитя богово».

«Телепатка она что ли?» — подумал Юрий Николаевич, слыша, как ребенок от бормотания тети Маши стал заметно успокаиваться.

Иван встрепенулся:

— Какие еще будут задания?

— Задания? — переспросил Кирилов, подходя к окну. — Видишь мужика, что стоит под окном...

— Мужика?

— Ага. Вон там, под тополем...

— Вижу.

— Выясни, чего он хочет. Если узнать как дела — не таись. — Кирилов кивнул в сторону маленьких кроваток. — Какой тут секрет... Дочка так дочка, а если сына хотел — тут мы не помощники...

Но встреча с незнакомцем не состоялась. Вернувшийся через несколько минут Иван рассказал, что стоило ему выйти на крыльцо, как неизвестный, прождавший уйму времени у подъезда, стремительно отошел в тень деревьев и быстрым шагом пошел прочь. Как показалось стажеру, при его появлении мужчина сперва ринулся было навстречу, потом посмотрел вверх и, увидев по-прежнему стоявшего у окна Кирилова, счел необходимым исчезнуть.

Юрий Николаевич выслушал студента, в раздумье почесал затылок, а потом со словами: «Ну, и бог с ним», отправился в ординаторскую пить чай. Мало ли на свете чудаков, мог бы все узнать и у стажера.

«А у Гоглидзе тоже, пожалуй, не получится перехватить... — рассуждал Кирилов, лежа на жестком медицинском лежаке. — Что-то он говорил про покупку машины... В общем, крути-не крути, а придется с утра идти в букинистический...»

2. РОЗЫГРЫШ?

«Что-то в моей жизни неправильно», — подумал Кирилов, возвращаясь утром домой. Со стороны реки наползал холодный клочковатый туман — он заполнял улицы, прятал лица людей, проезжающие машины, искажал очертания домов, но ничего этого Юрий Николаевич не замечал.

«Что-то в моей жизни не так, — мысленно повторял он, поднимаясь на четвертый этаж по истертым посередине ступеням. — И где случился поворот в судьбе? Где ошибка?» — продолжал он, отпирая старинную тяжелую дверь отцовской квартиры.

В тридцать семь, несмотря на некоторую, еще едва заметную, грузность фигуры, он отличался легкой походкой, отменным здоровьем и относительно бодрым расположением духа. Чего греха таить — он не отказывал себе ни в чем, но старался знать меру. Мог и выпить в компании друзей, но всегда не только сам добирался домой, а и выглядел так, что никто не мог заметить ничего предосудительного в его облике. И все же, несмотря на видимое благополучие, причины недовольства собой у Кирилова имелись. Разменивая четвертый десяток, он вдруг понял, что жил не так, как другие. У него не было сверкающей лаком машины (пусть хотя бы «ушастый» запорожец — так и того нет), не было утопающей в зелени дачи, да и мало ли чего иного, что имели люди в его возрасте. Весь же его «багаж» состоял из оставленной им жены со взрослой дочерью да старой отцовской квартиры, единственным богатством которой служили книги, тщательно собираемые и любимые уже несколькими поколениями Кириловых. Отец, опираясь на большие армейские заслуги, выхлопотал себе престижный санаторий и ежегодно по три-четыре месяца проводил там. А Кирилов-младший (если допустимо так называть человека его возраста), кроме работы, знал практически только дом, несколько магазинов поблизости, кинотеатр, расположенный в пятнадцати минутах ходьбы, да десяток институтских друзей, которые всегда в разъездах и командировках. Вот так и получилось, вольно или нет, что превратился он в книгочея, благо времени хоть отбавляй — сутки дежурства, трое отдыха.

С заветной книжкой, что таскал в портфеле, Кирилов пока не расстался. Дома он положил в портфель трехтомник «Истории русской словесности». У букинистического Кирилов сразу же взяли в оборот перекупщики. Особенно дерзок и нахален был плохо выбритый дылда с толстенной, плотно набитой сумкой с затейливой надписью «Париж». Углядев один лишь корешок мелькнувшей в портфеле кириловской книги, долговязый сразу же разругался со своими «коллегами» и, вволю пособачившись с ними, поволок ничего не понимающего «клиента» в скверик, к памятнику героям Плевны. Пока Кирилов оглядывал место, по его мнению, совсем не подходящее для такого рода сделки — подумать только — в каких-нибудь ста метрах от памятника начинали громоздиться тесно приклеившиеся одно к другому здания ЦК, перекупщик извлек из кармана хрустящую пачку свежеотпечатанных и еще перевязанных красной банковской лентой десяток и шустро отсчитал семь банкнот.

Кирилов еще крепче сжал свой портфель и глядел в сторону Старой площади.

— Да ты, мужик, не дрейфь, — громко сказал перекупщик. — Они в эту сторону не глядят. Я уж столько здесь купил-продал, не счесть. Ты что ль первый, — он засмеялся. — Чего там у тебя блеснуло, вроде петербургского издания записок ее императорского... Екатерина — не ошибаюсь?

Можно было только удивляться его чутью — за какую-то секунду все разглядел, но Кирилов этому почему-то не удивился. Может оттого, что больше всего на свете боялся быть «застуканным с поличным». Но до сего момента он еще никогда не совершал ничего предосудительного.

— Доставай товар! — напористо предложил перекупщик. — Тут семь дензнаков, — встряхнул он купюрами. — Извини — неконвертируемые...

Кирилов посмотрел на грязноватые руки мужчины, на «траур» под нестриженными ногтями, вспомнил бережность, с которой он брал книгу, перелистал страницы. В груди что-то захолодилось, и он с невесть откуда взявшимся облегчением, созревшим вместе с решением, отказался от продажи.

— Да ты что? — изумился мужчина. — Думаешь, мало? Ей бо, хорошую цену даю — она по каталогу на пятьдесят тянет.

Кирилов знал, что собеседник врет — книга стоила гораздо дороже, но не хотел продавать ее совсем по другой причине: ему стало вдруг жаль расставаться с ней, как с другом.

— Нет. Я передумал! — решительно замотал головой Юрий Николаевич.

Кудлатый и плохо выбритый дылда пронзил врача колючим взглядом, в раздражении бросил деньги в распахнутый зев своей сумки и, ни слова не говоря, ринулся назад к магазину. Кирилов секунду-другую рассматривал смачный густой плевок на своем ботинке, хотел было догнать хама и поговорить с ним по-мужски, но медленно вытер носок ботинка о траву и пошел к дому.

Поднявшись из кресла, Кирилов прошлепал стоптанными тапочками по паркету, потемневшему от времени и многократных натирок. Когда-то его терла домработница (было, было и такое время), потом поочередно мать и отец, потом он сам, затем помогала жена, пришло время чуть-чуть помазать в танце ногой дочке, теперь он снова трет паркет один и уже, наверно, так будет всегда.

В холодильнике на тарелке желтел полузасохший кусок сыра, который ни в коей мере не мог возбудить аппетит. Рядом с тарелкой, завернувшимся в газету ежом, зашуршал почерневший кочан капусты. Картину оскудения дополнили две бутылки из-под минеральной. Отрезав большой кусок прихваченного в булочной «Бородинского», посыпав его крупной солью, Кирилов вонзился в хлеб зубами.

«У кого бы стрельнуть тридцатник? — размышлял он, покачиваясь на треногом кухонном табурете. — Нет, к жене он обращаться не будет. Опять разговор про то, что она получает слишком маленькие алименты, а дочь взрослая и ей надо хорошо одеваться. Знамо дело, надо. А ему что делать? Подхалтуривать, как Тимур, незаконными абортами? С души воротит».

В комнате зазвонил телефон. Кирилов отрегулировал его на самый тихий звук: номер его телефона почти совпадал с номером магазина, ошибались часто. Но звонить начинали не раньше одиннадцати, когда открывался магазин, а сейчас было около десяти. Правда, с понедельника с телефоном начали происходить чудеса. В отсутствие хозяина старенький автоответчик тарабанил в трубку, что положено: «После гудка сообщите все, что сочтете необходимым — это будет записано на ленту». Неизвестный абонент шумно дышал в трубку, ничего не спрашивал, ждал, похоже, «живого» голоса, пыхтел и не поддавался на стандартные просьбы магнитофона. Таких звонков Юрий Николаевич насчитал семь.

— Слушаю! — Кирилов прилег на кровать, прижимая трубку к уху.

— Телефонная станция беспокоит... — голос был сухим и бесстрастным, но Кирилов врачебным чутьем почувствовал, что собеседник простужен. — Проверочка на линии. Жалобы в наш адрес имеются?

— Жалобы? М-м-м... Как вам сказать... Вроде нет.

— Шорохи, шумы, посторонние подключения? — продолжала выяснять трубка.

— Как всегда...

— Видите, какой вы покладистый — все бы так, а то пишут жалобы. Может, хотите поменять телефон на более современную модель? У нас сейчас венгерские поступили. Дешевые и очень удобные...

— Дешевые? — переспросил Кирилов и задумчиво потер переносицу. — А шнур вы удлинить можете?

— Конечно! Скажите, когда к вам придти, и давайте уточним адрес.

— После зарплаты...

— Хм, — рассмеялась трубка. Кирилов отметил, что смех был лающим, каким-то деланным. — А когда у вас зарплата?

— Действительно, глупость сморозил. Простите...

— Адресок давайте проверим. А то у нас девочки в журнале такие каракули оставляют — сил нет...

Кирилов едва закончил диктовать номер квартиры, как в трубке раздалось нечто совсем непонятное. Неизвестно откуда взявшийся с привкусом металла голос врезался прямо в разговор и произнес для кого-то предназначенное предупреждение: «Связь по радио!» Потом прервался и через некоторое время повторился. Следом за этим внезапно раздались гудки отбоя — на том конце положили трубку.

То, что общение с районной АТС не может происходить посредством радиосвязи, для Юрия Николаевича было абсолютно ясно. От дома до станции вряд ли будет больше семи минут ходьбы. С другой стороны, припоминал он, вроде бы фраза «Связь по радио» сопутствует междугородним разговорам.

«Меня хотят ограбить! — с неожиданной радостью подумал Кирилов. — Иногородние гастролеры выяснили адрес... И те семь звонков „с сопением и пыхтением" — они же. Ну что ж, милости просим! Может придете и дадите взаймы..." — он повалился на постель и долго хохотал над понравившейся собственной шуткой. — Взаймы у грабителей! Ой-ей-ей... У грабителей... Взаймы!"

Это был поистине день звонков — телефон разразился новой трелью. Сомнений в том, что вновь звонит самозванец с телефонной станции не было, и Юрий Николаевич собирался выдать ему фразочку, достойную одесского грузчика, вложив в нее все, о чем уже успел подумать за это время.

Но он не угадал. Трубка сопела и пыхтела точно так, как семь раз до этого. Ни «алло», ни «я вас слушаю», ни «да, да, говорите» не дали никакого эффекта.

— Ну, и идите к черту! — он занес было руку, чтобы бросить трубку на рычаг, но она вдруг ответила до боли знакомым голосом.

— Юрка?

— Тридцать семь лет Юрка...

«Неужели Кабан объявился? — подумал Кирилов. — И десяти лет не прошло...»

Да, это был Кабан. Настоящая его фамилия, конечно же, звучала совсем не так. Сергей Орловский — школьный товарищ, с которым с первого по десятый Кирилов сидел за одной партой. Сколько проделок и проказ совершили они на школьной Камчатке — трудно было сосчитать. Прозвище приклеилось к нему в одном из походов. Кажется, это случилось после шестого класса. Сергей принялся с такой тщательностью собирать вокруг дуба прошлогодние желуди и кидаться ими в товарищей, что мигом завертелась веселая кутерьма и вскоре вокруг дерева все было перепахано словно здесь побывало небольшое стадо диких свиней. Нынешний Кабан не чета школьному — журналист одного из ведущих еженедельников «Пламя». Школьное прозвище так и осталось с ним, но обрело другой смысл — Сергей, почуяв журналистскую удачу, несся вперед, не разбирая дороги и выставив наперевес, словно клыки, перо авторучки и объектив фотокамеры. Вот у него, наверняка, можно было занять деньги. Судя по публикациям, которые следовали из номера в номер, недостатка в гонорарах Сергей не испытывал.

— Сережка, чертяка, сколько лет, сколько зим. Ты где? Бросай все и приезжай!

Трубка долго молчала, а потом произнесла почти узнаваемым голосом. Почти, потому что голос Орловского был явно озабоченным.

— С удовольствием, но я не в Москве.

— Куда тебя занесли беспокойные журналистские тропы? Что-нибудь раскопал интересное.

— Очень.

— Где ты?

— Слыхал про Аршальск? Есть такой город на карте...

— Прилетай, посидим. Побалакаем... А, догадался! Кабан, признавайся... Ты просто хлебнул лишнего и разыгрываешь?

— Юра, то, что я тебе скажу, это серьезно! Гораздо серьезнее, чем ты думаешь. Я хочу попросить тебя об одном одолжении. Обещай, что исполнишь...

— О чем ты говоришь, — в замешательстве произнес Кирилов, вставая с кровати, на которой сидел. — Конечно. Чего надо сделать? Говори!

— Я хочу, чтобы ты завтра прилетел в Аршальск. Я тебя буду ждать в шесть тридцать вечера перед гостиницей «Двина».

— Ты сдурел! Послушай...

В этот момент что-то неясное вмешалось в разговор. Кирилову показалось, что ему послышались из трубки какие-то стуки, глухие удары, звон стекла. Весь этот шум начал заглушать слова, и Кирилов громко закричал в микрофон:

— Сережка, ты слышишь меня? Что там у тебя происходит?

На какую-то секунду наступила полная тишина, и он услышал прорвавшийся голос приятеля:

— Они пришли! Я тебя буду ждать...

— Кто пришел? — уже не сдерживаясь, кричал в полный голос Кирилов. Но с того конца провода сначала донесся звук падающей трубки, несколько невнятных незнакомых голосов, потом грохнул сильный хлопок, напоминающий то ли щелчок, то ли шум лопнувшего огромного листа фанеры, непонятный треск и в сразу наступившей оглушающей тишине зазвучали гудки телефонного отбоя.

Правда, в самый последний момент, за мгновение до того, как трубку бросили или обронили, Кирилову показалось, что прозвучала какая-то странноватая фамилия и произнес ее не

Сергей, а кто-то другой. Связь уже была плохая, и не исключено, что он мог ослышаться. И все же, он абсолютно точно слышал фразу, произнесенную Сергеем: «Острожнее с тра-ля-ля». Что это за «тра-ля-ля» — фамилия, а может и вообще неизвестно что, к примеру, кличка.

«Тра-ля-ля, тра-ля-ля... Мы везем с собой кота! Чижика, собаку... Эти борзописцы и разыграют — не дорого возьмут, — злился Кирилов, перелистывая страницы записной книжки. — Собрались, небось, на вечеринку и, надравшись как следует, решили повеселиться... Кабан, конечно, назюзюкался как маленький поросенок, лежит себе преспокойненько на диване в своей однокомнатной холостяшке и дурит мне голову. Хорош я буду — брошу все и полечу к черту на кулички. А на кой шут мне это надо?»

Домашний телефон Орловского молчал. В редакцию идти было еще рано: журналисты ведут богемный образ жизни и приходят на работу, в отличие от газетчиков, к обеду. А телефонов «Пламени» Кирилов к тому же не знал. «Верно эту братию раскритиковал Хейли, врезал этим любителям розыгрышей по первое число... Как он там выразился? — Кирилов достал роман и раскрыл на нужной странице. — Ага, вот: «Хоть они и утверждают, что беспристрастны, однако журналисты, как правило, люди, которые вечно грешат неточностями... Кроме того, эти самозванные судьи критикуют и осуждают всех и вся, кроме самих себя..." Здорово сказано — «кроме самих себя!» На двести процентов верно! Гори все огнем — сейчас завалюсь спать и никуда больше не поеду... Если ему надо, пусть звонит».

Юрий Николаевич, скрывая раздражение, с подчеркнутой тщательностью разобрал постель, плотно задернул штору, за которой плотной молочной пеленой растекался туман, выдернул из розетки телефон и с чувством исполненного на дежурстве долга улегся спать.

3. УДИВИТЕЛЬНОЕ РЯДОМ

Автобусной остановки словно не было и в помине: настолько сгустился туман. Он слоями плавно перетекал через парапет и липкими влажными щупальцами расползался по переулкам. Ждать стало невмоготу — все время подходили не те автобусы — и Кирилов, нахлобучив по самые брови синий берет, пошел пешком.

Проезжавшие где-то совсем рядом машины угадывались лишь по шуму и запаху. Нормальным днем, в хорошую погоду, Кирилов обычно не обращал внимания на ставшую привычной бензиновую гарь, но сегодня, то ли из-за каких-то особых качеств атмосферы, то ли потому, что зрение оказалось блокировано, резко, даже болезненно обострилось обоняние.

Тяжелая дубовая дверь на сильной пружине приоткрылась ровно настолько, чтобы пропустить Кирилова и немного уличной мороси. Стоило замешкаться, и входящий получал сильный толчок в спину.

Однако примечательным в редакции «Пламени» была не дверь, а буфет. Его слава, похоже, распространилась дальше самого журнала. Многие были наслышаны об отменных качествах приготовляемых в буфете пирожков, и, видимо, поэтому вахтер у всех без исключения требовал удостоверение. Те, кому не суждено было отведать произведений местных кулинаров, могли довольствоваться разглядыванием барельефа с гипсовыми амурами и таким же гипсовым рогом изобилия в руках. Барельеф имел один небольшой, но весьма существенный изъян — у воронки рога изобилия зиял скол. Поговаривали, что гипсовые плоды отвалились от изображения еще лет двадцать назад. Острословы-корреспонденты, естественно, не обошли вниманием этого факта и долгое время по редакции ходили сатирические стишки и анекдоты.

По редакционному коридору сновали сотрудники и посетители.

— Вы не подскажете, где найти Орловского? — остановил Кирилов курившую на ходу высокую блондинку.

— Третья налево, — махнула она рукой, вытирая ладонь о зауженные на щиколотках кожаные брюки.

В «третьей налево» за столом сидел патлатый толстяк в свитере с протертыми локтями. Весь он был какой-то пухленький, словно враз постаревший амур с барельефа. Покручивая в пальцах сразу два или три карандаша, он читал номер, пахнущий свежей типографской краской.

— Простите, могу я увидеть Орловского?

Мужчина, не отрываясь от чтения, махнул рукой в сторону коридора и, пробормотав нечто маловразумительное, еще ниже склонился к журналу.

«А ларчик просто открывался, — с облегчением подумал Юрий Николаевич. — Я так и думал, что это неуместная шутка. Кабан в редакции и болтается где-то по коридорам. Подождем».

Патлатый с остервенением исчиркал синим карандашом страницу и резко поднялся с места. Заметив Кирилова, он удивленно округлил глаза, словно не сам каких-то пять минут тому назад говорил с ним.

— Ко мне? Я не сижу в этом кабинете, я здесь случайно. Спрятался от всех, чтобы поработать...

— К Каба... Простите, — смутился Кирилов, сообразив, что чуть не назвал Сергея по прозвищу. — Мне бы Орловского...

Глаза мужчины еще больше округлились. Видимо, он склонен был к театральным эффектам — под пышными в стиле Дюма-отца усами оказались яркие пунцовые губы.

— Если не ошибаюсь, он до понедельника в отпуске. А вы кто? Может быть, я могу быть полезен? Оставьте письмо или жалобу, что там у вас — я передам.

— В отпуске? — с сомнением переспросил Кирилов, вставая со стула.

— Я же вам объяснил, — уже с раздражением, досадуя на непонятливость посетителя, произнес патлатый и ринулся к выходу из помещения.

— Но он мне сегодня звонил...

— Мало ли кому он звонит. А вы ему, собственно говоря, кто?

— Товарищ, — немного торопливо произнес Кирилов и так же быстро добавил, — школьный...

— Школьный? — переспросил отчего-то журналист и недоверчиво посмотрел на собеседника.

— Вы меня не помните? Мы с вами встречались у него на дне рождения. Правда, вот этого, — Кирилов провел рукой по своему лицу, имея в виду усы собеседника, — тогда еще не было...

— Помню! — журналист поднял вверх указательный палец и наклонил по-птичьи в бок голову. Кирилову показалось, что журналист его не только не помнил, но и не пытался этого сделать. Видимо, он принял решение поскорее ответить на все вопросы незванного гостя и максимально быстро отвязаться от него.

— Сергей в отпуске до понедельника — об этом я вам уже говорил. Уехал он из города или нет — не скажу, не интересовался. Оформлял, кажется, по семейным обстоятельствам...

— Не в командировке он, выходит? — Кирилов пристально смотрел на мужчину.

— Экий вы непонятливый... Хотя, подождите! Вам, конечно же, есть смысл побеседовать с Мариной. Как я сразу не догадался... Идемте! — Мужчина подошел к двери и широко распахнул ее перед Кириловым. — Прошу!

Они долго шли по коридорам, сворачивали в какие-то переходы и закоулки и по тому уважению, с которым приветствовали пышноусого сотрудники редакции, Кирилову стало понятно, что он здесь не на последних ролях.

В комнате, куда привел Кирилова мужчина, стоял все заглушавший стрекот пишущих машинок, разом стихших при их появлении.

— Марина! — окликнул сопровождавший Кирилова. От окна поднялась полноватая, лет тридцати, женщина.

— Слушаю, Олег Игоревич!

— Побеседуй с товарищем, — он кивнул в сторону Кирилова, — и к четырнадцати я жду от вас подборку писем в десятый номер.

— Уже на машинке, Олег Игоревич. Постараюсь успеть.

— Что значит, постараюсь? Успеть! — Он, набычившись, склонил голову и исчез за дверью.

— Успеть! — передразнил его чей-то веселый голосок, и раздался смех.

У той, которую называли Марина, была легкая, почти неслышная походка. Она опять куда-то вела Кирилова по коридорам, пока они не оказались на площадке лестницы, служившей, очевидно, курилкой.

— Слушаю вас, — сказала женщина и улыбнулась. Кирилов удивился перемене: ее лицо, лишь минуту назад серьезное, мгновенно преобразилось, на щеках появились симпатичные ямочки.

— А кто этот, который привел меня? Ну, с драными локтями... Строгий такой...

— Ответсек... Собачья должность, между нами говоря: девчонки зря над ним потешаются. Но, надо полагать, вы пришли спрашивать меня не о нем?

— Я хотел узнать кое-что об Орловском.

Ямочки на щеках погасли.

— Это он вам посоветовал?

— Да.

— А вы кто Сергею? Может, из милиции?

— Школьный товарищ, сидели на одной парте.

— Товарищ? — Марина с непонятным подозрением быстро посмотрела на Кирилова, а потом отвернулась к окну.

— У вас есть сигарета?

Курила она, глубоко затягиваясь и размышляя о чем-то своем.

— Ну, что ж, — она повернулась к Кирилову. — Спрашивайте, школьный товарищ, а то, сами слышали, работы у меня много.

— Скажите, почему Сергей поехал в Аршальск не в командировку, а взял отпуск по семейным обстоятельствам?

— Откуда вы знаете про Аршальск? — Взгляд женщины стал недоверчивым.

— Если можно, я пока сохраню это в тайне.

— Хорошо. На ваш вопрос ответить просто простого — потому, что в командировку туда его не пустили.

— Кто?

— А какая разница — не пустили и все! Вы ведь не все говорите. Почему я должна быть откровенной?

— Поймите меня правильно, тайны никакой нет. Вчера я еще ничего не знал об Аршальске, но сегодня утром мне позвонил Сергей. Разве не странно хотя бы то, что мы с ним не встречались несколько лет, и вдруг такой звонок...

— Я не буду спрашивать про разговор, но думаю, что если он позвонил не вам, а школьному товарищу, — она сделала ударение на последних словах, — значит ему плохо... Поверьте, он очень гордый и ему, думаю, нелегко было решиться на такое... Вы не замечали ничего странного в последние дни?

— В смысле?

— Значит, не замечали... Это хорошо.

— Что «хорошо»?

— Хорошо, что не замечали, — думая о чем-то своем, произнесла женщина. — Ладно, я расскажу вам об этой истории, хотя Сергей и предупреждал меня, чтобы я держала язык за зубами.

— Простите, — перебил ее Кирилов. — Вы ему кто?

Женщина посмотрела на Кирилова прищуренными глазами.

— Сама не знаю. Да это и не важно... Недели две назад он вернулся из Сочи. Не часто ребятам удается попасть на юг в разгар курортного сезона, Сергею повезло. Приехал загорелым, отдохнувшим. А дня через два его словно подменили. Произошло это после того, как в редакцию приехали двое из Аршальска...

— Кто они?

— Не знаю. Знаю, что из Аршальска, и все. Беседовал Сережа с ними долго, причем не в редакции, а в скверике. Мне из окошка видно было. Гляжу, сидят и сидят, показывают ему какие-то бумаги, беседуют. Потом они ушли, а он вернулся.

Вечером, часов в семь пришел ко мне. Просил перепечатать сочинскую статью к утру. Я ему никогда не отказываю — мне нравится его почерк и читать интересно.

— Вы мне дадите прочесть эту статью?

— Она уже напечатана в последнем номере. У любого киоскера на прилавке найдете.

— Хорошо.

— Так вот, пришел он, а на самом лица нет. Спрашиваю, что произошло. Молчит и смотрит как-то не так. Словно щенок побитый... На другой день еще хуже. Я к нему с расспросами уже не лезла — сам рассказал...

— Это очень важно. Расскажите.

— Придется... Правда, Сергей предупреждал — молчать. Но... В общем, собрался он лететь в Аршальск к тем двоим. Командировку пробил. Созвонился с Аршальском, заказал гостиницу, все в полном порядке. Как всегда. А утром неожиданно на ковер его вызвали. Главный редактор обычно такими мелочами не занимается, а тут поди ж ты. Командировочное удостоверение самолично прямо в кабинете разорвал и строго-настрого запретил этим делом заниматься.

— Вот так заказал гостиницу...

— Я тоже подумала, что именно из-за этого звонка в Аршальск и расстроилось все. Но одного в толк не возьму: если вопрос с командировкой решался вечером, а отказ последовал рано утром, то выходит главному звонили прямо домой...

— А через кого ребята у вас гостиницы заказывают?

— Обычно через обкомы, горкомы... Мы же считаемся партийным издательством. Так что вот так...

— И он взял краткосрочный отпуск?

— Да. Сказал, что с матерью плохо, надо побыть дома.

— Неужели в редакции не знают, что она умерла семь лет назад?

— Кто мог запретить, тот не знает, а кто знал — те промолчали...

Кирилова покоробили слова Марины. Это не дело использовать давно умершую мать как предлог для каких-то своих целей. Видимо, Марина поняла, о чем думает Юрий Николаевич:

— Он перед отъездом сказал, что другого выхода у него нет...

— Да-а-а...

— Я больше вам ничем помочь не смогу. Все, что знала, рассказала. Наверно, попадет мне от Сергея. Ну, да ладно...

— И все же я хочу попросить вас еще раз — нельзя ли получить его сочинскую статью. Это мне кажется очень важным...

— Статью не найду, — задумчиво произнесла женщина. — Машинописные экземпляры все зарегистрированы, а журналы разбираются быстро. Разве что взять гранки или верстку? Кажется, у меня сохранился экземпляр... Пожалуйста, подождите здесь, я принесу...

4. НЕЗАПЛАНИРОВАННАЯ ВСТРЕЧА

Едва Кирилов отошел от подъезда редакции, как на него на полном ходу налетела женщина в алой шляпке с крупными цветами, приколотыми к груди. Сдобно ткнувшись в него пышной грудью, она не останавливаясь, прямо на ходу рассмеялась, бросив лишь одно слово: «Шестой!»

То ли наступил час всеобщего затишья, то ли горожане благоразумно решили переждать непогоду дома, но пешеходов на улице стало заметно меньше, чем утром. Если утром Кирилов обостренно чувствовал запахи, то теперь, после вопроса Марины — не замечал ли он чего-нибудь странного в последние дни, он весь невольно обратился в слух. И ему сразу же показалось, что за ним следят. Из-за спины, не приближаясь, но и не удаляясь от него, слышался мерный перестук каблуков. Стоило остановиться Кирилову, как шаги за спиной стихали. Он шел дальше — шаги слышались вновь.

Юрий Николаевич остановился у витрины комиссионного и открыл дверь. В магазине почти не было посетителей. Два-три покупателя разглядывали прилавки, где лежали импортные часы, всех цветов радуги румяна и прочая мелочь. Стрелочка «Прием на комиссию» показывала в боковую дверь. Кирилов вошел. За столом, явно скучая, сидел молодой парнишка в синем халатике с фирменным значком и вяло колупался отверткой в шикарном магнитофоне. Кирилов раскрыл портфель и извлек из него злополучный автоответчик. Парень бегло взглянул на него и бросил:

— Устаревшая модель. Порядка сотни.

— Подходит, — торопливо произнес Юрий Николаевич. — Если можно, то оформите побыстрее...

— Побыстрее? — Продавец вытащил ворох бланков. — Сейчас примем, завтра выставим, а уж потом, когда продадут, через две недели получите деньги... Правда... — он пододвинул к себе автоответчик и изучающе посмотрел на Кирилова, — есть и другой вариант...

— Согласен! Сколько?

— Пятьдесят на руки и мы никогда не видели друг друга.

— Семьдесят! — Кирилов двинул прибор ближе к парню.

— Тогда оформление и время... Пятьдесят пять и по рукам.

— Еще пятерку...

— Не толкану я его за столько...

— Ладно, давай деньги. Пятьдесят пять...

— По рукам!

В зале магазина, когда Кирилов вышел из оценочной, все оставалось по-прежнему — разве что появился неопределенного вида и возраста мужчина, приценивающийся к японскому зонтику. Кирилову на мгновенье показалось, что он его где-то уже видел, но где и когда — вспомнить было выше его сил. «Чепуха. Обознался. Мало ли в Москве людей, чем-то похожих один на другого... Чепуха!»

Убедившись, что за ним никто не идет, Кирилов в душе посмеялся над своими опасениями. И у Марины глаза на лбу от страха: мерещится всякое. Поразмышляв на эту тему, стал гадать, какие отношения у Марины с Орловским. К четкому решению так и не пришел, потому что у него засосало под ложечкой. Очень кстати рядом оказалось кафе, и он решительно открыл дверь.

Судя по свежему запаху краски, кафе открылось недавно. В нем было довольно уютно. Кирилов расположился у окна и с аппетитом ел суп, положив на стол перед собой принесенные Мариной гранки статьи Орловского. То ли манера письма была такая, то ли он хорошо знал Сергея, но читая, Кирилов слышал его голос, даже его интонации. Ничего особенно примечательного он из статьи не почерпнул. Подобные материалы обычно называются журналистским расследованием. Из статьи следовало, что передовой рабочий вступил в конфликт с руководством завода, а потом долго восстанавливался на работе, пытаясь найти защиту своих прав в различных инстанциях. И хотя статья, по словам Марины, уже была опубликована в «Пламени», финала в этой истории еще не было. Рабочему так и не удалось восстановиться на прежнем месте, да и начальство не сдало своих позиций. И только журналист решительно принял сторону «рабочего члена общества». Орловский в материале не назвал ни одного из персонажей поименно, ограничился лишь указанием должностей.

Посетителей в кафе было много, но того мужчины, который показался знакомым, нигде не было. «Померещилось», — окончательно решил он, разглядывая соседку по столу, вызывающе красивую женщину. Она, казалось, ни на что, кроме еды, не обращала никакого внимания.

Пообедав, Кирилов подумал, что компот настолько хорош, что не повредит взять еще один стакан. Кассир долго отсчитывал сдачу, и когда Кирилов вернулся к столу, его ожидала неприятная неожиданность: там, где он оставил гранки, стоял недопитый стакан чая. Исчезла и женщина, обедавшая с таким аппетитом. Стремительно бросившись на улицу, Кирилов тотчас налетел в тумане на мужчину в темных очках и с тонким посохом в руках.

— Что же, глаза потерял? — хмыкнул он ртом, полным нездоровых зубов, и неприятно захохотал. Кирилов в ужасе отшатнулся от него и тотчас услышал пронзительный скрип тормозов — у его бедра горела едва различимая сквозь водяную взвесь желтая автомобильная фара.

— Козел, идиот... — крыл его почем зря выскочивший из машины водитель. — Разве не видишь, что делается на улицах. Сидел бы дома, коль вовсе ослеп.

Вдоволь накричавшись, водитель вместе со своей машиной растаял, обдав вконец растерявшегося врача облаком противной бензиновой гари. Голова попросту шла кругом.

Добравшись до ближайшей телефонной будки, Кирилов набрал номер телефона одной из своих пациенток. Эти роды он запомнил навсегда — не так часто в столице рождается тройня. У Кирилова вообще это был единственный случай. Счастливая мамаша на радостях пригласила врача в гости. Ходили они вместе с женой, потом встречались еще несколько раз.

«Надо же, повезло твоей милиционерше, — несколько раз говорила Кирилову жена, — один раз помучилась и сразу трое. А тут, вспомнишь и призадумаешься, попадать ли снова в ваши руки...»

Номер долго не отвечал, и Кирилов уже хотел повесить трубку. Но вот что-то щелкнуло.

— Алло! Можно попросить к телефону Людмилу Сергеевну?

— Я слушаю. А это, вы, доктор. Рада слышать ваш голос! Как Надя, дочка? Потом, так потом... Так, так... Хорошо, встретимся у Пушкина через пятнадцать минут. Что-то произошло серьезное? Хорошо, сейчас приду...

Гарцева была точна. Да и понятно: долгие годы службы на Петровке, капитанский чин. Вообще-то Кирилов считал, что женщинам, будь они в армии или милиции, звания достаются труднее, чем мужчинам. И полагал верным мысленно приравнивать женщину-капитана как минимум к мужчине-подполковнику. А уж если женщина, подобно Гарцевой, работала в уголовном розыске, то планку следовало поднимать еще выше.

— Здравствуйте, милый доктор! — Гарцева была в строгом коричневом платье, поверх которого накинут светлый плащ. — Погода-то какая! Сколько живу, не помню в Москве такого тумана... Бр-р-р-р-... Достает до костей...

— Хорошеете, Людмила Сергеевна. Наверно, сказывается мужское окружение?

— Ха! — она отбросила движением руки темную прядь со лба. — Нашим мужчинам не до нас, все дела, дела... Вы мне не сказали, что у вас произошло...

Они сели на лавочку перед кинотеатром, и Кирилов долго рассказывал все, что с ним произошло за последнее время, делился сомнениями и предположениями. Рассказал и о происшествии в кафе.

— История, конечно, не ординарная, — задумчиво сказала Гарцева, пристально вглядываясь в лицо Юрия Николаевича. — Журналиста вашего я знаю, доводилось как-то читать его статьи. За словом, чувствуется, в карман не лезет, но и о завтрашнем дне не задумывается. Критика — вещь хорошая, но до известного предела. А то вот распутывать завязанные им узлы вынуждены посторонние люди...

— Какой же я посторонний?

— А кто же вы? Юрист? Нет! Специалист по улаживанию острых социальных конфликтов? Тоже нет! Вот нам, бабам несчастным, помогать, кроме вас, некому... Может, этим и стоит заняться, а?

— Может быть вы и правы, — в раздумье медленно произнес Кирилов, теребя в руках берет. — А милиция может этим заняться?

— А, простите, чем? Давайте рассуждать! Человек уехал в отпуск до понедельника. Криминала в принципе никакого нет, если не принимать во внимание обман руководства. Уехал, куда хотел, и проводит время, как заблагорассудится... Спрашивается: он пропал? Его, может быть, убили? Он настолько пострадал, что не может вспомнить, кто он есть и где его дом? Нет, нет и нет! Вот и выходит, что пока хлопоты совершенно напрасны...

— А гранки? Неужели, они могут кому-то понадобиться? Зачем их красть, если статья опубликована в журнале?

— Не знаю, и, наверно, никто вам этого не скажет, кроме человека, который их взял. Но допустите такую мысль: лежат на столе в кафе какие-то бумаги, человека, который их туда положил, уже нет...

— Я отходил к кассе...

— Рядом со столом все же вас не было, Юрий Николаевич. А некто, который вовсе не имеет никакого отношения к этой истории, просто любопытный человек, любящий читать, и все и всякое... Допускаете?

— Пусть будет по-вашему. Но скажите, откуда взялся мужчина, шедший за мной до комиссионного, я точно где-то его видел, только лица не могу припомнить... Я даже допускаю мысль, что виделся с ним не далее как вчера... Стоп! — громко произнес Кирилов и приложил ладонь к разгоряченному лбу. — Вспомнил! Я и не мог узнать его лица, поскольку видел лишь силуэт. Он проторчал весь вечер у подъезда роддома, а стоило выйти студенту, как он постарался исчезнуть из вида и остаться неузнаваемым...

— А может быть, Юрий Николаевич, стоит вернуться домой к жене и дочери, в чем-то повиниться и успокоиться. Поверьте, не мне говорить это вам — врачу, но женское сердце подсказывает: устали, задергались, а тут еще эти звонки...

Кирилов сидел и долго молчал. Гарцева снова пыталась как-то успокоить его.

— Можно тебя попросить об одном одолжении? — Кирилов поднял глаза и пристально, не моргая, посмотрел на нее в упор.

— Я твоя вечная должница, — решила она перейти, как и он, на «ты».

— Если я тебе позвоню в ближайшие два-три дня... — Ему с трудом давались слова, и он в такт словам кивал головой, словно это помогало выразить мысль. — Не откажи в самой простой помощи — это не потребует от тебя нарушать служебный долг. Но у меня одно условие...

— Какое?

— Все это — между нами. И если я попрошу по приезде, ты мне отдашь вот это. — Он протянул ей запечатанный конверт с нарисованным на нем веселым медвежонком. — Нераскрытым. Хорошо?

— Хорошо, но запомни и мой совет — ты лезешь в трудное дело.

— А как же ты уверяла, что мне все мерещится...

— Я обязана это сделать, хотя бы ради своих детей. Ты, Юра, отличный врач — не чета многим другим.

— Что-то на зарплате это не особенно отражается, — невесело усмехнулся Кирилов. — Ты мне лучше скажи — так работают ваши ребята? Да или нет? Мне больше ничего не надо!

Гарцева медленно отвела взгляд от Кирилова и молча что-то разглядывала на противоположной стороне улицы. Она оказалась в трудном положении. С одной стороны, у нее не было морального права врать этому человеку, видя его решимость, а с другой — ее связывали очень многие обязательства по службе.

— Твой рассказ уже давно натолкнул меня на мысль, что возможен и такой вариант. — Она совсем перешла на шепот, но Кирилов слышал отчетливо. — Но смущает, понимаешь, какой-то дилетантский подход... Не исключено, что это делается специально, чтобы ты сделал выводы и не лез в эту историю. По принципу: умный поймет все сам, а дураку не объяснишь.

— Выходит, берут на испуг? Но как вышли на меня?

— А выйти на тебя проще простого. Он же звонил тебе домой, сам говорил, а остальное дело техники. Есть, правда, в этой истории одно «но»...

— Какое «но»? — Кирилов уже не сводил глаз с Гарцевой.

— Запомни, когда дела касаются таких высоких уровней, на которых заказываются гостиницы в Аршальске, тут ни моя служба, ни я сама тебе не помощники. Мне жаль, но я вряд ли соберусь теперь рожать — врача твоей квалификации не так легко найти... Давай сюда конверт!

5. ВСЕ НЕ ТАК ПРОСТО

Стоило самолету набрать высоту — и непроглядный туман остался внизу, а здесь, в небесной вышине светило яркое солнце. Кирилову хотелось посмотреть вниз, но тучная фигура соседа слева не оставляла никаких шансов на успех. Ничего не оставалось делать как, прикрыв веки, попытаться вздремнуть. Однако заснуть не удалось: он привык почти не отдыхать после дежурства. В сетчатом кармашке спинки переднего сидения лежали газеты. Он выбрал наугад ближайшую. Оказалось — «Аршальская правда».

«Что ж, надо изучить место предстоящих действий. Что у них там интересного?»

Газета мало чем отличалась от обычных ежедневных газет любых других районов страны. Материалы о достижениях рыбодобытчиков сменялись репортажами об успехах животноводов, новости арендного подряда сменялись объявлениями и рекламой кооператоров, а четвертая полоса как обычно была заполнена информацией о репертуаре кинотеатров, некрологами и тому подобной мелочью.

Табло давно погасло. Самолет лег на курс, можно было ходить по салону. Извинившись перед суетливой старушкой, которая поминутно поправляла, засовывала под сидение и извлекала оттуда сумки, авоськи и узлы, Юрий Николаевич с трудом выбрался в проход. Несмотря на категорическое предупреждение, из туалета нещадно несло табаком.

«Экие нетерпеливые, — подумал Кирилов, задвигая за собой гармошку двери. — Ведь при желании поймать вас вовсе не сложно. Замкнутый объем, как в романах Агаты Кристи, ограниченный круг действующих лиц и абсолютно жесткие улики. Даже просто проходя по салону, чувствовалось, что сильнее всего табаком разило из двенадцатого и двадцать второго ряда».

Ни мыла, ни полотенца, ни даже простеньких бумажных салфеток, в туалете не было. Кирилов достал носовой платок и принялся со всей тщательностью, присущей врачам и педантам, вытирать руки. В дверь постучали.

— Минуточку! — крикнул через дверь Кирилов, продолжая вытирать руки.

Но в дверь постучали более требовательно.

— Я уже выхожу... — громче крикнул Юрий Николаевич, не понимая, в чем дело. Сквозь рев и гул двигателей послышался поворот ключа в скважине и гармошка двери рывком сложилась, открывая доступ в клозет.

— Почему вы здесь курите? — Голос стюарда был суров и непреклонен. Кирилов глядел на розовощекого накрахмаленного парня, продолжая вытирать руки. Он ради шутки поднял их вверх и сказал шутливо:

— Сдаюсь, не кричите так громко...

— Ваш билет! — еще более сурово произнес молодой человек.

На них уже начали оглядываться, и Кирилов решил проучить парня.

— А у меня его нет, как не было и сигарет. Я чту законы Аэрофлота.

— А где же он? — опешил парень. — Как вы здесь оказались?

На дурацкие вопросы следовало отвечать точно также.

— По-маленькому зашел. Что, нельзя? А билет в портфеле под креслом...

— Вы точно не курили?

— Разрешаю обнюхать... — Пассажиры в соседних креслах начали посмеиваться. Стюард решил быстренько ретироваться, чтобы выйти из неловкого положения, в которое он попал.

ирилов молча сидел и смотрел вперед, он не знал, что от-
ать «шкиперу».

— Никуда меня устраивать не надо. Я не просил. Это жена
а сама предложила. А за поездку, если надо, я заплачу.
жите, сколько? Три, так три! Пять, так пять...

— Обойдусь без твоих сопливых денег, — раздражение в
осе мужчины начало таять, но, похоже, остановиться сра-
он не мог. — Вози вас тут... Ну, скажи, какая мне от тебя
ьза? Никакой. Товару ты мне не достанешь, с материала-
строительными — то же самое... Кто ты есть?

— Человек.

— Это уж я и без тебя догадался — две ноги, две руки и ты-
ка на плечах. Различил...

— Врач я... — неприветливо буркнул Кирилов.

— Врач? — с растяжкой произнес водитель. — А по каким
езням?

— По женским.

— Эх, незадача! — хохотнул Никита и прихлопнул рукой
баранке. — Вот не везет, так не везет... Опять не мне, а ба-
...

— У нее что-нибудь серьезное? Нужна помощь, я могу по-
чь.

— Типун тебе на язык. Все у нее в норме... Ты с проститут-
ми знаком? — Водитель повернулся к Кирилову. — Все ж
женской части врач.

— Нет.

— Придется сейчас познакомиться.

— Зачем?

— Для выполнения приказу...

— В смысле?

— Ты просьбы своей бабы уважаешь?

— Холостой я.

— Твое дело. А я если чего не сделаю, потом пиши пропа-
о — всю плешку сгрызет. Так что, хочешь или нет, а с Гал-
ой тебя познакомлю. Пути наши, хоть и исповедимы, но не
фициальны, зато надежны... Она почище обкомовской брони
удет, номерок в «Двине» сделает. И у меня совесть перед ба-
ой чиста будет.

— Не надо. Я прошу вас не делать этого, — взмолился Ки-
илов. — Я, может быть, сегодня уже уеду назад...

— Ну, ну, интересно посмотреть, как ты это сделаешь,
ишь снег начинает крутить. Да-к и билет надо достать, это
е у вас в Москве. Опять же через Галку... Я ж говорил тебе
про бронь. Не понял, что ли? У нас тут свои законы, паря, не

— Ладно, продолжайте, — буркнул он и хотел вновь закрыть дверь, которую столь бесцеремонным образом открыл.

— Извините, — отстранил его Юрий Николаевич и вышел. — Не могу же я лететь здесь один до Аршальска. Не исключено, что другие тоже захотят воспользоваться услугами, оплаченными в билете. Могу вам дать совет, как поймать курящих: надо врезать в дверь глазок. Представляете, вы сможете узнать, что делают пассажиры в этой комнате...

В салоне засмеялись. Пожилой кавказец, даже в самолете не желавший снять кепку-аэродром, за спиной удалявшегося по проходу Кирилова повернулся к парню:

— Слушай, кацо! Понюхай меня — не пахну табаком? Должен пахнуть, я всю жизнь его выращиваю. Здесь может пахнуть, здесь и вот тут немножко.

И в этот самый момент Кирилов увидел ее! Она сидела в начале второго салона у окна. Он готов был поклясться, что поймал взгляд быстро отвернувшейся женщины. Правда, платье другое и не та прическа, но как бы она ни старалась стать иной, ей это не удалось.

Кирилов сделал вид, что не заметил ту, которая не далее чем пять-шесть часов назад украла у него гранки статьи Орловского. Стараясь не терять ее из виду, он сел в кресло, взял «Аршальскую правду» и сделал вид, что погрузился в чтение.

Одна статья, не замеченная им прежде, и впрямь показалась интересной. Дочитав ее до конца, он принялся читать снова. Некая журналистка, Маринэ Антонян под «нулевку» разделала местную милицию. Ребята в форме и в самом деле натворили немало. Один из оперативников без достаточных обоснований обвинил в грабеже рабочего комбината бытового обслуживания, а его дружок следователь возбудил уголовное дело. Этих негодяев в милицейской форме, как указывалось в статье, уволили из милиции. «А надо бы и судить, — подумал Юрий Николаевич. — Да так, чтобы другим неповадно было — общественным судом».

Посадка оказалась трясучей и долгой. Засунув газету в кармашек сиденья, Кирилов уже не спускал взгляда с женщины у окна, решив не отставать от нее ни на шаг. Время позволяло, так как до встречи с Орловским у гостиницы «Двина» оставалось еще часа четыре. Трап подали быстро, но на выходе Кирилов замешкался, его оттеснили от выхода пассажиры, и та женщина уехала с первым аэродромным автобусом. А Кирилов опоздал не только на этот, но и на тот, что уходил с площади к центру. Пришлось долго ждать такси, поглядывая, как холодный северный ветер несет по мостовой первую поземку и бумажный мусор. Оделся Юрий Николаевич не по здешнему сезону — в плаще было холодновато. То, что он не один оказался в такой ситуации, не могло служить утешением: еще примерно человек десять, в том числе и теплолюбивый грузин в кепке-аэродроме, ежились под ветром.

Постепенно толпа рассасывалась. К остановке лихо подруливали индивидуалы, и, не обращая внимания на милиционера, застывшего у вокзала, уезжали в сторону города. Кирилов, похоже, нисколько не интересовал представителей частного извоза. Без вещей, с одним тощеньким чемоданчиком-дипломатом он воспринимался как типичный безденежный командировочный. А кем он был в самом деле? Довольно скоро он продрог и, заприметив на углу здания вывеску кафе, направился туда. В помещении прямо-таки жаром пылали батареи. На столиках белыми причудливыми цветами распускались в стаканчиках бумажные салфетки, белые скатерти похрустывали от чистоты и свежести. И при всем этом великолепии за столиками не было ни одного посетителя. Лишь за стойкой бара явно скучала средних лет женщина с огненно-рыжей прической.

Взглянув на ценники, Кирилов сразу понял причину безлюдья — кафе кооперативное.

— Кофе! — Кирилов положил на поверхность стойки полтинник. Женщина окинула его изумленным взглядом.

— Приезжий? Из Москвы, наверно?

— Да...

— Тогда все понятно. Мы уж забыли, как он пахнет... Хотите горячего чаю с брусничным вареньем? Ягода местная, поэтому варенье вышло на славу, а чай, извините, у нас не растет, не взыщите, какой есть...

— С брусничным так с брусничным... А что же посетителей нет? Реклама плохая?

— Месяца три как муж все оформил и ремонт сделал. Здесь знаете, что раньше было? Обычный склад. Правда, небольшой. Пассажиры иногда забывали вещи, так здесь их и хранили. Но забывали мало, и склад практически пустовал. — Судя по всему, женщина была рада посетителю: есть с кем перемолвиться словом. — Ремонт обошелся сравнительно дешево. Муж все сам сделал — и мебель, и резьбу... Он раньше на судоремонтном по плотницкой части, а я дома хозяйствовала. Теперь детишки выросли, ухода такого, как раньше, не надо — вот и взяла на себя готовку, да приборку. Вы только не подумайте, что у нас здесь огромный доход...

— Неужели нет?

— Очень скромно. Правда, за ремонт р
зарплату выходит даже меньше, чем раньш
лось. Сам видите, посетителей не густо...

— Варенье сами варили?

— Дочка. Она у меня мастерица...

За спиной Кирилова ухнула входная две
не вошел, а ввалился огромный мужчина с
ми лица настоящего помора и шкиперской
он нес огромных размеров картонный короб,
позвенькивало.

— А вот и Никита! Муж, — коротко поясн

— Очень приятно, — привычно сказал Ки
шись в сторону вошедшего, и кивнул. Тот пр

— Скажите, а как тут у вас с автобусом? -
лов женщину.

— А куда вам ехать? В центр?

— К гостинице «Двина». Она в центре?

Женщина посмотрела на простоватый вид
— В центре-то, в центре, но... — она еще
нула его взглядом. — В нее без брони не устро

— Да у меня в шесть тридцать встреча воз
там найдем, где переночевать...

— Вы не успеете. Автобус в шесть двад
ехать.

— Досадно.

— А вы Никиту попросите подбросить. Он к
ся в хозяйственный магазин, а это в трех шага

— А это удобно?

— Отчего нет...

— Можно! — коротко ответил «шкипер», по
кой. — Садитесь в «Москвич». Минут через пят

Грузовой «Москвич», в котором от всего са
лишь передние два кресла, а сзади перегородка
большой, но емкий открытый кузов, ехал ни ша
Никита долго молчал, попыхивал трубкой.

— Интересное дело, — прервал он неожи
ние, — умеете вы, столичные, втираться к баб
Гляжу вот на тебя: ни кожи, ни рожи, а поди ж т
ружница моя все уши прожжужала — помоги
помоги... А кто ты мне есть? Брат, сват? Разв
жешь? Высадить, нешто, тебя на дороге и выпол
ешь... Навязался, понимаешь, на мою голо
вообще?

2 Зак. 4402 Н. Александров

чета вашим, а с Галкой тебя никто ложиться не заставляет. Да ты, ей богу, и интереса-то для нее не представляешь, у тебя по физиономии сразу видать, ни валюты ни нашенских бумажек... В общем заканчиваем трепаться. Лучше смотри — наш «стрит» начинается...

Окраина города обозначилась небольшими двух-трехэтажными домиками с тяжеловесными балконами. Дома тесно сгрудились у кромки асфальта, словно боялись отойти от освещенной магистрали и пропасть в окружающей мгле. Впереди, сквозь снежное марево начали проступать очертания многоэтажек.

— Площадь Ленина, — продолжал экскурсию «шкипер». — Памятник делал ваш московский и сильно известный скульптор, не помню его фамилии — чудная какая-то... Специально приезжал из Москвы руководить каменотесами, материл их так, что по всему городу разносилось... — В голосе Никиты уже не осталось и тени следа от недавнего раздражения. — Тута у нас обком, исполком, налево милиция, направо прокуратура — основной достопримечательности... — он вдруг заерзал на сиденье. — Глянь, кажись, чегой-то случилось.

— Где? — Кирилов приник лбом к переднему стеклу.

— Вон, на повороте... Вечно здесь к шести пробки да заторы. Самый опасный перекресток — теперь, видать, к гостинице не подобраться...

«Москвич» резко затормозил, а потом на маленькой скорости подтянулся к впереди стоящим и медленно продвигающимся машинам. В том месте, где вереница транспорта объезжала полукругом место происшествия, виднелся ярко-желтый милицейский уазик, а рядом с ним белела «Скорая помощь». Между ними, в пространстве, отгороженном спецмашинами с мигалками, чернела задранным кверху днищем легковушка, около которой суетились врачи.

— Проезжайте, не задерживайтесь! — яростно махал жезлом капитан милиции, одетый уже по-зимнему. — Проезжайте, не задерживайтесь... Правее, правее, правее...

— Привет, Григорич! Что произошло? — закричал гаишнику «шкипер», опустив стекло. — Пострадавшие есть?

— Салют, Никита! — откликнулся капитан. — Пешеходы, понимаешь, язви их в душу... Ходят, как попало... Вон гляди, что с машиной — металлолом! Парнишка, что за рулем, зашибся малость, а с ходилой дела хуже. Уже увезли!

— Мужик?

— Угу. Давай, Никита, вперед! Привет супруге... Загляну как-нито. — Офицер взял под козырек и сразу же с прежней энергией начал покрикивать на едущие сзади машины. — Проезжайте, чего встали! Не задерживайтесь! Правее! Правее... Смелее давай через сплошную! Да давай же вперед, черт!

Машина резко свернула в проулок и почти сразу же затормозила.

— Вот, как раз к шести и приехали. Гостиница «Двина»! — «Шкипер» привычно припарковал автомобиль к ресторанному люку для приема продуктов. — Я тут иногда затариваюсь... Пошли! Галка, как всегда, в фойе.

Со швейцаром Никита чинно раскланялся. В холле в кожаных креслах сидели посетители, ожидавшие мест, лежали чемоданы, баулы, портфели. Очередь к окошку администратора почему-то в большинстве своем состояла из женщин в плюшевых кацавейках и моряков в черных шинелях.

— Приветик! — К «шкиперу» почти сразу же подошла девушка, похожая не десятиклассницу. — Вот за этого пупсика и просит твоя супруга? Нина только что звонила, просила помочь. — Она цепким, оценивающим взглядом смерила Кирилова с ног до головы. Ему враз стало неуютно. — Деловой, но старый, — подвела она итог изучения. — Пусть заполняет карточку, — она протянула Кирилову плотный листок картона. — Уговорила девочек на трое суток сдать один чудесный номерок. Правда, этаж ремонтный, но зато один на этаже. Тишина и спокойствие... Может, и я заскочу на часок — чайку попить... — Она плутовато сощурила глаза на москвича. — Два десять без телевизора плюс пять гонорара на двоих, — она кивнула в сторону стойки, у которой извивалась очередь. — Ну, ладно, пишите пока, я через минутку буду...

— Давай, заполняй! Вишь, как нормально получается... — пробасил Никита, поглядывая вслед девушке. — Ох, бедовая. Глянь, уже капитана второго ранга склеила. Заполняй, заполняй... И пятерочку приготовь двум людям за оформление...

— А ей?

— Она такой суммой мараться не станет, я тебе говорил. Вот ежели «чайку попить зайдет», тогда решай сам. — Он весело засмеялся.

Все оформление прошло без участия Юрия Николаевича. Галина свободно прошла за стойку, весело пощебетала с портье, передала паспорт Кирилова и деньги и вернулась назад уже с квитанциями и ключом.

— Порядок, мальчики! Жить будешь с удобствами, один на этаже. Там до тебя обретался какой-то малохольный, уехал. Цени, милый, «три тройки» отдаю, сверхбронированный номерок... Можно сказать, от себя отрываю. Но ничего, выкручусь. У меня клиенты не любят, когда краской или лаком пахнет... «Три тройки» на следующей неделе начнут ремонтировать — пока время твое, живи!

— Спасибо, Галка! — поблагодарил за Кирилова Никита и, с готовностью прихватив портфель москвича, направился к лестнице.

— Слушай, она же хорошая девка... — уже на лестнице решился на вопрос Кирилов. — Чего себя паскудит?

«Шкипер» негромким голосом объяснил:

— Что ж ей в секретарши идти? Там то же самое, но за сто десять рэ. А дома мать парализованная без инвалидности и пенсии, да сеструха-несмышленыш...

— Она, что, твоя родственница?

— Жили по соседству...

Этаж производил гнетущее впечатление — свет в коридоре горел лишь в самом конце, а по бокам громоздились сваленные в кучу стулья, столы, лежали нестроганные доски. С другой стороны, у входа, большой стопой лежали полосатые матрасы, едва прикрытые отслужившими свой век шторами.

Номер оказался двухместным. Кирилов распрощался с кооператором, от души поблагодарил его и посмотрел на часы. До встречи с Сергеем оставалось совсем немного времени.

Положив плащ прямо на кровать, Юрий Николаевич решил умыться с дороги. На полочке в ванной комнате стояла в стакане зубная щетка, а рядом лежал тюбик зубной пасты. Он был почти полон, во всяком случае им пользовались мало. Впрочем, одежды в шкафу или чемодана в прихожей не видно. Кирилов отбросил одеяло — простыни мятые и несвежие. «Уезжал впопыхах? Видимо, забыл». — Он взял щетку и пасту и, принеся в комнату, положил на подоконник. Ополоснув стакан на полочке, поставил в него свою щетку.

Заперев комнату, он двинулся по коридору к выходу. В вестибюле он снова увидел Галину. Та мельком взглянула и сделала ему игривый знак рукой, мол, привет, все в порядке. Дела у нее шли блестяще — она намертво взяла в оборот бравого моряка.

Выйдя на улицу, Кирилов свернул в проулок и опять увидел прежнюю картину. Люди плотным кольцом обступили крохотный пятачок, где произошло транспортное происшествие, и следили за происходящим. Кирилов не пошел туда, а стал прохаживаться непосредственно перед зданием гостиницы. Обычно сверхточный, Сергей на этот раз запаздывал. Промозглый студеный ветер свирепствовал в небольшом дворике, образованном высоткой «Двины» и примыкавшим вплотную кубиком ресторана. Сквер был пуст и только перед рестораном темнела словно съежившаяся от холода очередь.

«Может быть, он там? — вспомнил Кирилов о дорожном происшествии и направился к перекрестку. Толпа тихонько гудела, подавая время от времени реплики.

— Все же водитель виноват, — авторитетно убеждал собеседника, пожилого мужчину, парнишка в форме ПТУ.

— Кто его знает... — вторил ему интеллигент, стоящий рядом.

— Мой дядя Коля также по ерунде залетел, — не сдавался парень. — Сунулся на зеленый, а у КАМАЗа тормоза отказали и амба... Как жахнет! И в столб... И дядь-Коля тоже от него к столбу... Провода дрысь и оборвались. Так дядю Колю электричеством и шандарахнуло. Три дня потом отлеживался...

— Кто его знает, — снова встрял в разговор интеллигент. — Может, напряжения в них не было.

— Да, не было... — обиделся парень.

— Хорошо, что не триста восемьдесят, а двести двадцать... Оно слабже бьет — по себе знаю, — возразил многоопытный старик.

— Готово, сейчас повезуть болезного, — запричитала закутанная до самых глаз старушка в вислом пальто с драной вылезшей клоками лисой. — Отстрадался, касатик...

— Типун тебе на язык, — рявкнул мужчина в замасленной куртке, похожий на кочегара в золоченых очках. — Чего говоришь-то... Живой ведь парень, а ты его заживо отпеваешь. Вишь что ль, незрячая, как его в машину засовывают... По всем правилам... Ежели труп убирают, разве так кладут?

Бабка неистово закрестила замотанный платком лоб.

— Да-к я рази про то, касатик...

В толпе Орловского не было, и Кирилов вернулся во двор. Безрезультатно проболтавшись на улице еще полчаса, продрогнув, он вернулся в номер. «Незадача. Где же его теперь искать? Прикатил по вызову, нечего сказать...»

Разложив вещи на тумбочке, Юрий Николаевич с наслаждением вытянул уставшее за день тело на кровати. За окном зажигались огни города, быстро наливалось густой синевой вечереющее небо. Спать не хотелось, но и делать было совершенно нечего. Сев на кровати, Кирилов энергично потер рукой грудь — что-то щемило сердце.

«Позвонить что ли в Москву? Вдруг вернулся...» — Пошарив по столу в поисках справочника, он нашел в одном из ящиков затертый посетителями рекламный проспект гостиницы. К совершеннейшему изумлению на полях брошюры он среди всяких каракулей обнаружил написанный аккуратным почерком номер своего домашнего телефона. Более того, рядом с цифрами остро отточенным карандашом стояли две буковки «Ю» и «К», несомненно означающие его инициалы. Все это стало напоминать страницы фантастического романа, где нагромождение случайностей уместно и закономерно, но в жизни... Теперь он совсем по-другому смотрел и на неприбранную кровать, и на замершие на подоконнике зубные принадлежности. Весь мир стал странным и ненадежным. Даже входная дверь, покачивающаяся и похлопывающая от гулявшего по коридору ветра, казалась тоньше бумажного листа, который можно сорвать легким движением руки.

Взяв с подоконника тюбик с зубной пастой, он стал разглядывать ее. Да, именно такую можно было купить в последнее время в любом киоске «Союзпечати» в Москве. А на зубной щетке стояло клеймо столичной фабрики. Стараясь побороть возникший страх, он пытался понять, что же это за номер, в который попал. Почему несвежая постель? Почему забыты вещи? Почему записан не чей-то, а именно его номер телефона?

В постели ничего любопытного не нашлось. За кроватью — пыль и паутина. В шкафу — тоже ничего, кроме полысевшей одежной щетки да пары сломанных вешалок без крючков для подвески. Лишь в тумбочке стояла заляпанная чем-то липким бутылка из-под узбекского портвейна, в ней несколько засохших каменной твердости дохлых мух.

Москва отозвалась длинным звонком, но к телефону в квартире Орловского никто не подходил. Телефон редакционных машинисток тоже молчал — с Мариной поговорить не удалось...

Сидя за столом, Кирилов вдруг почувствовал, что от окна нещадно дует. Странно, форточка закрыта, рамы тоже. И тем не менее сильно сквозило. Поток холодного воздуха шел из левого нижнего угла окна. Отдернув в сторону штору, Кирилов обнаружил, что к стеклу слабо приклеен кусок картона, служивший раньше обложкой книги. Попытка плотнее прижать картон к стеклу не удалась — сильный ветер, дувший с улицы, с легкостью отгибал ненадежное препятствие. Совсем отодрав картон, Кирилов обнаружил за ним странноватое круглое отверстие, от которого мелкими лучиками во все стороны расходились небольшие трещинки. На стальном уголке, что скреплял из середины внешнюю раму, под сколом краски блестела свежая вмятина, а между рамами лежал небольшой сплющенный комочек. Раскрутить четыре винта рамы перочинным ножом было делом несложным. Затолкав в дырку кусок взятой в коридоре пакли, Кирилов с удивлением разглядывал лежащую перед ним на столе в ярких лучах лампы деформированную пулю. Из сплющенной свинцовой оболочки торчал омедненный с круглым передком стальной цилиндрик болванки. Кирилову приходилось изучать оружие и боеприпасы — раз в два-три года проходил стажировку по военной хирургии. Конечно, его дело — медицина, тому его и учили на стажировке, но Кирилова тянуло оружие, и он с интересом постигал военные примудрости. Сомнений быть не могло — эта пуля от пистолета «Макарова». Юрий Николаевич повернулся в сторону двери — на ней никаких отметин не было, ни малейшего намека на отверстие.

«Так, так, так... — в смятении он завалился на кровать, заложил руки за голову и погрузился в размышления. — Телефон записан, раз, зубная щетка, два, пуля, три... А как я оказался в этой комнате? Не слишком ли много совпадений? Он начал припоминать поведение кооператора и его жены, пытался обнаружить что-нибудь настораживающее в Галине, ничего в голову не приходило. Люди, как люди, зацепиться не за что... Выходило так, что поселили его в этот номер случайно. Хотя, нет... Что тогда говорила Галина? Там до тебя обретался какой-то малохольный, уехал? Не Серега ли это? Селился он тоже неофициально — без командировочного удостоверения. Но помогала ему не Галина — она его тогда знала бы лучше и не называла „малохольным". Так, верно. Теперь окончание разговора с Сергеем! Предположим, он сидел за столом и говорил со мной. Услышал стук в запертую дверь, шорох поворачивающегося в скважине ключа и... успел прокричать в трубку: «Кажется, они уже пришли...» То, что я воспринял как треск ломающейся фанеры, это была совсем не фанера...

Кирилов встал с кровати, подошел к двери, повернулся лицом к столу...

«Кабан роста невысокого, но плотного. Помнится, он доставал мне лишь до плеча. Предположим, он сидит за столом и говорит по телефону. Он, ведь, говорил со мной... Нет, так ему не видна дверь, а он должен был за ней наблюдать! Он сидит в полоборота к двери, а еще лучше прямо на столе, держа ноги на стуле, не очень удобно, зато надежно. Ну и что из этого? Он же не мог спрыгнуть с третьего этажа... А если так? Он взял телефон в руку, выпростав шнур на всю длину, и сидел на кровати... Нет, шнура до кровати не хватит. Этот вариант маловероятен. Значит, сидел на столе... Если в номере не горел свет, то, услышав шорох за дверью, вполне можно успеть раскрыть окно... А что дальше?» — Кирилов опять приблизился к окну и выглянул наружу — вдоль всей стены снаружи шел небольшой выступ, которого вполне могло хватить для прохода в соседний номер. — «Так! Рама полуоткрыта. За дверью шорох. Рывок, и человек уже не в комнате, а на улице! А если немного подготовиться и снять с задвижек окно в одном из соседних номеров?» — Кирилов отпер дверь и вышел в коридор. В нем царили тишина и мрак. Двери всех ремонтных номеров были полураспахнуты и изо всех них нещадно несло паркетным лаком. Нашарив в темноте выключатель, Кирилов зажег свет. Через весь пол в триста тридцать четвертом отпечатались отчетливые следы кроссовок: человек шел от окна к двери. У окна следы были смазанные, человек проехал по свежему лаку как по катку, а дальше следы торопливо вели в коридор.

Прямо напротив триста тридцать четвертого номера шел под прямым углом боковой коридор — и здесь виднелись поверх пыли следы тех же кроссовок, рядом — не такие отчетливые другие следы, которые остановились перед огромным завалом обрушившейся мебели. Следы полуботинок были двух размеров — одни крупные, а вторые поменьше, но и те и другие долго топтались перед завалом и дальше не шли.

— Ушел, — с облегчением подумал Юрий Николаевич. — А вот за вещами и одеждой вернуться не удалось. Выходит, ее забрали. А щетку и пасту оставили..."

Кирилов тихонько, буквально на цыпочках, вернулся к себе в номер.

«А все же один промах они допустили! Надо было самым срочным образом развинтить раму и забрать пулю. Да и стекло поменять не так долго. — Он подошел к столу и взял кусочек сплющенного свинца. Да, царапины были совсем свежими, а от плоской, чуть вдавленной пяточки пули еще попахивало кисловатой пороховой гарью. — Странно, что Сережка не звонит в этот номер. Пусть даже здесь меня и не было бы, разве ему не интересно, оставили здесь бандитскую засаду или нет?»

Почему засада казалась именно бандитской, он и сам не знал. Но то, что дело, в которое впутал его Кабан, и впрямь очень серьезное, не вызывало ни малейших сомнений. А еще он понял, почему не звонит Орловский — если он жив и не попал в какую-нибудь еще переделку вроде дорожного происшествия, то боится, что даже по телефонному звонку его могут запросто вычислить и найти. А это, очевидно, в планы Орловского не входило.

6. ПОД ЗНАКОМ НЕСОГЛАСИЯ

«Что они очумели, ремонтировать по ночам!» — Кирилов откинул одеяло, встал и с трудом нашарил на коврике полуботинки.

Стук кулаком в дверь повторился. Стучали настойчиво.

— Кто? — Голос спросонья был глухим.

— Юрий Николаевич, — в голосе женщины слышались извиняющиеся интонации. — Это я, администратор. Будьте добры, откройте, пожалуйста...

— Минуту, сейчас оденусь. — То был предлог, чтобы выиграть время: Кирилов спал в спортивном костюме.

Он стремительно подошел к столу, взял сплющенную пулю и исчез с нею в умывальной комнате. Плеснув в лицо водой, это не принесло ощущения бодрости, но помогло согнать остатки сна, он вернулся к двери. Женщина была не одна. Кирилов явственно различал сдерживаемый шепот — кто-то тихо разговаривал с администратором. Ручные часы показывали четверть пятого... В дверь снова постучали.

— Сейчас! — Кирилов повернул в двери ключ. — Проходите! — Он широко распахнул дверь. За женщиной в комнату уверенно вошли трое мужчин. Двое из них в милицейской форме и не в малых чинах, третий в штатском.

— В чем дело? — Кирилов сел на кровати, жмурясь от яркого света люстры.

— Документы у вас с собой? — севший на стул подполковник долго тер лицо рукой, а потом протянул ее за паспортом Кирилова. Человек в штатском подошел к окну, к тому самому месту, где за куском картона пряталась пробоина в стекле, и отдернул штору.

— Значит, Кирилов? — подполковник смотрел то на фотографию в паспорте, то на Юрия Николаевича. — Значит, из Москвы... — Он придирчиво изучал штамп с пропиской. — Кто по профессии?

Кирилов, еще не отошедший толком ото сна, был немногословен.

— Врач.

— Врач это хорошо, — согласился подполковник, закуривая. — Какими судьбами в нашем городе? Чем собираетесь заниматься?

Его несвоевременные вопросы начинали раздражать Кирилова, но хамить или ляпнуть что-нибудь вроде: «А у вас есть ордер на то, чтобы будить меня ночью?» — он не мог. Более того, где-то подспудно в душе начал шевелиться червячок любопытства — что они будут делать? У него уже не было и тени сомнения, что этот визит каким-то образом связан с Орловским. Он представил себе, что точно так же пришли сутками раньше и к Кабану, но он, в отличие от Кирилова, ждал этой встречи и был готов к ней.

— Чем собираюсь заниматься? — переспросил Кирилов, глядя из-за неплотно сжатых век, как будто бы щурясь от света, на подполковника. — Если вы не возражаете, то спать!

— Умник какой! — подал голос майор. — Ты как в этом номере оказался?

— Минуточку, — остановил майора подполковник. — Разберемся... Значит, вы врач...

— Разве это не написано в моей гостиничной карточке? — в голосе Кирилова появился неприкрытый вызов.

— Написано, написано... — с улыбкой, которая не сулила ничего хорошего, произнес подполковник. У него было лицо пожилого и предельно уставшего человека. Кирилову даже показалось, что душа у офицера не лежала к тому, чем ему сейчас приходилось заниматься. — Но там не обозначена цель вашего приезда. Другие, к примеру, пишут отпуск или командировка, а у вас ничего этого нет...

— И вы решили, что я грабитель-гастролер? Можно я умоюсь? Как-то тяжело ночью соображать...

Подполковник быстро обменялся взглядом с мужчиной в штатском. Тот едва заметно кивнул.

— Ради бога, умывайтесь, — с деланным добродушием предложил подполковник и тотчас сделал знак майору следовать за Кириловым. Но приказывать невысокого росточка офицеру и не требовалось — он хорошо, видимо, знал свое конвойное дело. «А вы и сами люди подневольные, — подумал, умываясь в очередной раз, Кирилов. — За главного-то у вас ходит тот, что в штатском. Кто он?»

Из комнаты доносились приглушенные обрывки разговора. Кирилов пытался прислушаться, но сопровождавший его начал деланно и натужно кашлять. Расслышал Юрий Николаевич лишь самое начало шепота: «Посмотри, там она должна быть...» — говорил подполковник. «Пакля!» — отвечал тот, что в штатском. «Сдвинь карандашом в сторону!» «Режется! Фу, черт! Где она...»

Кирилов долго с наслаждением тер лицо полотенцем, не спеша плеснул в лицо добрую порцию одеколона и уже окончательно проснувшийся, подмигнув рассерженному неизвестно на кого и за что майору, вернулся в комнату.

— К вашим услугам!

— Юрий Николаевич Кирилов, — совершенно официально начал подполковник, — ответьте на несколько вопросов. Как вы оказались в этом номере?

Все смотрели на Кирилова с нескрываемым любопытством, а администратор не могла скрыть откровенного страха — ее выдавало и легкое покусывание губ и побелевший кончик носа.

— Дело в общем-то вовсе не хитрое... — Кирилов удобно сел на кровать. — Перво-наперво обнаружить зелененьких усатеньких, что летают на тарелочках, а они уже развозят по окнам — понравился номер, заселяйся. Мне глянулось здесь, и я улегся... Вопросы есть?

— Э-э-э... — майор покрутил пальцем у виска.

— А если серьезно? — впервые подал голос человек в штатском. Выглядел он моложе своих попутчиков, лет этак на сорок, но серьезности и убедительности ему было не занимать; чувствовалось — этот дважды не спрашивает. — С вами, гражданин Кирилов, не шутки шутят...

— Уже гражданин? — полюбопытствовал Кирилов. — Простите, граждане, а вы, собственно говоря, кто? Ее, к примеру, я знаю, — он указал на нервничавшую администраторшу, — она оформляла меня в гостиницу, а вы-то кто?

— По форме не видно? — вспыхнул майор.

— Форму видно, а вас нет. Что мне отвечать вам, когда неизвестные люди врываются в номер в половине пятого ночи, а, может, мне завтра на операцию идти... А? Что, если у роженицы состояние плохое, а случай трудный? Я что, на вас спишу летальный исход?

— Вас ни под каким видом не должны были селить в этот номер... — попытался вставить слово человек в штатском, но Кирилов, уже решивший идти в наступление, не останавливался.

— А это, извините, граждане милиционеры или кто вы есть, вопрос совсем не мой. Я самым обычным образом приехал, самым обычным образом поселился. — Женщина неотрывно смотрела на Кирилова и с едва заметным облегчением кивала в такт его словам. Никто, кроме Кирилова, видевшего администраторшу в зеркале, на нее не смотрел. — Можете спросить, отстоял ли я очередь? — вдохновенно врал Кирилов. — Отвечу — отстоял! Даже соседей назову: впереди женщина в плюшевой кофте, а за мной капитан второго ранга стоял... Вопросы есть?

— Спокойно! — подводя итог, прервал стоявший у окна мужчина в штатском. — Не кипятитесь... Этот номер был забронирован на трое суток за мной, а спите здесь вы — вот я и был вынужден вызвать товарищей. Сейчас вы заберете вещи, перейдете в другой номер и будем считать инцидент исчерпанным...

— Так? — подполковник гипнотизирующим взглядом смотрел на администратора.

— Да, — в ответе женщины сквозила такая уверенность, что Кирилову стало ясно: этот вопрос не только согласован, но скорее всего и утвержден в какой-то гостиничной инстанции.

— У меня к вам на прощание один вопрос? — обратился подполковник к Кирилову. — Позволите? Пакля в окне ваша работа? Зачем?

— Знаете такой анекдот? Из окна дуло — чикист встал, дуло исчезло...

Услышав это, человек в штатском высоко поднял пышные черные брови, но ничего не сказал.

— Ветерок в вашем городе не чета московским. Холодно было... Нашел в коридоре кусок ветоши и заткнул. Всего и дела-то на две минуты.

— Удовлетворительно! — подполковник миролюбиво кивнул. — Собирайтесь.

— У нас на седьмом этаже... — начала заметно повеселевшая женщина, — есть одна кровать в двухместном... Цена та же, но там есть телевизор. Вам будет удобнее...

— А как быть с этим? — не вытерпел майор и подошел к штатскому.

— Потом застеклят, — вывернулся тот из неудобного положения. Ему не хотелось начинать разговор при постороннем.

«Что ж, искать — это ваша задача... Можете даже перетряхнуть все мои шмотки, — подумал Кирилов, — но что с воза упало, ровно на то и станет кобыле легче...»

Процедура переселения заняла совсем немного времени. В этом номере все давно было готово к приему Кирилова. И полотенце, и постель сияли чистотой и свежестью. В принципе, можно было бы лечь спать, но сон как рукой сняло. Кирилов осторожно прикрыл за собой дверь и вышел в коридор. На третьем этаже он не мог удержаться и не подойти к своему бывшему номеру. Дверь была полуоткрыта и Юрий Николаевич заметил развинченные рамы окна и стоявшую возле нее троицу. Услышав шаги, первым обернулся майор.

— Опять ты?

— Простите, администратор уже ушла? У меня наволочка рваная... — все, что успел моментально придумать Кирилов.

Майор отстранил Кирилова от двери и прикрыл ее за своей спиной.

— Я тебя вижу в последний раз, понял? Все! А ее ищи внизу...

Подойдя к стойке, Кирилов приветливо улыбнулся — женщина смущенно ответила.

— Спасибо вам, что Галку не выдали... — заговорщицким шепотом произнесла она. — А то бы такая кутерьма началась... Эти из милиции что... Я их знаю, с ними можно договориться, а с этим черта с два...

— Чекист?

— Что вы? — испуганно посмотрела женщина. — Только не говорите никому, что я вам сказала: обкомовский он... Не знаю только, каким постом заведует... Горяченького хотите попить? А то подняли вас ни свет, ни заря...

— А можно?

— Сейчас организуем...

Она исчезла в маленькой комнате, позвенела там стаканами и очень быстро, гораздо раньше, чем мог ожидать Кирилов, принесла чашку кофе и сахар на блюдечке.

— Кофе растворимый. Муж из Москвы привез... Прямо из термоса только сейчас налила. Пейте на удовольствие.

— Вас как звать-величать? — спросил Кирилов.

— Марина Дмитриевна. Можно просто Марина — мы с вами одногодки.

— Изучили мою биографию? — он кивнул в сторону ящичка с картотекой.

— Положено... — скромно ответила она, чуть-чуть улыбаясь.

— Марина, а чего они ищут в этом номере? Может, знаете?

— Ой, не говорите. Хлопот с этим номером — полный рот. Каждый день теперь душу мотать будут. Вот уж с неделю как продолжается. Мы с девчонками думали, что все уже кончилось, ан нет. А так разве стали бы вас засовывать в такое помещение. Но, честное слово, вчера не было ни одного места, сами видели — работники флота вчера понаехали... Учеба у них какая — не скажу, но народу страсть. И у колхозников какое-то мероприятие...

— А мой новый номер?

— И он был занят, но вчера срочно грузин один выехал — он на рынке нашем завсегдатай. Так в половине десятого к нему приходили какие-то гости, не гости, не скажу... Но пулей вылетел...

— А вторая койка?

— Так он за обе заплатил. А уж второй-то постоялец после грузина сразу же въехал...

— Прямо из очереди?

— Нет. Что вы... — она перешла на шепот. — Директор позвонил... Наш Филатов, Игорь Матвеевич. Вот он и вселился...

— Значит, сложности у вас с триста тридцать третьим... — осторожно попытался вернуть разговор в нужное ему русло Кирилов. — Надо на ремонт его закрывать, и баста...

— Так мы так и хотели, да предыдущий постоялец все тянул с отъездом. — Она достала из картотеки карточку и близоруко поднесла ее к глазам ("Очки не носит, чтобы казаться моложе", — подумал Кирилов). — А потом так быстро выехал, что даже не заплатил за междугородний телефон, придется теперь высылать счет по домашнему адресу.

«Он, — подумал Кирилов, — точно он! Сережка! И неоплаченный разговор, это разговор со мной».

— У него даже карточку выписывали... Все-все, подробнење-преподробненько... — она кивком показала в сторону третьего этажа. — А еще, позавчера, кажется, — ее шепот стал едва слышен, — они в номер ходили... Понимаете? Ну... А он случайно пришел. А ключа-то и нет у портье... Представляете? Валя и нашлась — у вас там, говорит, сейчас идет уборка. А какая уборка может быть вечером... Но обошлось — пока он вверх пешком, они вниз на лифте.

— Эти же самые были?

— Что вы, совсем другие... Но я в лицо всех знаю — городто не так велик. Эти большие начальники. Не районные, подымай выше. Но это, Юрий Николаевич, между нами — они предупреждали: подписку, говорят, брать не будем, но молчи. Вы уж не выдавайте меня, дуру. Человек вы, сразу видно, хороший, и нам глупым бабам здорово помогаете. Из мужиков только вы, гинекологи, и понимаете нашу тяжелую долю — вот я перед вами и исповедоваюсь, как перед врачом.

— Могила! — Кирилов приложил палец к губам. — А откуда про врача-то? А? В карточке не писал...

Женщина быстро огляделась по сторонам:

— Так они про меж себя все про гинеколога говорили, вот я и подумала...

— Правильно подумали... — улыбнулся Кирилов. Он не спешил прерывать поток ее красноречия. — А почему тот, кто был до меня, так быстро исчез... За номер, да за телефон платить — святое дело!

— Так он от них вчерась утек! Молодец парень... В окошко, говорят, по приступочке и в соседнюю комнату, а потом в коридоре грохнул мебелью и ушел невредимым.

— А чего ему вредимым-то быть?

— Так, говорят, стрельнули в него... Ой! — она зажала ладонью рот.

— И про это не велели говорить?

Женщина, продолжая зажимать рот, кивнула.

— А кто говорил? Или вы не по сменам работаете?

— По сменам. А говорил Ванюшка Фролов. Рабочий наш. Он вчера паркет циклевал на третьем. Как... Ну, вы понимаете меня, как шум этот самый раздался, так он в коридор и выглянул — его никто и не заметил. А этот хорошо, что сбежал, а то писанины бы развели — страсть. Ну, бы как попали, а... У нас года три тому назад помер один от сердца, так столько пришлось бумаги измарать — объяснения, протоколы и еще море бумаг. Чего тут, помер и помер... Так тот старенький был, а этот молодой...

— Можно его карточку посмотреть? — Кирилов неуверенно протянул руку. — Женщина с сомнением глядела на него, но все же разрешила.

Да, это была карточка Орловского, заполненная его собственной рукой. Приехал он в понедельник, а отъезд планировал в воскресенье... Кроме адреса, данных паспорта и номера телефона, значилось лишь место работы — однако не редакция «Пламени», а адвокатура. О командировке же в специально отведенной графе ничего не значилось...

— Давайте, я уберу... — женщина мягким движением пальцев аккуратно взяла листок белого картона и убрала в ящичек. — Между нами говоря, парнишка он, судя по всему, не плохой, женщин не водил, в пьянках не участвовал, раза два к нему приходили, но это хорошие люди.

— А кто такие? — встрепенулся Кирилов, и женщина, почувствовав его интерес, сразу же осеклась.

Она посмотрела на часы, зевнула:

— Ух, и заболтались же мы с вами, надо хоть немного вздремнуть.

Кирилов не сдавался и, подойдя близко к женщине, сказал:

— Для меня это очень важно, Марина. Кто к нему приходил? Убедительно вас прошу!

— Вы что? Тоже из органов?

— Я врач.

— Зачем тогда это?

— Надо, дорогуша, надо? Кто они? — Он приблизился вплотную и положил руку на стол, всем своим видом показывая, что не уйдет с этого места, пока не получит ответа.

— Между нами? — она начала сдаваться.

— Да.

— Одного зовут Евсеевым, а фамилия второго Джинян. Их у нас тут все знают — люди популярные, в газету попали...

— Евсеев и Джинян? — повторил вслух Кирилов, смутно начиная припоминать статью, прочитанную в самолете. — Милиционеры уволенные?

— Вы и это знаете... Тогда, о чем я могу вам еще рассказать? Вы и так в курсе. Идите спать! — Она секунду молча смотрела на него и вдруг спросила: — Вы на меня жаловаться не будете? Поверьте, нашей вины здесь нет.

— Жалоба — это знак крайнего несогласия в случае, когда сам обиженный собственными силами справиться не может. А мы с вами люди сильные — не так ли? И справимся со своими бедами сами? Я очень рад, что вы меня понимаете...

7. ПЕТЛЯ ДЛЯ ТРОИХ

Даже поздним утром, при свете ярких солнечных лучей, третий этаж производил почему-то гнетущее впечатление. Дверь триста тридцать третьего номера была раскрыта, оттуда доносился шум.

— Можно с вами поговорить? — стараясь перекричать рев циклевочной машины, прокричал Кирилов молодому парнишке в кепочке с козырьком. Весь в белой пыли паренек выключил агрегат и повернулся к вошедшему.

— Ась? Говорил нечто чего?

— Я вчера жил здесь. Разрешите забрать зубную пасту?

— Чего спрашивать, бери, коль твое. — И он снова включил машину, продолжая кругами продвигать ее от центра к стенам. Кирилов аккуратно, стараясь не наступать на свежеоструганные места, прошел к окну и взял так и лежавшие там щетку и пасту Орловского.

— А черт, руки испачкал... — громко сказал он, показывая раздавленный тюбик.

— Испачкался — помой! — однозначно отреагировал парень, перекрикивая шум.

Воспользовавшись «советом», Кирилов прошел в умывальник и несколькими быстрыми движениями отвернул крышку сливного сифона под раковиной. Из грязноватой полусферы крышки на ладонь выпала сплющенная пуля. Вернуть крышку на место и ополоснуть руки было делом одной минуты.

Завершив всю эту операцию, он вдруг обнаружил, что машина сама по себе ровно и без надрыва гудит в комнате, а рабочий, высунувшись на полкорпуса из двери, внимательно следит за ним. В его взгляде чувствовалось недоверие.

— Чего это ты?

— Руки мыл — кольцо соскочило.

— А как это тебя так шустро выселили — вчера тебя еще не было, а сегодня уже?

— На ремонт решили закрыть...

— И без лягавки здесь не могли обойтись? — Он двинул ногой, и по полу покатилась пуговка с гербом, видимо, оторвавшаяся у ночных посетителей. — А, может, ты и сам оттуда? Ходишь, чего-то вынюхиваешь. Продыху от вас нет. — Его голос стал громким. — Так и запишите в своих поганеньких протоколах — Иван Петрович Фролов, десантник афганских событий восемьдесят пять тире восемьдесят семь плюет на вас. Что, обрадовались? Парнишку, что жил здесь, допреследовали... Ха-ха! Нашли злодея... Человек всюду бывал, изъездил широку нашу страну родную, рассказывает как интересно, а вы, служки закона, за ним с пистолетом. Не надо быть ученым — мне и так все понятно! Преступники вы! Если хотите знать, я его уважаю — так и запишите. А вас, которые лижут седалища исполкомовским, — терпеть не могу...

Неизвестно откуда, в его руке оказалась небольшая, но увесистая монтировка и он медленно, все убыстряя шаг, пошел на Кирилова. Юрий Николаевич опешил — он не готов был к такому обороту дела и счел необходимым ретироваться в сторону коридора.

— Но, но, парень, ты это... не очень!

«Вот бешеный какой, — подумал он про рабочего, с сильным хлопком закрывшего дверь перед его носом. — Конечно, он кое-что знает про Орловского, но толку от него не добьешься. Ясно одно — Сергей говорил с ним и рассказывал о своих журналистских странствиях».

На улицу Кирилов вышел разгоряченным и долго не мог сообразить, на какой номер автобуса ему сесть, чтобы добраться до аэропорта. Ему не к кому было обратиться в этом городе, кроме одного человека, да и его он знал меньше суток.

— Привет, Никита! Как бизнес?

Кооператор сегодня сам стоял за стойкой, но народу было всего — ничего. Две стюардессы, да какой-то нестриженный парень в круглых золотистого цвета очках, похожий на Паганеля.

— А, москвич! Чаю хочешь?

— И пообедать не откажусь. Чем сегодня кормишь?

— А это тайна. Съешь — узнаешь... Как ночевал?

— С приключениями... Потом как-нибудь расскажу. Я к тебе не просто так приехал, а с просьбой.

— Излагай. — «Шкипер» раскурил трубку и пустил красивое колечко дыма в потолок.

— Нужно найти героев вот этого очерка. — Он положил на стол номер «Аршальской правды» со статьей Маринэ Антонян.

— Ты думаешь, я всех в городе знаю? — еще не глядя на газету и вытирая руки тряпкой, спросил «шкипер». — Хотя, кажется, одного из них знаю. Когда ты мне махнул перед носом газетой, думал отправить в редакцию — там точно все можно выяснить...

— Боюсь, вряд ли мне это подойдет. Газета обкомовская, сегодня у меня ночью был незваный гость из этой организации. А кого ты знаешь — Джиняна или Евсеева?

— Сашку знаю. В последнее время о них писали раза три, даже больше, чем о местном премьере... Льют на них грязь, а за что не разобрать. Кто прав, кто виноват — судить не берусь. Но про Сашку Евсеева ручаюсь головой — нормальный парень. Слушай, а зачем тебе все это?

— Если скажу, что просто так, не поверишь?

— Нет.

— И правильно сделаешь. Не пытай — не скажу, потому что и сам не знаю, что тебе ответить... Да, собственно говоря, не они мне и нужны. Но тот, кто мне нужен, приехал в Аршальск по их просьбе...

— И пропал?

— Да.

— А ты не боишься однажды проснуться в комнате с окном и решеткой? С Евсеевым, может, и не попадешь — я его знаю, а про второго ничего не скажу. Ну, а как все это ловко подстроенная провокация. Ты представляешь себе всю игру и кто обладает козырями?

— Пока еще нет.

— Да куда же ты тогда суешься... Сравни, они, — он посмотрел на потолок, — и мы, — прах, растереть и сплюнуть. Я тебе в этом деле не помощник.

— Тогда извини...

— А ты не спеши уходить. Пройди-ка вот в эту комнату, — он открыл боковую дверь и пригласил на кухню, где стояло несколько плит. — Похлебай пока супчику, а я через несколько минут зайду и перетолкуем — кое-что расскажу.

Из зала долетел голос Никитиной жены, а сам он вскоре пришел к Кирилову.

— Сдал вахту... Пусть постоит малость. Так, слушай. Сашка Евсеев работал в следствии — это не секрет, в газете прописано. Второй, как ты его назвал?

— Джинян.

— Армянин?

— Наверно.

— Второй тоже откуда-то оттуда. Но, повторяю, я его не знаю. Там ситуация такая возникла, что весь город про то говорил — я из молвы и узнал все, а в газете лобуда настоящая, ей и не верит у нас никто. Так вот, как-то вечером в одну нашу кафешку, что в народе называют забегаловка, пришел мужичок. Портвешку приволок, сидит, никому не мешает... Подсаживаются к нему двое — вроде, знакомые. Слово за слово, уговорили один пузырек. А вторую бутылку мужик выставлять не захотел — так эти двое у него силой ее забрали, да в придачу и шапчонку; цена-то ей, тьфу полкопейки, такая она драная, но не погнушались... И бегом на улицу. Ушли в общем! Мужику обидно стало — угощал, а они обворовали. А тут сержант, как на счастье... А может, как назло... Трудно судить, вишь какой поворот вышел. Постовой сообщил, как говорят, дежурному приметы — тот в розыск. А покуда они так суетились да информацию передавали — знаешь как отличиться иногда охота, дел на копейку, а оформить можно на грабеж, так оно по сути дела и есть — постовой довел обобранного в дежурку, а там его как облупленного знают. Весь город его «дядь Мишей-пожарным» величает. Нет, в команде он не работал, а тещу свою в шестидесятом, что ли, подпалил из-за вредности характера и для общественной пользы. Ух, и вреднющая же в самом деле была старуха — сил нет! Спрашивает дежурный «дядь Мишу»: «С кем пил-то хоть, помнишь?» Отвечает: «А как же не помнить? С Колькой-часовщиком! А хвамилия его Ротасов...» Ага! А второй кто? Второго «дядь Миша» не знал... Ладно. Дежурный картотеку поднял и через тридцать минут все знал. Кто из милиции на квартиру к Ротасову ездил, об этом не говорили, и

Сашка не сказывал, а только нашли у него эту бутылку портвейна, да и с женой у них разница в показаниях обнаружилась — она говорит, поздно вернулся, а он — давно сижу дома, телевизор смотрю, а сам к тому же выпимши... Ну, через некоторое время и второго нашли. Тоже хорошо известная личность оказалась — дважды судимый.

— А шапка?

— У него и нашли.

— А потом что?

— В милиции что-то не сработало; этих отпустили, а милиционеров, что это дело вели, повыгоняли. Вот какая история. Вишь, произошло у них очищение органов... А самое смешное, что Сашку Евсеева убрали под этим же предлогом, но я-то точно знаю — в отпуске он был в это время. Истинный крест! Вот, чувствую, не из этой ли «увольнительной» компании и второй этот, армянин.

— Похоже, эта не та история. Может, еще какая есть, связанная с обкомом? Иначе какой им интерес в эту пьюную компанию ввязываться. Мелочевка!

— Мелочевка говоришь? Эта история как раз с обкомом напрямки и связана.

— Каким образом? Не понимаю.

— Часовщик, который Ротасов, член райкома и заслуженный пролетарий... Вот она где, загвоздка. Да ты ешь, ешь... А то заслушался. Горяченького подлить? Ну, как хочешь... Думаешь, твое дело с этим связано?

— Похоже на то...

— Свой интерес не скажешь? Может, чего посоветую.

— Посоветуй, как найти Евсеева.

— А сейчас позвоним ему домой и встретишься.

Место встречи, назначенное Евсеевым, оказалось по меньшей мере странным. Юрий Николаевич опять возвращался на автобусе до «Двины», а потом долго пробирался к берегу реки какими-то переулками, ориентируясь на позеленевший купол церкви. Улочки, насквозь продуваемые стылым ветром, зажатые с обеих сторон сараями и складами, грозили привести в семнадцатый век, но вывели точно на берег Двины. В чахлых кустах стояли припорошенные снежной крупой лавочки. На снегу не было ни одного следа — он пришел первым. Кирилов подошел к лавочке, стоявшей спиной к реке, и начал сгребать ладонью снег.

— О вас говорил Никита? — Рядом с Кириловым стоял молодой человек лет тридцати, одетый, как и Кирилов, явно не по сезону: болоньевая курточка едва прикрывала поясницу.

Подошедший зябко прятал лицо в единственную теплую вещь — толстый мохеровый шарф, а руки глубоко упрятал в карманы.

— Ваша фамилия Евсеев? Александр?

— Нет. Саша обещал подъехать позже, а меня просил встретить вас. Моя фамилия Джинян. — Поймав недоверчивый взгляд Кирилова, он решил добавить: — Вас смущают мои светлые волосы? Армянин и вдруг блондин... Для меня самого это загадка генетики. Я думаю, нет смысла болтаться на улице, если не возражаете, пройдемте туда. — Он повернулся в сторону церкви и показал на купола. — Там удобнее говорить. Наверное, у вас немало вопросов...

В церкви шла реставрация. Побеленные стены и сводчатые потолки гулко откликались на каждый шаг. Здесь было тепло и сухо — мощные софиты, направленные на стены, сушили штукатурку.

— Первая половина девятнадцатого века, — решил провести небольшую экскурсию Джинян. — Закрыта в двадцать четвертом. Использовалась как соляной склад. Молодежь города решила отремонтировать и сделать выставочно-концертный зал. Ну, вот мы и делаем...

— Понятно. Вы, видимо, строитель? Или художник?

— Не то и не другое... Юрист я. Работал в милиции. Последняя должность — старший опер уголовного... — Джинян протянул покрасневшие от холода пальцы к лампе и на лице его появилась гримаса боли. — Никита сказал, что вас интересует история с Ротасовым... Я должен сказать прямо, имею к нему самое непосредственное отношение — я его брал и проводил обыск. Вы уже в курсе? Никита говорил про это?

— В самых общих чертах... Но я еще не могу с достаточной уверенностью сказать, что меня интересует именно эта проблема. Скорее другое... Разрешите быть с вами полностью откровенным?

— А иначе не было смысла встречаться...

— Вам знакома фамилия Орловский?

— Да. Это журналист из «Пламени», к которому мы приезжали в Москву... А почему он вас интересует? — Джинян бросил испытующий взгляд на собеседника. — Многие в нашем городе сейчас хотят знать, где он, но...

— Что «но»?

— Я вас вижу первый раз в жизни, документов не спрашивал... Зачем он вам?

Кирилов извлек из бумажника старую фотографию. Края ее обтрепались, глянец заметно потускнел. Сквозь желтизну проглядывался кусочек самого обыкновенного школьного класса. Две-три парты, а за той, что находилась в центре, корчили в объектив рожицы два подростка. Белобрысый мальчишка в клетчатой рубашке, откинувшись на спинку скамьи, выставил за головой приятеля два пальца, образовавшие рожки. Другой мальчишка выкатывал из орбит глаза и показывал фотографу-любителю язык.

— Это единственное доказательство — других у меня нет...

Джинян поднес фотографию близко к глазам и долго ее рассматривал.

— Убедили, — наконец произнес он. — Вы с Сергеем здесь классе в шестом?

— Перед экзаменами, в восьмом. Видите, в окне черемуха цветет?

— Ладно. У меня, к сожалению, школьных снимков нет... — Он вытянул отогревшимися пальцами сигарету и, закурив, пустил облачко дыма к потолку. Кирилов следил взглядом, как легкое облачко медленно поднималось к куполу.

— К Орловскому мы приезжали в Москву и договорились, что для проверки правильности всех наших дел он приедет в Аршальск. Он долго не приезжал. Мы ему позвонили — он рассказал про историю с заказом гостиницы и обещал приехать, взяв краткосрочный отпуск. О том, что он здесь, мы узнали в первый же день. Встретились у гостиницы, а потом долго беседовали у него в номере...

— В триста тридцать третьем?

— Точно. Передав ему все документы, которые он просил подготовить, договорились о встрече через три дня. Он за это время должен был, насколько мне известно, побывать в прокуратуре, суде, обкоме и милиции. По имеющимся у нас с Евсеевым данным, он побывал везде, кроме милиции... На очередную встречу не явился... Телефон в номере молчал. Где он и что с ним — неизвестно. Мы по своим каналам — все же у нас остались друзья и после увольнения — пытались навести справки. Но — это неожиданность и для нас с Александром, он как в воду канул.

— Мда-а-а-а... — только и смог произнести Кирилов, садясь на большой дощатый ящик, стоявший в углу.

— Противодействие сильное. Здесь в Аршальске живут по принципу — мусор из избы не выносить. А он, не без нашей помощи, замахнулся на самого Анарина.

— Кто это?

— Милицейский генерал. У него в досье аналогичные увольнения сотрудников по прежнему месту службы. Об этом даже в милицейском журнале писали лет восемь назад. Тогда у него это не прошло... Восстановили сотрудников...

— А зачем ему прокуратура с судом понадобились?

— Зачем? — невесело усмехнулся Джинян. — Мы туда неоднократно обращались с заявлениями о восстановлении нас по месту службы, но... Как видите — строим церкви вместо того, чтобы ловить преступников.

— А за что вас уволили? За часовщика?

— Если бы... Мне много чего вклеили: спекуляцию автомашинами, нарушение режима секретности, создание подслушивающего устройства, незаконное фотографирование... И главное — прокуратура отмела все эти обвинения, а милиция не восстанавливает.

— В Москву, в Министерство внутренних дел обращаться не пробовали?

— Выше дошли. До приемной Президиума Верховного Совета...

— Ну, и что?

— Все возвращается назад к тому же самому генералу, что нас уволил... Он, как я понимаю, не сам инициатор всей этой катавасии. Она ему ни к черту не нужна...

— Кто же тогда заинтересован?

— Чьи интересы задел арест Ротасова? Обкома партии! Вот здесь и есть корень всего зла. Подозреваю, что именно оттуда и исходила инициатива позвонить редактору «Пламени» и не допускать журналиста.

— Не перебарщиваете?

— Недобарщиваю! Давайте рассмотрим, кто есть кто? Заведующий административными органами обкома — бывший прокурор. Анарин — человек пришлый, поставленный Москвой еще при бывшем министре. От него не избавиться, но можно обратить в свою веру.

— Как это — «обратить»?

— Замазать на чем-нибудь. Например, на рыбных делах. У нас Двина — речка рыбная... Браконьеров много, но большинство из них высокопоставленные. Да и сам генерал до рыбки, ох, как охоч! Рыбозавод коптит день и ночь, а в магазинах пусто. Тут уже и ОБХСС имеет поле для деятельности. Но... — он с досадой махнул рукой. — В общем, у этих ребят тоже хватает обездоленных. Сразу, как говорят, не отходя от кассы, человек семь могу насчитать. Но это к нашему разговору уже не имеет отношения. Так, небольшой экскурс в историю.

— А Евсеева за что?

— Сашку? Смеяться будете — он вообще к этой истории отношения не имеет. Ни к Ротасову, ни к допросам... Он в отпуске в тот момент был, а когда вернулся, узнал, что меня увольняют и решил заступиться. Вот и его — по ушам да на улицу...

— А основания? Просто так и на улицу — это знаете ли...

— Есть основания. Он женщину убил и спустил в полынью...

— Как убил? — опешил, уже ничего не понимающий Кирилов.

— По документам, по показаниям свидетелей... Кто она, где жила — информации ноль... Хотите скажу, кто это видел? Смеяться будете... Сотрудники областного управления внутренних дел — майор и подполковник. И самое интересное: видели это и молчали до тех пор, пока не потребовалось вывести Евсеева на чистую воду, а по сути дела, насобирать компры. А времени с якобы произошедшего убийства прошло немало — месяцев семь или восемь. Это обвинение отмели уже в Москве, в республиканской прокуратуре.

— Тогда вы должны работать, а не красить церкви!

— Оказалось, что понятие презумпции невиновности на сотрудников милиции распространения не имеет... Впрочем, еще и на членов партии, кажется.

— В смысле?

— Когда возбуждается уголовное дело, когда еще и не пахнет доказательствами, партия уже торопится исключить коммуниста. А вдруг он невиновен? Преступником объявляет лишь суд... Разве это не так?

— Вы обращались в суд?

— Да, но по другому поводу. Нас возмутила статья в местной прессе.

— Антонян?

Джинян поправил шарф и стал похож на большого нахохлившегося воробья.

— Она самая. Вот кого полностью допустили ко всем материалам по Ротасову. — Он сел на верстак, усыпанный ворохом ароматных смолистых стружек. — Да, забыл сказать про одну интересную особенность в деле. После того, как генерал самолично отобрал у меня оружие и упек в камеру к тем, кого я задержал сутками раньше, из нее в тот же момент забрали приятеля Ротасова, который содрал с пьянчужки шапку. Он, кстати сказать, дважды судимый за грабеж, а его... выпустили. Даже не под подписку, а просто так...

— Зачем?

— А он на Ротасова давал показания. Говорил, что именно с ним был в тот вечер. Его как выпустили, так он и задал стрекоча. Нет человека — нет и обвинений. Взяли мужичка через шесть месяцев в Ярославле на аналогичном деле, этапировали к нам и вновь только дали подписку. Но она для него, тьфу! Опять в бегах... Но я хотел рассказать про Антонян. Это редкий случай, когда не работает национальный фактор. Она армянка, я армянин. Чего нам делить? Но это хитрая задумка. Ох, хитрая! Но объяснение будет прозаическим, не тешьте себя иллюзиями. Два года назад я вместе с московскими ребятами из уголовки брал ее мужа. Много чего за ним числилось — дали пять лет строгого режима. Она, естественно, чтобы не портить своей журналистской карьеры, с ним развелась, а со мной, единственным из местных, ждала случая, чтобы свести счеты. Вот он и представился...

— Там, в статье, все ложь?

— Нет, но подтасовка умелая. И интерес ясен...

Двери храма, окованные толстым железом, пронзительно заскрипели и под своды церкви вошел невысокого роста мужчина в добротном пальто и пыжиковой шапке. Сняв головной убор, он молча ответил на рукопожатие, аккуратно повесил пальто на винт стойки лампы и тщательно обеими руками принялся оглаживать редкие волосы, сквозь которые просвечивала ранняя лысина.

— Простите за опоздание, — приветливо приговаривал он, все время улыбаясь. — Детишки, знаете ли... Алешка ни в какую не хотел есть. Беда прямо с ним... — Он скорым шажком пробежался по каменным плитам пола, каждый шаг откликался цоканьем подковок на сводах купола. — Ты уже посвятил товарища в наши беды? Ну, вот и хорошо, вот и умничка... — Он уставился кротким взглядом на Кирилова, потирая красные от холода пухленькие ручки. — Вот, стало быть, так и живем в наших перифериях!

— Да, уж живете! Можно подводить первые неутешительные итоги...

— Рановато, дорогой мой, рановато... — Евсеев улыбнулся и полез в карман пиджака. — Что скажете про это? Извините, но хотелось бы понять... — Он шлепком бросил на верстак стиснутые помятые листочки.

Кирилову не требовалось даже их разворачивать — это были гранки той самой похищенной статьи.

— Это, извините, неопровержимый факт... Собираете досье на Орловского? Не на таких напали...

— Александр! Не кипятись... У него фотография. Покажите! — Джинян повернулся к Кирилову. — Ну...

Кирилов подчинился, но на Евсеева это не произвело ровно никакого впечатления.

— В моей практике, дорогуша, был случай, когда я предъявлял обвинения своему школьному товарищу. Он знаешь, что на прощание мне сказал? Выйду — убью!.. Так-то... А ты от фотографии размяк. Статеечка побывала в ваших руках — вы о ней молчком, как будто ничего не знаете. Нам все известно, не отпирайтесь — в «Пламени» вы побывали, а после вас туда нагрянули из нашего областного УВД и вот, пожалуйста...

Он положил перед Кириловым бланк телеграммы.

«Аршальск. Гостиница „Двина". Орловскому С.Н. Указанием главного редактора краткосрочный отпуск аннулируется. Вам надлежит срочно прибыть на работу. Ответственный секретарь Лосев».

— Сработано классно! — только и нашел, что сказать Кирилов. Он не верил своим глазам — о том, что Кабан в Аршальске, в редакции не знал ни один человек, кроме Марины-машинистки. Конечно же, она не могла выдать человека, к которому испытывала нечто большее, чем простую симпатию. Но ходоки из аршальской милиции в «Пламени» — это, действительно, перебор...

— Вы нас простите, уважаемый, но на вопросы отвечать не буду и говорить с вами не хочу. Как говорят в Италии, аревидерчи! Прощевайте, по-нашему, значит!

Кирилов молча встал, плотно на все пуговицы застегнул плащ и лишь у храмовых ворот, запищавших под его рукой несмазанными петлями, обернулся:

— Ваше право, но учтите, что этим вы затягиваете петлю не на моей шее, а на своих, да еще на его... — Колючий ветер ударил в лицо, пытаясь опрокинуть Кирилова, смять, уничтожить.

В номере Кирилов сел в кресло, закрыл глаза и начал размышлять над происшедшим. Больше всего его занимал вопрос — как гранки сочинской статьи попали к Евсееву. Вывод был единственный — их передала ему та красотка, что летела с Кириловым в самолете. Значит, ее подослали они? А смысл? Следить за ним, Кириловым? Чушь! Они и не знали о его существовании до звонка Никиты. Правда, во всей этой истории чуши и без того хватает... Ходоки бегут в «Пламя», чтобы настучать на журналиста, все же сумевшего пробраться в Аршальск, главный редактор, похоже, поддавшись эмоциям, шарахнул телеграмму, которая не имеет юридической силы... Хотя повод... Повод-то у Кабана вымышленный — должен быть в Москве, а он здесь, в Аршальске... Орловский влез в это дело с головой, но они его не трогали до тех пор, пока он не собрал всю информацию — что-то удалось, судя по всему неофициальным путем, раскопать в прокуратуре, побеседовать с людьми, проверить судебное дело... С журналистским удостоверением, да еще из «Пламени», вход открыт везде... Если не последует специального предупреждения — такого-то не подпускать... Он, похоже, успел кое-что вызнать до этого предупреждения... Тогда остановить его можно было лишь одним путем — испугать! Он бросается к окну, а там лед... Несчастный случай, торжественный некролог сначала в местной газете, а потом и «Памяти товарища» от имени редколлегии «Пламени». Так вполне вероятно!

— Добрый день, сосед! — в комнату вошел молодой крепкий мужчина, по-спортивному подтянутый. В его голосе Кирилову почудились знакомые нотки. Что-то выдавало в нем человека, с которым приходилось говорить совсем недавно. Но когда? Где? Он готов был с полной уверенностью поклясться, что видит его впервые в жизни. — Вам не темно? Может быть, включим свет? А то, похоже, на улице нешуточная метель. Так и валит с неба. Да еще ветер порывистый с реки... Ну, и климат в этих местах... Вы, судя по всему, москвич? Не обишаюсь?

— Да, врач... — и в это время тихонько брякнул звонок телефона, стоящего на столе.

Движения соседа были достаточно быстрыми, может быть даже более быстрыми, чем положено, но ему было далеко до стола, а Кирилову нужно было лишь протянуть руку.

— Не меня? — сразу вскинулся мужчина, довольно настойчиво протягивая руку к трубке. — Я как раз ждал звонка... — Но Кирилов взял трубку сам.

— Слушаю!

— Это вы? — Голос Джиняна с весьма характерной интонацией спутать было очень трудно. — Вам неудобно говорить?

— Да! — коротко ответил Кирилов и сделал знак соседу, что к телефону просят именно его, Кирилова.

Тот с деланным равнодушием принялся разбирать вещи в портфеле.

— Вы не обижайтесь на моего товарища — он имеет право подозревать всех и вся: таковы издержки профессии и печальный жизненный опыт. Мне что, я один, а у него трое ртов. Их кормить надо... А про петлю вы точно сказали, только я подумал, что она не для троих, а уже на одного больше...

— Кого вы имеете в виду? Полагаете...

— Вас. Именно вас. Вы ввязались в это дело по собственной воле и вам из него не уйти. Поверьте оперу...

— Ясно... — Кирилов не мог говорить большего потому, что сосед проявлял заметную нервозность.

— Вы не один? — вдруг догадался Джинян. — Неудобно говорить?

— В таких случаях валокордин плохой помощник, дорогая Клавдия Михайловна, я бы все-таки порекомендовал вам обратиться к опытному кардиологу. Нитроглицерин здесь помощник лишь на время...

— Понял. — Пауза была не больше секунды. — Запоминайте: московский друг, кроме нас, собирался встречаться с обэхаэсэсником Олонцовым. Он тоже из бывших. Выводил москвича на него я. Встреча должна была состояться позавчера вечером. Я сейчас скажу адрес, но вы не повторяйте за мной... Поняли?

— Вполне.

— Набережная Ильича, семь, шестнадцать. Не сердитесь на нас!

— Это лекарство для детей дошкольного возраста, — продолжал экспромт Кирилов. — Для мужчин зрелого возраста оно не подходит...

— Я прощаюсь, но знайте, телефон — штука тоже не очень надежная!

— Спасибо. До свидания. Я искренне желаю вам удачи и преодоления всех недугов. Как говорится, дело выздоровления в руках самого больного! Всего доброго...

8. ЛЕКАРСТВО ОТ ЛЖИ

Кирилов свернул с центральной улицы и долго шел по переулку, едва освещенному. Глаза с трудом различали номера домов на обшарпанных, залепленных снегом табличках. Остановившись перед неказистым деревянным домом, Кирилов огляделся. Ничего не нарушало тишины этого окраинного места города, лишь ветер раскачивал полуоторванную доску, которая методично, словно маятник часов, скрипела в такт колебаниям. Дом как дом. С торца пожарная лестница, заколоченная до середины досками — единственное спасение от мальчишек. Поднявшись на второй этаж, Кирилов долго обмахивал снег с ботинок лежавшим у порога веником. Звонок не работал, пришлось долго стучать. Сначала за дверью послышались шаги, Кирилов их смог расслышать сквозь легкий посвист ветра в щелях, а потом дверь слегка приоткрылась.

— Вы к кому? — Молодая женщина в грубой вязки свитере и простой белой косынке пристально смотрела на Кирилова. — Проходите, мы Олонцовы.

Кирилов долго тер ботинки о коврик. Женщина молча прошла на кухню, подвернула газ в плите и так же беззвучно пошла в конец коридора, где светилась полураспахнутая дверь.

В печи, что притулилась в углу комнаты, едва заметно рдели раскаленные уголья. За занавеской у окна кто-то ворочался и кашлял, надсадно разрывая грудь. Рядом с женщиной на диване сидел белобрысый мальчишка лет пяти. Голубые глазенки с любопытством уставились на нежданного гостя.

— Могу я поговорить с вашим мужем? Он болеет?

Олонцова бросила испуганный взгляд на штору:

— Болеет? — с непонятной тоской переспросила она. — Пожалуй... Он вас знает?

— Нет. Но, поверьте, мне это очень нужно...

— Нужно? — переспросила снова она за Кириловым, и ему показалось, что она плохо понимает его слова и вообще находится где-то далеко от этой комнаты с простой железной кроватью, громоздким буфетом, кружевными салфетками на радиоприемнике и колченогим истертым от времени столом. — Нужно... Хорошо, я как раз собираюсь и, если вы можете подождать десять минут...

— Да, конечно, о чем вы говорите...

Кирилов наблюдал за тем, как она старательно закутывала малыша, время от времени поглядывая на занавесь. Лежавшему там человеку то ли было неудобно, то ли его действительно крепко скрутил недуг — кашель на мгновение затихал, а потом начинался вновь, грудной, словно разрывающий нутро больного. Юрий Николаевич хотел было предложить свои услуги врача, что-то посоветовать, порекомендовать, но женщина, закончив одевать сына, взяла от печки тепловатый пузырек с желтоватой жидкостью и, скрывшись за шторой, принялась поить больного. Сперва доносилось надсадное стариковское кряхтение, затем жадные судорожные глотки воспаленной гортани и лишь потом дыхание стало ровнее и спокойнее.

— Пошли? — Олонцова завязала на груди концы теплой шали, накинула пальтецо и, выйдя в коридор, замкнула дверь на ключ.

Через три дома они остановились, и Олонцова отвела сына к знакомой. Мальчишка с радостью скинул с себя тяжелые одеяния и принялся весело играть с девочкой, дочерью знакомой. Идти пришлось с полчала. Кирилов давно потерял счет поворотам, но чувствовал, что они забираются все дальше и дальше от центра. Среди мелких деревянных хибар показался белый, четко выделявшийся на фоне темного неба, корпус пятиэтажки. В окнах, ровным приглушенным светом горели лампы. Над подъездом раскачивающийся плафон освещал тускловатую, выгоревшую на солнце вывеску — «Приемный покой».

Олонцову здесь знали преотлично и, похоже, сочувствовали ей. У нее тотчас взяли пальтишко и выдали взамен белый халат.

— С тобой, что ль? — старуха гардеробщица подозрительно посмотрела на Юрия Николаевича, решая, брать у него одежду или нет. — Слышь, Катерина, у меня халата-то на него нет... Ишь, какой увалень!

— У меня есть свой... — Кирилов снял пальто, затем передал гардеробщице пиджак и, вынув из портфеля приготовленный к дежурству зеленый халат хирурга, ловко и сноровисто облачился в него.

— Ох, ты господи... — пробормотала бабка, истово осеняя себя крестным знамением. — Где же ты его сыскала, Катерина? Право слово, прохвессор... Ну, таперича дела тваво Женьши, в порядке.

— Как он сегодня? — не обращая внимания на метаморфозы, произошедшие с попутчиком и принимая это лишь за очередной маскарад, обратилась Олонцова к старухе.

— Дохтур приходил, намедни, говорит, что к лучшему. Сама ведаешь — енто не хвороба, таперича усе в руках вышнего!

Речь старухи напомнила Юрию Николаевичу давно умершую родную бабку. Та тоже частенько поминала бога вышнего вместо всевышнего. Дед смеялся и говорил, что ее за такие слова архангелы не пустят на небо. Слова деда оказались пророческими — сам умер рано, а бабка ждала своей очереди долгих пятнадцать лет, и часто, с тоской поглядывая в окно, шептала: «Что, показал вышний свою власть! Не пускаешь к Васе? Ну, так я и вовсе про тебя забуду... Вот! Накося выкуси...» — тыкала она в небо корявой фигой.

В темноватом длинном коридоре третьего этажа горела лишь лампа на столе дежурной сестры. Завидев Олонцову, девушка улыбнулась.

— Лучше стал. Сегодня Иван Лазаревич смотрел... Месяца через два, если так пойдет, то и на выписку. Видимо, Катерина, пронесло. Не тебе беда предназначалась...

— Молока принесла, да яблок моченых просил. Как?

— Не сразу только. Стылые, поди. Пусть обогреются. А это кто? — она только сейчас заметила выступившего из темноты мужчину в облачении хирурга.

— Поговорить хочет. Вроде, с Москвы.

— Может, по Женькиному письму? Хотя...

— Нет, я по другому поводу. Но если чем могу быть полезен...

— Парня с кем оставила? — медсестра встала из-за стола и по неистребимой женской привычке поправила упавшую на лоб прядь.

— У Марютиной. С Аленкой играет. Мы тогда пойдем?

— Только тихонько говорите, — предупредила девушка. — Там сегодня двое тяжких...

Койка Олонцова оказалась в углу узенькой длинной комнаты возле стены. В палате стоял густой смрадный дух, как бывает лишь в плохоньких больницах, да в домах печальной и безнадежной старости. Над кроватью подъемным строительным краном возвышалось металлическое сооружение из каркасов, тросиков и гирь. Олонцов, распятый и растянутый на этом сооружении, не спал, его глаза при виде жены радостно оживились. Та сразу же прикоснулась губами к щеке мужа и начала с осторожностью и повышенным вниманием, стараясь не причинить боли, поправлять подушку, одеяло.

Кирилов молча наблюдал за происходящим со стороны, держа в руках узелок с продуктами, что принесла Екатерина.

— Это что за фрукт? — Олонцов зыркнул глазами на врача. — Где отыскала? Я же говорил, не суетись — все будет в норме...

— Сам пришел. Говорит — с Москвы...

— Здравствуйте, — едва слышно произнес Кирилов, в знак приветствия склонив голову.

— Берите стул, садитесь... — Олонцов показал глазами на нечто похожее на стул — хромое и качающееся. — Ты, Катерина, подмогни тому, что у окна — судно просил подать, да все никак не идут... А мы пока побеседуем...

Кирилов достал из кармана бумажник и вновь продемонстрировал заветную фотографию.

— Вы кого-нибудь узнаете на ней?

— Тебя как зовут, доктор?

— Юрием.

— А по отчеству? — он поднес снимок к глазам и долго вглядывался.

— Без отчества...

— Убери! — он протянул здоровой рукой карточку. — Я здесь знаю двоих, и один из них передо мной. Чем могу быть полезен?

— Вы знаете, где Орловский? Он жив?

В знак согласия Олонцов дважды прикрыл веки и из груди Кирилова вырвался вздох облегчения.

— Когда и как вы с ним познакомились?

— Познакомился? — задумчиво повторил Олонцов. Его горячие от температуры глаза уставились на потолок. — Сначала я услышал о нем от ребят — Джиняна и Евсеева, они долго ждали его приезда. Потом я позвонил ему в гостиницу... Кажется, это было третьего дня. Договорились о встрече... Как всегда, когда с кем-нибудь надо срочно поговорить или встретиться, неотложные дела наползают одно на другое. Он предложил не тянуть, а у меня следующий день был расписан по минутам: с утра на работу — я экономистом устроился в порту, после работы за сыном в садик и лишь после восьми свободен. Часов в девять встретились у «Двины». Там местечко есть одно затишное, впрочем, вам это не интересно... Через полчасика разбежались и все дела! — Он посмотрел в сторону жены, перешедшей к кровати следующего больного. Поправив подушку, она начала причесывать гребешком волосы пожилого мужчины — тот улыбался.

— Тебе, Катерина, в пору в королевишнах ходить — бормотал старик хрипловатым голосом, шутливо. — Рази за этим чухонцем Олонцовым счастье спознаешь. Нешто Женька ценит такой брильянт? — в голосе мужчины так и прыгали веселые чертики. — Я те че по секрету скажу... — он нарочно повысил голос, чтобы сказанное наверняка долетело до Олонцова. — К ему нонче такая краля приходила, гляди, Дмитривна, умыкнут мужика. Это ниче, что чухонец — мужик справный. Ему ж того этого...

— Известное дело, справный, — отозвался молодой парень с заросшим густой черной щетиной лицом, — все при нем! Это ж надо в такую переделку попасть и с умом поломаться. Кости не беда — срастуться, лишь бы жизненно важные органы не попухли... — Видимо, этот разговор возникал каждый раз с приходом Екатерины и служил ей в утешение.

Олонцов выпростал из-под одеяла здоровую руку и взял с тарелки моченое яблоко.

— Сдери с него шкуру, жесткая, — попросил он Кирилова. — А на мужиков внимания не обращай — понесло их... Это от благодарности, Катерину утешают.

— Вас ничего не удивило в поведении Орловского? Его самочувствие?

— Нервозность. Он все время оглядывался, словно ждал кого-то...

— Содержание разговора секрет?

— Отчего. У каждого человека свои беды и заботы, но иногда получается так, что все они скрещиваются в одной точке... Так оно и получилось! Орловский шел к Анарину своим путем, Джинян с Евсеевым испили собственную чашу, а у меня с генералом счеты особые... Большая беда постигнет людей, если такие, как он, будут дальше подниматься по служебной лестнице. Мне сдается, что наверху, когда министра назначают, думают о том же... Смотрите, после Щелокова что началось... Много опытных работников разогнали под благовидными предлогами, за ничтожные промахи, правдолюбцев отлучили, а кто остался? Я не буду спорить, нечисти примазавшейся тоже хватало — но с мусором столько народа ни за что ни про что убрали... А потом удивляются — преступность растет. Да разуйте вы глаза, стаж оперов в розыске по три года максимум, в ОБХСС сидят люди с партийных призывов, да работяги от станков. Эвон, когда они выучиться успеют... Я результатов от такой работы не жду... Я, простите за выражение, жесткий реалист и прогматик... — яблоко скрипнуло на его зубах. — Я-то не пропаду, дай только выкарабкаться из этой передряги, что у «Двины» приключилась — я еще под окнами Анарина погужу сиреной собственного белого «мерседеса». Честно заработаю! Сейчас возможности появились...

— Причем здесь «мерседес»? О чем вы? — немного всполошился Кирилов, все это начинало немного походить на горячечный бред.

— Это так, к слову! Наши с Анариным счеты... Понимаешь, не купился я в одной истории, пахнущей копчушкой... А «мерседес» можно было купить — денег бы хватило.

По губам Олонцова начала блуждать странная улыбка, похоже ему становилось хуже и он был не в себе.

— Где Орловский? — поспешил с вопросом Кирилов, но Олонцов, кажется, уже не понимал его. — Тралянов! — вдруг громко вскрикнул он, заслоняя глаза будто бы от яркого света. — Уходи, не трогай мою машину...

Олонцова тотчас оказалась у постели мужа, а Кирилов поспешно вышел в коридор.

— Скажите, что с ним произошло? — Кирилов подсел к столу, на котором в свете лампы виднелись страницы институтского учебника по анатомии.

Девушка поправила выбившийся из-под шапочки локон, машинально перелистнула страничку учебника.

— Его сильно помяло. А что вы хотите, доктор? Наезды на пешеходов всегда заканчиваются переломами с обширным кровоизлиянием во внутренние органы. Наехали на него со спины. В районе поясницы обширная гематома...

— Как наезд? — Кирилов не верил своим ушам. — Где это произошло? Позавчера вечером — у «Двины»? На углу перекрестка?

— Видите, даже вы знаете...

— Да, но я не предполагал, что они, — он сделал заметное ударение на слове «они», — могут пойти на это... Хотя стрельба из пистолета, это уже кое-что... Скажите, — он пристально посмотрел в глаза девушки, — кто к нему приходил сегодня?

— Сегодня? — она подняла чуть раскосые глаза к потолку и задумалась.

— Меня интересует женщина. Опишите, как она выглядела...

— Как выглядела? — медсестра скривила тонко очерченные губы. — Обыкновенно: красное платье с крупными кораллами, волосы крашеные, косметика. На груди глубокий вырез и оборочки, чуть ниже колен подрезано — так, знаете, по последним рекомендациям «Бурды». Вот и все! Мне кажется, что она не местная... Но это одни предположения — я не гарантирую.

До гостиницы Кирилов шел пешком. Он перестал замечать ветер, снег и непогодь. «Для чего нужно было Орловскому встречаться со мной и одновременно с Олонцовым? Ладно, со мной — мы не виделись черт знает сколько времени... С Олонцовым ведь он встречался накануне. Более того, Олонцовская история, если судить по его рассказу, уже не имеет непосредственного отношения ни к этому часовщику, ни к Джиняну с Евсеевым. Это его собственная олонцовская история... Правда, все эти истории сходятся на одном человеке — генерал-майоре Анарине... Что, если предположить — Олонцов сначала рассказал историю своего изгнания из милиции, а потом, узнав что за человек Орловский, доверившись ему, решил передать ему какие-то важные документы. В таком случае, если встреча не состоялась, а документы были при нем — они изъяты вместе с одеждой и хранятся в больнице... Достоверно? Вполне! Но в таком случае скорее всего их забрали и передали в милицию... Вряд ли Анарин не предусмотрел этот ход — зачем оставлять документы против себя в чужих руках...»

Пораженный внезапной догадкой, Кирилов даже остановился: «Господи, как же я раньше об этом не подумал? Конечно, у Сергея были при себе документы, принадлежавшие Джиняну и Евсееву — блокнот или портфель обязательно должен быть! Из номера уходил он стремительно и без портфеля — с ним в руках не пробраться по той приступочке за окном... Где же документы... Неизвестно... И еще — что это за дама то и дело появляется и исчезает на горизонте? Кафе, самолет, гранки у Евсеева, посещение Олонцова в больнице...» Кирилов задрал лицо к небу — черному и непроглядному — и с наслаждением несколько мгновений ощущал разгоряченной кожей прикосновение падающих снежинок.

Раздевшись в номере, он мельком посмотрел в сторону соседа — тот сидел и с подчеркнутым спокойствием читал газету. В его внешнем облике было некое несоответствие, и Кирилов наметанным взглядом его сразу же отметил — слишком красными, словно от мороза, были щеки, не до конца успокоилась после быстрой ходьбы грудь.

— Буфет до скольки работает? — Кирилов вплотную подошел к нему. Тот посмотрел на часы. Юрий Николаевич сразу же отметил, что установлены они на местное время, а сам Кирилов стрелки оставил на московском...

— Пятнадцать минут как закрылся — четверть двенадцатого...

— Вот, досада... — пробормотал Кирилов будто бы в нерешительности. — Придется побеспокоить знакомого с девятого... У него, наверняка, найдется, что перекусить...

Войдя в лифт, Кирилов сначала нажал кнопку девятого, а затем сразу же первого этажа. Между седьмым и девятым ему послышались торопливые шаги поднимающегося вверх человека. Сомнений не оставалось — сосед слишком настойчиво проявляет интерес к Кирилову. Вверх он уже поднимался пешком...

На третьем, ремонтном, по-прежнему царила тишина. Вдоль стен в беспорядке громоздилась мебель, а настежь открытые двери номеров исторгали в пространство удушливые запахи лаков и красок. На этот раз Кирилову не составило большого труда пройти насквозь коридор, свернуть в боковой пролет, ведущий к пожарной лестнице, и подойти к завалу из кроватей и стульев. За баррикадой, так и не разобранной с того самого злополучного дня, угадывалась застекленная дверь...

«Несомненно, самое ценное Сергей должен был прихватить с собой — это ценное должно быть сравнительно небольшого размера... Не чемодан и, конечно, не портфель... Папка с бумагами? Тетрадь? Блокнот?.. Пробегая по узкому коридору, обрушивая за собой мебель, грозящую вдогонку ударить по спине, он экономил минуту, другую, чтобы спрятать это самое нечто... Хотя, это все не больше, чем простые рассуждения. Все могло быть иначе...»

Разбирать завал Кирилов не стал. Аккуратно, опираясь то на один, то на другой угол выступающей мебели, он без особого труда пробрался к двери. Она была заперта на щеколду. Легкое движение руки — и за ней оказалась сравнительно тесная площадочка и глубокий многопролетный лабиринт, ведущий на улицу. Кирилов осторожно, подсвечивая себе спичками, пошел вниз. Дверь первого этажа имела плачевный вид: похоже, ее лишь недавно заколотили — в свете спички блеснули свежие шляпки гвоздей, но на полу у самого порога небрежно валялись так и не убранные кусочки отколовшейся от стен штукатурки, желтоватые полоски щепы...

«Вот уж, действительно, чем меньше думаешь — тем меньше понимаешь, а чем больше думаешь — тем больше не понимаешь... Как же он ее вышиб?.. Сергей отнюдь не цирковой силач... Плечом? Или, может быть, с разбегу?»

Потолкавшись возле дверей, попробовав разными способами справиться с гвоздями и не достигнув успеха, Кирилов принялся осматривать лестничный колодец. Ему не удалось обнаружить даже малейшей ниши, кругом ровные побеленные стены.

Он вернулся в коридор. Жизнь в гостинице медленно затихала, лишь из ресторана еще доносились звуки музыки. Кирилов застыл, пытаясь угадать в темноте начало и конец мебельного завала. Вытянув вперед руки, он приблизился к стене и внезапно натолкнулся на что-то мягкое и теплое. От неожиданности он резко отдернул руки и чуть было не закричал. Вспыхнувшие зеленым глаза с длинными вертикальными прорезями зрачков с укоризной взглянули на Юрия Николаевича, затем послышался мягкий кошачий прыжок и животное, мелькнув еще раз на самом верху баррикады, исчезло за поворотом коридора.

Встреча с кошкой произвела на него гнетущее впечатление, он никак не мог унять дрожь в пальцах. Чтобы немного успокоиться, Кирилов нашарил в кармане сигарету и принялся разминать табак. Сигарета слегка похрустывала в руках пересушенным табаком. Не успев зажечь спичку, он вдруг заметил на стенах коридора блики. Затем издалека послышались осторожные шаги — кто-то шел навстречу с фонариком в руках.

«Проверяющие от администрации? Не кстати... Совсем не кстати! Попасться в полночь на ремонтном этаже, а потом объясняться... Плохо дело, сразу же позвонят в милицию и...»

Идущий по коридору, надышавшись лака и красок, закашлялся, и Кирилов непроизвольно вздрогнул — в перханье горлом неизвестного он сразу же распознал интонации человека с «телефонной станции». Нет, спутать Юрий Николаевич никак не мог. Все было точно так же, как у того, что предлагал удлинить шнур...

Кирилов в мгновение ока вновь оказался на площадке пожарной лестницы. На размышление времени не оставалось — он согнулся и быстрыми вывеpенными движениями пробрался на полэтажа выше ремонтного коридора и прямо-таки вжался в стенку.

Светящиеся в ночи стрелки часов показывали начало нового дня. Яркий свет карманного фонаря заплясал по дверному стеклу. Из-за двери сначала послышался шум, видимо незнакомец пробирался через завал, потом донеслось отчаянное чертыханье и ругань. Кирилов окончательно убедился: голос тот самый. Яркий луч света неожиданно описал стремительный полукруг и фонарик, с шумом упав на пол, погас...

— Чертовщина!.. — продолжал незнакомец. — Не везет, так... Сволочь! — Похоже, он встряхивал нашаренным в темноте фонариком, но тот, вспыхнув лишь на миг, вновь погас. — Бардак! Кому только могло прийти в голову свалить в кучу всю эту рухлядь... Будь он даже идиотом, и то бы догадался спрятать это здесь... Попробуй разберись здесь ночью! Дураки, почему нельзя сделать это днем... Нет, лучше попозже!.. — передразнил он чьим-то чужим голосом. — Идиот на идиоте...

Окончание фразы «телефонист» проглотил, но Кирилов вдруг понял, что он, как и сам Юрий Николаевич, оказался здесь вовсе не случайно — он что-то искал и не исключено, что это связано с...

Вспыхнувший свет фонарика показался Кирилову ослепительным. Скрипнув, дверь в колодец отворилась и пролет лестницы над головой Кирилова осветился. Теперь шаги доносились откуда-то совсем рядом — человек начал медленно спускаться по ступеням, подсвечивая фонариком в разные стороны. Наконец, стук каблуков удалился от Кирилова на безопасное расстояние. Узкие колеблющиеся лучи, прорывавшиеся сквозь пролеты с самого низу колодца, говорили о том, что незнакомец полностью повторил путь Кирилова к нижней двери.

Уже не слишком таясь, Юрий Николаевич скользнул в коридор и стремительно задвинул щеколду на двери. Теперь мужчина оказался запертым в колодце — двери всех этажей, как и эта, запирались изнутри, а не с лестницы. Завал Кирилов преодолел без спешки и через минуту в своем номере уже отряхивал пыль с брюк. На письменном столе горела лампа, остывал недопитый стакан чая, но соседа по комнате не было. Юрий Николаевич быстро подошел к телефону и набрал номер.

— Извините, что беспокою в столь поздний час... У меня к вам большая просьба. Передайте Андрону Ашотовичу, что я срочно жду его в «Двине».

Голос Евсеева на том конце провода был отнюдь несонным.

— Это не так трудно сделать — он еще у меня. Что-то случилось?

— Да!

— Хорошо, передаю трубку...

Закончив разговор, Кирилов переоделся и достал из портфеля кипятильник. Он мог бы поспорить с кем угодно, что утром, когда убирал его на место, кипятильник лежал совсем не так. И оставленной на тумбочке книжкой тоже явно кто-то интересовался. Кирилов усмехнулся — он не предполагал столь грубую работу.

...Юрий Николаевич сидел на кровати, обхватив руками голову. Теперь ему многое представлялось совсем иным, нежели несколько часов назад. Его единственное оружие — логика — действовало безотказно.

В дверь осторожно постучали.

— Входите! — достаточно громко крикнул Кирилов.

Светлым волосам армянина можно было удивляться без конца, но Юрию Николаевичу было не до этого. Джинян не мог не заметить перемен, происшедших с его вчерашним знакомым: по лицу блуждала таинственная улыбка.

— Вы любите ускорять происходящие события или ждать их естественного развития? — Кирилов быстро ходил по комнате, радостно потирая руки. Джинян никак не мог взять в толк: шутит тот или говорит серьезно, и понял вопрос москвича по-своему.

— Можете располагать мной. Одно лишь замечание по поводу ускорения... Вы вполне уверены, что события произойдут без понукания с нашей стороны?

— Вполне. Как говорится, ничто из того, что может происходить само собой, не должно происходить без соответствующего разрешения. На этот раз я дал повод событиям развиваться строго по определенным законам. В общем, как в шахматах.

В тамбуре гостиничного номера хлопнула дверь, и вошел сосед Кирилова. На нем была лишь розовая рубаха, надетая на голое тело, спортивные брюки и тапочки на босу ногу.

— Добрый вечер! — произнес Кирилов, оттирая его плечом от входной двери и запирая ее на ключ. — Что вы вцепились в этот фонарь? Положите его на стол!

Мужчина даже не взглянул на Кирилова — его внимание всецело было поглощено сидевшим на кровати Джиняном.

— Знакомьтесь, — произнес Юрий Николаевич, указывая ладонью на бывшего розыскника. — В приличном обществе всегда начинают с представления действующих лиц. Не так ли?

— Мы знакомы, — Джинян медленно встал с кровати. — Здравствуйте, Тралянов. Небезынтересно узнать, почему вы ночуете в гостинице, когда ваша квартира в обкомовском доме в трех шагах отсюда?

— Ага! — в голосе Кирилова слышалось неприкрытое злорадство. — Этот человек несколько дней назад звонил мне в Москву и обещал содействие в установке телефона... Не так ли? Кстати, как вам удалось преодолеть пожарную лестницу? Опять ломали входную дверь?

Тралянов быстро отступил назад и стал лихорадочно дергать дверную ручку. Пути к отступлению не было.

— Что вы хотите? — отрывисто произнес мужчина. В его голосе уже не было ни вчерашней вежливости, ни предупредительности. — Завтра же о ваших делах в отношении меня станет известно, и я вам не завидую.

— Оставим угрозы, Дмитрий Васильевич, — спокойно сказал Джинян. — Вам, как работнику кадрового аппарата управления, должно быть известно, что это на меня не действует. Вы же знаете, что изобретенные вами лично наветы я отбросил с помощью суда и прокуратуры... Правда, не аршальской, проданной в вечное пользование обкому, а московской, но тем не менее как бороться с вашими вымыслами и домыслами мы знаем... Может, лучше поговорим? У нас еще есть время?

— А почему вы думаете, что я буду отвечать? Наивные вы люди! — Он откинул одеяло и улегся, не раздеваясь. — Я собираюсь спокойно лечь спать...

— Не получится, — с сомнением произнес Кирилов.

— Любопытно, почему? — на губах Тралянова блуждала издевательская улыбка.

— Ну, хотя бы потому, что у меня дома на кассете автоответчика записан ваш голосок, а остальное дело идентификации. Вы не сможете уснуть, зная, что в моем портфеле уйма ваших пальчиков — поверьте, они прелестно отпечатались и долго сохраняются... И еще: я заявлю о краже из портфеля ценных вещей...

— Это ложь! — Тралянов взбешенно вскочил с кровати и заходил по комнате. — Не докажете...

— А пальчики? А свидетель — Джинян, я думаю, подтвердит...

— Вне всякого сомнения! — подал голос армянин. — Евсеев тоже согласится. Хотите я его вызову? Дело нескольких минут...

— Идите вы к черту! — Тралянов рывком бросился на кровать и лег лицом к стене.

— Спокойной ночи! — Кирилов подошел к выключателю и погасил свет. — Желаю вам хорошего отдыха.

В комнате воцарилась тишина. Джинян у стола спокойными глотками прихлебывал из стакана горячий чай и вслушивался в шорох шин снующих у подъезда машин.

— Каковы ваши условия? — обронил вдруг Тралянов, не поворачивая головы.

— Исчерпывающая информация и журналист, — жестко ответил Кирилов.

— Мы сами пока не знаем, где он, но могу вам гарантировать, что раньше вторника он отсюда не улетит.

— Почему?

— Во вторник выходит наша статья в «Аршальской правде», и он нам сразу станет не опасен.

— О чем статья?

— О его похождениях в Аршальске. Он тут натворил будь здоров...

— Враки! — закричал Джинян. — Продолжаете, как и раньше.

— Это надо еще доказать, а статья — вот она... В журналистском мире ему делать больше будет нечего. Мы ее вышлем и в Союз журналистов, и разошлем по редакциям...

— Ну-ну... — одобрительно отозвался Кирилов. — А зачем нужна была эта кутерьма со стрельбой? Брали на испуг?

— Рассчитывали, что он несколько умнее, чем оказался. Что ему стоило отдать эти треклятые документы — тогда он мог уезжать в тот же день. Билет уже был готов...

— Что за документы вы у него хотели изъять? — Кирилов взял со стола фонарь и направил тонкий узкий луч света в лицо Тралянову.

— Прекратите! — тот отвел в сторону руку с фонарем. — Даже если бы я знал о их содержании, то все равно не сказал бы...

— Они касаются обкома?

— Кажется, да. Их получил он не от них, — он кивнул в сторону Джиняна, — но тот уже получил свое... Тоже мне, любители лить против ветра...

— Не хотите отвечать, бог с вами. Я-то вам зачем понадобился? — спросил Кирилов.

— Дело не в вас. Мы должны были знать, кому звонит Орловский. Он слишком настойчиво пробивался на ваш номер в Москве. Это не входило в наши интересы...

— Чем же я так страшен?

— Вы нет, но на вашем месте могло быть официальное лицо с достаточно большими полномочиями.

— Я вам тоже доставил хлопот...

— Доставили. Но могли бы и не успеть, если бы кое-кто из наших сработал более четко. Прошляпили, сволочи! На четыре часа опоздали! Правда, потом каждый ваш шаг был у нас на виду...

— Еще раз вернемся к информации, которую получил Орловский, — произнес Кирилов, зажигая люстру.

— Не знаю.

— Врет! — авторитетно произнес Джинян. — Они следили за ним с первой минуты. Олонцов — это их рук дело!

— Эмоции! Доказать ничего нельзя...

— Пуля... — спокойнее, чем это можно было произнести, сказал вдруг Кирилов.

Тралянова аж подбросило на кровати.

— Разговор для бедных... Ее давно нет! И не было...

— А это что? — в руках Кирилова вновь оказался комок полусплющенного свинца.

— Откуда она у вас?

— Из триста тридцать третьего...

— Мы же...

— Плохо искали... — рассмеялся Юрий Николаевич. — Вы старались делать дело, не пачкая рук, а мне отмывать их привычно.

— Зачем вы мне все это рассказываете? Я молчания не гарантировал — более того, по долгу службы я доложу об этом руководству...

— Вы не станете беспокоить их до утра, начальство любит поспать. Это одна сторона медали, а вторая состоит в том, что мы не дадим вам возможности сделать это в течение того времени, пока будем в городе...

— Выходит, вы знаете, где журналист?

— Почти! — Кирилов поймал удивленный взгляд Джиняна.

— Тогда... Вы знаете, где документы?

Кирилов медленно прошелся по комнате, подошел к окну и долго смотрел на уличные фонари.

— Я полагаю, что никаких документов и не было! Зря вас так мучило руководство...

— Шутите, — Тралянов замотал головой, словно отгонял от себя назойливую муху.

— Нет. Говорю совершенно серьезно... Олонцов не успел принести их в первый вечер. Они договорились лишь о следующей встрече, но она, как известно, не состоялась... Похоже, у них была оговорена и еще одна — через двое суток, но и ей не суждено было состояться... Спугнув Орловского, вы сами расстроили все дело...

Посмотрев на часы, Юрий Николаевич погрузился в размышления. Он долго ходил вдоль и поперек комнаты, уже не обращая внимания на подавленного и растерянного Тралянова, по-прежнему лежавшего на кровати. Наконец, решившись, Кирилов подошел к телефону и набрал код Москвы. Трубку сняли тотчас...

— Иван Леонтьевич? Извините, что беспокою ночью. Да, да, Кирилов. Спасибо, жду... — Юрий Николаевич вслушивался в шорох эфира, доносившийся голос из далекого, но родного города. Гарцев позвал к телефону жену, сначала долетели звуки шлепающих по полу тапочек, а потом и недовольный, заспанный голос Людмилы.

— Прилетел? Мог бы позвонить и утром... Сколько сейчас времени?

— Половина третьего... Конверт у тебя при себе? Вскрывай и читай!

— Разве уже пора?

— Еще как пора.

— Сейчас... — трубка стукнула о столик и снова послышались сначала удаляющиеся, а потом и приближающиеся к телефону шаги — вторая трубка параллельного телефона в квартире сначала поднялась, а потом вновь опустилась на аппарат — Кирилов понял, что муж Гарцевой делал вид, что его не интересует этот разговор, но это у него получалось неважно...

— Так, достала. Ну, ты тут и накатал любезностей... Я их опущу. Связаться с... — начала она читать послание Кирилова, — и попросить оказать содействие в вылете из Аршальска... Так ты еще не в Москве?

— К сожалению, нет.

— Ладно. Я сейчас позвоню дежурному — он сделает. Во сколько рейс?

— Шесть сорок семь...

— Нет проблем. Ты один?

— Два билета.

— Два так два. Тебе очень там трудно?.. — наконец сообразила поинтересоваться она.

— Как тебе сказать? — он бросил осторожный взгляд в сторону Тралянова. — Примерно так, как тебе в момент нашего знакомства в операционной...

— Держись, казак, а то мамой будешь... Прилетишь — позвони, а я все сделаю как обещала.

— Спасибо тебе, Людка. Я знал, что могу...

— Можешь, можешь... Не расточай елей, а то заплачу. Все, кончили разговор — мне надо звонить, а то не успеют сделать билеты.

— Пока!

Кирилов положил трубку и начал переодеваться. Вновь как и в тот момент, когда посещал Олонцова в больнице, надел под плащ зеленоватый костюм хирурга, а уж поверх него плащ.

— Тралянов! — он подошел к кровати и заглянул «соседу» в лицо. — Я думаю, вас не стоит предупреждать, что проигрывать тоже надо уметь. Советую отбросить вариант с карнизом — он сильно обледенел за эти три дня, а дверь, извините, запру. Ключ, правда, с собой забирать не буду — оставлю в замочной скважине снаружи. Даже, если у вас есть запасной, открыть дверь в таком случае будет делом далеко не простым. Но это еще не все... Если хотите иметь алиби для своего руководства, могу запереть вас там... — он указал на ванную комнату. — Скажете, что завалились к вам впятером и вы сдались. Идет? Ну, как хотите...

Закончив переодевание, Кирилов взял портфель и хлопнул Джиняна по плечу: «Вперед!»

— Не откроет изнутри? — Джинян решил привязать ключ к рукоятке двери. — Так оно будет надежнее... — И вдруг быстро обернулся к Кирилову. — Про телефон забыли!

Кирилов достал из кармана и положил на коврик около двери, предусмотрительно вывернутые из трубки, микрофон и телефон:

— Пошли, у нас еще целая уйма дел. Ты на машине?

За стеклянной перегородкой улыбалась женщина-администратор.

— Поздненько вы собрались на прогулку? Или рано?

— И так, и так верно, уважаемая Марина Дмитриевна... Спасибо за прием. Как видите, обошлось без жалоб с моей стороны.

— Уезжаете? — она удивленно округлила глаза.

— Наверное, завтра, а эти сутки решил пожить у приятелей. А то знаете, что ни ночь, то приключения...

— Как? Сегодня опять?

— Увы...

Женщина встала с кресла и протянула в окошко узенькую ладошку:

— Так, значит, вы еще не улетаете?

— Как видите, — он распахнул плащ и продемонстрировал врачебное одеяние. — Дела, дела...

— Понятно, — кивнула женщина. Халат произвел должное впечатление и, как показалось Кирилову, несколько успокоил женщину. — Беспокойная у вас, врачей, жизнь...

— Пойдем мы... Счастливо оставаться!

Выйдя вслед за Джиняном на улицу, Кирилов оглянулся на гостиницу — все окна, кроме одного, были погашены. В единственном освещенном квадрате окаменело выделялся темный силуэт Тралянова. Прислонив лицо к окну, он следил за отъезжающими.

— Кричать будет, звать на помощь... — Джинян повернулся к Кирилову, сидящему на переднем сиденье. — Куда едем?

— Я закурю? — Юрий Николаевич достал пачку и долго, словно находясь в забытьи, доставал сигарету, мял ее мальцами. — Нет, он будет вести себя тихо. Он не стал поднимать шума, когда я его запер на лестнице, а уж теперь, совершив такой промах, он сделает вид, что все в норме. Более того, утром доложит, что я ушел в город, а уж куда я денусь потом — не его вина...

— Куда едем?

— Разве я не сказал? — удивился Кирилов. — Набережная Ильича, дом семь, квартира шестнадцать... — Он извлек из кармана продолговатый алюминиевый пенальчик и проглотил небольшую желтоватую пилюлю.

— Сердце? — спросил Джинян, вписывая машину в крутой поворот.

— Лекарство от лжи!

— Не понял...

— Всегда себя хреново чувствую, когда совру или словчу. А сегодня пришлось столько раз лгать и изворачиваться, что... — он приложил ладонь к груди. — Не беспокойся, к тебе мои слова не имеют никакого отношения.

9. ПРИЗЕМЛЕНИЕ НЕ ПО ПРАВИЛАМ

Ступени хлипкой изношенной лестницы вздыхали точно так же, как и в первый его приход. В квартире, судя по всему, крепко спали. Кирилов раз за разом нажимал кнопку звонка. За его спиной переступал с ноги на ногу Андрон — он не понимал, почему они оказались здесь.

— Может, никого нет? — робко попытался возражать он.

Кирилов низко опустил голову и с упорством нажимал кнопку. Наконец, послышались торопливые шаги.

— Кто там?

— Это Алена? Моя фамилия Кирилов. Я был у вас вчера вечером. Откройте, пожалуйста.

Дверь осторожно приоткрылась на длину цепочки. За дверью оказалась не Алена Олонцова, а совсем другая женщина.

— Вы? — испуганно вскрикнула она, стараясь захлопнуть дверь перед самым носом Кирилова.

— Андрон? — голос принадлежал Олонцовой. Она появилась за спиной незнакомки, машинально теребя пуговицы на простеньком халатике. — Сейчас, минуточку... Что-нибудь произошло с Женей? Ты от него?

— Нет, — поспешил успокоить ее Джинян. — Открывай скорее, у нас совсем немного времени...

Кирилов решительно вошел в коридор. Джинян спешно проследовал вслед за Юрием Николаевичем, минуя немного испуганных и еще сонных женщин.

— Что произошло? — Алена подняла удивленный взгляд.

— Женщины, милые! — прорвало вдруг Кирилова. — Хватит играть в прятки... Мне недосуг объяснять вам про занавеску и красное платье, что лежало днем на раскладушке.

— Нашел-таки, — донеслось из полураспахнутой двери комнаты сквозь надсадный кашешь.

— Серега! — Кирилов рванулся к занавеске, отдернул ее и обнял школьного товарища, тиская его в объятиях. — Вставай! Самолет через час с небольшим...

— Ты хорошо все взвесил? — все еще покашливая пробормотал Сергей. — К тому же я не один...

— Ты знакомь меня с девушкой, а сам одевайся... Она, признаться, так сильно мешала мне все эти дни, что я готов на нее разозлиться и сейчас.

— Меня зовут Жанной! — глаза девушки по-прежнему выражали недоверие, а в голосе сквозила излишняя строгость.

Орловский снова закашлялся.

— Пришлось, понимаешь, из-за этих сволочей бежать почти ногишом через весь город...

— Знаю, но на сборы все равно лишь пятнадцать минут. Где документы Олонцова?

— И об этом знаешь?

— Давай их мне, так надежнее...

— Держи, — в руках у Кирилова оказалась тугая пачка, обернутая в полиэтилен. — Тяжелая, не потеряй...

— Что в них? — не выдержал Джинян. — Что-нибудь связанное с нами?

— Нет... Кх-кх-кх..., здесь как смерть Кащея, запрятанная в разных сундуках... финал авантюрной карьеры Анарина и еще кое-кого из обкома... Кх-кх-кх...

— Потом наговоритесь, — скомандовал Кирилов. — Быстрее в машину...

Наблюдая за тем, как Джинян повел вниз Орловского, Кирилов замер перед Жанной.

— Мы не предполагали, что вы в одной команде с нами... Скажу больше, мы вообще не знали о том, что вы... — Юрий Николаевич вконец запутался в ювелирно отточенных фразах, которые пытался сочинить на ходу. — Словом, поймите, вам нельзя лететь сегодня... Завтра — самое верное, или вечерним рейсом, но не сейчас... Еще — вам необходимо рано утром уйти из этой квартиры. Куда? Не знаю — вас не должны застать здесь утром... Договорились?

— А может быть...

— Нет, о полете с нами сейчас не может быть и речи.

— Хорошо. Я могу позвонить вам домой или на работу?

— Записывайте или запоминайте...

— Я знаю оба телефона...

— Извините, я не прощаюсь...

На плечах Орловского, уже сидевшего в прогретой машине, был чуть великоватый тулуп бывшего инспектора ОБХСС.

— Поехали! — скомандовал Кирилов, плюхаясь с размаху на переднее сидение рядом с водителем.

— А Жанна? — Орловский сделал попытку открыть дверцу машины, но Кирилов остановил его руку.

— Один день потерпишь без нее — брать ее сейчас с собой самое настоящее безумие... Тем более, на нее я не заказывал билета.

До самого аэропорта рокот двигателя прерывался лишь простуженным кашлем журналиста — он надрывался до слез и никак не мог его прекратить.

В ночи светился огнями стеклянный куб аэропорта.

— Подруливай к Никите, — попросил Кирилов Джиняна. — Нам лучше побыть пока у него... Мало ли что!

— Вы сидите пока, — пробормотал армянин, хлопая дверцей машины. — Сейчас узнаю, там ли он...

Кафе еще было закрыто, но «шкипер» уже вовсю крутился у плиты.

— Так вот он оказывается каков! — восхищенно разглядывал «шкипер» Орловского. — Наделал шмону в нашем царстве... Дай бог каждому журналисту так! Жаль, рановато приехали — угостить-то вас еще толком нечем... Кстати, — он отозвал Кирилова в сторону, — вчера по твоему поводу приезжали выпытывать — что, мол, тебе надо у меня... Кем ты мне приходишься... Но я как рыба — обедал и все... Какие дела? Так, что если чего — держи оборону... и это, Галку не выдавай! Молчок? Договорились...

— Да, дела... — пробормотал Кирилов. — У тебя сложностей не будет?

— Выдюжу, хотя... Положение трудноватое, зацепить могут за что угодно. Ни одного продукта, кроме хлеба, купить в магазине нельзя.

Разместились ночные посетители не в зале, а в подсобке. Там стоял холодильник, стол с настольной лампой, заваленный какими-то отвертками, пассатижами, прочей слесарной мелочью. На стуле горкой возвышался ворох нестиранного белья: полотенца, салфетки, скатерти.

— Паспорта давайте! — Джинян надежно упрятал документы в карман. — Я пойду поинтересуюсь насчет билетов...

— Телеграмма уже должна быть! — бросил через плечо Кирилов, усаживая в кресло Орловского и закутывая его в плед.

— Ладно, — Джинян исчез за дверью.

— Борт из Москвы прибывает через пятнадцать минут. Сразу после этого начинается посадка... — произнес Никита, привычными движениями смахивая со стола невидимые глазу крошки. — Пассажиров раз-два и обчелся... Должны улететь.

Кирилов, не придающий никакого значения суевериям, три раза постучал по нижней стороне столешницы. Ему казалось, что у Орловского сильная температура — лицо было чересчур бледным, покрытым мелкими бисеринками нездорового пота.

— Может, горячей брусники с медом? — забеспокоился Никита. — Для горла продукция экстра класса... — он ушел в сторону кухни.

— Ты мне можешь рассказать, как тебя нашла Жанна? Ты ей давал адрес? — Кирилов подсел близко к Сергею.

Говорить тому было трудно — он долго переводил дыхание, набирая глубоко в легкие воздух.

— Хреново мне. Как думаешь, не схватил я воспаление?

— Не дрейфь... Все будет в порядке, — ушел Кирилов от прямого разговора о возможном диагнозе. Он и сам не знал, что думать.

— Жанна — умная баба. Она действовала по женской логике... Приедем все домой — сам расспросишь. Знаю, что она и в газетенке побывала местной и шум там порядочный устроила. Чуть глаза редактору за меня не выцарапала... Впятером что ль ее оттуда удаляли... Смех и грех!

Кирилов едва успел поправить на груди пухлый сверток с олонцовскими документами, как громко стукнула входная дверь и в облачке морозного тумана появился молодой парень в кургузом мятом пиджачке.

— Доброе утро, — оглянулся он, плотно прикрывая за собой дверь. — Кто здесь будет Кирилов?

Юрий Николаевич медленно встал со стула и тяжело пошел навстречу вошедшему.

— Оперуполномоченный уголовного розыска Карцев! — Он подошел к столу и выложил из бокового кармана несколько бумаг. — Билеты, пожалуйста! Телеграммку из Москвы заберите... Мне кажется, так будет лучше — и мне спокойнее, и вам лучше. Улетели и улетели, а как — не мой вопрос... Джинян сейчас вернется и проведет прямо в самолет — он уже на рулежке... Как говорится, чем могли помогли!

— Спасибо вам! — от души поблагодарил Кирилов.

— За что? — пожал тот плечами. — Это вам спасибо от нас, простых сотрудников...

— За что? — в свою очередь удивился Кирилов.

— За то, что не даете в обиду наших ребят... Сашку Евсеева, к примеру, Андрона... Их вина только в том, что они такие, как есть на самом деле. Для них нет ни своих, ни чужих... Кто-то должен резать правду-матку. Сделаем все, как положено! Не волнуйтесь... Через три часа будете дома. — Он нахлобучил по самые брови мохнатую серую шапку и вышел.

Горячий брусничный морс не только согревал горло, но и приносил бодрость. От высоких стаканов с напитками пахло цветущим лесом и смолистой тайгой. Юрию Николаевичу захотелось лечь на спинку кресла, закрыть глаза и не видеть никого на свете...

«Через три с половиной часа начинается мое очередное дежурство, — с каким-то спокойным безразличием подумал Кирилов. — Сегодня из меня никудышний врач. Запрусь в ординаторской и часа четыре... Нет, лучше пять...»

Снова хлопнула входная дверь.

— Пора, товарищи! — Джинян помог встать Орловскому, слегка растормошил задремавшего было Кирилова. — Я вас проведу прямо на борт, а через пять минут объявляется общая посадка... Скорее!

Их места оказались не только в первом салоне, но и у самой пилотской кабины. Джинян на прощание успел шепнуть, что это самые что ни на есть обкомброневские места — просто сегодня с ними распорядились неформально. За спиной царил привычный посадочный шум и гам.

Наконец-то Кирилову досталось место у иллюминатора. Когда самолет выруливал на взлетную полосу, Кирилов успел заметить, как к зданию аэропорта подкатила черная «Волга». Из машины медленно вышел высокий седовласый мужчина, возле которого суетился низенький милицейский полковник. Оба они внимательно смотрели вслед лайнеру.

Кирилов отвернулся от окна и пробормотал себе под нос нечто, долетевшее до слуха Сергея лишь в обрывках фраз: «пусть учатся проигрывать... милиция это еще не он...»

— О чем ты? — Орловский смотрел на него блестящими глазами. — Как в школе бормочешь, а тебя не слышно...

— Да так, о своем... Хочешь, прочту тебе фразочку из Хейли? — Кирилов достал из портфеля книгу и раскрыл ее на закладе: «...Хоть они и утверждают, что беспристрастны, однако журналисты, как правило, люди, вечно грешащие неточностями. Свою неточность они объясняют спешкой, пользуясь этим объяснением, как калека — костылем. И ни руководству газет, ни авторам, видимо, и в голову не приходит, что они оказали бы публике гораздо большую услугу, если бы работали медленнее и проверяли факты, а не швыряли бы их как попало в печать...»

— К чему это ты?..

— Обещай, что проверишь все как следует...

Орловский согласно прикрыл веки — говорить у него уже не было сил.

— А если снова неудача?

— У нас это называется загон. Термин есть такой, обозначающий отстойник для резких материалов. В нем, как правило, оказываются самые смелые и нужные статьи.

— Гадкое словечко...

— Дойду до ЦК. — Орловский привстал на локте, его вновь начал душить кашель. Кирилов полез в карман и достал из него кусочек металла. Подумав секунду-другую, посмотрев на школьного товарища, он положил пулю на его влажную жаркую ладонь.

— Дело твое, но помни — на этом пути возможно все.

Орловский долго смотрел на крохотный свинцовый комочек, потом отвернулся в сторону и затих. Со стороны могло показаться, что он крепко уснул — его дыхание стало ровнее и тише.

Кирилов, стараясь не беспокоить друга, встал с кресла и подошел к стюардессе.

— У меня к вам просьба...

— Слушаю вас.

— Я врач. Везу больного, состояние тяжелое. Возможно, воспаление легких. У меня просьба — передайте командиру записку, пусть по рации вызовут «Скорую помощь». Телефон и свою фамилию я написал. Поверьте, что очень важно вызвать «Скорую» именно по этому телефону — там меня знают и не откажут...

— Хорошо, сделаем все в точности...

В городе светило яркое пронзительное солнце. Самолет долго рулил по дорожкам, следуя за мигающим маячком автомобилем. Когда подали трап, Кирилов заметил стоявший в отдалении милицейский уазик, возле которого замерло двое плечистых молодых ребят в штатском. «Неужели опередили? Генерал тоже примчался в аэропорт Аршальска не случайно... Кто же поднял тревогу? Тралянов? Нет. А кто? Неужели администраторша?» Сердце сжалось в предчувствии беды.

По трапу начали выходить пассажиры второго салона, а машины с красными крестами все не было. Плечистые милиционеры приблизились к трапу вплотную и пристально вглядывались в лица прибывших.

— Не спеши! — удерживал за плечо товарища Кирилов. — Еще не время...

Сверкая на солнце лобовыми стеклами вплотную к трапу подскочил рафик «Скорой». Кирилов сразу же узнал полноватого водителя в замызганном белом халате и неизменной «беломориной» в зубах.

— Теперь порядок! — с облегчением выдохнул Кирилов.

Спешно выдернув из салона рафика носилки, водитель вместе с рослым чернявым врачом — Лигасовым, ринулись по трапу вверх. Пассажиры недоуменно расступились, а стоявшие в ожидании автобуса растворили в толпе милиционеров.

— Привет, Юрка! Ну, ты и черт! В такую рань поднял... — Лигасов сжал в крепких объятиях Кирилова. — Этот, что ль болящий? — он распластал в проходе носилки. — Давай, ложись скорее... Я уж давно все понял! Это, случаем, не вас там пасут? Нормалек... А ты скидавай плащик! Вот так в халатике операционном, оно лучше. Шапчонка-то зеленая где? На головку ее... Надевай, не стесняйся! Теперь порядок...

— Взяли! — кряхтя впрягся в носилки водитель «Скорой». — Поехали...

Еще невышедшие пассажиры и те, что оказались у трапа, расступились, пропуская носилки к машине. Рафик резко взял с места и через несколько минут уже мчался по магистрали к центру. Желто-синяя милицейская машина некоторое время плелась у него в хвосте, а потом, мигнув поворотным сигналом, растворилась в боковых улочках города, залитого осенними лучами.

— Дома! — вздохнул Орловский, и с благодарностью посмотрел в спину Кирилова. Тот не мог видеть, как по щеке журналиста, оставляя светлую мокрую дорожку, скатилась вялая и единственная слеза. Сергей взмахнул рукавом, и от крохотной капельки не осталось следа. Он помнил любимую поговорку соседа по парте: «Не верит Москва слезам... Не верит!»

Книга 2
ОРЛОВСКИЙ

1. КОГДА ДО ПЕНСИИ ДВА ГОДА С ГАКОМ...

Начальник отдела вызвал Вашко по радиотелефону:

— Вашко!

— Слушаю.

— Где находитесь?

— На площади Первой забастовки, у парка.

— Что он делает?

— Он? — переспросил подполковник, разглаживая усы и доставая сигарету. — Как вам сказать... Кажется, собирается по-маленькому...

— Что? — в голосе начальника слышалось раздражение. Иосиф Петрович внезапно представил себе кабинет шефа с удобной мебелью, и он сам за неохватным столом, в шикарном темно-синем в полосочку костюме.

— По-маленькому... Ну, пис-пис... Понимаете.

— А что делал до этого? — в голосе руководства слышались отчетливые грозовые интонации.

— Знакомился с одной сучкой, способом обнюхивания... Рыжая такая сучонка, вертлявая...

— Сам ты... ихний сын, — выдохнул в трубку генерал на том конце провода, догадавшись, о ком идет речь. — Я тебя спрашиваю не про тех, что с хвостами, а про него... Понял, про кого говорю-то или назвать по фамилии? Кстати, откуда у него собака — его подолгу не бывает дома?

— Что значит, откуда? У соседки напрокат взял, она в очереди стоит, а он пока гуляет... Сейчас, настрою и доложу, — он похлопал по футляру бинокля. — С этим ЛОМО наломаешься, пока поймаешь объект, — он специально не убирал далеко ото рта трубку, чтобы его ворчание не прошло мимо ушей генерала. — Вот и в прошлом году, Василий, — Вашко повернул голову к водителю, — пришли на отдел три цейсовских... Гэдээровская оптика, скажу я тебе — обсосон... Так охотники разобрали — у нас их в отделе двое...

— Разговорчики! — громко и отчетливо прикрикнула трубка голосом генерала. — Опять засоряете эфир. Настроил свою бандуру? Что он делает?

Вашко плутовато подмигнул водителю и, разминая сигарету, доложил:

— Так точно! Он стоит и ждет...

— Чего?

— Когда она закончит пис-пис...

— Скотина! — вырвалось в сердцах у собеседника. — Включай мигалки и через десять минут будь у меня. Я тебе... — Вместо продолжения фразы раздался гудок отбоя.

— Включать? — Василий положил руку на рычажок.

— Перебьется. К чему производить демаскировку. Ну-ка, погоди минутку...

Сильно хлопнув дверцей, Вашко отряхнул широченной ладонью просторные и вытянутые на коленях брюки, ловко перемахнул через перила и подошел к мужчине с собачкой, стоявшему у небольшого деревца метрах в семи от машины.

— У вас случайно спичек не найдется? — принялся разглядывать он мужчину «под сорок» в трикотажном спортивном костюме с пуделем. Тот, отрешась от своих мыслей, поднял на подошедшего недоуменный взгляд:

— Простите, не понял...

— Я чего хотел спросить у вас, Сергей Николаевич, — отмечая внезапно появившееся изумление в его глазах, произнес Вашко. — Вы достаточно хорошо спрятали документы, привезенные из Аршальска?

— А...

— Я бы не советовал вам их хранить дома. Всякое, знаете ли, случается. Но и на работе — сами понимаете...

— Простите... Я не понял...

Вашко, достав из кармана спички, прикурил. Серная головка с шумом выстрелила в сторону отлетевшей частью. Мужчина с собачкой почему-то дернул головой и долгим взглядом смотрел в сторону отлетевшей головки спички. Вашко, повернувшись подошел к автомобилю, плюхнулся на заднее сидение:

— Поехали. Да не гони ты, чертушка, мне до пенсии почитай два года осталось с гаком...

— А гак-то сколько, товарищ подполковник?

— Гак? Семь дней...

— Гы-ы-ы... — заржал вдруг водитель.

— Просидишь с мое — часы считать будешь и минуты... Я ж седьмого министра переслуживаю и у каждого своя инициатива была — понимай. Правда, молодой ты еще... А про то, что сегодня делал — молчи. Это дело секретное и важное! — Он подмигнул ему в зеркале заднего обзора, и, уже вторя своим мыслям, непроизвольно вымолвил. — Не пойму, чего они привязались к этому журику... Блаженненький чуток, а так тьфу — мозгляк, тонюсенький, хотя и не из пужливых... Ишь как глазенками стрельнул — куда красота девалась... Ладно, ты, Василий, виражи не закладывай — подремлю я маленько, что ли...

— Двадцать восьмой, где вы? — проснулась рация.

— Что отвечать? — обернулся назад водитель, мельком окинув тучную фигуру пожилого оперативника, удобно раскинувшегося на заднем сиденье. — Милорадов! Сам!

— Не таись — скажи, где мы находимся. Какой секрет...

— Движемся по проспекту Баррикад, товарищ... — он хотел было уважительно назвать Милорадова по званию, но Вашко вовремя на него шикнул — звания по радиотелефону категорически запрещалось называть.

— Передайте Вашко, что слишком медленно — я ему велел быстрее.

— Скажи, сирена сломалась — пришлось ремонтировать, — подал едва слышную реплику Вашко, но водитель уловил в его голосе иронию, и, решив, что положено Юпитеру, не положено быку, ограничился нейтральным: «Скоро будем...»

На двенадцатом этаже полы были устланы голубыми коврами. Вашко прошел мимо застекленной витрины с дарами и сувенирами зарубежных делегаций, значками и спортивными кубками и сутуло ввалился в просторный холл с креслами и низким столиком; сотрудники называли приемную коротко и со смехом — «предбанник». Секретарша бросила на вошедшего беглый взгляд и спросила:

— Чего так долго? Уже три раза спрашивал...

Женщина неохотно встала, с плавной и хорошо заученной небрежностью прошествовала по коврику. Распахнув дверь, она сообщила:

— Вашко приехал, ожидает в приемной...

У нее были красивые ноги и тонкая талия. А одета она была безвкусно и пестро. Сняв плащ, Вашко небрежно бросил его на диван.

Сказать, что подчиненные питали к генералу уважение и любовь, значит не сказать ничего. У каждого из сотрудников был в душе достаточно сложный комплекс чувств: да, дело знает; да, в меру строг и требователен, но вместе с тем смог пережить и переслужить десять министров и вдвое больше заместителей, от каждого точно в срок получать очередные звания и награды и ни с одним из них не испортить отношений. Это уже граничило с особым искусством, неведомым и недостижимым для многих. По привычке давать всем меткие прозвища, генерала меж собой окрестили «Живчиком». Он как нельзя точно соответствовал этому, в общем-то необидному, прозвищу: невысок ростом, плотен как колобок, лысоват и подвижен. Еще одной чертой генерала, обладавшей над всеми остальными, было то, что в нем удивительно гармонично уживались грубость и вежливость. Подчеркнутая тактичность в обращении с провинившимися и доверительно снисходительный тон, порой переходящий на мат, в общении со своими, хорошо проверенными за долгие годы сотрудниками.

— Ты, как всегда, куришь вонючие и дешевые? — вместо приветствия спросил он Вашко. — Провонял, сил нет... «Астра»?

Что последует за этим вопросом Вашко уже знал.

— До чего же дерьмовая эта «Ява», — генерал швырнул пачку сигарет в сторону окна и она легла точно на батарею. Это был хорошо отрепетированный трюк — Вашко видел его много раз и все же неизменно удивлялся: надо же так насобачиться отправлять сигареты на просушку. Многие в Управлении даже пытались повторить трюк генерала, но терпели фиаско.

— Донесения ко мне должны поступать ежедневно до десяти. — Развалившийся в кресле Вашко молча взирал на прохаживавшегося по кабинету и нервно разминавшего толстую плоскую «Астру» генерала. — Раз ты считаешь это мое указание необязательным, то персонально для тебя... — голос набирал мощь и раздражение. — В письменном виде...

— В трех экземплярах, — вставил словечко Вашко.

— Что? — замер Милорадов.

— В трех экземплярах, говорю.

— Слушай, ты владеешь языками?

— Не в достаточной степени...

— Жаль, я бы тебя на оставшиеся два года упрятал в самое дальнее посольство. Дворником! — заорал вдруг он. — Пока не научишься общаться с руководством...

Вашко не краснел и не бледнел с тех самых пор, как двадцать два года назад впервые услышал резкие слова от своего начальника, старшего лейтенанта Милорадова и они мало отличались от тех, что ему доводилось слышать постоянно. До конца гнева оставалось минуты три-четыре, а до следующей вспышки неизвестно сколько.

— Когда вы приступили? — голос стал нормальным раньше обычного.

— Шесть тридцать, у подъезда. Потом лестница, потом площадка.

— Результаты?

— Я докладывал. В восемь тридцать вышел из дома без собачки, потом появилась она с привязанной соседкой.

— Вон из моего кабинета! — вдруг заорал генерал, стремительно вскидывая руку с указующим перстом. — Я вас вызову, когда понадобитесь! И никуда из Управления без моего указания.

Вашко степенно поднялся и вышел, бережно и аккуратно прикрыв за собой тяжелую дубовую дверь.

— Как он там? — робко и испуганно спросил ждавший приема порученец с дорогой кожаной папочкой в руках. — Настроение ничего?

— По-моему, превосходное... — подчеркнуто добродушно расплылся в улыбке Вашко, извлекая из кармана желтоватую пачку с нарисованным верблюдом и вынимая из нее очередную удивительно ароматную сигарету.

— Ты не знаешь, есть в буфете «Астра»?

— Была. А что?

— Все нормально. После «Кэмэла», знаешь, всегда хочется чего-то отечественного. Пойду куплю...

2. ТАИНСТВЕННАЯ ПРОПАЖА

А документов у Орловского и не было. Вскоре после возвращения из Аршальска он написал статью и отдал ее в секретариат «Пламени». Писал он не дома, а у Кирилова. Каждое утро он извлекал из шкафа том Брокгауза и вынимал стиснутые страницами листы с документами, а вечером убирал их обратно. По дороге в редакцию он продолжал размышлять об утреннем разговоре с полным усатым незнакомцем и ничего толкового придумать не мог. Не мог он и понять, как расценивать ему это предупреждение, не мог взять в толк, от кого оно исходит: от друга или врага...

На площадке первого этажа, почти под самыми амурами с расколотым рогом изобилия он нос к носу столкнулся с главным редактором Сальковым.

— А, «золотое перо»! — приветствовал его он. — Кстати, кстати... А я как раз хотел тебя искать...

— Что-то со статьей? — Орловский склонил голову, стараясь поймать взгляд полнотелого редактора, но из этого ничего не вышло, тот отвел глаза в сторону.

— Нет, с ней все в порядке... — повел бровями Сальков. — В три летучка, там и обсудим... Тут тема подвернулась интересная, хотел тебе предложить, ты же теперь у нас специалист по милицейским проблемам. Не отказываешься? Ну, вот и хорошо — сам признаешь... — Они поднимались по лестнице и встречные, завидев главного редактора, расступались, бросая удивленные взгляды на Орловского, которому досталось от шефа за краткосрочный отпуск по первое число. И вот на тебе: по-дружески беседуют...

Стол редактора был расположен, что называется, «спиной к окну». Окно было не совсем обычным, а граненым, расположенным в полукруглой нише стены. Именно в этой нише и бархатилось знамя редакции с ярко выступающими на темном фоне золотистыми буквами шитья. Вдоль стен стояли шкафы с книгами, столы, заваленные выпусками журнала, пожелтевшими газетами.

— Прочти! — редактор перебросил через письменный стол несколько страничек, вырванных кем-то из обычной школьной тетради и исписанных мелким убористым почерком. — Со вчерашней почтой пришло... Похоже, дружинники крепко схлестнулись с руководством местной милиции. По их словам, выходит, что милицейское начальство чуть ли не заступается за браконьеров... В общем, запутанная история. Я понимаю, что Прикумск — это семь часов лету, но больше отправлять некого. Полетишь?

Орловский оторвался от письма.

— Тут далеко не все ясно. Адрес проверяли? Может, анонимка?

Редактор посмотрел на журналиста красноватыми от недосыпания глазами.

— Шесть часов разницы по времени. Вчера было некогда, сегодня упустили... Ладно, все проверишь на месте... Билет, честно говоря, для тебя уже оформлен — вылет сегодня вечером. Там все и проверишь... Командировочных получишь больше трех сотен, да я от себя сто добавил на расходы — не раздумывай, лети...

Орловский молчал, и Сальков расценил это по-своему.

— Я тебе больше скажу — тебе сейчас надо уехать из Москвы. Не нравится мне ситуация... Похоже, ты здорово наступил в Аршальске кое-кому на мозоль... Ты думаешь, мне легко? Пока ты там отдыхал... Не возражай! Я называю вещи своими именами — ты же взял отпуск, значит отдыхал... Так вот, пока ты отдыхал, ко мне сюда приезжали из Аршальска два ответственных товарища. Очень ответственных, — Сальков приложил к плечу два пальца, — подполковники... Бумагу они на тебя настрочили будь здоров, сажать надо, а не просто увольнять.

— Можно посмотреть? — Сергей протянул руку. — Это должно быть любопытно...

— Потом. Не стоит перед поездкой. Да еще и проверка не закончена.

— Какая проверка?

— Как это какая? Не могу же я оставить сигнал без внимания — пришлось отправлять Исайкина. Кому как не кадровину разбираться... В чем ты там прав, а в чем нет, занимался ты в гостинице аморалкой или нет...

— Какой аморалкой? — уже ничего не мог понять Орловский. — Если женщина, то назовите имя...

— Не хочу, не хочу... Не настаивай...

Орловский встал и замер перед столом редактора. Письмо из Прикумска он положил поверх бумаг.

— Так дело не пойдет! Если не назовете, то пусть в командировку едет другой. Меня увольте...

Сальков бросил взгляд на телефон, задумался, а потом сказал:

— Бог с тобой. В этом нет секрета... Я так думаю. Все мы были молоды, но тебя я не понимаю — связаться с гостиничной проституткой, это... это... — Он махнул рукой, встал и отвернулся к окну.

— С кем? — изумлению Сергея не было предела. — С проституткой? Ложь!

— Этого я не знаю, но написано достоверно, — не оборачиваясь ответил Сальков. — Если хочешь знать, могу даже назвать ее имя — Галина... Есть показания дежурного администратора, лифтера и еще кого-то... В общем, натворил ты дел и самое лучшее лететь тебе сегодня же в командировку, с глаз долой. Вернешься, глядишь все и прояснится, встанет на свои места. Да хотя бы и просто забудется...

— А летучка? А статья?

— Пойми меня правильно... — по-прежнему стоя к Сергею спиной, продолжал Сальков. — Я считаю ее появление преждевременным... Зачем с бухты барахты лезть в чужую епархию. Внутренние дела бывают разные — во внешних мы все специалисты! Хоть сейчас могу накатать тебе строк шестьсот про положение в ЮАР, а вот с Аршальском надо быть осторожным... Ты меня понимаешь?

Сергей не ответил.

— Редколлегия решила воздержаться от публикации. Сейчас я попрошу ее принести и пусть она пока полежит у тебя...

— Тогда я вправе предложить ее любой редакции.

— Не вправе — пока еще зарплату ты получаешь у нас.

— Я был в отпуске без сохранения содержания...

— Забудь об этом. Мы были вынуждены считать эти дни рабочими.

— Значит... — Орловский рассуждал вслух — мне записали прогулы?

— Пока нет... — медленно, с расстановкой произнес Сальков. — Но меня к подобному решению сильно подталкивали... А кто, не спрашивай — не скажу... Лучше уезжай из Москвы скорее...

— Хорошо. Но сначала верните мне статью!

Салько подошел к столу и нажал кнопку селектора:

— Олег Игоревич, занесите, пожалуйста, статью Орловского. Да, да, аршальскую... — он прикрыл ладонью трубку и поднял глаза на журналиста: «Как она у тебя называется?» — Олег Игоревич, вы слушаете? Ее название «Канитель по...» Хорошо, жду...

В комнате вновь воцарилась тишина, изредка прерываемая потрескиванием селектора да жужжанием вентилятора.

— Что? — громко переспросил редактор и поднял недоумевающий взгляд на Орловского. — У меня ее нет... Вы ее положили в сейф! Как нет? Не понимаю... Может, в папке, приготовленной для сегодняшней летучки? Смотрели... Хорошо, я освобожусь и зайду к вам. Посмотрите хорошенько...

Орловский ничего не говоря выскочил из кабинета главного редактора и стремглав побежал к ответственному секретарю. Все в том же обвисшем на плечах свитере он с головой залез в сейф и одну за другой выбрасывал бумаги на письменный стол. Статьи нигде не было.

3. ...И НЕ ЕДИНСТВЕННАЯ

Войдя в квартиру, Сергей нашарил рукой выключатель: свет не загорелся. Выключатель давно следовало бы отремонтировать, но времени всегда не хватало.

Повесив плащ в прихожей, он прошел в комнату и еще не успел зажечь свет, как уловил запах дорогого табака, а потом услышал шорох, и лишь затем увидел, что в кресле у окна кто-то довольно удобно расположился. Ни лица, ни одежды не разглядеть — силуэт лишь угадывался на фоне окна, немного подсвечиваемого уличными фонарями.

— Не бойтесь, можете зажечь свет! — предложил незнакомый голос. — В темноте беседуют лишь герои детективных романов, а я предпочитаю очевидность...

Орловский дрожащей рукой послушно включил люстру. В его любимом кресле развалясь сидел утренний собеседник — обладатель пышных усов и тучной фигуры. Он прикрыл ладонью глаза от света и продолжил:

— Вопрос: «Что вы здесь делаете и как сюда попали», я полагаю, будет неуместным — я специалист по замкам любого рода, — он положил на журнальный столик хитроумный набор блестящих отмычек.

— Мда-а,.. — только и промолвил Орловский, вешая на спинку стула пиджак. — Что вам сказать? В таком случае — не хотите ли чаю?

— А кофе у вас есть? — похоже, прямолинейность была неотъемлемой чертой «гостя». — Если разрешите, я помогу.

— Вы разрешения вообще-то не спрашиваете. Валяйте! Чайник на плите, кофе в шкафчике, сахар.

— Сахар у меня с собой, а то знаете, теперь все по талонам и не знаешь, угостят или нет.

— А вы, оказывается, предусмотрительны, — донеслось до Вашко из ванной комнаты.

— Служба такая! Яичницу будете или боитесь сальмонеллы?

— Всего бояться...

— Поддерживаю... Ого, у вас полный холодильник. Тогда по четыре штуки! Нет, лучше по пять!

Когда Орловский, утираясь полотенцем, вышел из ванной, то с удивлением отметил, что «усач» чувствовал себя «прочно»: повесил на спинку стула пиджак, а прямо поверх рубашки повязал полотняный передник с вышитыми петушками.

— Мое утреннее предупреждение, насколько я понимаю, было вовсе не лишним? — начал без обиняков подполковник, когда они удобно уселись за столом на кухне.

— В смысле? — решил поосторожничать Сергей.

— Статью, которая была в редакции, искать не надо. Можете не удивляться: почти всегда бумаги попадают под арест раньше человека... Более того, если вы ее печатали в двух экземплярах, то второй постигла та же участь.

— Вас благодарить за это? — у Орловского уже не было сил удивляться наглости нежданного «гостя», и он лишь вяло ковырял вилкой в сковороде с великолепной яичницей.

— Боже упаси! — пробормотал Вашко, с аппетитом поглощая большой кусок поджаренной отдельно ветчины.

— Кто вы?

— Друг.

— Почему я должен вам верить?

— А вам ничего другого не остается. Вы идете на красные флажки, и нет ни одной боковой дорожки или тропинки в сторону от загонщиков.

— Да, но у друзей бывают имена и фамилии. Мои анкетные данные вам, конечно, известны.

— Правильно. Вот, полюбопытствуйте... — Он вытер тряпочкой стол и положил перед Сергеем свое служебное удостоверение.

— Лестно, что моей персоной занимаются подполковники...

Вашко хмыкнул:

— Не тешьте свое самолюбие. «Моя ценность определяется рангом моих врагов» — эта истина к вам не имеет никакого отношения хотя бы потому, что даже я не знаю уровень ваших недругов... Наверное, их еще никто не знает.

— И вы, Иосиф Петрович, находитесь здесь, исполняя служебный долг?

— Считайте, что я у вас по личной инициативе. А что касается статьи, то не мне вам объяснять, что с момента отъезда в Аршальск шансы на публикацию ваших материалов упали до нуля. Полагаю, это относится не только к «Пламени», но даже к «Мурзилке». А теперь — ближе к делу, — он засучил рукав рубашки и посмотрел на часы. — Время летит! Уже половина девятого. Когда самолет?

— Вы и об этом знаете? Прежде, чем улететь, я бы хотел узнать, кто взял второй экземпляр статьи. Ладно, в редакции ее можно изъять, но в частной квартире... Поверьте, мне не доставляет радости, что в мое отсутствие шарят в личных вещах.

Вашко оторвал взгляд от стола и тяжело посмотрел прямо в глаза Сергею.

— Для вашего же спокойствия не скажу! Хотя я, как и вы, располагаю пока не доказательствами, а лишь догадками. Более того, я недавно видел оба экземпляра. Я читал статью один среди немногих, и мне нравится ваша позиция. Правда! Но...

— Что «но»?

— Вы можете плохо кончить. А тут еще эта командировка, — он смотрел на Сергея, ковыряя в зубах спичкой. — Я хотел бы вам помочь, но про ситуацию в Прикумске сказать ничего не могу. Пока не могу... И все же — когда вы летите?

— Самолет через два с половиной часа... — Орловский встал и быстрыми шагами начал ходить по тесноватой кухне. — Прикумск, Прикумск... Почему именно Прикумск? Думаю, выбор не случаен.

— Видимо, вы правы... Вы там уже бывали?

— Десять лет назад. — Орловский осторожно посмотрел в сторону пристально наблюдавшего за ним гостя и тотчас отвел взгляд. — Преддипломную практику проходил в областной газете. Всего четыре месяца я пробыл в «Прикумском рабочем», да и когда это было...

— Поведение тогда было безукоризненным? Придраться ни к чему нельзя? К примеру, какие-нибудь излишества: винишко, девочки? А? Давайте поразмышляем вместе, — предложил Вашко, старательно умащивая громоздкое тело на крохотном диване, сооруженном в самом углу кухни. — Смотавшись в Аршальск и вскрыв там кое-какие чиновничьи делишки, естественно, вы сильно разозлили некоего, назовем условно... Как хотите назвать противника? — Вашко с улыбкой извлек «верблюжью» сигарету и пустил к потолку облачко дыма. — Хотите? Нет! Правильно... можно, конечно, прозаически — товарищ Икс. Но это банально... — рассуждал он вслух, и в душе Орловского начали пробираться сомнения в его искренности. — Самое любимое словцо моей внучки... Ей четыре с половиной... Хотите, карточку покажу? Нет... Ваше дело. Так вот — самое любимое словцо Аленки — «пупсик». Пусть этот некто так и называется — товарищ Пупсик. Не возражаете?

— А если их несколько?

— Не думаю. Такие дела творят без согласия. Что же сделали вы. Разозлив своим поведением товарища Пупсика, вы ему даете повод, но у него не хватает против вас компрометирующих материалов. Убрать он вас не может — а это, похоже, и есть основная задача, ведь каждому понятно, что вы не из тех, кто останавливается на полпути. В самом Аршальске вы так крутанулись вокруг наших мальчиков, что они не знали, где и как вас искать. Это лихо, ничего не скажешь. Мне понравилось. Но этот номер больше у вас не пройдет... Кстати, как фамилия этого врача? — Вашко щелкнул в воздухе пальцами. — Ну, ваш школьный товарищ. Кирилов? Запомню... Ах, Кирилов. Так вот, благодаря ему и вам мои коллеги получили четыре выговора, один строгий и один сотрудник представлен на увольнение... Это сильно! Без Москвы здесь не обошлось... Задача! А тут еще Прикумск! Все же признайтесь — с бабами не накрутили тогда? По молодости, по бодрости... А? Хотя к чему такой вопрос... Конечно, конечно... Вы и сейчас не отличаетесь отменным поведением... Кто эта Жанна? Жена, невеста?

— Какая? — решил затаиться Сергей.

— Юноша, три с половиной дня я не выпускал вас из поля зрения. — Вы мне стали самым близким человеком... Не делайте мне глазок! Да, такая у меня собачья работа, что скажешь. И нет большого секрета в том, что вчера, проехав три остановки на метро, одну на автобусе и протопав семь минут в сторону от шоссе с пломбиром в руках, вы поднялись на четвертый этаж дома с синими балконами и провели там всю ночь... А в это время я мерз в машине. А в почтовом ящике квартиры, в который вы изволили почивать, лежало письмишко, адресованное некой Жанне. Лихо? Конечно, это ваше дело, с кем спать, но учтите, прокол может быть и с этой стороны. Аморалка всегда плохо выглядит. Кстати, в редакции у вас, как мне показалось, немало завистников. Это тоже важно. Уж больно хорошо пишете, вот и рождаете недругов... Похуже чуток не можете? Как все... Средненько... Нет, обязательно вывеситься на доске лучших материалов и отхватить командировочку в края обетованные. Я имею в виду всякие там Сочи, Сухуми... Кто не хочет позагорать за государственный счет... Смотрите, подставят подножку... У вас сейчас не должно быть ни одного шага в сторону, — он добродушно засмеялся.

— Что же мне делать?

— Дать совет? Это можно... — Он начал шарить по карманам пиджака, обширных брюк и выкладывать на стол всякие мелочи. — Куда же она запропастилась? Ага, — радостно воскликнул Вашко, — вот она! — Он держал в руках отвертку. Развинтив ручку, он достал стержень с широким лезвием и закрепил его на месте только что снятого. — Давайте отремонтируем свет в прихожей! Это же непорядок! А потом я провожу вас в аэропорт, как это сделал бы ваш друг, если, конечно, не будете возражать...

— Могу я задать вам один вопрос? — спросил Сергей.

— Отчего нельзя... Валяйте!

— Почему вы, Иофис Петрович, решили мне открыться? Оперативник, подполковник милиции и вдруг, нарушив присягу, вошли в контакт с поднадзорным... Я правильно себя называю?

— Какой вы к черту поднадзорный. Еще, слава богу, не в тюрьме, — на лице Вашко расплылась широкая улыбка. — Вы ошибаетесь по двум позициям: первое — нарушение присяги, второе — вошел в контакт. Будьте уверены, с присягой все в норме, от аз до ять. Что же касается контакта, то он может быть предусмотрен по плану разработки. Что, если я должен ненавязчиво втереться к вам в доверие. Допускаете? Разве не получилось? Мы уже с вами почти приятели. Разве, что не выпили на брудершафт...

— Это единственная и истинная причина? — взгляд Орловского сочился подозрительностью.

— Нет, конечно. Но об этом вам пока еще рано знать. Придет время, узнаете. Вещи собраны? Вперед!

...Ни в автобусе, ни в метро, ни в аэропорту Вашко не отходил от журналиста ни на шаг. Махнув на прощание рукой, оперативник вернулся в зал аэропорта, секунду-другую, словно размышляя, стоял, опустив голову, а потом, смешно пошевелив усами, торопливо направился к городским телефонам. Набрав номер, он долго ждал ответа. В трубке щелкнуло, и он услышал спокойный голос «Живчика».

— Докладывает Вашко... — голос Вашко стал деланно бодрым. У руководства же, наоборот, сквозило недовольное брюзжание:

— Ты меня способен достать даже в ванне. Давай, докладывай. Как там наш борзописец? Уехал?

— Только что... Как велели — проводил до самого самолета...

— Контроль прошел?

— Естественно... — по-своему переиначил Вашко всем хорошо известное слово. — Никаких проблем!

— Как он тебе показался?

— Не глуп, доверчив, в чем-то наивен...

— Не получится как в городе. А?

— Имеете в виду Аршальск? — открытым текстом спросил Вашко, пряча улыбку в усы — ему вдруг представился шеф, стоящий у телефона в халате и переступающий с ноги на ногу в домашних туфлях.

— Разговорчики! Опять?

— Никак нет, товарищ... Николай Федорович.

— То-то! Иди спать... До утра свободен, а в девять подробную докладную.

Выйдя на улицу, Иосиф Петрович глубоко втянул осенний воздух, пахший то ли грибами, то ли прелью. И долго смотрел в темное небо.

«Кто ты, друг или враг? — гадал Орловский. — Почему он шепотом сказал в последний момент, низко склонившись к уху, а глядя совсем в другую сторону: „Улица Чураева, восемь, квартира двадцать шесть... Виктор Капкин! В крайнем случае". Кто он, этот Капкин? Почему должен возникнуть этот самый крайний случай? Ничего непонятно..."

«Здорово они обложили этого парня, — размышлял в тот же момент Вашко. — Подставка идет за подставкой... Видимо, он здорово наступил на мозоль... Кому? Трудно даже предположить. Но „ему" оказывается под силу одновременно отправить журналиста в командировку, подсунуть его другу врачу горящую путевку в Болгарию, а красавицу Жанну загрузить работой так, что она не поднимает головы от стола. А что в этой истории делаешь ты, уважаемый Иосиф? Зачем тебе эта игра?» — Он в очередной раз улыбнулся, смешно топорща усы, и, сунув руки в карманы плаща, зашагал к автобусу.

«Кто ты? Друг или враг? — навязчиво крутился вопрос в голове почти сморенного сном Орловского. — Кто ты...» — Сергей уснул, но его сон продолжался недолго.

4. ЗАБРОШЕННАЯ БАНЯ

И все же Вашко знал далеко не все. Даже в хорошо просчитанную и выверенную, казалось бы, комбинацию, жизнь вносит свои коррективы. Ну, скажите, кто мог предположить, что путевку для «персонально нужного» человека заберет... высокая инстанция. Вместо Кирилова в Болгарию уехал сын руководителя райздравотдела. Переоформить документы оказалось делом нескольких часов, о чем Кирилов даже и не догадывался. Он просто радовался неожиданному отпуску и был счастлив появившейся возможности побродить по туманному осеннему лесу. А потому сразу уехал к знакомому леснику, жена которого рожала так часто, будто была запрограммирована на продолжение рода.

Жил он в заброшенной бане, куда по вечерам приходил хозяин. Неизвестно, каким Василий был лесником, а говоруном и чудиком он был порядочным. Его не интересовали дела земные, но то, что касалось небесных, тут его любопытству предела не было. К сожалению, Кирилов об астрономии мог судить лишь из школьного курса, порядком подзабытого и выветрившегося из головы. Когда Кирилову надоедало отвечать на вопросы лесного «философа», он доставал транзистор, настраивал на «Маяк» и слушал подряд все передачи. В один из таких вечеров, когда отпуск подходил к середине, Кирилов неожиданно захватил обрывок интересной беседы. Кто-то голосом ответственного работника перечислял проценты нераскрытых преступлений, пытался объяснить, что надо сделать всему обществу, чтобы изжить преступность, в том числе и неизвестно откуда взявшуюся профессиональную. Когда журналист попросил собеседника привести пример, Кирилов вдруг услышал знакомую фамилию.

— Некто Олонцов... — уверенным голосом повествовал «чин». — К стыду органов внутренних дел... А мы, как вы понимаете, теперь не скрываем от читателей и слушателей ничего — надо развивать гласность... Так вот, этот Олонцов, раньше был сотрудником ОБХСС. Поставлен, так сказать, был на охрану интересов государства. За дела неблаговидные был уволен из органов внутренних дел. Тогда он организовывает в городе Аршальске кооператив. К сожалению, у нас не всегда доходят руки до проверки этого контингента людей. Но тут мы не упустили ситуацию из-под контроля. Пресекли преступную деятельность кооператива, государству возвращено более четырехсот тысяч рублей.

— Скажите, — встрял радиожурналист, — чем занимался этот кооператив?

— Они организовали путешествия по Двине, зафрахтовав несколько теплоходов, — вальяжным голосом продолжил «ответственный чин». — Вели, насколько мне известно, экскурсии, тексты которых не были утверждены в областном бюро туризма и путешествий, а упор делали в основном на дореволюционную тематику. Но не в этом суть — под видом путешествий они и браконьерский промысел развили — вот на этом и попались...

Кирилов сидел ни жив, ни мертв. Услышанное никак не вязалось с обликом того человека, которого он узнал всего несколько месяцев назад. Наутро он отправился пешком в райцентр. Связи с Москвой ждать пришлось больше часа, но телефон Орловского не отвечал. Погуляв по городу, он снова вернулся на почту, опять ждал и вновь услышал долгие гудки. «Интересно, — размышлял Юрий Николаевич, возвращаясь заросшей тропой на лесной пикет, — знает ли Серега про эти новости?»

В киоске у вокзала Кирилов купил несколько залежалых номеров «Пламени». В бане, развалившись на полатях, он принялся перелистывать их один за другим, но, кроме хорошо известной стародавней сочинской статьи, ни одного материала за подписью Сергея не попадалось. «Куда он делся?»

Его отвлекли от чтения крики мальчишек на улице. Кирилов выглянул в маленькое оконце бани. Возле дома стоял Василий, а рядом с ним угрюмо прохаживался пожилой милицейский капитан, в выцветшем на солнце расстегнутом кителе и такой же белесой фуражке.

Вставать с лежанки не хотелось, и Кирилов, поправив соломенный тюфяк, хотел было продолжить чтение.

— Слышь, Николаич, — скороговоркой выпалил Василий, едва за ним хлопнула рассохшаяся дверь бани. — Чегой-то ты в городе натворил? А? Частковый-то про тебя толковал... Ну, я ни-ни, сам понимаешь... Ни сном, ни духом! Знать не знаю и кто таков не ведаю... Акромя жены и детев никого нет. А Ванька, ну позапрошлогодний оголец, который от горшка не оторвался, тот сдал. Дядя-бяка, грит! И на баню кажет пальцем... Ну, уже опосля по заднице-то врезал, а так черт его знает — догадался, частковый, чи нет... Ты гляди, чего бы не вышло... Сам понимаешь... А чегой-то ты там натворил, а?

Кирилов молча встал с полатей, посмотрел на часы и начал собирать рюкзак.

— Да ты что? — засуетился Василий. — Я ж рази в том смысле... Ты живи, сколь влезет. Мне и погутарить есть с кем...

Когда Юрий Николаевич, уставший после тряски на попутке, а потом долгого томления на электричке, вошел в квартиру, часы показывали за полночь. Подойдя к телефону, он набрал номер Орловского. Тот молчал.

С наслаждением смывая с себя дорожную пыль, Кирилов размышлял, не случилось ли так, что Сергей узнал про новости из Аршальска и мотанул снова на Север. И уж никак не мог догадаться, что в этот самый момент журналист был совсем в другой точке страны и над его головой снова витала опасность.

5. ДРУЗЬЯ, ПРЕКРАСЕН НАШ СОЮЗ!

Климат в Прикумске был резко континентальным, осень отличалась здесь поразительной краткостью. За неделю отцветали алые листья краснотала, стремительно желтела хвоя лиственниц и подмороженный лес долго, до ноябрьских праздников, а бывало и дольше, ждал снега. Мороз набирал силу сразу и скоропалительно падал к тридцатиградусной отметке. Орловский, наученный горьким опытом Аршальска, на этот раз подготовился основательней. Прямо на трапе самолета он вытащил из портфеля, рыжую, видавшую виды «ондатру» и нахлобучил шапку на голову.

— Серега! — шлепок по плечу остановил Орловского в самом центре аэропорта. — Ты?

На журналиста смотрел, приветливо улыбаясь, полный лысый мужчина, в котором едва угадывались знакомые черты.

— Неужели не признал? Да Гришка я! Ну, вспомни, вспомни...

— Как же, как же... — фальшиво пробормотал Орловский.

— Какими судьбами? Куда? Где работаешь? — вопросы сыпались один за другим.

— Куда? — пожал плечами. — В гостиницу... А ты что здесь делаешь?

— Так жену с детьми отправил московским рейсом. Отпуск у них, а сам вылетаю через неделю. Ты чего? Не помнишь меня?

— Честно говоря, не очень... — виновато взглянул Сергей.

— Ну, здорово живем! — воскликнул мужчина. — Вспомни, «Прикумский рабочий», девять лет назад, фотолаборант... Ну, напрягись...

— Гриша? — неуверенно произнес Сергей.

— Славу богу! Только не Гриша, а Григорий Пантелеймонович Дольский... Специальный корреспондент областной газеты. — Слово «обласной» Дольский заметно выделил.

— А я в «Пламени». Сейчас в командировке...

— В «Пламени»? — с уважением переспросил Дольский. — Ну, ты даешь! А я несколько раз читаю — «Орловский» и все гадаю — тот или не тот! А оказывается, что надо. Слушай, — еще раз хлопнул он по плечу, — а зачем тебе гостиница? К черту гостиницу! Будешь жить у меня... Трехкомнатная, в самом центре, я — один. Мои же уехали... Не сопротивляйся, — он прямо-таки вырвал из рук Орловского тоненький портфель и силой поволок его к выходу. — Садись, не раздумывай. «Жигули» у меня не машина, а зверь... Сейчас мигом домчим, а там и поговорим. Ты как относишься к пельмешкам? Настоящим из сохатинки! Да под сто грамм... Сила!

Орловский что-то отвечал, поглядывая в окно машины, пытаясь разглядеть сквозь дымку очертания когда-то знакомого города.

— Тебе докладываться о прибытии куда надо? — лихо покручивая баранку и не переставая без умолку болтать, поинтересовался Дольский. — По какому ведомству интерес?

— По милицейскому...

— Ого! По милицейскому? Натворили что? У нас это могут, только не очень любят, когда чужие в это дело суют нос. Обходимся и своими силами. Интервью с министром. Информация с брифинга. Хвалебная статейка к Дню советской милиции. И тэ дэ и тэ пэ...

— Да надо разобраться, понимаешь, в одной истории...

— Если надо помочь, можешь положиться! Сейчас мы заскочим в ихний политотдел и доложимся, — подмигнул Дольский. — Сей момент... А уж потом и пропишемся у меня, как положено. Им же удобнее тебя искать, если понадобишься, прямо у меня. Телефон есть, да и живу в двух шагах от офиса... — он излишне громко захохотал.

— Может, чуть позже... Неудобно как-то сразу после дороги.

— А чего неудобно! Сейчас отметимся, а завтра и выйдешь на работу. Проверяй, что хочешь, сколько сил хватит. Пиши, что в голову взбредет... Машинка у меня «Олимпия». Пользуй, твори в полное удовольствие.

«Доложиться» в республиканском министерстве не удалось. Орловский совсем забыл, что сегодня — выходной. Правда, об этом почему-то забыл и Григорий Пантелеймонович.

— А так даже лучше, — решительно приободрил Сергея Дольский. — И у нас, как говорится, время для воспоминаний! Знаешь, что мы сделаем? Оставим дежурному по министерству мой домашний телефон! Захотят познакомиться со столичным журналистом — позвонят! Факт, позвонят...

Орловского удивило, как в Прикумске хранят пельмени. Распахнув створки трехрамного окна, Дольский запустил руку по самый локоть в деревянно постукивавший содержимым большой мешок, а каких обычно хранят картошку, и привычно начал извлекать окаменевшие на морозе тестяные катышки.

— Так до весны и пролежат? — поинтересовался Сергей, оглядывая кухню.

— До весны? — Дольский рассмеялся. — Съедим раньше. Вот гляди, сейчас кастрюлечку затарим на вечер, — он поставил на плите дюралевую емкость размером с доброе ведро. — Да под «чистую слезу» и уговорим... Подумаешь, делов! — он снова хохотнул.

Увидев доставаемую из холодильника запотевшую бутылку водки, поименованную Дольским «чистой слезой», Орлов ский отчаянно замотал головой.

— Не могу! Не упрашивай...

— Боишься, что позвонят, а ты не в форме. Ерунда! По пятьдесят грамм за встречу друзей, а? Никто и не почувствует... Слушай, может, по состоянию здоровья? Или...

— Со здоровьем у меня все в порядке, но пить не буду! — решительно отрезал Орловский, отодвигая приготовленную стопку. — Пельмени с удовольствием, а большего не проси...

Дольский недовольно боднул воздух, но бутылку убирать не стал.

— Неволить не смею, может одумаешься — пятьдесят грамм еще никого с ног не сбивали...

Не прошло и получаса, как на столе дымилась паром огромная лохань, полная благоухавшими ароматами домашних пельменей. В воздухе витали пряные запахи перца и лаврушки.

— А для убежденных трезвенников, — съехидничал Дольский и смешно дернул носом, — пожалте, вот брусничный морс. — Он водрузил на стол небольшой бочонок с висевшим на краю ковшиком. — Немного горчит. Ягоду, когда морозцем прихватит, наипервейшее дело, а уж горечь... Приходится мириться. Кстати, и пельмешки такие ты не пробовал, они не ваши московские, свинные или говяжьи... Сохатинка! Что за мясо!.. Пряное и без специй.

— У вас с этим запросто? Лицензия?

— А шут его знает... Я сам не охотник...

— На рынке продают?

— Ну, ты хватанул. Кто же ее на рынке продавать будет... Раздавят в один миг. Свинины-то по шесть рублей при карточной системе и то не хватает, а тут сохатина! По большому знакомству только и достанешь — там сосед, к примеру, угостит, или кто с работы на охоту идет. Тогда другое дело... Ну, хватит разглагольствовать, за дело! Первый тост — за встречу друзей... За то, что журналистский путь привел тебя в наши провинциальные палестины!

Сергей .послушно поднял рюмку красного прозрачного морса и скорее насмешливо, чем серьезно чокнулся с коллегой. Морс в самом деле заметно горчил.

— А теперь на пельмешки налегай! Пока горячие — самый смак... Перчик вот, уксус... Закончим баловаться с огнем, я тебе такую штуку сделаю! За другим окном у меня добрый шматок нельмочки. Ел когда? А... На стружечки острым ножичком ее пощепим, а потом под маканинку и пожар потушим... Строганина у нас — первое дело!

— Ну, поехали! — он бодро поднял вверх в вытянутой руке вторую стопку. — Ну, давай, давай, трезвенник, подымай свои «боржом»...

Неспешно текла беседа. Вспоминали общих знакомых, не забывая время от времени поднимать бокалы: один с водкой, а второй с морсом...

— Ты мне немного расскажи про эту историю, — предложил Дольский уже слегка заплетающимся языком. Его тянуло на пространные рассуждения, и он практически не переставал говорить. — У нас, понимаешь, тут свой мир, может, чего посоветую, исходя из местных специфических условий...

А на Сергея вдруг навалилась усталость. Видно, сказалась бессонная ночь в самолете. Дольский заметил его зевоту и предложил:

— А, черт! Плохой я товарищ... Не сообразил, что тебе с дороги неплохо бы отдохнуть. Это мы мигом сообразим. — Он неуверенно встал из-за стола и покачиваясь пошел в комнату. Там с трудом извлек из-за шкафа раскладушку и принялся готовить постель.

— По нашему-то сейчас час дня, а у вас в Москве только семь утра, вот ты и раззевался... — он хмыкнул. — А как тебе морсик?

— Нормально! Но горчит между нами говоря, здорово — кажется ягода средней полосы послаще... А впрочем, черт ее знает...

— Ягода! — засмеялся Дольский. — Причем здесь она? Ложись, отдыхай... Выспишься — поймешь в чем дело...

— В смысле?

— Так это же я тебя потчевал дамским винцом. У нас не завозят — ни сухого, ни крепленого, никакого... Вот жена и добавляет в морс немного водки... Так, для скуса! А ты — ягода!

После слов Дольского Сергей понял, что в голове действительно немного шумит.

— Зря ты это... — успел пробормотать Сергей и тотчас провалился словно в яму.

Дольский на цыпочках вышел из комнаты и долго возился на кухне, собирая и перекладывая в мойку грязную посуду. Затем он сладко потянулся и с наслаждением, глядя на морозное полуденное солнце за окном, с пафосом произнес: «Друзья, прекрасен наш союз!» Потом задумался, принялся чесать мизинцем переносицу. «Однако у Пушкина не так... Память подводит». И снова принялся цитировать: «Друзья мои, прекрасен наш союз! Он, как душа, неразделим и вечен...» А дальше? Вот склероз... «Неразделим и вечен... Неразделим и вечен...» Ну и хрен с ним, с этим Пушкиным!" Налил до краев полную стопку и, осушив единым глотком, тотчас налил другую.

6. ВАШКО ОЗАДАЧЕН...

За долгие годы службы Иосиф Петрович так и не сумел толком обставить свою двухкомнатную квартиру. Дома он бывал редко, в основном возвращался заполночь, выходных у него почти не было и домашнюю лямку тянула жена. После ее смерти дети постепенно растаскивали имущество по своим семьям и осталось отцу совсем немного — шкаф, кровать, комод да тумбочка с телефоном.

«Старый друг лучше новых двух!» — считал Иосиф Петрович и не спешил ничего менять в обстановке. Небольшим дополнением к ней стали развешенные по стенам фотографии — вот он с женой и дочкой, вот фотография сына с невесткой на фоне сухумских пальм... На рамках потрескался лак, стекла немного запылились.

Скинув плащ, Вашко с размаху плюхнулся в кресло, отчего оно жалобно скрипнуло — это был привычный звук. Иосифа Петровича гораздо больше взволновало бы, если бы вдруг скрипа не было. Причин для этого могло быть лишь две: либо нет ножек, либо он оглох. Обе они его не устраивали.

Зазвонил телефон. Вашко снял трубку.

— Привет, Йоса! — так его мог называть лишь один-единственный человек. Его голос был хрипловат, но Вашко отчетливо представил сухую поджарую фигуру собеседника, как всегда безукоризненно одетого, по-спортивному подтянутого. «Надо будет при случае спросить, как ему это удается? Одногодки, а поди ж ты...»

— Привет, Леон! — эти полушутливые прозвища они дали друг другу более двадцати лет назад и других теперь уже попросту не знали, хотя «Йоса» давно растерял пышную шевелюру, а «Леон», что означало на самом деле Леонид, при всей сохранившейся стройности фигуры был совершенно сед.

— Ты хорошо сидишь?

— Не бойся, не упаду. Говори, что у тебя случилось...

— Не у меня, а у тебя... Ты упустил парня?

— Исключено! — очередная сигарета ловко порхнула из пачки прямо в губы Вашко. — Я его, как сына родного, до самого самолета...

— И тем не менее он тебя провел... С блеском? А? Пацан и матерого волчищу! Как тебе нравится?

Вашко с прижатой к уху трубкой вернулся к столу и взял пепельницу.

— Что произошло, Леон! Говори прямо...

— В день отлета, в двадцать тридцать он дал телеграмму...

— Можешь прочесть?

— Конечно! Слушай... адрес я тебе зачитывать не буду — он ее загнал прямо в ЦК.

— Ну-ну, читай!

— Фабулу я тебе тоже зачитывать не буду — ты в курсе Аршальского дела. А вот дальше интересно — «...однако моя статья в редакции „Пламени" отвергнута без рассмотрения редколлегией и коллективом журнала. Решение принималось исключительно руководством редакции, которое уже достаточно дискредитировало себя, отказав мне в командировке по письму. Я расцениваю эти действия как попытку воспрепятствовать правдивому и гласному освещению событий...»

— Мальчишка! — Вашко незло выругался. Он досадовал на себя: ему, конечно, надлежало прийти к Орловскому раньше, перехватывать не дома, а в редакции, тогда он не позволил бы ему отправить телеграмму.

— Чего молчишь? Ругаешься про себя?

— Тебе, как всегда, не откажешь в проницательности, Леон... — не слишком доброжелательно пробурчал в трубку Вашко. — Он провел меня, как мальчишку... Ты ее не сможешь тормознуть? Я же знаю — один твой звонок, и она приостановлена... Как думаешь, ее еще можно заморозить и не отправлять на проверку в наш департамент?

— Я думал об этом и решил сделать не совсем так, как ты предлагаешь...

— Разве я что-то успел предложить? — Вашко вернулся в кресло и закинул ногу на ногу.

— Телеграмма прошла по отделу регистрации корреспонденции. Мне уже звонили, она скоро будет у меня. Я подошью ее в дело! Сам понимаешь — лишний фактик — не помеха!

— Зачем она тебе? Симпатизируешь этим пацанам?

— Немного...

— Не темни, я же чувствую, ты что-то придумал.

— Они могут выйти на такой уровень, о котором даже не подозревают, но о котором прекрасно осведомлен я. Мне давно знакомы их оппоненты, да руки мои оказались короче, чем у этих ребят. Кстати, сколько им?

— Около сорока... Оба москвичи...

— Ясно. Орловский не говорил про фотографии?

— Что за фотографии?

— Слишком многого от меня хочешь... Я тоже не бог! Знаю, что в Аршальске паника из-за них, а о содержании могу только догадываться. Полагаю, кого-то они сильно ставят под удар.

— Анарина?

— Не скажу. Не знаю. Ты, кстати, слышал выступление по «Маяку» вашего Торшина? Он сильно затронул аршальские дела.

— Когда мне слушать... Про что он там излагал?

— Соловьем заливался про раскрываемость, про перестройку органов. Занимательно у него это получилось... Упомянул про Олонцова — бельмом он сидит у него на глазу...

— Кто такой Олонцов?

— Бывший опер ОБХСС, который, похоже, слишком много знал... Кстати, снимочки, что сейчас так старательно ищут, приписывают ему. Дело довольно темное, и ты при случае поинтересуйся... Может, чего и удастся узнать... Вроде бы там такая история — Олонцова просили сфотографировать, он снял. Негативы у него изъяли через сутки, а он успел сделать копии. Анарин вспомнил о них даже не тогда, когда увольняли Олонцова, а гораздо позднее, лишь после отъезда врача и журналиста. Обыск у Олонцова как сделать — повода нет... Пришлось сначала искать повод, забирать его в камеру, а потом искать...

— Раз не нашли, значит они у Кирилова или Орловского, больше им быть негде... Но они об этом не упоминали...

— Ты уже знаешь, что Милорадову приказали раздобыть все экземпляры статьи?

— В курсе... Он же Кирилова отправил за рубеж. В его отсутствие и взяли. Мальчишки — чудаки! В Брокгаузе документы хранили. Но снимков там не было — я бы об этом знал...

— Знаю, что не было. Чего же иначе паника поднялась?

— Почему они их так боятся? Тьфу, карточки, ерунда!

— Не совсем так. Это серьезная улика. Я думаю, что если уж Торшин решил ввязаться в эту историю, то они стоят того.

Вашко встал с кресла и подошел к окну.

— Слушай, Йоса, я все хотел тебя спросить — как там у тебя мой оболтус работает?

— Жалуется?

— До этого не доходит, но домой приходит полутруп.

— Назвался юристом, полезай в кузов... Ты надеялся, что я ради дружбы с тобой найду ему льготное местечко? Я не Милорадов! Хотел его к бумажкам пристроить — обращался бы к нему. А у меня нет другой работы, как преступников ловить, да вот еще на старости лет вдряпался в историю. Из-за тебя, между прочим... «Посмотри за ребятами, — начал он передразнивать голос собеседника, — наломают дров». В кого ты меня из сыскаря превратил? Милорадов и тот опешил, когда я вызвался, но рад был безмерно.

— Еще бы не рад — ты у него на хорошем счету.

— Пока на хорошем. А за сыночка не проси — будет вкалывать как все. Вот чего не будет делать точно, так это по чужим квартирам шарить — для этого у Милорадова своих лбов навалом. Ну, так что делать с фотографиями?

— А черт их знает... Повыясняй слегка, где они могут быть... Жаль, если попадут к Милорадову — тогда дело Анарина и Торшина восторжествует... Я думаю, они из-за них, а не из-за статьи подняли этот сыр-бор, хотя она им тоже сильно мешает...

— И документы олонцовские? Забыл?

— Да, но их, считай, уже нет!

— Как знать, как знать... — многозначительно произнес Вашко, с сомнением в голосе.

— Ты не собираешься выходить на врача?

— Были такие мыслишки.

— Не спеши... Он уже приехал в Москву, но ведет себя пока тихо. Никуда не лезет. Разве что пытается потихоньку выяснить про Орловского, но в редакции, видно, уговор такой, все в рот воды набрали. Боятся идти против редактора.

— А он говорил про друзей...

— Кто говорил?

— Да Орловский. Мол, многие в редакции ко мне относятся более, чем хорошо. Друзей, говорил, гораздо больше, чем врагов...

— Друзья друзьям рознь, — многозначительно произнес собеседник и начал прощаться. — Опять до поздна просидел... Пойду, пожалуй, домой...

7. ДРУЗЬЯ ДРУЗЬЯМ РОЗНЬ...

Орловский проснулся от звонка телефона. В квартире никого не было, лишь на столе лежала записка. Неровным почерком скачущими буквами было написано: «Серега! Ключ на гвозде у двери, я позвоню...»

Но голос был не Дольского.

— Сергей Николаевич, вы уже проснулись?

— Простите, кто это?

— Не узнал. Кешка Иннокентьев...

Кешка помнился Орловскому все девять лет, что прошли со дня практики в «Прикумском рабочем». Молодой, вечно улыбающийся якут одновременно с Орловским проходил в газете практику после окончания университета. Невысокого росточка с вечно загорелым, кирпичного цвета скуластым лицом и узкими раскосыми глазами.

— Привет! Ты где?

— Что значит, где? У себя дома! Только что заскочил Дольский и сказал, что ты здесь... Приезжай, а? Квартиру покажу. Резьбу по дереву — ты помнишь, как я вырезал?.. Посидим, поболтаем!

— Да как-то... — не мог придти к окончательному решению Орловский.

— Я тебе свою книжку подарю, — уговаривал Кешка. — Только что вышла... Рассказы и повести... Давай, приезжай. Помнишь, где?

— Приезжай! — отнял у Кешки трубку Дольский. — Тут пять минут на автобусе... Чего раздумываешь? Нельзя обижать друзей... — Язык его, как показалось Орловскому, заплетался еще сильнее.

— Хорошо, сейчас приеду.

Иннокентьев жил в центре города, в «Доме печати». Два небоскреба высились среди свайных пятиэтажек и деревянных балков.

Кешкиной квартире можно было позавидовать: просторная, с оригинально оформленной хозяином резной кухней. Из комнаты на секунду показалась улыбчивая хозяйка квартиры и, смущенная, вновь исчезла, заталкивая за дверь двух расшалившихся малышей — таких же кирпичнолицых и черноволосых...

В отличие от сильно выпившего Дольского, Иннокентьев был почти трезвый. Хотя и от него уже заметно попахивало спиртным.

— Садись, — решительно пододвинул он стул Сергею после того, как они крепко обнялись и долго хлопали друг друга по спине. — Сколько лет, сколько зим!

— Да, давненько не виделись! — воскликнул радужно настроенный Дольский, извлекая из портфеля новую бутыль водки. — Извини, мы тут чуток пригубили... Но у него жена, у-у-у...

— Не надо, — попросил Иннокентьев. — Паша права! Не хорошо...

— Ты что? — опешил Дольский. — Теперь пришел гость. Грех всухую...

— Я не буду, — веско отрезал Орловский.

— Почему? Почему? — вторя один другому спросили и Дольский, и Иннокентьев. Орловский прижал руку к груди и хотел сказать про усталость, про то, что тяжело привыкать к другому поясному времени, но Кеша понял его по-своему и сразу встал на защиту Сергея.

— Когда сердце не в порядке, тогда нельзя, — авторитетно произнес он, отодвигая бутылку дальше от Сергея. — Мне тоже хватит!

Из кухни появилась жена Иннокентьева, внося на огромной тарелке нечто дымящееся и блестящее, чему и названия-то Сергей не знал.

— Оленьи потрошки! Только вчера родственники привезли из деревни... — смущенно пробормотала женщина и поспешила исчезнуть за дверью.

— Один я пить не буду! — обиженно протянул Дольский. — Тоже мне братья-журналисты... Не поддержали!

— Ну, хорошо... — остановил его рукой Иннокентьев — бутылка вновь описала траекторию «из портфеля на стол». — Я, Григорий, с тобой выпью, но совсем немного...

— А я что тебя уговариваю до умопомрачения? Выдумал тоже... Ну, давай под потрошки!

Морс в доме Кеши был «без глупостей Дольского» и именно поэтому ни капельки не горчил. После трапезы, заметно повеселевший Иннокентьев, которого Дольский все же уговорил опорожнить бутылку до дна, водил Сергея по квартире словно по музею. Подойдя к письменному столу, Иннокентьев извлек из ящика новенькую, еще пахнущую типографской краской книжку в мягком переплете и, достав авторучку, долго сочинял «дарственный текст».

— Ба, — воскликнул он, обернувшись к Сергею, — да ты совсем уже спишь... Паша, — окликнул он жену, — доставай раскладушку и стели ему в детской...

— Да я... — начал было Орловский, собираясь рассказать о том, что уже обосновался у Дольского и там ему будет лучше всего.

— Не обижай... Завтра проснешься и пойдешь по делам, а сегодня ты мой гость... — Он заметил торопливый взгляд Сергея в сторону комнаты, где, уронив голову на руки, дремал Дольский. — Не волнуйся за него, я провожу — тут пять минут. Всех я не размещу, а тебя не отпущу... Хорошо?

— Ну, ладно, — не сразу согласился Орловский.

Снилось ему что-то страшное, тревожное и кто-то большой, чьего лица было и не разглядеть, тряс его, будто испытывая на прочность. Открыв глаза, он с удивлением обнаружил, что тряска ему ни приснилась — его и на самом деле встряхивали, пытаясь разбудить. Только это был не кто-то неизвестный, большой и страшный, а маленькая, прежде улыбчивая Паша. Сейчас по ее лицу градом текли слезы...

— Их забрали... — повторяла она раз за разом, не обращая внимания на текущие тонкими ручейками слезы, тянувшиеся к уголкам ее широкого некрасивого лица.

— Кого? — не сразу пришел в себя Сергей.

— Гришу и Кешу... Только сейчас звонили из дежурки министерства и сказали, что забрали. Спрашивали про вас, но я сказала, что вы спите...

Холодный пот прошиб Орловского. «Это что же получается, — он с силой тер повлажневший ладонью лоб. — Московский журналист, приехавший с проверкой милиции по жалобе, нажрался до чертиков и спит беспробудным сном... Спасибо вам, друзья! Подставили, высший класс! Если, только это...» Но про возможное предательство думать почему-то не хотелось.

Неожиданно Орловскому припомнилось, что когда он подходил к дому Иннокентьева, то за углом, как будто стояла машина. Ему еще тогда показалось, что вдоль борта шла синяя «милицейская» полоса... Но, может быть, просто показалось.

— Где их задержали? — только и нашел, что спросить Сергей.

— В том-то и дело, что у самого дома.

— Они в вытрезвителе?

— Сказали, что в дежурной части министерства...

— Странно... Очень странно! Что же нам делать?

— Может, позвонить кому?

— Позвонить? — переспросил Орловский и вдруг, пораженный внезапно возникшей догадкой, спешно начал натягивать брюки, рубашку. — Паша, одевайтесь и вы... Я, конечно, знаю, как их выручить.

— Как? — женщина доверчиво и с надеждой смотрела на Сергея.

— Я думаю, что ни Дольский, ни Иннокентьев им не нужны — они там по ошибке.

— Как это, по ошибке? — она начала судорожно стирать с лица слезы.

— Иннокентий, так точно по ошибке... На его месте должен быть я.

— Что же теперь делать? Идти туда?

— Только так! Пусть хоть экспертизу проводят, но я обязан убедить их, что совершенно трезв. Иначе...

О возможных последствиях не хотелось даже и думать. Телеграмма в Москву, срочный отзыв, собрание партийного бюро редакции, увольнение...

— Я готова подтвердить, что вы не пили ни одной рюмки... — решительно произнесла Паша, запахивая на груди дешевое пальтецо с поистершимся воротником.

— Если они умные люди, то этого, я думаю, не потребуется.

8. АХ, КИРИЛОВ, КИРИЛОВ...

Том Брокгауза, в котором они с Сергеем хранили документы, Юрий Николаевич обнаружил только утром. Странно, почему с вечера он не обратил внимания на лежавшую на столе, распахнутую книгу. Сперва Кирилов озадаченно полистал ее страницы, потом, бросившись к шкафу, начал поочередно вынимать остальные тома энциклопедии и тщательно исследовать их, в тщетной надежде обнаружить пропажу. Из этого, естественно, ничего не получилось... Бумаги исчезли.

Распахнув входную дверь, он придирчиво осмотрел замок: на нем не было ни вмятин, ни царапин. Телефон Орловского молчал: дома журналиста не было. Пробовал звонить в редакцию, но так ничего и не выяснил — там неохотно отвечали одно: находится в местной командировке то ли в Москве, то ли в области... Со дня на день вернется. Номера телефона Жанны, ни служебного, ни домашнего, у Юрия Николаевича не было: он не догадался его взять.

Все складывалось так, что он совершенно напрасно прервал свой отдых. Единственное, что смущало Кирилова, — пропажа олонцовских документов. С одной стороны, Юрий Николаевич не видел в этой пропаже особой беды; подумаешь, пропали и пропали... Кому они нужны после публикации статьи? А с другой стороны, кому понравится, что в его отсутствие в квартире побывали посторонние люди? «Позвонить, что ли в милицию? — он с сомнением поглядел на телефон. — А что я им скажу? В принципе, ничего не исчезло... Подумаешь, бумаги! Стоп! — внезапно осенила его догадка. — Тревоги абсолютно напрасны... Конечно же, так все и было! У Сергея оставался ключ: когда ему потребовались документы, заехал и взял их с собой...» Это была достаточно правдоподобная версия, и Кирилов решил до возвращения Сергея ничего не предпринимать.

...Закинув за спину рюкзак, Юрий Николаевич легко сбежал по лестнице и вышел на улицу. Можно было не спешить — до электрички оставалось не меньше сорока минут, а до вокзала — рукой подать...

— Юрий Николаевич! — приветливый мужской голос окликнул его, едва он сошел с крыльца. — Можно вас на минуточку?

Человеку на вид вряд ли можно было дать больше тридцати пяти. Очки в тонкой золоченой оправе, светлый плащ, тщательно отутюженные брюки, вот, пожалуй, и все, что сразу бросилось в глаза.

— Не удивляйтесь, пожалуйста, вы меня не знаете. Не старайтесь напрягать память... Меня зовут Альбертом Гурьевичем. Будем знакомы, — он протяул Кирилову беленькую пухлую ладошку. — Если не возражаете, я могу вас подвезти...

Кирилов посмотрел на стоящую у обочины тротуара светло-серую «Волгу», в которой темным силуэтом угадывалась фигура водителя.

— Спасибо, но...

— Вот и отлично. Можем пройтись пешком. Вы далеко? У меня к вам несколько щекотливых вопросов. И все они касаются вашей поездки... — довольно решительно начал мужчина, старательно прилаживаясь к шагу Кирилова. Это ему удавалось с трудом, он семенил, частил и постоянно не успевал за большими шагами Юрия Николаевича.

— Вы имеете в виду деревню? — повернулся к нему врач.

— Боже упаси! Аршальск меня интересует, уважаемый товарищ Кирилов, Аршальск...

— Простите, — внезапно для собеседника остановился на месте как вкопанный Кирилов и всем телом преградил дальнейший путь собеседнику. — Кто вы?

— Меня зовут Альберт Гурьевич... — с методичной назидательностью и досадой, но также спокойно произнес мужчина. — Или вам нужны документы?

— Желательно.

— Раз вы не можете обойтись... — он извлек из-под плаща хранимое в нагрудном кармашке пиджака красное удостоверение.

Юрий Николаевич придирчиво изучал блестящую коленкоровую книжечку с громадным золотистым гербом на обложке и витиеватыми вензелями каллиграфически выведенной надписи.

— Красивые документы делают в министерстве внутренних дел, ничего не скажешь... А в полковничьей форме вы выглядите гораздо лучше, — глядя то на фотографию, то на собеседника, произнес Кирилов.

— Форма украшает мужчин! — с улыбкой произнес Альберт Гурьевич. — Может быть, присядем и поговорим, а потом, если очень торопитесь, я вас подвезу до вокзала. А?

— Если вы так настаиваете, то... — Юрий Николаевич сбросил на лавочку рюкзак, но не сел, а продолжал стоять — то же самое вынужден был сделать и его собеседник.

— Начнем сначала, — предложил мужчина. — По поводу моей личности у вас еще есть вопросы? Лучше их разрешить сразу, пока мы не коснулись дела...

В ответ Кирилов лишь пожал плечами и спросил:

— У вас там, Альберт Гурьевич, написана должность — референт... Я не достаточно отчетливо представляю, что это такое и что может вас интересовать в моей скромной персоне, ни разу в жизни не вступавшей в конфликт с законом...

Собеседник многозначительно усмехнулся, но не отвел глаз в сторону.

— Референты, как правило, люди, состоящие помощниками при руководителях того или иного ведомства — я, в частности, работаю в группе заместителя министра. Что же касается конфликта с законом, то все не так просто, нежели вы предполагаете...

— В смысле?

— Извините, но я бы не хотел поднимать этой темы. Думаю, мы сможем договориться, как мужчина с мужчиной. Я ведь к вам в большей степени с частной просьбой, а не со служебной...

— Частный разговор, основанный на знании компрометирующих собеседника фактов, это, знаете ли... Разговор с душком! Не правда ли?

— Я же сказал, что опускаю эту сторону. Более того, я не только готов познакомить вас с этими документами, но и уничтожить их...

— Если это показания гостиничной проститутки или запуганной администраторши, то это не доказательства, а тьфу...

— К Аршальску это не имеет никакого отношения. Это все дела абсолютно московские и без всяких иногородних примесей...

— Любопытно.

«Полковник в штатском» вплотную приблизился к Кирилову и, заискивающе глядя ему в глаза, начал вкрадчиво говорить. Даже если бы кто-то прошел всего в двух шагах, то и тогда не смог бы услышать, пожалуй, ни одного слова.

— Вам совсем не нужны эти фотографии. Даже тех материалов, которые вы получили от Олонцова, достаточно не только для хорошей статьи, но и для большого «шмона» в Аршальске и его окрестностях. Если вы со своим товарищем поставили цель убрать Анарина и восстановить тех уволенных сотрудников, можете рассчитывать на мою помощь... Но при одном условии — эти фотографии, все семь штук, должны быть у меня не позднее конца недели... Все делаем просто — вы передаете их мне, а я улаживаю с Джиняном и этим его... следователем. Фамилию, простите, забыл!

— Предложение интересное... — медленно начал Кирилов, соображая как бы выведать у собеседника побольше, но не расшифровать при этом себя. Он готов был поклясться, что ни у кого из побывавших в Аршальске никаких фотографий не было и в помине. — Не могли бы вы описать более подробно то, что вас интересует. Дело в том, что без Сереги я вряд ли смогу разобраться в оставленных им материалах...

— Я рад, что вы поняли меня правильно. Предлагаю выход — я смотрю их сам.

— Исключено! Они не в Москве. Посудите сами, кто их решится оставить в квартире или на работе...

Собеседник засмеялся и, согнувшись пополам, хлопнул себя по пухловатому колену.

— Ну и дурак Милорадов. Я же так и думал...

— Про что это вы? — насторожился Кирилов, но «полковник в штатском» сразу же оборвал смех и стал серьезнее, чем был.

— Сколько вам до них добираться?

— Это мое дело. Если я понял правильно, вас интересует конечный результат. Так что было на снимках?

— Ничего особенного... — было видно, что Альберт Гурьевич тщательно подбирает слова, взвешивает их, буквально пробует на вкус. — Скромная обстановка, пикник в мужской компании на природе, немного реки, немного леса...

— А люди?

— Есть там и они — человек пять или шесть.

— Кто там, кроме вас?

— Вы догадались, что там есть и я? — мужчина улыбнулся, но улыбка вышла жалкой. — Это делает вам честь. Самое лучшее, если вы не будете вглядываться в остальные лица. Поверьте, я даю вам хороший совет...

— Еще один вопрос: чем они страшны непосредственно для вас?

— Тем же, чем и для остальных, но... думаете легко стать полковником в тридцать семь? Вам до пенсии сколько?

— Не считал...

— Напрасно. А мне еще пятнадцать лет. Разве плохо в пятьдесят четыре выйти на персоналку. Если появятся эти снимки, могут возникнуть осложнения... В общем, те выкрутятся, а с нас, маленьких людей, шапки полетят вместе с головами...

— А вы не знаете, где Олонцов?

— Предположим, знаю...

— Так где?

— В изоляторе временного содержания. Кончится расследование, будут смотреть...

— За ним что-нибудь серьезное?

— Вы вроде бы не настолько наивны, чтобы не понять этого кроссворда...

— Я могу выдвинуть дополнительное условие?

— Какое? — мельком брошенный взгляд желтых глаз был немного испуганным.

— Судьба Олонцова также будет зависеть от этих снимков. Он оказывается на свободе и к нему не будет никаких претензий...

Мужчина с заметным облегчением вздохнул:

— Это само собой. Появление снимков снимает с него всю вину — вы же понимаете, что он страдает из-за них.

— Какие гарантии с вашей стороны? — Кирилов решил играть до конца.

— Гарантии? — собеседник пожал плечами. — Пожалуй, никаких...

— Это не разговор.

— Вы забыли про компромат. Это серьезнее снимков! Незаконные аборты — это не шутка. А показания против вас довольно серьезные...

Для Кирилова, не представляющего, где на самом деле находятся злополучные фотографии, было ясно одно — нужно тянуть время. Но как? Решение пришло неожиданно.

— Скажите, вы при исполнении?

— Что вы имеете в виду?

— Я полагаю вопрос ясным.

— Служебных обязанностей? Нет. Хотя, как посмотреть на эту проблему...

— Значит, нет. Это меняет положение вещей. В принципе такие сделки противоречат моим принципам. От них за километр веет подлостью, а подлость среди мужчин наказывается однозначно, — Юрий Николаевич размахнулся и влепил собеседнику крепкую пощечину.

Сидевший спокойно водитель мигом оказался рядом, и не успел Кирилов что-либо предпринять, как его руки уже надежно были завернуты за спину, а сам он переломился от боли пополам.

— Значит, вот так, — с угрозой пробормотал полковник, поднимая с асфальта очки с разбившимся стеклом. — В машину его... Будем говорить по-другому...

Но привести угрозу в исполнение полковник не успел. Неизвестно откуда появившийся громоздкий усач уверенно положил руку на плечо водителя и спокойно сказал:

— Отпустить!

Сказано это было таким тоном, что плечистый парень и не думал сопротивляться. Кирилов тотчас начал растирать мигом занемевшие запястья.

— Это не ваше дело, Вашко! — сразу же засуетился Альберт Гурьевич, вплотную подступая своим тщедушным телом к оперативнику.

— Как знать, — пробурчал тот, заслоняя спиной Кирилова. — У вас свои задачи, у нас свои...

— Вы ответите за это перед Торшиным! — с угрозой крикнул рыжеволосый, садясь в «Волгу». — Я этого так не оставлю.

— Катись ты отсюда... — крикнул Вашко вслед мигнувшей огнями машине и, повернувшись к Кирилову, сказал: — Ломаем дрова? Хороши же вы, что один, что другой... — он посмотрел на часы. — Твоя электричка, мил человек, уже ушла, но через полчаса идет другая. Забирай свои манатки, и быстро в деревню! Чтобы до следующего вторника духу твоего в Москве не было. Понял? Иначе за последствия не отвечаю. Захочешь меня найти — найдешь через своего дружка...

— Какого? — Кирилов продолжал растирать запястья.

— Не валяй мне тут дурочку, — и Вашко назвал номер домашнего телефона Сергея. — В твоих интересах, сынок, переждать некоторое время на полатях в баньке... Понял?

— Чего уж тут не понять, — он единым движением вскинул рюкзак на плечо.

— Стой! — скомандовал Вашко ему вдогонку. Кирилов повернулся.

— Про фотографии ни сном ни духом?

— Нет.

— Ну, и дальше молчи. Понял?

Торопливо шагая в сторону вокзала, Кирилов решал ту же самую задачу, что несколько дней назад решал Сергей: «Кто это? Друг или враг?» Но придти к определенному выводу он не мог.

9. НОМЕР НЕ УДАЛСЯ

Дольский лежал на стульях в дежурной части и храпел. Его портфель, стоявший на столе дежурного, похоже, подвергался тщательному досмотру. Правда, ничего, кроме пустой бутылки из-под водки, не могло привлечь внимания сотрудников местной милиции. Иннокентий, наоборот, был почти трезв. Он сидел на краешке стула, подперев голову руками, покачиваясь из стороны в сторону и бормоча что-то под нос на своем языке. Со стороны могло показаться, что он напевает длинную и тягуче-монотонную, на одной ноте, песню. Лишь прислушавшись, можно было понять всего несколько слов:

— Господи, за что? Не понимаю...

Распахнув огромную задубевшую от мороза полированную дверь с латунными ручками, маленькая Паша пропустила вперед Орловского. В коридоре за углом кого-то отчитывали:

— Оболтус, неужели ты не видел, что это не тот... Сравнил хотя бы по росту. Этот какой и тот...

— Сказано было двоих, двоих и привезли. А про рост, товарищ полковник, ничего такого не говорили... — бормотал оправдывающийся.

После хлопка двери разговор сразу же прекратился. Навстречу выплыл полноватый низкорослый якут, сильно смахивающий на широколицего Мао Цзе-дуна. Завидев столичного журналиста, он добродушно улыбнулся:

— А, это вы? Рады, рады... А то мы уж и не знали, где вас искать. Друзья ваши уже здесь, а мы уж полагали, с вами беда какая... Разве можно так пить, товарищ...

— Моя фамилия Орловский! Я не принимаю ваши претензии.

— Так-таки и ни грамма? — засомневался полковник, голос которого Орловский сразу же признал — именно он отчитывал простодушного сержанта, выглядывающего с любопытством из-за полураскрытой двери. — А как же встреча друзей...

— Я настаиваю на экспертизе!

— Нет, нет... Мы вам верим и так... Не пили, значит, не пили... А вот ваши товарищи не на высоте — хотите посмотреть? Им надо бы поучиться у московских коллег... Да, я забыл представиться: начальник политотдела Егор Петрович Пеструков. Проходите, — он широко распахнул дверь в «дежурку», — полюбопытствуйте...

Паша суетилась около мужа, под глазом которого наливался густой синевой след от удара чем-то тяжелым. Дольский перестал храпеть и, как показалось Сергею, внимательно следил за ним сквозь неплотно прикрытые веки.

— Что с ними теперь будет? — спросил Орловский дежурного майора милиции, но ответил опять Пеструков:

— Конечно, мы разберемся в этой ситуации. Сейчас у журналиста должно быть холодное сердце, как говорится, чистые руки и твердый разум... Время такое — гласность, перестройка, а они... Сообщим в редакцию, пусть руководство принимает меры... Вот телефонограммы уже готовы. Хотите полюбопытствовать?

Сергею бросилось в глаза, что «маоцзедун», надев очки, взял со стола три листка и верхний сразу же отложил на стол, перевернув его текстом вниз. «Этот листок явно предназначался для „Пламени", — решил Орловский.

— Вот такая история! — причмокнул полковник языком и расплылся в широкой улыбке. — Сейчас мы их отсюда отправим, а завтра разберемся досконально. Вам же заказано место в гостинице. «Лена» здесь в двух шагах. А сейчас, раз уж пришлось встретиться, давайте поговорим. Не возражаете? Прошу в кабинет! — он повернулся к дежурному. — Этих убрать! Журналисты, понимаешь! — И было в этих словах столько презрения, что по спине Орловского пробежал холодок.

Уже через несколько дней, вернувшись из командировки в район и сидя в гостинице за машинкой, Сергей вспомнил не беседу с Пеструковым, а то, что произошло потом.

— Сергей Николаевич, — окликнул его дежурный по министерству в тот момент, когда он взялся за ручку входной двери, — можно вас на минутку... Моя фамилия Капкин. Мне пришлось сегодня специально подмениться на дежурство в связи с вашим прилетом, но поверьте, такой встречи даже я не ожидал... Видимо, вы зацепили за живое?

— Капкин? — припоминая, повторил вслух Сергей. — О вас мне говорил Вашко. Улица Чураева, дом семь, квартира двадцать шесть?

— Дом восемь. Но это не главное. Все, что сегодня произошло, дело рук Дольского и Пеструкова. Дольский, как это теперь иногда называют, давно работает «добровольным помощником». Берегитесь его! Телеграмма в «Пламя» о вашем, якобы имевшем место, пьянстве была заготовлена еще с утра.

Не исключено, что Пеструков все же захочет ее отправить, несмотря ни на что. Мой вам совет: свяжитесь сейчас же по телефону со своим руководством и обсудите какие-нибудь служебные вопросы. Тут самое главное, чтобы они услышали ваш трезвый голос... Желаю вам удачи! — он крепко пожал протянутую ему руку. — Если понадоблюсь, то найдете... Дом восемь, запомните!

Вернувшись из района, Сергей первым делом отоспался, а потом засел за работу. Заваривая один за другим стаканы крепкого чая, он писал и писал... Тут, тук, тук... Стучали литеры, и на листках бумаги строчка за строчкой побежали слова статьи...

...Светало, а Сергей так и не ложился. Поднявшись из-за стола, Орловский прошел вперед и назад по комнате, сделал несколько резких взмахов руками. Ныла спина, затекли от неподвижности ноги.

«Самое неприятное то, — размышлял журналист, — что, хочу я этого или нет, а обязан до вылета получить визу... Начальник политотдела, — перед глазами тотчас появилось плутоватое лицо Пеструкова, — визировать не станет. А все вскрытые безобразия имеют к нему, хотя и косвенное, но вполне определенное отношение... А, была не была...»

Орловский поднял трубку и набрал номер. Трубку на том конце сняли быстро.

10. КТО ПОЕДЕТ В ГАБЕРУН?

В былые времена Милорадов и Вашко не просто симпатизировали друг другу, но и не стеснялись, когда рядом не было посторонних, проявлять дружеские чувства. Но за последние годы их отношения изменились: теперь их связывала только служба. Явных причин такого охлаждения друг к другу вроде бы не было, но все больше ощущалась разница во взглядах на одни и те же события, участниками которых им доводилось быть, разводила их в стороны.

Вашко, примостившийся в заднем ряду конференц-зала, поглядывал время от времени на сидящего в президиуме Милорадова, и успел даже мельком просмотреть газеты, а заодно оперативную сводку. По сравнению с предыдущими днями минувшие сутки были спокойнее.

...Пригнувшись, чтобы его не было видно из президиума, Вашко тихо вышел в коридор. Убрав в сейф сводку, он перелистал записную книжку и взял телефонную трубку. Домашний телефон Орловского молчал. Он снял трубку оперативной связи:

— Подполковник Вашко, — отрекомендовался он. — По срочному Аршальск и Прикумск.

— Минуточку...

В трубке щелкнуло, и послышались гудки далекого Аршальска.

— Вашко говорит из центрального аппарата!

— Здравствуйте, Иосиф Петрович, — откликнулся голос из приемной начальника областного управления. — Дежурный по Аршальскому УВД... — начал офицер, но Вашко его не дослушал:

— Анарин у себя?

— Никак нет, товарищ подполковник. Находится в следственном отделе... Позвать?

— Не надо, — Вашко почесал мизинцем бровь. — Вы не в курсе, что там с Олонцовым?

— Ничего нового, товарищ подполковник. К сожалению, пропажа не обнаружена... Сейчас отрабатывается вариант с другими уволенными. Не исключено, что они переданы на хранение кому-то из них. А у вас как? Нашли?

— Нет.

— Мне доложить генералу о вашем звонке?

— Как хотите... — он положил трубку.

Телефон тотчас отозвался частыми трелями.

— Прикумск на проводе, — сообщила телефонистка.

— Слушаю, Иосиф Петрович, — это был голос Капкина.

— Привет, Виктор. Как там наш подопечный? Еще не наломал дров?

— Как тебе сказать... По-моему, парень не промах. Пока из трех подставок вышел сухим... О первой ты знаешь, я тебе говорил, а две остальные были в Югре, в районе, куда он ездил.

— А что он сейчас делает?

— Похоже, сегодня вылетит в Москву. Билет уже взял. Весь день и ночь стрекотал у себя в номере, сейчас у Кнышева...

— Чего ему там потребовалось, не знаешь?

— Статью понес показывать. Там, вроде, визу надо ставить.

— Чтоб мне провалиться. Он же умоет его — высший класс. Давно беседуют?

— Третий час...

— Кто там еще?

— Трое из политотдела. Назвать по фамилиям?

— Черта ль мне с них. Все одно никого не знаю. Это величины для вас, а не для нас... Знаешь этот анекдот?

Не успел дежурный ответить, как на столе Вашко зажглась лампочка селектора — вызывал Милорадов.

— Смотри там за парнем. Головой за него... Понял? Бывай...

— В отпуск не собираешься, Петрович? Порыбалить... А?

— Поговорим. — Вашко попрощался и снял трубку.

— Зайди! — коротко бросил Милорадов.

Вашко медленно поднялся, оглядел кабинет, запер сейф и, прихватив прозрачную папочку, в которой было несколько бумаг, вышел из кабинета.

Дверь между кабинетом Милорадова и приемной была распахнута настежь. Судя по всему, генерал так торопился вызвать оперативника, что забыл ее закрыть. Вашко тоже не стал захлопывать ее за собой. Приблизившись к столу, он положил папку на стол.

— Что это?

— Ежедневная докладная. Как было велено...

Милорадов поправил тонкие золоченые очки и поднес бумаги к самым глазам.

— Что за ерунда, да еще в трех экземплярах?

Вашко с самым невинным видом переступал с ноги на ногу.

— Если у тебя нет ничего нового, то зачем писать мне эту чушь на трех листах одной фразой?

— Слушаюсь, товарищ генерал.

— Фотографии нашел?

— Пока нет...

— Нет... — передразнил Милорадов. — Как схлестнуться с референтом замминистра, это ты знаешь... Опять докладную на тебя накатал. Сколько тебя учить — осторожнее с этими ребятами. Они укокошат чужими руками. В том числе и моими! Честно тебе говорю, потом не обижайся.

На столе Милорадова требовательно зазвонил телефон. Милорадов внутренне напрягся.

— Слушаю, товарищ генерал-полковник! Никак нет! Пока, Семен Ильич, к сожалению, положительных новостей нет... Не обнаружили ни одной из семи, но... Слушаюсь, товарищ генерал-полковник! Есть, товарищ генерал-полковник... Так точно, четыре дня сроку... Никак нет! Что? Причем здесь отставка, Семен Ильич! Простите, но вы меня не совсем так, видимо, поняли... Что, Семен Ильич? Консульство в Марселе? Разрешите обдумать, посоветоваться... Есть, Семен Ильич! Через два часа доложу...

Милорадов, не спуская глаз с Вашко, медленно, с подчеркнутой бережностью положил трубку. Словно шарик, из которого выпустили воздух, он весь обмяк и тихо опустился в кресло, бессильно вытянул руки перед собой.

— Вот какая история получается... — Теперь перед Вашко сидел довольно старый и предельно уставший человек. — За что? Ты понимаешь, Иосиф? За что он меня так?.. Как мальчишку. — В голосе Милорадова теперь ясно слышались давно забытые Вашко дружеские нотки.

Вашко молча прошел в глубину кабинета, откинул в книжном шкафу крышку и так же молча вернулся к столу, с бутылкой коньяку и двумя рюмками.

— Хреново тебе? — глядя прямо в склеротические глаза генералу, спросил он.

— Марсель, конечно, еще не ссылка. Возглавить какой-нибудь райотдел в Сыроквасовке — хуже, — генерал со странной миной на лице пожал лишь одним плечом и по-птичьи скособочился. — Ты скажи, Иосиф, разве я кому перечил? Ведь делал все, как положено...

— У тебя отличный коньяк! — Вашко протянул руку и чокнулся со стопочкой, стоящей на столе. Словно проснувшись, Милорадов взял ее, залпом выпил и сказал: — Налей еще.

Иосиф Петрович разлил коньяк.

— Все мы делаем все, как положено, — медленно произнес Вашко, — а государство между тем давно находится в ж!... Денег нет, жратва из-за границы плывет... Стыдно сказать — рук мыть нечем, а «все, как положено»...

— А карьера? — остановил его Милорадов. — Выходит, хана! Не дотянул! Плесни еще! А как бы ты поступил на моем месте? Скажи...

— Я не поп, а ты не грешница... Сам решай... Могу признаться, раз уж такой разговор, моя совесть перед тобой чиста, обманывать я тебя не обманывал, и если иногда водил тебя за нос, как в случае с этими треклятыми фотографиями, так не из-за желания подставить, боже упаси, а ради пользы людской. Просто я мир вижу с иных позиций...

— Я так и думал, что обидишься за то, что выше не поднялся, — Милорадов подпер рукой голову. — А думаешь легко было защищать тебя с твоим характером, а? Скажи, дал я тебя хоть раз в обиду? Разве на меня не наседали?..

— Слушай, пришли-ка ты мне на будущий год вызов. Представляешь, мы с тобой сидим в кабаре и дуем настоящее бургундское, а?

Внезапно их разобрал смех. Они хохотали долго, забыв про прежние обиды, поочередно вспоминая какие-то дорогие для обоих события, дни и годы службы. И им стало легче.

— Ладно, — Милорадов встал, распахнул сейф и, не разбирая, засунул в него всю документацию.

— Пойду я? — Вашко протянул на прощание руку.

— Снимают нашего? — встретили Вашко вопросом дамы из «предбанника».

Вашко в ответ лишь пожал плечами и вышел в коридор.

11. БОИ МЕСТНОГО ЗНАЧЕНИЯ

Министр Прикумской милиции не любил помпезности. Все эти дубовые панели, резные столы и картины достались ему от стародавних времен. Существовавшая традиция ничего не менять в обстановке, передавалась от приемника к продолжателю, согласно неписанным правилам примерно каждые три-четыре года. Если предшественник нынешнего прибыл, как здесь говорили «с материка», то этот был самый что ни на есть свой. Более того, поговаривали, что назначение произошло против его воли. Почему от него избавились, не знал никто.

Орловский смотрел, как министр медленно, не спеша, читал статью, перекладывая с угла на угол страницы рукописи. Изредка его брови поднимались вверх, морща лоб от переносицы до корней пышной седой шевелюры. Едва слышный постук очков по сукну то учащался, то замедлялся.

— Та-а-а-к... — с глубоким вздохом произнес Кнышев, просовывая палец за воротничок рубахи и ослабляя галстук — шитые погоны с большими звездами с двух сторон подпирали его могущую шею циркового борца и, наверно, досаждали генералу. — Так... — повторил он еще раз и посмотрел на журналиста. — Не смогли завалить Анарина, решили сбросить с престола меня? Что же вы такой генералоненавистник, Сергей Николаевич?

Пришло время удивляться Орловскому:

— Вы знаете про Аршальск?

— А вы как думали? Генеральская взаимовыручка действует, должен вам прямо сказать, точно так же, как и у всех остальных людей. Конечно, меня предупредили, что едет тот самый Орловский, от которого нашему брату необходимо не то что бы спасаться, но... как бы это сказать, — он прищелкнул в воздухе пальцами, — держать ухо востро... Как видите, я с вами откровенен. Но это пока мы с вами одни! Пока одни! — повторил он и поднял вверх указательный палец. — Вы меня понимаете?

— Разрешите вопрос? — Орловский смотрел пристально.

— Спрашивайте.

— Что это за история со встречей в первый день. Случайность или нет?

— Увольте... — Кнышев приложил руку к топорщившемуся на груди кармашку. — Если хотите, задавайте его Пеструкову — он скоро здесь будет. Я такими вещами не занимаюсь. Еще вопросы есть?

— Да, один. Он касается статьи...

— Тут как раз, как мне представляется, вопроса нет, — генерал извлек из кармана ручку с золоченым пером и размашисто расписался на последней странице. — Согласен!

— Как? — оторопел журналист. — Со всем?

— Я знал эту историю, дошедшую до меня по неофициальным каналам, правда, не так подробно, как вам удалось это раскопать, но в общих чертах... Скажу больше, и можете удивляться или нет — ваше дело... Все основные, так сказать, «герои» вашей статьи уже понесли наказание...

— Уже? Кто же конкретно?

— Кто? — генерал извлек из верхнего ящика стола лист бумаги. — Это приказ, датированный сегодняшним днем. Кстати сказать, вы, Сергей Николаевич, можете его взять с собой и сразу же опубликовать под рубрикой: «В редакцию поступил ответ» или какие еще у вас в журнале есть... Что же касается наказаний... Главный «герой» вашего материала Шашигин переведен в другое место, выговор; начальник отдела, о котором вы пишете, предупрежден о неполном служебном соответствии; дежурный, отказавшийся выезжать на место происшествия, уволен из органов и так далее, — он отложил приказ в сторону и снял очки.

— Вы довольны?

— Признаться, — начал Орловский, — скорость вашей реакции обескураживает. Но мне кажется, в приказе есть несоответствие степени тяжести проступков и меры наказания. Если не секрет, где и кем работает теперь Шашигин?

Генерал испытующе посмотрел на журналиста.

— Я так и знал, что зададите этот вопрос. Ну, что ж, пишите дальше про меня — какой я нехороший человек. Стегайте вместе с Анариным. Шашигин получил более высокую должность — теперь он начальник отдела милиции, а не зам...

Орловский торопливо писал в блокнот, а генерал тем временем продолжал:

— Сделать что-либо в этой ситуации я оказался бессилен. Почему? Вы же опытный журналист, не мальчик, вот и размышляйте. Все это я хотел вам сказать без свидетелей. Сейчас я вынужден вызвать Пеструкова — он давно просится на прием. Можете задать свой вопрос, если не пропало желание...

Орловский молча убрал блокнот в карман, туда же торопливо сунул сложенную статью.

— Это уже не может изменить ситуации. Мне...

Кнышев его перебил:

— Почему? Даже очень может... У вас когда самолет?

— Восемнадцать десять по московскому времени...

— Значит, через два с минутами. Хотите дам совет? Можете слушать, можете не принимать его во внимание, дело ваше. Выходите из кабинета сразу, как они войдут сюда, затем в гостиницу и быстро с вещами на аэродром — два часа я их продержу здесь, а дальше пеняйте на себя... Что же касается статьи — я крепко сомневаюсь, что она будет опубликована.

— Даже сейчас?

— И даже с моей визой. Прощайте! — он нажал кнопку селектора.

Генерал вышел из-за стола, подошел к замершему посреди кабинета Сергею и протянул руку.

— Пару слов, пока мы одни... Я очень хочу, чтобы ваша статья прошла. Очень! Вы даже не представляете, как она мне нужна — я связан по рукам и ногам.

Хлопнула дверь, послышались шаги.

— Разрешите? — вошли трое.

Генерал резко повысил голос и, срывая дыхание, крикнул в сторону журналиста, онемевшего от неожиданности:

— И не думайте, что я подпишу такую галиматью! Это поклеп на нашу действительность. Вы ни черта не понимаете в милицейских проблемах, а лезете в них... — ошарашенный от столь быстрой перемены, Сергей смотрел то на Кнышева, то на Пеструкова с заместителями. Как ошпаренный он выскочил в коридор и только у выхода на улицу понял, что забыл одеться.

Из Прикумска в Москву он вылетел так стремительно, что собиравшийся проводить его Капкин даже не знал, что журналиста давно уже нет в министерском кабинете. А генерал еще битых два часа ругал уехавшего журналиста, выслушивал от полковника и двух его заместителей соображения, как свести на нет эффект его поездки — и со всем соглашался, зная, что ничего из предложенного делать не станет.

12. ПОСЛЕДНИЙ СВИДЕТЕЛЬ

В огромной сплошь уставленной кульманами, комнате приторно пахло женскими духами, кофе, клеем и бумагой. Здесь было тихо и уютно: рабочий день закончился, сотрудники разошлись. Взгромоздившись на тумбочку, Вашко смотрел, как Жанна ловко орудовала карандашом и линейкой: большой круглый противовес кульмана то и дело сновал вверх и вниз. Жанна время от времени отрывалась от чертежа и поглядывала на посетителя. Она смотрела, как он перебирал разложенные на тумбочке карандаши, резинки, линейки и, выбрав себе колючий циркуль, вертел его в пальцах, будто видел впервые в жизни.

— Я не совсем понимаю ваши вопросы? Почему вы не хотите спросить у Сергея? Он дольше меня общался с Олонцовым, жил у него, а я... — она оторвалась от листа ватмана и, словно припоминая, посмотрела в сторону окна. — Я там ночевала всего одну ночь.

Иосиф Петрович перевел взгляд с циркуля на лицо женщины:

— Почему вы думаете, что я не говорил? Говорил.

— Ну, и что он вам ответил?

— А ничего, — Вашко отложил в сторону циркуль и взял толстый карандаш. — Представьте себе... Можете еще спросить — почему ничего не сказал Кирилов? — Жанна быстро окинула оперативника взглядом с ног до головы. — И он ничего не знает. Вам еще перечислить тех, кто ничего не знает, или не надо?

— Отчего не надо? Говорите...

— Зря вы со мной так, — снисходительно пробурчал Вашко, — я ничего плохого не сделал никому из вас. Или вы думаете, что мы все такие, как те, что в Аршальске.

— Примерно так, — ее рука дрогнула и карандаш в руке сломался, оставив на листе некрасивую черную линию. — Но раз уж пришли, спрашивайте.

— Хорошо, но правду или ничего. Договорились? — Она кивнула. — Где фотографии? — И потому, как побледнела женщина, понял, что попал в цель — она что-то знала... — Почему же вы молчите?

— Вы же сами сказали, что лучше ничего...

— Ну хорошо, хотя бы сколько их, можете сказать?

— Не считала.

— Умница! — Вашко, словно выиграв битву, рассмеялся от всей души. — Еще вопрос — они спрятаны в Аршальске?

— Нет!

— В Москве?
— Нет.
— Не понимаю... Можете не говорить, куда спрятали, но скажите: они не попадут в чужие руки?
— Чужие это какие? Кирилова? Сергея? Или имеются в виду еще кто-то...
— Ты меня правильно поняла, дочка. Именно кто-то еще... — неожиданно посуровел Вашко и сразу же перестал качать ногой. — Очень плохо, если это случится.
— Не думаю, — беззаботно ответила Жанна, вернувшаяся вновь к чертежу.
Вашко тяжело встал с подоконника, отряхнул скорее по привычке, чем по необходимости от несуществующих соринок брюки, и с грустью посмотрел на женщину.
— Можете больше ничего не говорить, дело ваше. Но это хуже не для меня. — Он попрощался.
Пройдя несколько шагов от крыльца института, Вашко оглянулся и зашел в телефонную будку.
— Леон, здравствуй!
Голос приятеля звучал глухо и простуженно.
— А, это ты, Йоса! Что-нибудь новенькое?
— Ты не заболел? Насморк?
— Ерунда... Сенная лихорадка — аллергию, понимаешь, подцепил. У меня всегда так, когда зацветает полынь. Ничего эту заразу, черт бы ее побрал, не берет... Что нового?
— Кажется, Леон, я вышел на них...
— Фотографии?
— О них и речь.
— Все семь!
— Точно!
— Где они?
— Сам бы дорого дал, чтобы узнать...
— Не понимаю. Ты нашел их или нет?
— Как будто... Мы совсем упустили из виду эту взбалмошную девчонку. Но она темнила порядочная — то, что они у нее были, говорит, а где лежат — нет...
— Не узнаю тебя. Какой срок дал тебе Милорадов?
— Осталось три дня.
— Я отпускаю два! Понял? Кровь из носу, а они должны быть у меня не позднее завтрашнего вечера. Усек?
— Точно так, Леон. Погоди, — он немного присел в телефонной будке и принялся смотреть на крыльцо института сквозь мутное стекло двери. — Знаешь, ситуация меняется слишком быстро — может, еще и успею.

— Что там у тебя?

— Девочка появилась на горизонте. Вышла из института и куда-то торопится...

— Давай, милый, давай...

Жанна в легком плаще, полы которого развевались от быстрой ходьбы, стремительно сбежала по лестнице и пошла по аллее к шоссе. Вашко следовал за ней, скрытый от взгляда зарослями акации. Выбежав на тротуар, Жанна подняла руку, возле нее притормозило такси. Она быстро столковалась с водителем, и машина резко взяла с места в сторону центра. Вашко высоко поднял руку, и из-за поворота выехала его светло-серая «Волга».

— За ней, — коротко произнес Вашко и бросил свое грузное тело на сиденье. Василий вел «Волгу» «на хвосте» и такси из вида не терял. Машина явно двигалась к центру.

— Неужели Кирилов вернулся? — произнес Вашко, не рассчитывая на ответ: Василий слыл известным молчуном, а в дела начальства и вовсе не вникал. — Дерите меня кошки — она едет к роддому! Бисовы дети! Провели дядька вокруг пальца... — он сорвал трубку рации и тотчас услышал голос дежурного по управлению — сегодня он специально посадил своего сотрудника. — Как дела, сынок? Молодец! Набери-ка номерок роддома и кликни доктора Кирилова, а я посплю у рации... Можешь подключить на прослушивание? Не зря вас этой кибернетике учат!

Сквозь шорох послышались отчетливые гудки телефонного вызова.

— Роддом, приемный покой, слушаю вас, — пропел молоденький девичий голосок.

— Сестричка, можно попросить доктора Кирилова? Что? Юрий Николаевич на операции... Понял! Спасибо!

Вашко в очередной раз вспомнил «бисовых детей». Оказывается, Кирилов не внял совету и вышел на работу.

— Спасибо, сынок! Я все понял. Теперь сам позвони главврачу и попроси от имени нашей конторы, чтобы они приготовили для меня хламиду — мне потребуется просочиться в родилку... Быстренько, милый... Мы уже подъезжаем...

— Торопится так, словно сама рожать собралась! — впервые за всю дорогу прорезался Василий. — Уже два раза на красный проскакивают...

Они не стали ждать, пока отъедет такси. Вашко кряхтя, но споро, встал с сиденья и, смешно переваливаясь, начал подниматься на крыльцо. Когда он вошел внутрь, Жанны там не было. Видимо, в этом доме у нее были свои пути-дорожки.

5 Зак. 4402 Н. Александров

Звонок из «дежурки» сработал. Вашко встретили. Высокий, худой как трость мужчина с совершенно седым бобриком волос, непослушно топорщившимся под хирургической шапочкой, держал бирюзовый застиранный наряд, состоявший из мешкообразных полотняных штанов и куртки с короткими рукавами. Переодеваться пришлось за ширмой. Крякнув, Вашко посмотрел на себя в зеркало — шапочка плоско распласталась на голове, а из рукавов торчали мощные руки, покрытые густыми рыжими волосами.

— Куда идем? — поинтересовался сухопарый врач. — В операционную и «родилку» я вас пустить не могу. Лишние люди там не предусмотрены... Одно неверное движение врача... Вы меня понимаете?

На втором этаже они остановились у столика дежурной.

— Где Кирилов? — спросил главврач.

— Там! — дежурная показала на предбанник родильной. — Возится с малышами.

Доктор с готовностью распахнул перед Вашко дверь и... застыл, онемев. Открывшаяся взгляду картина и на самом деле была странной. Кирилов в хирургическом одеянии стоял на шаткой табуретке, которую пыталась удержать неизвестная врачу женщина. Держа в руках портрет партийного лидера, Кирилов балансировал на табурете, широко раскинув в стороны руки.

— Что здесь происходит? — пробормотал врач. — Цирк?

— А я, наоборот, понимаю все, — произнес Вашко. — Дайте, пожалуйста, его мне! — Он протянул руку, но Кирилов отвел портрет в сторону. — Смелее, сынок.

— Это вы? — наконец узнал его врач, и в тот же момент с грохотом очутился на полу. Узнать Вашко в столь странном наряде стоило немалых трудов — он и сам бы не узнал себя, глядя со стороны.

— Вы мне что-нибудь можете объяснить? Кто эта женщина? — главврач попеременно переводил взгляд то на лежащего Кирилова, то на замершего над ним Вашко. Кирилов медленно приподнялся на локте и, опираясь на руку Вашко, встал.

— Надеюсь, ты ничего не свернул себе, сынок, — по-стариковски ворчал Вашко. — Вставай и пойдем посмотрим, что у нас здесь, — он давно держал в руках портрет и крутил его из стороны в сторону. В кабинете главврача Вашко, не слушая его нотаций Кирилову, вооружившись пинцетом, оказавшимся под рукой, отдирал от рамы один гвоздь за другим.

Наконец картон, прикрывающий портрет сзади, отошел в сторону и на столе появилась пачка фотографий.

— Что за чертовщина! — голос Вашко выражал досаду и отчаяние. — Я спрашиваю, что это за снимки? — На фотографических карточках были изображены какие-то документы, страницы рукописей, похожие больше на черновики, или записки, написанные торопливым скачущим почерком...

— Я спрашиваю, что это такое? — Вашко с трудом сдерживал себя.

— Предполагая, что ваша служба может пойти на изъятие статьи и документов, — тихо, но с явным раздражением произнес Кирилов, — я перед отъездом попросил Сергея дать мне олонцовские документы и быстро снял с них копию...

— Стало быть, здесь документы Олонцова? Спрятать снимки в такое место... Знаете, что доктор, — он подошел к главврачу, — я бы сегодня этого молодца к работе больше не подпускал. У вас есть, кем его заменить? Отлично. — Он посмотрел на часы. — Завтра он будет как огурчик!

Главврач широко развел длинными, словно крылья ветряной мельницы, руками: «Как угодно!»

Вашко вышел с Кириловым в коридор, где ожидала Жанна.

— Вот что, друзья, — сказал Вашко. — Через сорок семь минут, — он посмотрел на часы, — вы должны быть в Домодедово и встречать своего писаку. Машина у подъезда! Быстрее!

— А карточки? — пробормотала Жанна, оглядываясь.

— С вашего позволения, я возьму их с собой, так оно будет надежнее... — И Вашко довольно бесцеремонно выпихнул обоих на лестницу.

13. ТАЙНАЯ ВЕЧЕРЯ

Вашко покуривал, пока Кирилов помогал Орловскому вынуть из машины багаж. Жанна ждала на крыльце. Иосиф Петрович оглянулся по сторонам: ничто не вызывало опасений, не было ни пешеходов, ни машин. Вашко решил дождаться, когда все пройдут в подъезд и лишь затем последовать за ними: возникавшие в подобных ситуациях предчувствия, как правило, никогда его не обманывали. И точно. Машина Вашко еще не успела отъехать, как борт о борт с ней притерлась черная «Волга». Из нее степенно вышел знакомый Кирилову лощеный референт и, кивнув ему словно старому знакомому, подошел к оперативнику.

— У меня предписание взять фотографии и передать руководству, — он протянул Вашко аккуратный листок, по верхнему обрезу которого золотым типографским тиснением било в глаза: «Заместитель министра...» Характерный размашистый почерк Вашко знал отлично.

«Иосиф Петрович, — букву „И" ручка вывела с третьего раза, острые вертикальные штрихи высоко взмывали над строчкой и, разрывая волокна отличной бумаги, стремительно падали вниз. — Прошу вас неотложно передать А.Г. то, что удалось обнаружить. Об остальном он расскажет вам на словах. Надеюсь, в самые ближайшие дни мы сможем встретиться и обговорить подробности».

— Валяй про «подробности»! — Вашко приблизился к референту и принялся крутить толстыми пальцами блестящую пуговицу плаща.

— Но, но... Осторожнее! — отстранился референт. — Сначала снимки, которые изъяли сегодня в роддоме.

— Нет, так не пойдет — сперва «об остальном»! — совершенно серьезным голосом затеял Вашко торг.

— Об остальном? — переспросил референт. — Повышение по службе, новая должность. Документы уже подготовлены, осталось лишь подписать...

Вашко уставился на носки своих растоптанных ботинок, усмехнулся в усы и словно в нерешительности обошел вокруг стоявших у подъезда машин. Все смотрели сейчас только на него: водители, референт, три человека из-за стеклянной двери подъезда.

— Интересное предложение, — по слогам произнес Вашко и, задрав голову, уставился в темное небо.

Тревога за дверью росла с каждой минутой. А Вашко спокойно ходил у подъезда, то пристально разглядывая тротуар под ногами, то задирая голову. Замерев перед референтом, он с минуту смотрел ему в глаза, а потом сначала медленно, а потом все быстрее и быстрее побежал по ступеням крыльца, с грохотом закрыв за собой дверь.

Референт тотчас оказался у «Волги» и схватил трубку радиотелефона.

...Вашко мрачно ходил, меряя шагами квартиру Орловского, и молчал. К столу он подсел лишь тогда, когда Сергей начал рассказывать о командировке, и по-прежнему слушал молча, не задавая вопросов. Друзья вроде бы даже забыли о молчаливом госте, не поворачивались в его сторону: все происходило так, словно был заключен таинственный сговор.

— Остальное вы знаете... — устало произнес Орловский. — Да, — он улыбнулся Жанне, — совсем забыл, я же привез тебе подарок... — Он взял стоявшую у порога сумку, подергал молнию и положил на стол небольшой сверток. — Смотри!

Жанна, покраснев, зашуршала бумагой. В свертке лежал пронзительного голубого цвета жакет и такая же юбка.

— Ты знаешь, — сказал Кирилов, — мне нравится! Такого же цвета было платье у Екатерины Олонцовой.

— Не смешите меня, мальчики. У Екатерины было не такого цвета, а отдавало в бирюзу, а уж покрой вовсе другой... Если хотите знать, она его выкроила по чертежам «Работницы» и настоятельно рекомендовала сшить такое же...

— Чепуха! — обиженно пробасил Сергей. — У нее был костюм, а не платье...

— Нет, платье! — Жанна не сдавалась. — И я это могу легко доказать.

— Интересно каким образом... — Кирилов встал из-за стола и направился на кухню.

— Каким образом? — Жанна рассердилась не на шутку. — Где та сумка, с которой я приехала из Аршальска? Там выкройка ее платья — она мне ее дала!

— Валяется где-то, — ответил Сергей. — Может, на антресолях...

— Помогите, пожалуйста, — затеребила женщина рукав безмолвствующего Вашко. — С этими молокососами каши не сваришь, вот вы настоящий мужчина.

Вашко отыскал за дверью раздвижную лесенку, разложил ее и с риском для жизни полез наверх.

— Есть там что-нибудь? — горела желанием доказать свою правоту Жанна.

— Черная, матерчатая с надписью «Адидас»? — спросил Вашко, глядя вниз. — Сейчас достану... Ну и пылища!

— Вот иди и смотри фасон, журнал так и лежит здесь. — Жанна швырнула сумку на пол и взяла в руки журнал.

— Можно посмотрю я? — Вашко взял журнал и энергично встряхнул над скатертью: из него одна за другой вывалились несколько фотографий.

— Ой! — вскрикнула Жанна, а Сергей присвистнул. Из кухни вышел Кирилов и замер у дверей, обронив лишь одно слово: «Они!»

— Они! — следом за ним повторил Вашко, собирая фотографии в стопочку. — Ровно семь, как в аптеке. Вот это фасон, так фасон! Откуда бы им здесь взяться, Жанночка, а?

— Честное слово, я не имела о них ни малейшего представления. Екатерина разрешила взять этот журнал на дорогу, но почитать мне его так и не удалось — вот он и провалялся в сумке... А что это за снимки? Мне кажется, что вы искали именно их...

— В том-то и дело, что я их сам вижу впервые, — Вашко разложил снимки веером и ему страшно захотелось закурить. Он машинально извлек из пачки сигарету, потом словно очнувшись, посмотрел на Жанну и убрал ее в карман. — Кажется, кое-кого я на них узнаю...

— Пикник какой-то, — удивился Кирилов, держа в руках один из снимков. — На фоне природы... Шашлыки, а бутылок-то сколько...

— Где? — пробормотал Орловский, придвинувшись к столу и бережно взяв фотографию за уголок.

— Да вон, под елкой лежат...

— Вот это, как будто, ваш любимый Анарин, — Вашко ткнул ногтем в стройного мужчину с гитарой в руках. — Это заместитель московского министра Торшин. Видите, на нем еще импозантная дамочка повисла?

— Ну и сволочь этот референт! — узнал знакомое лицо Кирилов. — Она висит на шее у этого, а он ее за гузку поддерживает, чтобы шефу облегчение вышло...

— Откуда эти женщины? — накручивала на палец локон Жанна. — Местные или с собой привезли?

— Вот это Галина! — Кирилов карандашом отметил гостиничную знакомую. — Бойкая девочка, а здесь не на первых ролях — посчитала, что ей у стола должно сидеть.

— Что же заставило сбиться их одновременно в стаю? Неужели твой приезд? — Жанна посмотрела на Орловского.

— Это не его заслуга! — ответил Вашко.

— А чья? — спросил Кирилов.

Вашко собрал фотографии и разложил их в ряд:

— Джинян и Евсеев года полтора назад обратились с письмом в Президиум Верховного Совета с жалобой, оттуда ее переадресовали в наше министерство, и по сигналу в Аршальск выезжала бригада, возглавляемая Торшиным. Похоже, что это и есть апогей проверки.

— Так вот чего они боялись, — пробормотал Орловский.

— Выходит, что так...

— Не могу понять этих людей, — грустно произнес журналист. — Их не испугала ни статья, ни документы, а вот эти семь фотографий с пьянкой...

— Есть, чего бояться, — возразил Кирилов. — Его отправили навести порядок, а он пропил и честь, и совесть... Вот и браконьерство не подтвердилось, и рыбные делишки, что

Олонцов выявил — тоже. И этот, очкастый, явно чего испугался — он не генерал, его далеко зашлют служить.

Вашко встал из-за стола и подошел к телефону. Набрав номер, долго стоял с прижатой к уху трубкой, продолжая рассматривать снимки.

— Алло, Леон, это я! Все в порядке — снимки у меня...

— Как журналист? Вернулся?

— Хочешь с ним поговорить? Сейчас... — он сделал знак Орловскому. — Поговори, сынок! Его зовут Леонид Алексеевич! Ты, может, и не знаешь его, но он тебя как родного...

Орловский неопределенно пожал плечами и взял трубку.

— Сергей Николаевич? — отозвалась трубка пожилым голосом с глухими приятными интонациями. — Моя фамилия Киселев. Я имею некоторое отношение к тем проблемам, которыми пришлось заниматься и вам. Если не возражаете, хотел бы с вами встретиться.

— Когда?

— Сколько сейчас времени? Половина одиннадцатого? Подъезжайте к Политехническому музею — я выйду и поговорим. У вас есть на чем добраться?

— На моей машине поедешь, — шепнул ему в ухо Вашко.

— Есть...

— Вот и хорошо. От вашего дома добираться минут двадцать — как раз к этому времени я и выйду... — Орловский положил трубку на рычаг и обвел взглядом присутствующих.

— Кто это? — не понял Кирилов.

— Не знаю... Встречу назначил в двух шагах от площади Дзержинского, может, он из... — высказать свое предположение вслух Сергей не решился.

— Я знал сынок, что ты достаточно смышлен. — Вашко достал сигарету и сунул ее в зубы. — Забирай все фотографии и эти, и те, что нашли утром... Можешь, кстати, прихватить Прикумскую статью. Покажешь ее Киселеву — может, чего присоветует.

14. МАСКИ СНЯТЫ

В назначенное время Орловский и Вашко подъехали к скверу перед музеем. Ветер мел по асфальту мимо опустевших лавочек шуршащие сухие листья. Город в этот час словно вымер — так было тихо и пустынно.

Навстречу Орловскому шел высокий, спортивного вида мужчина. Подойдя, он крепко пожал руки Вашко и Орловскому. Присели на скамейку в сквере. Киселев медленно, одну за другой перебрал фотографии, потом внимательно изучил фотокопии документов, бегло просмотрел статьи.

— Ну, что ж, примерно так я и думал... Конечно, вы не знали, в какое дело влезаете, отправляясь в Аршальск. Да и откуда. Ведь сперва вся эта история выглядела вполне рядовым делом. Не так ли?

— Так...

— Мы давно наблюдаем за процессами, происходящими в соседнем ведомстве, и нельзя сказать, что они нас не волнуют. Много в МВД пришло новых людей, хороших специалистов и по-настоящему преданных делу. Но, к сожалению, их деятельность встречает яростное сопротивление пережившего все времена, воспитанного долгим «безвременьем» руководящего звена... Наверно, я говорю сухим бюрократическим языком, я самый настоящий аппаратчик и другого не знаю. Красиво писать — ваше дело.

— Они что, давно знакомы? Торшин, Анарин, Кнышев?

— Они работали в одной системе, в одно время, а значит, многое знают друг о друге такого, что заставляет их держаться друг за друга. Что касается вашей последней статьи... Могу дополнить ее неожиданным для вас сообщением: Кнышев отстранен от работы. На его место рекомендован другой человек и, кажется, его сегодня успели утвердить в Москве.

— Кто? Если не секрет...

— Из местных. Кажется, исполкомовец. Фамилия его Балуев. А имени, отчества не ведаю.

— Что? — вскрикнул журналист. — Теперь все кончено! Статьи не будет...

— Вы его знаете? — участливо склонился над ним Киселев.

Журналист рывком поднялся со скамьи и протянул руку к Киселеву:

— Оставьте все документы — они мне не нужны, но верните статьи!

— Что вы с ними будете делать?

— Не знаю, — он, комкая листы, сунул их в карман и, странно посмотрев на немолодых, гораздо более опытных, но замерших в неподвижности собеседников, медленно пошел по ночной опустевшей площади.

— Похоже, потерял парень голову, — пробормотал Вашко, глядя вслед Орловскому. Но Киселев неожиданно возразил:

— Думаешь, потерял? — Вряд ли... Как раз она у него на месте — к этому добавить нечего...

Книга 3.
ВАШКО

Если бы Шерлок Холмс женился, он наверняка оказался бы супругом довольно нудным, а может быть и вовсе неприятным. Однако, как собеседник он хотя бы мог развлечь жену за завтраком...

(Н. Паркинсон)

1. ОХ, УЖ ЭТИ ПИСЬМА...

Войдя в кабинет, Вашко бросил на стол пачку утренних газет. Из них как-то неуверенно вывалились конверты. Один, с разноцветными иностранными штемпелями, имел непривычно удлиненную форму, второй, судя по штемпелю, опустили на Почтамте.

Повесив пальто, Вашко направился к батарее и долго грел покрасневшие от мороза руки. К столу он вернулся с сигаретой в зубах и, повертев в руках «иностранца», довольно хмыкнул — письмо от Милорадова. Но Вашко ошибся. Письма в конверте не было, там лежало несколько фотографий, по качеству исполнения напоминавших открытки. Милорадов стоял под сенью пальмы, какие Вашко видел лишь в Сухуми: ветвистые, узорчатые. На следующем снимке Милорадов, в той же белоснежной рубашке с коротким рукавом и узких джинсах, на фоне увитой плющом виллы, третий снимок — самый интересный: генерал восседал за столом на резных ножках. «Соблазняет, — заметил про себя Вашко, разглядывая разнокалиберные бутылки на узорчатой, расшитыми цветами скатерти. — Надо будет ему ответить тем же — послать снимок с селедкой, черным хлебом и отварным картофелем! Пусть завидует. Там этого нет. А то ишь, омарами решил удивить».

Вашко достал лупу: ему показалось, что омар не совсем настоящий, а какой-то бутафорный. Под увеличенным стеклом можно было разглядеть множество ножек и пупырышки на панцире. «Во, дают! Пупырышки как настоящие... А может, и в самом деле? — грызли его сомнения. — На полметра в размере... Вот черт, нашел же, чем достать... — неодобрительно подумал Иосиф Петрович о своем высокопоставленном приятеле. — Мстит, что ли?» — Он набрал номер телефона.

— Григорич, ты? — начальник криминалистического управления частенько ездил за границу. — Слушай, в Марселе доводилось бывать?

— Ну... — озадаченный вопросом подтвердил собеседник. — А что? Тебе предлагают?

— Скажи, там омары есть? — Вашко выпустил целое облако дыма.

— Известное дело, есть!

— А почем? Дорогие, или как?

— А зачем тебе? — с подозрением спросил тот. — Завезли, что ли? Можешь достать? Почем?

— Почем, почем... — недовольно пробурчал Вашко. — Ты скажи, сколько он там стоит.

— Нормально стоит!

— Понятно... — произнес Вашко и решил, что на милорадовском столе все же лежит муляж.

— Ты к своим оперативничкам еще не заходил? — полюбопытствовал собеседник.

— Что у тебя за интерес — деловой, или так?

Собеседник как-то непонятно хмыкнул:

— Да опять заперлись в просмотровом зале — какую-то порнуху крутят...

— Порнуху? — переспросил Вашко. — А ты откуда знаешь?

— Включи трансляцию, сам узнаешь... У нас же наводки страшные. Как провода проложены, сам черт не разберет, «Сельский час» пополам с интимными вздохами.

Вашко бросил трубку и, вспомнив, что его динамик не работает, ринулся в соседнюю комнату. Сцена там напоминала финал «Ревизора»: каждый застыл в той позе, в какой его застала передача: один замер у сейфа, второй сидел за столом, спрятав от смеха лицо в руки, третий с пальто в руках стоял у вешалки. Динамик то транслировал новости, то, после щелчков и хрипения вкрадчиво постанывал, исторгая нечленораздельные вздохи и сопения:

— Ай лав ю, — восторженно вскрикнул девичий голосок, и в нем послышалась слезливая интонация. — Миленький, и откуда ты такой взялся... Жаль, по-нашему ни бельмеса не смыслишь. Ай, как же я тебя ай лав ю... — В динамике снова щелкнуло.

В те моменты, когда прорывалась центральная программа, слушатели, собравшиеся в кабинете, начинали двигаться и вновь замирали при каждом следующим щелчке в радиоприемнике.

Торопливо шагая по коридору к просмотровому залу, Вашко слышал трансляцию из других кабинетов. Задвижка двери в зале срывалась уже не раз, и стоило Иосифу Петровичу навалиться на дверь плечом, как шурупы с треском вылетели из расшатанных досок и перед ним предстала знакомая картина. Под потолком коромыслом вился тяжелый табачный дым. В углу на невысоком столике мерцал телевизор. Не зная, как выключить видеоаппаратуру, Вашко с силой дернул за сетевой шнур.

— Так! — многозначительно произнес он. — Опять собрались, субчики...

Кто-то щелкнул выключателем, и лампа сразу же высветила с десяток лиц — все были свои, из других отделов никого — это уже радовало. Похоже, подчиненные хорошо знали нрав Вашко — кто спешно одергивал китель, кто поправлял галстук, кто застыл по стойке «смирно».

— Дожили, сынки... Что смотрим, если не секрет? Еще и десяти нет, а у вас уже «До и после полуночи»?

И лишь на одного — низкорослого и плечистого паренька с простодушным деревенским лицом и кобурой под мышкой появление Вашко не оказало ровно никакого действия. Иосиф Петрович любил этого сотрудника — за несколько лет он отучился от сельских «ложить» и «покедова» и быстро сориентировался, что самое верное дело помалкивать и раскрывать преступления. Добрая треть палок в отчетах принадлежала ему... Внешний облик этого парня никак не отвечал его ласковой фамилии — Лапочкин, и коллеги сразу же окрестили его «Кубиком», имея в виду исключительно прямоугольные габариты.

Вашко, уже перестав сердиться, но продолжая бешено вращать глазами, переводя их с одного на другого, ткнул пальцем в клетчатую рубашку «Кубика».

— Давай ты, сынок! Откуда порнуха?

При слове «порнуха» в комнате раздался общий возглас несогласия — ропот подчиненных озадачил Вашко.

— Что за кино? — переспросил подполковник.

— Вещественное доказательство, Иосиф Петрович! — Лапочкин встал и, поправив ремешок кобуры, замер перед втиснувшимся в узкое кресло Вашко.

— Чего, чего? — изумленно протянул Вашко, прищуриваясь.

— Оперативно-розыскное дело „ПТ-38".

— Напомни, сынок.

— Эта гражданочка, что в любви признавалась клиенту из-за бугра, третьего дня примочила на Рижском Моньку-мокрого...

— Так, так... — одобрительно кивал Вашко, припоминая эту историю с московского рынка.

— Он ее прижал за штуку в месяц, а она уже за полтора куска пахала на Данилу.

— Корченого?

— Так точно! Но Корченый смылся, остальные молчат и информы ноль. Решили поймать ее на компре, а дальше беседовать в Бутырях. Подготовили номер в «Полстакане»...

— А как в «Космос» пробились? Гостиница с душком.

— Нормально прошло, все приготовили заранее — объектив, микрофон. Все записано, и она наша. Теперь дает показания.

— Кто записал?

— Я! — из темного угла вышел похожий на подростка капитан Кривяко. — Аппаратуру, товарищ подполковник, ставили с утра. Хорошо получилось. Хотите посмотреть?

— Слышал уже, — произнес Вашко и вышел в коридор.

...Полюбовавшись милорадовскими фотографиями еще некоторое время, Вашко принялся читать газеты, и тут обнаружил второй конверт. Ничего особенного в нем не было, конверт как конверт по цене шесть копеек за штуку со стандартной блеклой картинкой и маркой, но без обратного адреса. Впрочем, отсутствовал и адрес Вашко... Чуть вихляющим почерком со странноватым наклоном была написана лишь его фамилия, да и то с ошибкой в инициалах: вместо «П» значилось «Н».

«Это не почтальон положил, — почесал Вашко бровь. — Оно, похоже, вообще к почте не имеет никакого отношения — ни штемпеля, ни даты».

— Заскочи-ка... — вызвал он по телефону «Кубика». — У меня к тебе есть дельце.

Вскрыв конверт по самому краешку, Вашко вынул из него несколько снимков. Плохонькие, любительские — тем не менее они заинтересовали Иосифа Петровича куда больше заграничных.

— Так, так, так... — в замешательстве пробормотал он и, услышав торопливые шаги в коридоре, спешно перевернул их картинкой вниз. — Вот и ты... — он даже не взглянул на «Кубика», зная, что тот уже склонился над столом, ожидая указания. — Сволоки-ка этот конвертик к нашим «всезнайкам», и пусть они побрызгают на него чем хотят, но чтобы пальчики были... Так и скажи!

Парень молча, осторожно взял конверт за уголок и сноровисто уложил его меж двух листов чистой бумаги.

Вашко встал и, закурив, прошелся по кабинету.

— Все свои дела сдавай сегодня... — он на секунду задумался. — Хотя бы Олегу Киселеву. Скажешь, мое указание... Похоже, у нас с тобой будет несколько веселых деньков.

— В связи с этим? — оперативник показал конверт, что держал меж листов бумаги.

Вашко кивнул.

— Скажи криминалистам: «Аллюр три креста!» — они поймут. Топай, сынок. После обеда жду результатов.

Дождавшись его ухода, Вашко вернулся к столу и, забыв про марсельские красоты, начал разглядывать отпечатки. На первой карточке, чуть размытой, неясной, просматривался знакомый силуэт человека. Легко одетый — в курточке и светлых брюках — Орловский стоял у какого-то подъезда и мимо него шли люди. Судя по будке милиционера, чуть видневшейся в отдалении, это был посольский подъезд. В руках Сергей держал папку с бумагами. На другом снимке Орловский напряженно сидел на стуле в какой-то темноватой и тесной комнатке. Его поза, сжатые на коленях пальцы, сведенное судорогой лицо — все говорило о нагрянувшей беде. Третья фотография была как бы завершающей этот фоторяд: те же самые курточка и брюки, но человек лежал головой в сугробе, и темные пятна на снегу около головы рождали подозрения о самом худшем из того, что могло произойти. Этот кадр Вашко изучал с особым вниманием. Похоже, убийство произошло где-то недалеко от деревни; виднелись крыши домов, на бугре топорщилась полуразвалившаяся колокольня...

Все было чертовски похоже на правду. После той встречи у Политехнического Орловский стал на удивление странным — еще примерно с неделю звонил, а потом пропал, словно в воду канул. От встреч он уклонялся, ссылаясь на нехватку времени, хотя после его ухода из редакции по «собственному» желанию времени у него было предостаточно.

«Похоже, этот стервец снова вляпался в историю, и теперь уже...» — Что «теперь уже» не хотелось ни называть вслух, ни даже думать — фотографии не оставляли ни малейшей надежды. «Допрыгался», — с силой пущенной через всю комнату карандаш, сломавшись от удара о стену, покатился по полу.

2. СМЕХ И СЛЕЗЫ

— Оставьте меня в покое! Меня не интересуют его дружки, как впрочем и он сам! — Жанна с заметно округлившимся животом захлопнула дверь перед самым носом «Кубика».

Нахохлившийся Вашко, стоявший за спиной Евгения с неизменной сигаретой в зубах и обвислом пальто с поднятым воротником, процедил сквозь зубы: «Звони еще... Может, она не разглядела меня!»

Но как раз его-то Жанна разглядела. И говорить с ним после происшедшего с Сергеем не хотела вовсе. Но ни у Вашко, ни у «Кубика» другого выхода не было.

— Звони! — повторил Вашко, и Евгений нажал кнопку.

— Ну, чего вам еще нужно... — устало произнесла Жанна, широко распахнув дверь перед оперативниками.

— Что у тебя на голове? — достаточно громко спросил Вашко, уверенно проходя в квартиру. — Даже в таком положении нельзя забывать о расческе... Ты же умница и понимаешь, что я никогда просто так не прихожу, — он уверенно повесил пальто на вешалку, за ним по пятам следовал «Кубик». — Не бойся, — продолжал Вашко, приглаживая волосы, — мы не пойдем в комнату, раз там не прибрано, но в кухне, полагаю, нас можно принять?

Подобных оскорблений Жанна снести не могла.

— Где вы увидели беспорядок? Чего вы прицепились к моей прическе? И вообще: чего вы хотите от меня?

— Молока хочешь? — Вашко извлек из портфеля литровый пакет. — Со свежим хлебом... Кооператоры какой-то лаваш придумали — вроде ничего на вкус. Ешь, пока горячий! — он выложил на стол вкусно пахнущий хлеб. — И садись, поговорим и мы уйдем... Ты же знаешь, я плохого никому не желаю. — Вашко помнил, когда его собственная дочь ходила в положении Алешкой — теперь уже конопатым проказливым пацаном, она не могла оторваться от свежего хлеба и литрами пила молоко. Его расчет оказался верным.

— Появился Сергей тогда лишь утром... — нехотя начала рассказывать Жанна, — и с тех пор все пошло наперекосяк. Странным он стал! Что вы там с ним сделали, не знаю. Много писал, куда-то ходил, потом снова работал до глубокой ночи. Иногда, это произошло уже после увольнения из «Пламени», к нему стали заходить какие-то люди. Работяги? Пожалуй, нет. — Она допила молоко до конца и налила снова. — Скорее, этакие «лощунчики». Костюмы хорошие, благоухание французское, на пальцах перстни, а морды выпивох. Я как-то спросила, что его связывает с ними, но... Он либо рычал на меня: «Не твое дело!», либо просто отмалчивался. Обстановка накалялась не по дням, а по часам, и я так больше жить не смогла. Я уехала к себе, а он ни разу даже не позвонил.

— И вы не звонили? — спросил Евгений.

Жанна задумчиво посмотрела в окно, где растекался по городу скучный зимний день.

— Раз пять звонила, но... Его не было дома.

— Как ты думаешь... — начал Вашко. — Что он может предпринять в такой ситуации — ты же его хорошо знаешь.

Женщина усмехнулась и неуверенно пожала плечами:

— А кто его знает. Он всегда-то отличался непредсказуемостью своих поступков, а уж в подобном состоянии и подавно.

— Выходит, тебе вовсе не интересно, где он и что с ним? — прямо спросил Вашко. — Отчего такое безразличие? Он же, как я понимаю, отец ребенка.

— Пусть это не волнует ни его, ни вас... Я ему еще не простила аршальскую проститутку.

— Помилуйте, — сделал резкий жест Вашко. — У них же ничего не было. Это одни разговоры...

— Не доказано — да, но дыма без огня не бывает. Он же не захотел объяснить мне.

Лапочкин заелозил на стуле, выразительно поглядывая на Вашко.

— А ты была в его квартире? — Вашко задал вопрос и внутренне напрягся, ожидая ответ.

— А зачем? В гости он меня не приглашал. И вообще, между нами все кончено... — с грустью произнесла женщина. — Сейчас женщины неплохо живут и одни. Ребенка я хотела — он у меня скоро будет. — Она осторожно коснулась платья на животе.

— Странно, — произнес Лапочкин. — Разве эта записка, лежавшая у него под столом, адресована не вам? — Он развернул перед Жанной скомканный листочек бумаги.

— Мне? — женщина взяла листок. — Двадцать девятого февраля... Семнадцать сорок... — медленно разбирала Жанна слова и цифры. — Три остановки от метро. Код — двести сорок. Арка... Зеленые балконы... Этаж шестой... Глазок! Тарабарщина какая-то. Вы сами что-нибудь понимаете?

— Только то, что в этом году в феврале двадцать восемь дней, — сказал Вашко.

— Тогда, может быть, она провалялась несколько лет?

— Исключено. Посмотри, что на обороте!

Женщина перевернула записку — это был листок отрывного календаря за январь этого года.

— Ничего не понимаю! А что, с ним что-то произошло? Где он?

Лапочкин выразительно посмотрел на Вашко и тотчас отвел взгляд в сторону. Вашко молча встал, прошел в прихожую и медленно надел пальто. Евгений шел следом. Постояв в раздумье, Вашко сказал:

— То, что он скрывается от тебя, это непорядочно.

— Встретите, передайте! Ваши бы слова, да богу в уши. — Жанна вышла провожать нежданных гостей на лестницу.

— При случае, конечно... — уверил Вашко, прощаясь.

Выйдя на улицу, они сели в машину.

— А мне кажется, она в курсе... — сразу же сказал «Кубик». — Скользкая бабенка, таких не люблю.

— Черта с два! — возразил Вашко. — Ничего она не знает. Пытается держать марку, но у нее это неважно выходит. Если фотографии не врут, ей не позавидуешь.

— Может, надо было показать их? — спросил Лапочкин, наклоняясь к переднему седенью, где курил Вашко.

— Не знаю, как ты, а лично я роды принимать не умею... — недовольно пробурчал Вашко. — Фотографии его готовы?

— Размножили. Дать?

— Сегодня же пробеги по нашим ребятам, что дежурят у посольств, и покажи. Может, действительно крутился там. Драпанет — не отмоешься.

— Ну и пусть бы бежал. Зачем держать?

— Ты, сынок, забыл, что в этой прескверной истории замешана моя скромная персона. Теперь я вынужден заниматься этой чехардой лично — ты понял? Без всякого на то задания.

— А Милорадов, как назло, уехал. Ведь это было его приказание?

— Не без того, — угрюмо ответил Вашко и надолго замолчал.

3. КУЛЬТУРНАЯ ЖИЗНЬ КУЛЬТУРНОГО УЧРЕЖДЕНИЯ

В зал вычислительного центра Вашко поднялся не в лучшем расположении духа. Только что ему пришлось выслушать немало обидных слов от преемника Милорадова. Новая метла всегда метет жестче, и генерал Кривцов начал закручивать гайки с первой минуты. В ушах до сих пор звучали его слова: «Если вы руководитель, то будьте любезны построить работу так, чтобы показатели росли, а не падали. А у вас творится черт знает что! Чем лично вы занимаетесь все эти дни?» В ответ Вашко лишь пожал плечами... «Хозяин», так генерала тотчас окрестили в Управлении, выразительно постучал указательным пальцем по краю стола. «Я заставлю вас забыть милорадовскую вольницу! Каждый день! Слышите, каждый! К девяти часам извольте письменно докладывать о результатах работы за день. Никакой волынки я не потерплю».

«До пенсии осталось год, шесть месяцев и четырнадцать дней», — с тоской думал Вашко, и ответил: «Есть, товарищ генерал!» Тот посмотрел на строптивца и, не найдя следа улыбки на его лице, смягчил тон: «Мы должны сделать все, чтобы стабилизировать положение вещей. Преступность не должна захлестывать страну!» А Вашко уныло подумал: «Интересно, а чем мы занимались до этого».

— Мне рассказывали о ваших отношениях с Милорадовым, — продолжил генерал, жестом показывая вверх. — Мне не нужны подчиненные, которые пьют со мной коньяк — мне нужны сотрудники, умеющие раскрывать преступления. Обещаете работать в этом ключе?

Вашко дождался, пока он закончит, и вдруг сказал с неожиданным спокойствием:

— У меня нет таланта на вранье.

— Объяснитесь!

— Раскрою лишь то, что смогу...

— Кражи? Грабежи? Убийства? Что? Что вам по душе?

— По душе мне ухаживать за розами, — пока еще осторожно огрызнулся Вашко. — А раскрывать все, что наметет во двор... Это моя специальность.

— Специальность... — ворчливо заметил генерал, но пар из него, похоже, уже вышел. — Что вы в этом понимаете, мы еще посмотрим — в следующем месяце я проведу аттестацию кадров. Тогда и станет ясно, что вы знаете и что понимаете в этом самом розыске.

— Больше, чем вы в Людвиге Фейербахе! — Это был удар ниже пояса: Вашко прекрасно знал, что до назначения на этот пост, генерал преподавал философию в высшей школе милиции.

— Идите! — устало произнес генерал и, с внезапно покрасневшим лицом, углубился в изучение бумаг, давая понять, что у него больше нет времени на Вашко.

...Лейтенант в накинутом поверх кителя белом халате долго щелкал клавишами — на экране метались и пульсировали кровеносными сосудами строчки таблиц.

— Это точно? Голубая куртка, светлые брюки, желтые ботинки?

— Еще можешь добавить темно-синие носки... Их тоже не оказалось в квартире.

Лейтенант еще поиграл клавишами:

— Такой одежды, товарищ подполковник, не было обнаружено ни на одном трупе ни в Москве, ни в области.

— А ты не ошибся, сынок? Может, забыли ввести в кибернетику.

— Исключено.

— Понял. — Вашко задумчиво потрогал усы. — Давай, еще одно! Проверим его самого... — он достал записную книжку и начал методично и занудливо диктовать цифры: рост, объем груди, талии, бедер. Недаром пришлось так долго в квартире лазить с портновским сантиметром по оставшейся в шкафу одежде.

— Состояние зубного аппарата? — снизу вверх, ожидая ответа, посмотрел лейтенант.

— Дареному коню... Пиши — хорошее, а там посмотрим.

Офицер снова застучал по клавишам компьютера и на экране вновь появилась очередная таблица.

— Что? Есть? — не утерпел Вашко, безуспешно пытаясь разобраться в цифрах и значках, заполнивших таблицу на экране. — Рост, сам знаешь, может маленько увеличиться...

— Кажется, повезло... — не спеша произнес лейтенант. — На вид около сорока, светловолосый, без татуировок.

— Где?

— Московская область, район деревни Перхушково.

— Неопознанный? Ты не ошибаешься?

— Никак нет, товарищ подполковник!

— Еще что-нибудь по нему есть?

— Так точно. Обнаружен двадцать девятого февраля...

— Двадцать восьмого! Этот год не високосный... Ошибка, наверно.

— Может быть, но так ввели... Надо будет поправить! Вот тут еще значится — до пятнадцатого марта не опознан, захоронен на местном кладбище под номером тринадцать восемьдесят девять.

— Как, захоронен неопознанным?

— Так точно.

— Фотографии есть?

— Должны быть в местной милиции.

— Спасибо сынок.

Придя в буфет, он заказал кусок холодной телятины с капустой и чашку кофе. Ел медленно, с таким отсутствующим видом, словно этот процесс не имел к нему решительно никакого отношения. Разделавшись с обедом, долго и старательно ковырял спичкой в зубах. А потом некоторое время сидел неподвижно, выпрямившись и сложив руки на краю стола. Казалось, он никуда не смотрит, и те, кто проходил мимо, не могли поймать его взгляд.

Через полчаса Вашко вернулся в свой кабинет и сел за стол. Ему не давала покоя третья фотография. Мужчина в курточке, похожий по очертаниям фигуры на Орловского, лежал, зарывшись головой в снег, и надо всей этой картинкой горделиво возвышалась колокольня церкви.

«Откуда в Перхушкове взялась церковь? Отродясь ее там не было, — размышлял он. — Если только где-то поблизости... Совсем в другой деревне? Вот пусть Лапочкин этим и займется».

Стоило ему вспомнить об Евгении, как тот сам вырос на пороге.

— Что новенького?

Лапочкин вначале откашлялся.

— Ученые мужи обнаружили на конвертике пальцы, которые не проходят ни по одной из картотек. Судя по всему, отправлявший не имеет отношения к преступному миру.

— Понял. Все?

— Нет. Если судить по размеру отпечатков и проработке узоров, то они принадлежат либо холеному мужчинке, либо довольно крупной женщине.

— Таковых на примере не имеется?

— Так точно.

Короткая пауза.

— Надеюсь, ты не хочешь меня убедить, что Орловский, — Вашко ткнул пальцем в фотографию, — не смог сладить с невысоким мужчинкой, как ты изволил выразиться, или того больше — с крупной дамой?

— Я не говорю про убийц. Речь идет лишь о корреспонденте, отправлявшем письмо. Кстати, я хотел спросить — зачем им потребовался этот шаг? Насколько я понимаю, все по-классике происходит не так.

— Я уже думал об этом.

— Сперва посылают карточку или видеозапись заложника и требуют выкуп, а уж потом — леденящие душу сцены.

— Ну, положим, от меня бы они выкуп хрен получили. Другое дело, подбрасывать эти карточки Жаннете. Но в том-то все и дело, что пришли эти фотографии в милицию.

Голос Вашко звучал спокойно. Он посмотрел на часы.

— Сгоняй в Перхушково и разыщи у них фотографии покойничка за номером... — он посмотрел в записную книжку. — Тринадцать восемьдесят девять. Что, кстати, с посольствами?

— Пока опросил несколько самых главных — Штаты, Англию, ФРГ, Францию, Австрию... — начал диктовать Лапочкин несколько унылым голосом.

— Можешь не перечислять. Главное — результаты!

— Никто из дежуривших его не признал. Не стоял, ни с кем не встречался, никого не ждал. Похоже, это просто случайный кадр.

— Случайный! У них ничего случайного не бывает. Для чего-то они приложили его под номером один. Словно наталкивают нас на мысль: он предатель, поделом ему! Не допускаешь?

— Вполне. Дальше посольства проверять?

— Не надо. — Вашко достал сигареты. — Как там ребята без тебя, справляются? Ввязал я тебя в эту историю — небось, не рад?

Лапочкин безразлично повел плечами: мол, какая разница, чем заниматься — и это работа, и то работа.

— Справятся.

...В учреждение, в названии которого значилось слово «культура», пришлось ехать на автобусе. Честно говоря, Иосиф Петрович отвык от подобных путешествий — в редкие выходные дни чаще сидел дома, до ближайшего магазина было рукой подать, а по служебным делам ездил на машине. Без труда найдя нужный дом, Вашко поднялся по лестнице, дивясь обилию ковров и мягких диванов и чувствуя себя не в своей тарелке. В комнате сидели двое. Тот, который нужен был Вашко, удобно расположился у окна. За его спиной одна на другой лепились по стене красочные афиши благотворительных концертов.

— Карнухин Ольгерт Маркович, — представился он. — Садитесь!

Вашко немедленно воспользовался приглашением и тотчас утонул в мягком кресле.

Разговор то и дело прерывался телефонными звонками.

— Значит, вы интересуетесь церковью... Извините, — он хватал трубку. — ...Церковь, собственно говоря, на снимке отсутствует. Эта колокольня построена, очевидно, в первой половине прошлого века. Одну минуту... — он тихим вкрадчивым голосом отдал очередное указание, касающееся какой-то художественной выставки. — Тогда много строили в память о победе над Наполеоном. В подмосковных деревнях их тысячи. Все они под охраной государства. И все, — он широко развел руками, — в плачевном состоянии. Денег нет, материалов тоже. Особенно бедственное положение сложилось в районе Рязанской дороги. Там храмы исчисляются сотнями и все... Увы, как говорится, и ах!

— Где может располагаться эта колокольня?

— Точно не скажу, — он еще раз взмахнул руками. — Может быть, стоит обратиться в Патриархат? Вот где каждый объект на счету.

— Может, есть смысл обратиться к краеведам?

— Что они могут знать, если мы не знаем, — Карнухин порывисто похлопал Вашко по рукаву. — В Патриархат, только туда!

Вашко тяжело поднялся и вышел в коридор. Рука сама собой нашарила пачку с сигаретами, но курить в этом особняке, похоже, не рекомендовалось.

— Можно посмотреть фотографию? — раздался голос из-за спины оперативника. Оказалось, следом за ним из кабинета вышел светловолосый юноша в толстенных очках — именно он молча сидел за вторым столом.

— Пожалуйста.

— Что за чушь! Не понимаю.

— А что произошло?

— Подождите секундочку... — он сунул Вашко назад фотографию, исчез за дверью и вновь появился в коридоре с огромным фолиантом. — Давайте присядем.

Вашко покорно подчинился и ему показалось, что он по плечи утонул в мягком плюшевом диване. «Хлюпик», как его про себя назвал Вашко, сосредоточенно листал толстенный альбом.

— Нашел! — радостно заулыбался юноша. — Сия колокольня раньше принадлежала храму Симеона Столпника в Чудинках. Саму церковь разрушили немцы при отступлении еще в сорок первом году, а колокольня успешно простояла до середины шестидесятых. Потом, — парень грустно улыбнулся и принялся гладить рукой шершавый переплет альбома, — ее постигла участь многих других — разобрали на кирпичи.

— Извините, — басовито произнес Вашко. — Мне кажется, вы ошиблись! Этот снимок только часть другого, — он достал из кармана фотографию с трупом. — Полюбопытствуйте.

— Я не работал в милиции и не знаю, как делают такие фотографии, но то, что касается колокольни, могу с абсолютной уверенностью утверждать — искать вторую такую в области бесполезно.

— Но снято этой зимой! — уже начал раздражаться Вашко. — Видите, здесь деревня, снег, человек лежит.

Юноша вновь распахнул книгу на той же странице:

— А здесь что? Деревня — есть! Посмотрите на крыши — они точно такие же... Снегу сколько вам угодно! Колокольня точно та же и точно в том же месте. Разве, что человека вашего нет, так это совсем другой вопрос.

— А... — хотел возразить «хлюпику» Вашко и, оборвав фразу на полуслове, начал попеременно смотреть то на снимок, то на иллюстрацию. И ...слова застряли у него в горле. — Воро-на-а-а! — вдруг по слогам выдавил он из себя.

Парень расхохотался:

— Ну, вот вам и отгадочка — ворона-то действительно летит точно на одном и том же месте, что на вашем снимке, что в книге... Нонсенс!

Вашко сутулясь встал с дивана и, не попрощавшись, медленно пошел в сторону лестницы. Уже на улице, отойдя от особняка на вполне приличное расстояние, он вспомнил, что следовало бы посмотреть название книги и год выпуска. Как же он сам не догадался — фотомонтаж. Но до чего ловко сделано.

Иногда он останавливался, доставал из кармана снимок, качал головой и шел дальше.

«Хорошо, что до пенсии совсем немного, а то в самый раз подавать в отставку — мальчишка из культурной сферы утер нос старому сыскарю».

Огорченный, Иосиф Петрович добрался до центра, выстоял очередь в пивной подвальчик на Пушкинской и залпом одну за другой выпил шесть или семь кружек горьковатого пенистого напитка. Его здесь знали и только поэтому не заставляли в нагрузку к пиву покупать на трешку ерунды — креветок, плавленных сырков и холодных осклизлых кур.

4. СУЕТА

Расположенное на краю деревни кладбище было по колено занесено снегом. Спотыкаясь, проваливаясь в сугробы, Лапочкин, сопровождавший его участковый и добродушный толстяк из прокуратуры пробрались в самый дальний угол, граничивший с оврагом, поросшим мелким ельником. Мерзлая земля поддавалась туго, рабочие то и дело брались за лом. С потемневшего неба сыпала мелкая сухая крупа.

— И как это произошло, — оправдывался полноватый капитан-участковый. — Закопать — закопали, а сфотографировать не доперли. Вот теперь торчи тут.

По всему было видно, что участие в эксгумации было ему не по душе. Наконец, лом глухо ударил в деревянную крышку. Лапочкин с местным оперативником прыгнули вниз и начали протягивать под гроб веревки. Вытащив наверх, его отодвинули от края, топором отодрали верхнюю крышку и увидели обернутый в простыню труп. Лапочкин решительно подошел к гробу и, взявшись перчаткой за краешек савана, резким движением сорвал его с покойника. На нем не было даже признаков одежды, а на ноге до сих пор выделялся написанный еще в покойницкой номер.

— Фотографируйте! — скомандовал Евгений. — Крупно лицо в профиль и анфас и два кадрика общего ıвида... — он для ясности описал рукой круг над гробом.

— Не он? — приблизившись к Лапочкину, спросил прокурорский.

— А шут его знает. Вроде бы, нет. А каковы причины смерти? Устанавливали?

— Так точно, — вышел вперед участковый, боязливо поглядывая на гроб. Ему очень хотелось исправить оплошность и произвести хорошее впечатление на коллегу из Москвы. — Удушение веревкой.

— Где обнаружили?

— Здесь недалеко... У березовой рощи.

— Не ваш?

— Так неопознанный же, — веско возразил прокурорский. — А почему так быстро дали команду на захоронение, так у нас и морга-то толком нет. Так, заброшенная часовня.

— Понятно. А одежда где?

— Чья? — не понял или не расслышал участковый.

— Ну, не моя же... — раздраженно сказал Лапочкин, отирая перчатку комком снега.

— Поищем... — с готовностью откликнулся капитан.

Дождавшись, когда эксперт закончит фотографировать, Евгений махнул рукой: «Все кончено!» Рабочие мастеровито приладили на место крышку и вскоре смерзшиеся комья земли забухали по крышке гроба.

Сев в машину, Лапочкин сразу же задремал, а очнулся лишь тогда, когда «Волга» подрулила к Управлению.

— Поезжай в гараж, — скомандовал он Василию. — А я пойду схожу в одно местечко.

— Может, подвезти?

— Тут близко, я пешком... — Лапочкин свернул за угол дома и пошел в сторону Садового кольца.

С Москвы-реки от Балчуга летел пронзительный холодный ветер. Приподняв воротник куртки, Лапочкин свернул во двор дома и, миновав арку, задрал голову вверх. Окна квартиры Орловского светились. Это удивляло и озадачивало. Пересчитав еще раз этажи и окна от угла дома, Евгений убедился: ошибки не было. Прибавив шаг, он пулей взлетел на этаж и замер перед едва прикрытой дверью. Из небольшой щели на лестничную площадку падал луч света. Лапочкин сунул руку под куртку и отстегнул нагретый телом ремешок кобуры, щелкнул предохранителем пистолета и осторожно взял его в руку, не вынимая из-под куртки. Всунув ботинок в щель, оперативник осторожно приоткрыл дверь и бесшумно скользнул внутрь квартиры. В ярко освещенной прихожей никого не было. Зато из комнаты доносились чьи-то шаги и шорох.

Бесшумно ступая, Лапочкин перешел к противоположной стене коридора и медленно, сантиметр за сантиметром начал перемещаться к дверному проему. Едва он приблизился к нему, как звуки в комнате стихли — человек, находившийся там, замер.

— Ты вытер ноги, сынок? У входа лежит коврик. — И в этот момент Лапочкин увидел Вашко, стоящего на пороге комнаты с сигаретой в зубах и каким-то альбомом в руках.

— А я уж думал... — почему-то вдруг разочарованно пробормотал оперативник, щелкая предохранителем и застегивая кобуру.

— Думали, све́жи, а это все те же, — сказал Вашко и, повернувшись спиной к Евгению, направился к письменному столу журналиста. — Чего там раскопал? Он?

— Нет.

— Фотографии привез?

— Завтра после обеда нарочным.

— Годится! Иди сюда — чего-то покажу. — Лапочкин послушно прошел в комнату, стараясь не ступать на ковер, расстеленный во всю ширину комнаты. — До чего ты там топчешься, — поторопил Вашко. — Гляди, вот это три фотографии, что пришли ко мне по почте. А вот это альбом самого Орловского... Сечешь?

— Вполне. — Лапочкин, еще ничего не понимая, смотрел то на фотографии с колокольней, со стулом в комнате, на котором напряженно застыл журналист, то на распахнутый альбом.

— Вот здесь не хватает двух фотографий. — Вашко взял снимки со стулом и у подъезда посольства и приложил их к страницам альбома, на которых еще сохранились остатки клея. — Гляди, ложатся как миленькие. И по теме подходят! Судя по всему, это посольство не имеет к Орловскому никакого отношения. Вот на других снимках он в куртке то в редакции, то в ней же у магазина, то вот здесь... — он постучал желтоватым, неровно обрезанным ногтем по снимку, пришедшему по почте, — у посольства.

— Это Ленинград! — уверенно пробасил Лапочкин.

— Ну, положим, название газеты «Вечерний Ленинград» я тоже разглядел на доске у подъезда, но это несколько меняет суть дела — этой карточке лет пять, не меньше. Насколько я знаю, в Питере у него была стажировка или командировка... Не помню.

— Точно?

— А ты завтра съездишь в редакцию и выпишешь все его поездки за последние... — Вашко задрал голову вверх, прикидывая что-то в уме, — за последние пять лет.

— Есть.

— Это не все. Постарайся в ихнем архиве сбацать на ксероксе копии всех его статей за эти годы.

— Да это же...

— Только по командировкам. Не думаю, что их будет больше пяти-семи штук в год, а в сумме... Ну, штук тридцать с гаком.

— Хорошо.

— Теперь, что касается этого снимка, — он взял карточку, где Орловский сидел, напряженно смотря в объектив. — Для нее тоже нашлось место. Более того — вот почти такая же, но здесь он уже смеется. Это какие-то журналистские штучки, и готов побиться об заклад, что завтра в «Пламени» ты с легкостью обнаружишь и этот стул и эту комнату со щербинкой на штукатурке.

— А третья?

— Что касается третьей, тут случай особый. У меня вообще нет уверенности, что там снят Орловский. Это довольно искусно сделанный монтаж. Верхняя часть снимка из какой-то книженции — не обратил внимания на название.

— Можно посмотреть снимок? — Лапочкин протянул руку.

— Черта ли ты там увидишь... На, смотри, Фома-неверующий!

Евгений жадно выхватил снимок и долго разглядывал тело лежащего в сугробе мужчины.

— У вас нет увеличительного стекла? Лупы там какой.

Вашко хмыкнул:

— Ладно, хватит глазеть, Шерлок Холмс. Давай! — он требовательно протянул руку, но Лапочкин, против обыкновения, не спешил отдавать снимок.

— Труп, говорите... — он задумчиво посмотрел на Вашко. — Что касается одежды, не скажу. Может, подобрали похожую, может, тиснули из того шкафа, — он кивком головы показал на дубовое чудовище, громоздившееся в углу комнаты. — А что касается этого человека, могу гарантировать — он цел и невредим.

Вашко недоверчиво посмотрел на Евгения.

— Чепуха!

— Никак нет, товарищ подполковник. Хотите, докажу? Пожалуйста: вот тут на левой руке рисуночек обозначен. Видите?

— Какой рисуночек?

— Татуировка. Видите, джентльмен наколот с американским флагом? Во фраке с бабочкой...

— Покажи! — Вашко держал снимок в вытянутой руке. — Кажется, сынок, ты не ошибся... Там еще слова какие-то есть... Вот чертовщина, мелко, не разобрать.

— Не трудитесь, Иосиф Петрович. Там по-английски, все равно не разберете.

— А ты знаешь, что написано?

— Угу! Там написано: «Вперед к окончательной победе капитализма!»

— Как я не заметил? — обескураженно вздохнул Вашко.

— Снимок плохонький — чтобы его узнать, надо было видеть раньше. Фамилия этого «трупа» — Мачульский. Вовка Мачульский... Проходил у нас лет семь назад по хулиганке — морду набил кому-то на работе, а сейчас крутится возле кооператоров. Кажется, видики крутит. Хотите, познакомлю?

— Где он живет?

— Мочало? Мочало не живет — он обитает! Вся Марьина роща его... А найти его можно на Арбате. Наверняка, у «Кареты» крутится.

— Ты можешь говорить по-человечески? Что за «карета»?

— Кафе в подвале — там видики крутят. Большие деньги имеют. Правда, не врублюсь — на кой черт ему это понадобилось. За деньги? У него их в достатке. Может, на пушку взяли? В качестве выкупа.

— Поехали на Арбат, — скомандовал Вашко.

На улице он отчего-то начал оглядываться, смотреть по сторонам. Даже сев в машину, не удержался и минут пять то и дело оборачивался назад.

— Что-то произошло? — Лапочкин наклонился к переднему сиденью.

— Я и сам думаю, что ерунда... Понимаешь, моталась сегодня за мной какая-то серая «волжанка».

— Номера запомнили? Можно проверить в пять минут.

— Заляпаны грязью.

— Слежка?

— Черт его знает!

...Решительно толкнув дверь кафе, Лапочкин спустился в подвальчик. Здесь в воздухе витали запахи коньяка, в темноте мерцали экраны телевизоров, стоявших по углам на возвышениях. Видеофильм был явно западного производства — бравые американские полицейские лихо стреляли с крыши небоскреба. Исчезнувший было Евгений объявился вновь.

— Где-то здесь... Сейчас найдут. — Он сел рядом на скамью. — Интересно?

— Ага, — простодушно признался Вашко. — Стреляют, надо сказать, мастерски... Гляди, как пистолет держат — двумя руками. Туловище и руки образуют жесткий треугольник. Пистолет, а у них они гляди, все как на подбор, тяжелые, не рыскает из стороны в сторону, а замирает, как вкопанный. Остается лишь по вертикали его настроить и порядок!

Официант, в стилизованной русской рубахе с кистями на кушаке, поставил перед Евгением и Вашко по рюмке коньяку и чашке кофе.

— Владимир Евграфович просили вас подождать. А это чтобы не скучно было... Все оплачено! Может быть, хотите еще чего-нибудь? Моментом исполним.

Вашко и Лапочкин переглянулись.

— Ты его предупредил, чтобы без глупостей? — Вашко был сама серьезность.

— Вопрос в том — послушался ли он... — Лапочкин быстро встал и двинулся в подсобку. Следом поспешил официант, но Вашко прихватил его за рукав атласной рубахи. Сопротивляться без ущерба для одежды не стоило, и парень вынужден был сесть рядом с подполковником.

— Не суетись, сынок. Они сейчас сами договоряться!

— Так разве ж я...

Говорили они тихо и другие посетители, увлеченные боевиком, не обращали на них никакого внимания.

— Сколько тебя платят в этом вертепе? — решил скоротать время в беседе Вашко.

— Когда как.

— А все же... Ты не подумай чего — у меня вопрос праздный.

Официант назвал сумму, от которой Вашко крякнул — она равнялась примерно трем его зарплатам.

— Интересно, за что такие деньги?

— За риск... — огрызнулся официант.

— Поясни!

— Мачульский пусть поясняет, а я вас не знаю. Чужие дела у меня интереса не вызывают, но и в мои прошу не вникать. Вот, кстати, и он! Я пошел?

— Иди, сынок. И знаешь что... — Вашко посмотрел на стол. — Принеси еще по пятьдесят за мой счет.

Увидев идущего по проходам между столиков мужчину, подталкиваемого в спину Лапочкиным, Вашко едва сдержал восклицание — так он был похож на журналиста.

— Как я и предполагал — коньяком просто так не угощают, — произнес Евгений на ухо Вашко. — Чуть не смылся через запасной выход.

— За знакомство! — Вашко поднял рюмку и залпом опрокинул коньяк.

Мачульский долго грел рюмку в руке, а потом маленькими глотками отпил до половины. Лапочкин пить вовсе не стал, а принялся за кофе.

— Слушаю вас! — Вашко смотрел на Мачульского.

— Может, сперва познакомимся? — пропел бархатным голосом Мачульский. — А то как-то так, сразу... Я не привык, чтобы меня брали сразу как крупный рогатый скот за наросты на лбу.

Сидящий рядом с ним Лапочкин сделал быстрое и незаметное для посторонних движение, и тон разговора после удара в бок сразу переменился.

— У вас весомые доводы. Я готов ответить на ваши вопросы.

— Наколка! — коротко бросил через стол Вашко. Мачульский удивленно посмотрел на Лапочкина и нехотя задрал рукав отлично пошитого пиджака. Из-под манжеты накрахмаленной рубашки появилась мастерски исполненная наколка: джентльмен, многозвездное и полосатое знамя в его руке, украшенной перстнем, галстук бабочка и надпись на английском.

— Ратуете за их победу? — Вашко отхлебнул кофе и достал сигареты.

— Завидую черной завистью! — огрызнулся Мачульский. — Чего же здесь плохого, если они научились жить, а мы нет.

— Действительно, — Вашко пристально посмотрел на собеседника. Ему нравился неприкрытый вызов. — Претензий к наколке нет. Просто как-то не приходилось встречаться с человеком, который открыто проповедует их образ жизни.

— Хотите сказать, что я апологет капитализма? Пусть так, но думаю вы пришли не за этим.

— Правильно думаете! Если перейти ближе к делу, то прошу пояснить вот это, — он положил перед Мачульским третий снимок, где в сугробе лежал «живой труп».

— Ах, это, — с заметным облегчением вздохнул Мачульский и криво усмехнулся. — Господи, какая ерунда!

— Вы так считаете? — Вашко отхлебнул из рюмки, принесенной официантом.

— Это ненаказуемый бизнес, — небрежно бросил Мачульский. — В один прекрасный день ко мне подвалили фраера и предложили за кусок сфотографироваться. Одежду они приволокли с собой — она у них была в сумке. Я это и исполнил. Тысячу рублей выплатили сразу! Все!

— Кто они?

— Вас интересуют портреты? Поверьте, ничего особенного. Люди как люди!

— Русские?

— Не уверен... Как пишут в милицейских протоколах: лица кавказской национальности. Но не все! Заправилой у них был лощеный дядечка.

— Что за дядечка? Тоже приезжий?

— Не думаю! По-московски «акает». Хотите откровенно?

— А иначе наша беседа теряет смысл.

— Я таких встречал в исполкомах. Их за километр видно, и не только по выражениям лиц. Они же словно детдомовцы все одеты на один манер — темно-синие пиджаки, красноватые галстуки и западногерманская «Саламандра».

— В чем, по вашему мнению, заключалась его роль?
— Я же сказал: он был за главного.
— Это чувствовалось по разговору?
— Скорее, по манере вести себя.
— Вернемся к вам. Где вас фотографировали?
— Не знаю... На машине ехали минут двадцать. По-моему, место было выбрано случайно, сразу за кольцевой дорогой. — Он взял в руки фотографию и долго смотрел на нее, вглядываясь в пейзаж. — Это действительно я, но этой вот церкви не было там, как будто лес был... Но ручаться не стану.
— Кто ездил кроме вас?
— Фотограф — раз, — он загнул палец на руке, — кавказец — два, и водитель...
— А этот, важный?
— Нет. Чего он забыл в поле. — Мачульский усмехнулся. — Вы почему-то не задаете вопроса, которого я жду.
— Какого? — прищурился Вашко.
— Ну, к примеру, на какой машине ездили? Какой номер?
— А какой номер?
— Его как раз не было, а машина марки «Волга» серого цвета.
Вашко переглянулся с Лапочкиным.
— Совсем не было номера?
— По крайней мере, мне так показалось. Может, сняли или закрасили... Есть еще вопросы? Хотите коньяку?
Вашко встал.
— Я чего еще хотел узнать, — произнес он уже в дверях. — Вы считаете, что этот, в синем костюме, действительно с номенклатурным душком или...?
Мачульский скосил глаза на сидящих за столиком посетителей — они к разговору, похоже, не прислушивались.
— Восемьдесят против двадцати — да... Я их много повидал на веку и в разных условиях.
— Где, если не секрет?
— Как в песне у Высоцкого, в буфете, для других закрытом.
— Не понял? Вы что там делали?
— Работал... — Мачульский широко развел в стороны руки. — Представьте себе, через три года я получу медаль «Ветеран труда». Всю жизнь в общепите! Раньше в специальном, теперь здесь! А из спецраспределителя меня вышибли как раз за это! — он ткнул пальцем в наколку. — Один хрен знал английский и настучал. Вот и вышибли! А чего ради — она мне

работать не мешала: обслуживали чин-чинарем! Правда, по физиономии я ему за это съездил. Не удержался!

На улице Вашко выразительно посмотрел на Лапочкина:

— Слыхал про серую «волжанку»? То-то, Фома неверующий! Факт!

— Хотел бы я узнать, кто они такие. Может, подключить ребят? Вмиг раскрутим!

— А потом черта с два чего докажешь. Нет, милый мой дружок, они должны проявить себя сами. Пока нам не очень понятно, чего от нас хотят. Хотя бы эта история со снимками — для чего? Возьмешь их, а за что? Молчок! Так что пусть они сами лезут в петлю, я им в этом не помощник, но что от меня зависит, сделаю — будь спок! — Вашко долго шарил по карманам. — У тебя есть двушка? По копейке. Не жмотничай, начальство надо ублажать. Давай!

Зайдя в будку, Вашко отчего-то не очень решительно взялся за трубку телефона, долго мялся, трогая усы, чесал бровь и наконец собравшись с духом набрал номер.

— Не разбудил? Извини, Леон...

— Кстати, я тебя искал, Иосиф, — раздался приглушенный расстоянием голос Киселева. — Но тебя застать — проблема.

— Сам знаешь — все время в бегах. А зачем я тебе нужен? — Вашко сделал знак Лапочкину.

— Ты «Свенска дагбладет» не читаешь случаем? Любопытная газетенка, скажу я тебе.

— Я вообще прохладно отношусь к периферийным изданиям. А чего в этом «блате»?

— Твой подопечный опубликовал сразу обе статьи — аршальская прошла и прикумская. Не слабо?

— Что? — от неожиданности Вашко раздавил в кармане коробок со спичками.

— Что, что... — раздраженно повторил Киселев. — Ведь просил же его не спешить.

— «Свенска», это Швеция что ли?

— Ну, ты даешь — конечно, Швеция.

— Да мы все как-то больше по внутренним делам. С заграницами не якшаемся.

— Знаю. Сын рассказывал, как твои в «Космосе» начудили.

— А вот за это, Леон, я ему уши оторву — нечего болтать лишнего! Так и передай!

— Сам передашь. Я ему уже отдал газеты и перевод для тебя сделал, утром занесет. Как журналист?

Вашко выразительно посмотрел на Лапочкина, размышляя, говорить или нет.

— Чего молчишь? Случилось что-нибудь?

— А чего с ним будет, — выдавил Вашко. — Болтается, наверно, где-нибудь по городу. Его дело молодое.

— Ты чего-то не договариваешь, Йоса.

— Да нет, вроде все сказал.

— А все-таки?

— Мне сели на хвост, Леон. Кто — не знаю. Сначала думал, твои орлы, а теперь уже так не думаю.

— Мои? — рассмеялся Киселев. — Ты для нашего любопытства не перспективный.

— Обижаешь, начальник. Я про себя еще и сам не все знаю.

— Узнаешь — свистни! Лично налажу тебе компанию. Будешь доволен! У тебя все? В общем, передавай привет журналисту, когда встретишь, и спи спокойно — твоя персона мою контору пока не интересует.

— И на том спасибо. Газетки-то не забудь завтра прислать. Любопытно взглянуть.

— Ну-ну. Ты, Йоса, если чего, то звони.

— Ладно. — Вашко положил трубку.

— Ну чего, они или нет? — встрепенулся Лапочкин.

— Вроде, нет, — устало произнес Вашко, — а, впрочем, разве поймешь по телефону — при личной встрече сказал бы больше.

5. О ЧЕМ МОЖНО УЗНАТЬ, ЧИТАЯ ПРЕССУ

Сомнений не было: за ними кто-то действительно неотступно следил. Василий по просьбе Вашко второй час бесцельно кружил по городу, а следовавшая позади «Волга» не приближалась и не отставала. Это озадачивало: одно дело, когда впереди неизвестные, а позади милиция. Но когда в передней машине милиция, а ее преследует неизвестный... Вашко смог разглядеть в преследовавшей «Волге» четверых мужчин, которые едва угадывались по силуэтам, но больше ничего не заметил. Один раз, когда ситуация позволяла, Василий на перекрестке проскочил на красный свет — преследователи повторили тот же маневр. Стоило остановиться и зайти в магазин, «Волга» припарковывалась, но из нее никто не выходил. Это было уже не по правилам.

К полудню Иосиф Петрович подъехал, как было условлено, к редакции «Пламени». Лапочкин ждал на крыльце, держа под мышкой объемистый сверток.

— Все нормально? — сразу же спросил он, плюхнувшись на сиденье рядом с Вашко.

— Высший класс! Третий час сидят на хвосте. Василий не даст соврать.

— Что будем делать? — Лапочкин обернулся назад, пытаясь разглядеть следовавшую сзади машину.

— Не так явно, сынок! — Вашко похлопал его по колену. — Рассказывай, что узнал.

— В редакции по-прежнему считают, что Орловский сидит дома и тунеядствует. Про «Свенска дагбладет» они уже знают — кажется, у редактора «Пламени» из-за этого начинаются неприятности: уже сидит кто-то из «большого дома». Затребовали, насколько я понял, ксерокопии его статей. Чего уж они хотят узнать из них — не скажу. Суматоха порядочная. Кто-то в коридоре из его бывших коллег сказал примерно следующее: «Опубликовали и ничего — мир не обрушился». Ходят слухи, что руководству не удержаться. При мне несколько раз ответсекретарь пытался дозвониться Орловскому домой. Послали курьера.

— Да... Этого я как-то не учел, — поморщился Вашко. — Статьи я успел просмотреть — тютелька в тютельку, как в черновиках было. А вот это для тебя внове, — он протянул Лапочкину газетный лист.

— Я же по-ихнему не в дугу.

— Это сегодняшняя «Комсомолка». На четвертой странице. Я что-то не помню этого по сводкам. Ты помнишь?

— Нападение на журналиста, — прочитал Лапочкин заголовок. — Знаю! Полторы недели тому назад. По Севастопольскому району. И еще... — он наморщил лоб. — Подобное месяц назад проходило по союзной сводке. Кажется, в Сызрани. Там со смертельным исходом.

— Ну-ка обернись быстренько, едут?

— Как привязанные.

— Так что там в Сызрани, говоришь?

— После серии критических выступлений начались угрозы. Парень этот, который журналист, не успокоился. Поздно вечером его кто-то из знакомых вызвал на улицу — дома, кажется, то ли жена с отцом сидела, то ли невеста с кем-то еще... Не помню. Но парня ударили чем-то тяжелым по голове и привет родителям!

— Раскрыли?

— Не знаю.

— Поинтересуйся, доложишь.

— Есть.

— А по Севастопольскому?

— Ребята говорили, что все в норме.

— Полюбопытствуй. Случай, как будто, похож на наш. Впрочем, кто его знает. Посмотри осторожненько еще разок — без изменений?

— По-прежнему.

— Как только у них бензин не кончится. Это ж у Киселевских машин по два бака стоит — неужели Леон темнит.

— В Афганистане только один журналист погиб — из «Известий», — продолжал Лапочкин. — Рискованная, выходит, профессия-то. А я думал, журналистика — это так, шаляй-валяй.

— Рискованная, говоришь? Это только сейчас — раньше, сколько себя помню, ни одного случая не было. Правду говорить — не водку в гостях пить. Раньше ведь как было: приехал репортажик писать или очерк, а тебя в спецгостиницу, в баньку, винцо в холодильнике и всякое такое. А теперь, вона как... Выходит, и они чего-то нынче весить стали. А?

— Похоже, Иосиф Петрович!

— То-то и оно. Чего этим надо? — Вашко обернулся. «Волга» шла метрах в ста-ста пятидесяти. — Давай, знаешь, что сделаем. Вася, сколько горючки?

— Километров на сто, — пробасил невозмутимый Василий.

— Хорошо, я выскакиваю у Управления, а ты покрутись еще с полчасика. Лады? Понимаешь, в машине должен быть пассажир — за пустой они мотаться не будут.

Машина притормозила. Вашко степенно вышел и, не оборачиваясь, поднялся по ступеням, держа под мышкой ворох статей. Василий тотчас рванул с места и, свернув в переулок, погнал в сторону центра. Серая «Волга» на миг притормозила у обочины, чихнула выхлопной трубой и, демонстративно дав задний ход, свернула совсем в другую сторону. Через минуту из-за угла соседнего дома появился ее радиатор, машина замерла на месте.

Вашко, стоило ему войти в подъезд, подошел к задрапированному белым полотном окну и отодвинул штору в сторону. Посмотрев на стоящую у обочины машину, он хмыкнул и поднялся к себе в кабинет. Минут через двадцать появился Лапочкин — он вошел немного расстроенный, с раскрасневшимся от бега по лестницам лицом, в распахнутой куртке.

— Что, сынок, не стали кататься за тобой?

— Ага... — Лапочкин вытер ладонью со лба пот.

— Уже кое-какая информация. Раздевайся, садись! Давай-ка почитаем, чего он тут накропал — глядишь, и построим какую версию.

За годы работы в редакции «Пламени» Орловский был в командировках тридцать два раза. На первый взгляд, география его поездок ни в какую систему не укладывалась. Вроде бы ездил он по всей стране. И все же система была. Пока Орловский был зелен и молод, его гоняли по периферии: Чукотка, Сахалин, Кушка, Красноводск, Ямал... Но постепенно в его маршруты вошли города центральной полосы, курортные зоны — Сочи, Симферополь, Батуми, а потом и столицы союзных республик — значит, вошел в доверие и находился на хорошем счету. Чем все это кончилось, Вашко уже знал — Аршальском и Прикумском.

Статьи Орловского, разложенные по годам, занимали весь стол Вашко. Время от времени Иосиф Петрович брал очередную из них, долго шелестел страницами и, дочитав до конца, откладывал в сторону. То же самое делал и Евгений, развалившийся в кресле у окна. Делали они это молча и сосредоточенно, изредка обменивались краткими замечаниями.

Журналистом Орловский был «неудобным». Он не стеснялся смелых и резких суждений, не взирая на лица, резал правду-матку и, похоже было, лишь редакторский карандаш, сглаживавший острые углы его материалов, спасал Орловского от больших неприятностей. Вашко даже трудно было «вычислить» какого-то одного, главного врага Орловского — судя по публикациям, у Сергея их было немало.

— Иосиф Петрович, — прервал Лапочкин размышления Вашко. — Все хочу задать вам один неудобный вопрос, но никак не решаюсь.

— А... Это ты... — очнулся Вашко. — Вопрос? — переспросил он и небрежно бросил: — Валяй!

— Скажите, зачем вам все это? Кто он вам — сват, брат, знакомый?

Вашко закурил и, подойдя к окну, долго смотрел на угол дома, за которым угадывался бампер серой «Волги».

— Вот сволочи, — пробормотал он и резко отошел от окна.

— Я вот все думаю, — продолжил Лапочкин, — заявления о розыске у нас нет, оперативного дела не заведено. А мы почему-то корячимся.

— Ты мне веришь, сынок? Веришь старому и мудрому ослу, которому до пенсии осталось всего ничего? Все годы я знал только одно: ищи, кого велят! А тут вдруг не велят, а я ищу! Думаешь, это от страха, что я вступал с ним в контакт до его исчезновения — мне оправдаться легче легкого.

— Как? Вы ведь получали только устные указания от Милорадова. Насколько мне известно — конкретных распоряжений не было.

— Верно говоришь. Правда, забываешь одно обстоятельство: мы, старые дураки, как вы в своей тусовке нас иногда величаете, не способны на низость хотя бы по отношению к друзьям. На, почитай! — Вашко достал из портмоне сложенный листок и передал через стол Евгению.

Крупным размашистым почерком с характерным наклоном было написано: «Все, что касается заданий относительно журналиста „Пламени" тов. Орловского С.Н., а также возможные последствия в связи с исполнением этих заданий тов. Вашко И.П., ложится на мою ответственность, так как поручения давались мной. Милорадов».

— Вы этим воспользуетесь? — отчего-то с испугом спросил Лапочкин.

— А ты как думаешь?

— Нет!

— А чего ж тогда спрашиваешь. Я у него индульгенций не просил, — он почесал переносицу. — А вины моей — хоть отбавляй.

— А как же...

— Как она оказалась у меня? — Вашко встряхнул листком. — Обнаружил в папке, которую он передал через секретариат. Так-то, вот, приятель. Знаешь, что, — Вашко достал из бумажника пятирублевку, — сгоняй в буфет и купи бутерброды и чего-нибудь еще на свое усмотрение, похоже, нам еще долго сидеть.

Оставшись один, Вашко извлек из стопки прочитанных статей одну и принялся подчеркивать в ней красным карандашом фамилии. В этот момент зазвонил телефон. Вашко долго смотрел на него, и лишь после четвертого звонка решился снять трубку. Ему не хотелось сейчас говорить ни с кем, поэтому он не стал произносить привычных «алло», «да», а просто приложил трубку к уху и стал слушать.

— Иосиф, чего молчишь? — он узнал голос Киселева. — Не в настроении?

— Ты, как всегда, угадал.

— Неприятности?

— У кого их нет?

— У тебя, как понимаю, больше всех.

— Что имеешь в виду?

— Не надоело играть в прятки? Ты же меня прекрасно понимаешь.

— В смысле?

— Журналиста нашел?

— Ты уже знаешь?

— Служба такая. Как думаешь, куда он мог запропаститься?

Вашко потеребил кончик усов:

— Ума не приложу. Допускаю, что...

— А вот этого не надо. Он должен быть живым. Ты меня слышишь? Только живым и здоровым.

— А у тебя есть на примете источник с мертвой и живой водой?

— Кончай ерничать, Йоса! Ты же понимаешь, что после нашего контакта с ним у Политехнического и его публикаций в шведской газетенке он сразу потребовался очень многим. На карту поставлена и твоя, и моя биография.

— Ты хотел сказать, карьера? Что касается меня, то невозможно потерять то, чего не имел. Я ее не сделал — сыщиком был, сыщиком и остался.

— Он хоть жив? Ты проверил морги, реанимации?

— Предположим, проверил. Что дальше?

— Нет его? — не сдавался Киселев, пытаясь получить конкретный ответ, не допускающий двойного толкования.

— Успокойся, нет.

— Так где же он?

— А бис его знает.

— Может, подключить моих ребят? А?

Ответить Вашко не успел. В этот самый момент в комнату вошел Лапочкин и, сделав страшные глаза, шепнул на ухо лишь одну фразу: «Вас вызывает шеф!»

— Слушай, Леон, меня к руководству. Перезвоню позже, лады? — он бережно положил трубку на место.

— Помощь предлагает? — спросил Лапочкин, уловив окончание разговора.

— Лучше бы помог убрать этих ореликов от подъезда, да выбить из них показания, — пробурчал Вашко. — Не знаешь, зачем я понадобился генералу? Вроде, разговора у нас с ним не получилось.

— Могу только догадываться. По сведениям от его секретарши, у него сегодня побывали из прокуратуры Союза. Какая-то большая шишка... Вопрос, насколько ей известно, тот же, — он кивнул на копии статей.

— С чем нас и поздравляю, — сразу же как-то обмяк Вашко и бессильно опустил плечи. — Не понос, так золотуха! Хоть что-нибудь да прихватит. — И тотчас от его слабости не осталось и следа. Он вскочил с кресла и пробежался по комнате. — Ты говоришь, из прокуратуры Союза? Так, так... Иди сюда, к столу! — Вашко отодвинул стопки статей, оставив по центру стола одну с пометками красным карандашом. — Читай!

Лапочкин плюхнулся в кресло, а Вашко снова подошел к окну. Серой «Волги» не было. Она исчезла без следа. «А ведь это после звонка Киселева». Но стоило ему так подумать, как он обнаружил машину совсем в другом месте — ее нос медленно выползал из-за табачного киоска, расположенного у самого тротуара. Ошибки быть не могло, та же самая машина, только теперь с другим номером.

«А машинка-то частная, — подумал Вашко, разглядывая номер. — Только этого танка в моей жизни и не хватало. Узнать, конечно, про этот номер можно все, но готов побиться об заклад, что его сняли с другой машины». — Он взял трубку телефона и через минуту выяснил, что не ошибся. Только кражи не было — этот номер числился еще не выданным из ГАИ. «Значит, самоделка!» — решил Вашко и отошел от окна.

Проще простого было сделать так, чтобы серую «Волгу» задержали сотрудники ГАИ или ребята из его подразделения. А что дальше? Жлобов этих, что сидят в «тачке», придется отпустить, но к Орловскому сей шаг не приблизит ни на миллиметр. Более того, уж больно нагло и нахраписто они действуют, похоже, нарочно стараются попасть на глаза. А может быть они и рассчитывают на это?

— Дочитал? — обернулся Вашко к Евгению. — Вот и молодец! Теперь получи задание — сегодня же узнай через кадры. У тебя есть там кто? Отлично. Только сделай это тихо. Послужной список Анарина, где родился, где служил, где отдыхал. Последнюю информацию узнаешь, пролистав его отпускные — там зафиксированы адреса, куда выписывали проездные билеты. Если в кадрах не узнаешь — беги в финансовый. Там подойдешь к Корюхину, скажешь от меня. Понял? И чтобы тихо! Встречаемся вечером у меня.

— А по этим? Их данные... — Лапочкин взмахнул статьей, которую только что читал.

— Восток — дело тонкое! Я не думаю, что сможешь что-нибудь здесь разузнать про Баку. Для меня ясно лишь одно — Орловский, задев этого товарища, как его... — Вашко щелкнул пальцами.

— Аббасов Башир Иса-оглы, — подсказал Лапочкин.

— Ага. Задев его, он задел кого-то в Москве, причем на уровне синих пиджаков. Что касается Анарина — готов голову положить на плаху — они в связке! Похоже, интерес прокуратуры также не случаен — здесь уже могли поработать Торшин и референт.

— Птички слетаются в стаю? — предположил Лапочкин. — А кто вожак? Кто летит в этом клине первым?

— Кто-то летит... Кого не знаем мы, но кто знает нас. — Вашко подошел к окну и снова посмотрел в сторону табачного ларька. Машина стояла, как вкопанная. — Мне кажется, журналист почувствовал опасность раньше нас. Ведь он знал все ниточки давно, еще когда писал все эти статьи. И если успел, то лег на дно, а если не успел...

— Тут что-то не так! Чего эти, в машине, хотят от нас? Кто они? От Аббасова? А смысл?

— Могу только предположить. Представь: Орловский понял, что ему в одиночку не выкарабкаться из этой передряги. С одной стороны, те, кто не простит ничего, не сдаст позиций — Анарин, Торшин, референт. Оглы этот...

— Аббасов!

— Ну да. С другой стороны — «главный ворон», что летит во главе клина и еще не известен. К нам за помощью обращаться он не стал: ни мне, ни Киселеву он не верит. Предположим дальше, он заметил, что у него кто-то был дома. Пусть, к примеру, события развивались так: он идет к дому, а там свет! Он к двери и... увидел того, кого больше всего боялся увидеть. Что он сделал? Ты бы что сделал на его месте?

— Я? — Лапочкин пожал плечами. — Я, в отличие от него, вооружен.

— Правильно! А он решил скрыться. Тогда, — продолжал рассуждать вслух Вашко, — у преследователей сразу же обрываются нити к нему, где он, не знает никто. Ни у Жанны, ни у Кирилова его нет — думаю, это не так уж и трудно проверить, — он снова кивнул в сторону окна. — Тогда выход один! Кстати, сказать, оригинальный! «Стая воронов» прекрасно знает, что я в этой истории помазан «будь здоров». Если меня испугать страшной карточкой со сценой убийства подопечного, то я начну отмываться. Как? Искать либо труп, либо живого журналиста... Так! В моих сыскных способностях они, очевидно, не сомневаются — спасибо за оценку! Это может означать лишь одно: рано или поздно я выйду на него, а они, — он снова кивнул в сторону окна, — сев мне на хвост, выйдут на него практически одновременно со мной. С одной только разницей — обогнав меня за полметра до финиша. Логично?

— Вполне, — изумленно протянул Евгений. — Что же делать?

— По-моему, выход один — уходить в сторону!

— Как уходить?

— Молча.

— Кто же продолжит поиск Орловского?

— Ты! О том, что с Вашко работает еще кто-то, никто не подозревает. Они должны думать, что в это дело я не стану приплетать кого-то еще. С какой стати посвящать всех и каждого в свой позор. Но тут-то и скрыта их главная ошибка!

— А куда денетесь вы?

— А вот это станет ясно после разговора с заждавшимся генералом. Встречаемся в девять вечера у меня!

6. НЕПОСРЕДСТВЕННЫЙ КОНТАКТ

Такого Вашко не ожидал. Генерал встретил его посередине кабинета, прервал положенный рапорт о прибытии и сразу же пригласил Вашко к небольшому столику в углу.

— Вы плохо выглядите, — задумчиво произнес генерал. — Почему вы второй год не берете отпуск?

— Я человек одинокий, — тихо произнес Иосиф Петрович. — Работа — это общение, а отпуск — скука.

— Трудно сходитесь с новыми людьми?

— Не без того.

Генерал долго, изучающе смотрел на Вашко.

— Вот ваше отпускное, — он протянул ему через стол подписанный, но не заполненный бланк. — Сами впишите адрес. Я договорился с курортной комиссией, завтра вам подберут путевку в любой санаторий по вашему усмотрению.

— Можно спросить, в чем дело?

— Спросить можно, но получить исчерпывающий ответ будет затруднительно, — без обиняков сказал генерал. — Я не считаю необходимым давать пояснения.

— Один вопрос — это ваше решение или со стороны?

— Мое!

— Оно как-то связано с тем, что я сейчас делаю?

Генерал посмотрел на Вашко все понимающим взглядом и со скрытой укоризной в голосе сказал:

— Я же предупредил вас, Иосиф Петрович, что не в силах дополнить имеющуюся у вас информацию. Хотя... — он задумался и секунду-другую сидел молча, потом отвел глаза в сторону, вздохнул и, не глядя на Вашко, скороговоркой произнес: — Вы умеете находить врагов и, единственное, что я могу сделать, это убрать вас на время из Москвы. Глядишь, все еще и уладится.

— У вас сегодня кто-то был? — резко спросил Вашко генерала.

— Я так и думал, что вы не измените себе, — скорбно улыбнувшись, выдавил генерал. — Как вы тогда о Людвиге Фейербахе резанули! Вы всегда прямо так — в лоб? Со всеми или бывают исключения?

— Без исключений! Так кто же у вас был?

— Не пытайте, не та ситуация! Я не преступник, хотя вы и привыкли к допросам.

— Тогда скажу я! Не обессудьте, если мои слова покажутся вам немного не того. Вы играете в опасную игру — в этой истории, которой я сейчас негласно занимаюсь, не имея на то полномочий, в борьбе схлестнулись две силы. Неравные силы! — он подчеркнул это жестом руки. — Сражаются не конкретные люди, будь то Анарин или Торшин, журналист или сыщик. Схлестнулись две системы. Одни пытаются рассказать миру о людях из царства теней и закулисной экономики, другие препятствуют этому. Что ж, ничего удивительного в том нет — терять блага всегда неприятно. Рано или поздно должна была просочиться информация о всяких там презентах, пикниках, выпивках, шашлыках и девочках — это должно было произойти, и лучше сейчас, чем позже. У вас есть дети, товарищ генерал? У меня тоже внук Алешка! Бедовый парень! Пусть это звучит банально, но я не хочу оставлять ему эту помойку — хоть несколько лопат дерьма, да уберу, — он постучал пальцем по полированной поверхности стола. — Этот парень, делом которого я вынужден заниматься... Вы знаете, о ком я говорю? — генерал кивнул. — Он рядом со мной и тоже с совком в руках.

— Далеко он ушел со своим совком! «Свенска дагбладет» — это уже политика! Вам нравится, что наши «царские» пикники красуются на первой полосе шведских газет? Да или нет?

— Нет! — Вашко встал с кресла. — Я консерватор и считаю, что это наше внутреннее дело, но у него не было другого выхода в нашей самой демократичной и прекрасной стране. Разрешите отбыть в отпуск?

— Идите! Хотя нет, постойте... — генерал поднялся. Похоже, он боролся с сомнениями — тер подбородок рукой, долго ходил по кабинету. Вашко стоял, вытянув руки по швам, склонив подбородок на грудь. — У меня сегодня, действительно, были визитеры. В прокуратуре завели на вас дело. Основание — нарушение социалистической законности. Что-то связанное с проникновением в жилища граждан. Они располагают доказательствами — есть фотокарточки, показания каких-то людей, кажется, есть и дактилоскопия — следы изымали в квартире Орловского. Наследили вы там порядочно. Я сознательно, — он произнес слово «сознательно» чуть ли не по слогам, делая на нем сильный акцент, — убираю вас из города. Так будет лучше! И можете не спрашивать меня, почему я делаю это — просто так мне подсказывает... — чувствовалось, что генералу очень не хотелось произносить высокопарного слова, которое прямо-таки просилось на язык. — Мне так по душе, — наконец закончил он фразу. — А из прокуратуры у меня был некто Хваткин.

— Спасибо, товарищ генерал! Юра Хваткин — птица большого полета. Когда-то ходили в друзья, а вот поди ж ты! Разрешите идти?

— Идите, — генерал повернулся к нему спиной. — Кстати, аттестация, о которой я говорил, вас не касается. Считайте, вы ее прошли.

Вернувшись к себе, Вашко первым делом подошел к окну и посмотрел в сторону табачного киоска. Затем, достав из кармана отпускное удостоверение, решительно заполнил в нем недостающие графы: «Место отдыха — Баку, Азербайджанской ССР, срок — 60 суток».

На первом этаже в служебной кассе он приобрел билет на самолет, вылетавший ближайшей ночью, и вновь поднялся к себе в кабинет. Распахнув сейф, Вашко достал из него свой пистолет с латунной накладкой на ручке и, передернув затвор, загнал патрон в ствол. Подумав немного, сунул его в задний карман брюк, туда же положил запасную обойму. Убрав со стола бумаги, достал бумажник и, вынув из него почти все деньги, также переложил их в карманы брюк, в бумажнике остались лишь мелкие купюры. Подумав еще немного, Вашко положил в него же отпускное удостоверение и билет и лишь после этого убрал бумажник в карман пиджака. Затем он надел пальто, погасил в кабинете свет и вышел в коридор.

На улице было как раз то время дня, когда день сдает дежурство вечеру: еще не темно, но уже и не светло. Южный ветер предвещал раннюю весну. Воздух, казавшийся совсем недавно пронзительно морозным, был напоен влагой и ласково трепал кожу на щеках. Вашко, не оглядываясь, шел по улице. Ему не было никакого смысла озираться или смотреть в сторону табачного киоска, где должна была, как и раньше, стоять «Волга». Какая разница, она следует за ним или ее пассажиры. Он нисколько не сомневался, что так просто его не оставят. С другой стороны, если его версия верна, то и входить в контакт с ним для тех в машине не было смысла. По дороге Вашко зашел в магазин и купил продуктов с расчетом, чтобы хватило на ужин и на завтрак.

У витрины магазина «Одежда» Вашко задержался. За стеклом меняли экспозицию — убирали тяжелые мрачноватой расцветки пальто с каракулевыми воротниками и надевали на узенькие плечи манекенов светлые плащи и пальто. Кто-то дернул его за плечо. Вашко обернулся. Невзрачного вида парнишка с текущей по подбородку слюной что-то мычал и показывал на плечо Вашко. Иосиф Петрович отвел его руку в сторону, но тот как-то непонятно, словно его трясла падучая, задергался, вновь показывая на его плечо. Вашко повернул голову и скосил глаза — ни грязи, ни следов краски. Прохожие недоуменно поглядывали в их сторону. Сценка в самом деле была занятной — огромный, как слон, Вашко стоял, недоуменно вращая глазами, а вокруг него, припрыгивая и скаля зубы, скакал глухонемой, непрерывно выдавливая из горла глухие звуки и пуская слюну.

Отмахнувшись от него, Вашко решительно пошел в сторону. Парень с прилипшими ко лбу потными волосами еще некоторое время тащился за ним следом, но постепенно отстал. Свернув за угол, Вашко сунул руку в карман пиджака — бумажника на месте не было.

«Выходит, опасения были не напрасны», — улыбнулся своим мыслям Вашко, незаметно ощупывая задний карман брюк, — пистолет и обойма лежали на месте. «Дешево они меня ценят, — решил Иосиф Петрович. — Подослать ко мне трясучего щипача, — он хмыкнул под нос. — Сейчас они где-то за углом изучают отпускное и билет. А как они намерены мне это возвратить?»

— Гражданин, постойте! — из-за угла его догонял средних лет мужчина, обликом напоминавший заштатного низкооплачиваемого инженера. — Извините, — он остановился перед Вашко и, поправив очки, протянул ему бумажник. — Вы обронили... Я бегу за вами, бегу... А вы не слышите!

— Я? — сделал удивленное лицо Вашко. — Вы уверены? — он сунул руку в карман. — Действительно... Вот шляпа! — Он раскрыл бумажник: билет лежал на месте, но не в том кармашке как раньше, а отпускное удостоверение было сложено печатями вверх. — Я вам очень обязан, — пробормотал Вашко. — Спасибо вам большое.

— Спасибо, — разочарованно протянул «интеллигент» в очках. — По такому случаю с вас причитается, — он посмотрел бегающими глазками снизу вверх. — Разве честность теперь уже ничего не стоит?

— Отчего? — солидно возразил Вашко, размышляя, сколько в таких случаях дают на «отблагодарение». — Пятерки хватит? — мужчина улыбнулся, и Вашко понял, что он рассчитывал на большее. — Хватит, приятель! Сам видишь, у меня тут крохи — все на продукты потратил. — Вашко показал заполненную свертками и кульками авоську.

— Спасибо тебе! — Мужчина поправил шляпу и, недовольно бормоча, поплелся назад. Вашко разобрал лишь несколько слов: «...а говорили — больше даст».

«Нанятый, — сообразил Вашко. — Они его только что подцепили, и дали подзаработать. Значит, на прямой контакт решили пока не выходить. А глухонемой? — он вдруг рассмеялся, вспомнив о былых подозрениях. — Да, это не ребята Киселева. То-то он послал меня куда подальше. А кто же это такие? Неужели мои любимые — уголовнички? Как они-то вляпались в эту историю? Странно!»

7. ВПЕРЕДИ ЛИШЬ ОДНА НОЧЬ

Лапочкин многому научился у своего наставника, поэтому Вашко ничуть не удивил ни свет в окне, ни закипавший на плите чайник, ни отличная глазунья. Положив на кухонный стол авоську и бросив на ходу: «Разбирай, я сейчас», — Вашко вышел на лестничную площадку и позвонил в соседнюю квартиру. Дверь открыла женщина лет сорока.

— Николай дома? — сразу спросил Иосиф Петрович. — Позови его.

Войдя в прихожую, Вашко прикрыл за собой дверь.

— Это вы, Иосиф Петрович, — сосед был в майке и тапочках. — Проходите, садитесь ужинать с нами.

— Спасибо, некогда. Как-нибудь в другой раз. У тебя машина дома или на стоянке?

— У подъезда.

— До семи утра. А? Как штык.

— О чем разговор, Иосиф Петрович! Вам — всегда! — сосед сунул руку в карман висевшего на вешалке пиджака и протянул ключи. — Как секретку выключать помните?

— Помню. Утром, как обещал!

— Бензина чуть больше полбака. Хватит?

— Да, мне наверное, немного. Километров на шестьдесят от силы.

— Хватит! А, может быть, все же поужинаете с нами?

— В другой раз, Николай. Спасибо тебе большое.

Сунув ключи в карман, Вашко вернулся к себе. Евгений расставлял тарелки и, трогая мочку уха, размышлял —подавать к столу соус или нет.

— Что-нибудь разузнал по поводу Анарина?

— Да. Родом из Тульской области. Начинал службу там же, в районе. Всегда отличался резким характером и крутыми решениями. В Баку никогда в жизни не был.

— Точно?

— Абсолютно!

— Лучше бы был. Еще что?

— Аббасов никогда тоже не был в Туле. Это мне сообщили ребята из Азербайджана — у них на него давненько досье собрано, только никак не подберутся. Крепкий, оказывается, орешек. Покровителей много на любом уровне.

— Они могли встречаться на нейтральной почве.

— Доказать это свыше моих сил, — Лапочкин развел руками в стороны. — Но тут и не важно их личное знакомство.

— Что ты хочешь этим сказать?

— В Баку частенько бывал Торшин! У него был целый ряд командировок туда и в составе бригад, и отдельно. Ребята из Баку рассказывали про его неизменно богатые проводы из столицы Азербайджана — свертки, чемоданы и тэ пэ и тэ дэ.

— Набор во всех свертках стандартный: коньяк, конфеты, сладости, фрукты, травка к столу. А не исключено, что и деньги!

— Это не доказано!

— Так-то оно так, но примеров тому много. И еще — если это имело место, то не все же он съедал сам — кое-что могло перепадать и выше.

— Не без того, — Лапочкин хитровато посмотрел на Вашко — он был склонен к театральным эффектам. — Дело в том, что в Баку частенько наведывался некто Страхов.

— Кто? — воскликнул Вашко, не в силах сдержаться. — Страхов? Непосредственный начальник Юры Хватова, который сегодня посетил моего шефа!

— Да, да... Именно он — Герман Германович Страхов.

Вашко бросил вилку. Она ударилась о подоконник и, упав на пол, жалобно звякнула.

— Только этого не хватало! Прокуратура Союза!

— Провожали его тоже вполне достойно!

— Представляю, какая там сейчас паника. Они уже должны знать о моем ночном вылете.

— О чем это вы, Иосиф Петрович? Что-то произошло еще?

— Да, так... Чепуха! У тебя все?

— Да как вам сказать. — Евгений мялся. — Вам что-нибудь говорит фамилия Пимачева?

— Нет.

— А вы хорошенько подумайте! — лицо Лапочкина было настолько серьезным, что Вашко застыл, не донеся до рта чашки.

— Неужели, — помрачнел Вашко и, не глядя на стол, опустил чашку на край тарелки — она опрокинулась и жидкость потекла по скатерти. — Боже ж ты мой! Похоже, в этом и есть основная причина исчезновения журналиста. Вот так журавлиный клин! — Вашко внезапно замолчал и долго смотрел в окно, за которым ярко светили фонари.

— Может, остановимся? Пимачев — это даже не прокуратура Союза — это куда выше.

Вашко молчал. Наконец он очнулся, словно выпал из забытья.

— Ты не узнал, что их связывает? — его голос сразу стал глухим. — Баку? Тула? Москва?

— Аршальск! — Лапочкин торопливо посмотрел на Вашко и, не поймав ответного взгляда, принялся разглядывать угол скатерти.

— Вот как? — медленно промолвил Вашко.

— До того, как перебраться в Москву, Герман Страхов работал заведующим отделом административных органов в аршальском обкоме, а... — он сделал большой глоток из чашки и обжегся. — ...Пимачев в это же самое время директорствовал на самом крупном в области заводе — машиностроительном.

— Не получается, — свинцовым взглядом посмотрел Вашко. — Аббасов этот самый, Иса-оглы выпадает.

— А вот тут-то как раз и собака зарыта, — Лапочкин поднял вверх указательный палец, а другой рукой щелкнул ремешком кобуры. — Аббасов в это же самое время был в Аршальске заметной фигурой.

— Кем? — не удержавшись, воскликнул Вашко.

— Заведующим центральным рынком! Они все связаны в неразрывную сеть. И, конечно же, не в их интересах, чтобы из-за двух уволенных милиционеров был распутан весь клубок. Думаю, именно по этой причине против Орловского сразу же пустили в бой главные калибры — раньше это меня смущало, а теперь уже нет. Стрельба из пистолета в гостинице — это знаете ли...

— У тебя все?!

— Все!

— А теперь, сынок, послушай меня, — Вашко встал из-за стола и, прислонившись к стене, дрожащей рукой достал из пачки сигарету, сломал ее, достал другую — с ней повторилась та же история. Наконец, совладав с руками, он закурил — затягивался жадно, постепенно, с каждой затяжкой, все больше успокаиваясь. — Как все это называется, ты, надеюсь, уже догадался. Это уже не уголовные ухабы и буераки, это пропасть! Мне много лет и я достаточно пожил на этом свете, я научился благосклонно принимать подарки от руководства, когда меня за полшага до раскрытия вдруг благодарят за службу и награждают путевкой. Не улыбайся — это так на самом деле. Я с сегодняшнего дня отпускник! В отличие от тебя. Отпускник волен делать все, что ему заблагорассудится. В этом Орловский был прав — именно поэтому и потребовалась его поездка в Прикумск. Они ничего не могли с ним сделать — он был в отпуске за свой счет! Теперь ничего нельзя сделать со мной. Ты же мне поможешь только в одном, — Вашко окинул оценивающим взглядом коренастую, плотную фигуру оперативника, — хотя об этом мы поговорим позже. А пока... Завтра ты, как ни в чем не бывало, выходишь на работу и ни одной живой душе ни словом не обмолвишься о наших последних днях. Ты ничего не знаешь и к этой истории не имеешь ни малейшего касательства.

— А вы? А журналист?

— Это не твоя забота! Еще лучше — если ты на несколько дней заболеешь.

— Вы меня выводите из игры?

— Да.

— Я не согласен!

— А тебя, сынок, никто и не спрашивает. Понял?! То-то!

Вашко подошел к вешалке и рывком сорвал с крючка куртку Евгения. Ее швы подозрительно затрещали, но Вашко смог уместить тело в ней и даже исхитрился застегнуть молнию. Лапочкин недоумевая смотрел на приготовления Вашко.

— Чего сидишь?! Одевайся! — он бросил ему на колени свое пальто и шапку.

— Простите, я...

— Потом поймешь! Сейчас на тебе самая трудная задача — ты берешь на себя эту «волжанку». Готов побиться об заклад, она «пасет» меня по-прежнему. Ты ловишь такси и хочешь, крутись по городу, хочешь, поезжай с чемоданом в аэропорт. Выбирай любой на антресолях!

— Иосиф Петрович... — жалобно сказал Лапочкин.

— Отставить! Это моя последняя и единственная просьба к тебе, — он задумался и неожиданно добавил. — На сегодня!

— Может быть, сделать иначе?

— Ты же не знаешь, где он?

— А вы знаете, где Орловский? — воскликнул Лапочкин.

Вашко посмотрел на Евгения и, ничего не сказав, приложил палец к губам и многозначительно прикрыл веки.

— Переодеваться? — Лапочкин взял плащ Вашко.

— Что у вас у молодых за дурацкая мода — ходите без шапки. Теперь мне из-за твоих выкрутас придется студить голову. Чего смотришь — скидывай джинсы! Ей богу, еще ни разу в жизни не носил.

— Иосиф Петрович! — с мольбой в голосе взмолился Лапочкин.

— А ну, живо! — Вашко расстегнул брюки и тотчас кинул их на колени Евгению, тот нехотя переоделся и стал похож на сильно исхудавшего Вашко. Иосиф Петрович кряхтя облачился в тесные штаны оперативника и пыжился, пытаясь застегнуть молнию — это вышло у него с трудом. — Порядок! — он с удовлетворением и одновременно с любопытством огляделся в зеркале. — Выгляжу лечше тебя, — он повернулся сперва одним, а затем другим боком и, похоже, нравился сам себе.

Лапочкин осматриваться не стал — он и в самом деле больше походил на огородное пугало. Но и облик Вашко был достаточно смешон.

— А усы? А лысина? — уже не скрывая улыбки, сказал оперативник.

— Проблема, — пробурчал Вашко, дергая себя за ус. — Это, конечно, можно и сбрить, хотя чертовски жалко, а вот сверху... Жаль, что ты не лысый — как бы мы были похожи. А, впрочем, плюнем на все, в темноте не видно! Как-нибудь обойдется — иди первым, я за тобой.

Лапочкин нехотя поплелся к выходу. Дверь подъезда громко хлопнула за его спиной. Вашко смотрел в щель, удивляясь, насколько точно тот копирует его повадки. Стоило Лапочкину скрыться за углом дома, как безмолвно стоявшая в сквере машина ожила, вспыхнули фары и она медленно двинулась следом. Стоило автомобилю исчезнуть за поворотом, как Вашко пулей устремился к стоявшему у подъезда соседскому «Жигулю» и, не включая фар, в полной темноте рванул в противоположную сторону. Свернув сначала в один переулок, потом в другой, Вашко наконец убедился, что преследования не было. Включив ближний свет фар, он выехал на пустынную в ночи магистраль и рванул к центру. Не успел он проехать и полкилометра, как увидел драку. Серая «Волга» стояла у тротуара с распахнутыми дверями. По всей видимости, обман вскрылся довольно быстро — раздосадованные преследователи решили отквитаться. Один из них уже лежал на земле, другой, согнувшись в поясе, держался за живот, но оставшиеся напирали на Евгения.

Вашко прибавил газу и помчался вперед. Он не мог ничем помочь Лапочкину. Да и нужна ли ему помощь — «Кубик» участвовал в переделках и похуже...

Но расчеты Вашко оказались преждевременными. Он не успел далеко отъехать и отчетливо увидел в зеркале, что «Волга» ринулась следом за его «Жигулями». В зеркале замелькали всполохи фар. Они начали заметно приближаться, и в этот момент до ушей Вашко долетел хлопок пистолетного выстрела. «Волга» заюлила, пытаясь выдержать направление, но сделать это с простреленной шиной не удавалось еще никому. Съехав на обочину, она ударилась передним колесом о бордюрный камень и, развернувшись поперек шоссе, остановилась. С ними было все кончено — поймать машину на ночном шоссе дело пустое.

— Одна ночь! — бормотал про себя Вашко. — Только одна ночь, и последняя. Завтра будет поздно — завтра они пойдут ва-банк!

8. ЖЕНСКИЕ ШТУЧКИ

— Это опять вы? — Жанна окинула Вашко взглядом с ног до головы. — Что за маскарад? — она, зевнув, прикрыла рот тыльной стороной ладони. — Проходите, раз пришли.

Вашко дождался, когда она бочком протиснулась на кухню, и бросил на стол перед ней газету.

— Что это?

— Статьи в шведской газете. Фотографии тебе знакомы. Думаю, нет смысла отпираться — ты знаешь где он!

Женщина снова, уже изучающе посмотрела на Вашко, провела рукой по волосам, и Иосиф Петрович заметил, что на лбу выступили темные предродовые пигментные пятна.

— Он мне не супруг. Мы расстались, я уже вам говорила. Он не отличался порядочностью...

— Я не согласен. Наоборот, я считаю его глубоко порядочным человеком. И хорошим журналистом.

— Стоило только появиться его статьям в этой газете?

— Я и раньше так считал. Теперь убедился в этом окончательно. Но ближе к делу. Где Сергей?

— Не знаю.

— Хочешь скажу, но тебе будет очень стыдно.

— Пожалуйста... Откуда я могу знать, если он мне не говорил, не советовался, когда принимал решение сбежать. Трус!

«Врет, — только сейчас понял Вашко. — В ее голосе нет ненависти, а вот страха за него предостаточно».

— Что ж... — задумчиво начал Иосиф Петрович, припоминая текст злополучной записки. — Пеняй на себя! Двадцать восьмого февраля Сергей вышел из дома... Проехал ровно три остановки на метро. Пешком прошел к дому с зелеными балконами. Набрал на кодовом замке в подъезде цифру двести сорок, поднялся на шестой этаж и нажал кнопку звонка квартиры, в двери которой был глазок. Так? Вищишь, я знаю все. Даже то, что в том доме есть арка.

Женщина смотрела на него округлившимися от страха глазами, зажав ладонью рот.

— Мари... — вырвалось у нее из груди. — Марина! Ой, ой-ей-ей... — Она схватилась за живот, лицо ее побледнело, покрылось капельками пота. — Ой, мамочка! — заорала она. — Ой, господи!

«Только этого мне не хватает, — подумал Вашко. — Она же собралась рожать!» Он бросился к телефону — «Скорая» поняла все с полуслова.

— Терпи, дочка! — гладил ее он по голове, боясь глядеть на судорожно вздымавшийся живот. Женщина от боли кусала губы, закатывала глаза и время от времени пыталась поднять голову.

Наконец, в дверь позвонили. В комнате сразу же стало тесно от людей в белых халатах.

— Родильный... — надрывался в телефон кто-то из медиков, пытаясь объяснить ситуацию и вызвать специальную бригаду. — Родильный!

— Носилки! — крикнул в коридор врач. — Быстро. — И, повернувшись к Вашко, спросил: — Где ее документы?

— В письменном столе, — еле смогла произнести Жанна с кровати.

Вашко достал из стола документы, передал врачу и вышел на кухню. Но его снова позвали в комнату. Жанна ни в какую не хотела, чтобы ее увозили прежде, чем она повидается с ним.

— Кирова, восемнадцать, дальше вы знаете... — прошептала она. — Только спешите и простите меня, дуру!

— Пора! — заторопился врач. — Скорее в машину!

Вашко дождался пока все вышли, запер квартиру и, догнав процессию на лестнице, сунул ключ в карман пальто, которым была накрыта Жанна.

«Жигули» рванули с места одновременно со «Скорой». Не прошло и десяти минут, как Вашко уже притормозил у дома с зелеными балконами.

Дверь открыла Марина, машинистка из редакции «Пламени». Марина его не знала, но Вашко бесцеремонно проник в квартиру: носок ботинка в щель двери — надежный прием.

— Что вам надо? — в испуге закричала женщина, но Вашко уже был в коридоре.

— Где он? — грозно зарычал подполковник.

— Кто? — в испуге спросила Марина.

— Вы прекрасно знаете, кого я имею в виду... Мне нужен Орловский.

Тотчас распахнулась дверь в маленькую комнату, и на пороге появился тот, кого Вашко так хотелось одновременно обнять и ударить.

— Вы профессионал! — только и нашел, что сказать журналист.

— Премного вам благодарен, уважаемый. Позвольте вам сказать, что вы вот-вот станете отцом. Но вы, похоже, плохой муж, и будете столь же плохим отцом, — устало ответил Вашко.

— Я хороший муж и буду таким же хорошим отцом, — с уверенностью в голосе медленно произнес Орловский.

— А как же понимать все это? — Вашко обвел руками комнату в чужой квартире.

— Это не более, чем логово запуганного, загнанного зверя. Здесь холоднее, чем в самой неуютной холостяцкой квартире.

— Так возвращайтесь скорее назад! — простодушно заявил Вашко. — Я полагаю, здесь в скором времени для вас вряд ли будет спокойнее, чем в других местах.

Орловский молча прошел в комнату и вернулся назад, держа в руках маленькую книжицу синего цвета с короной на обложке.

— Что это? — опешил Вашко, беря ее в руки. Он с удивлением крутил в руках заграничный паспорт. Наклеенная фотография не оставляла никаких сомнений: паспорт был Орловского и паспорт был не советский.

— Как это понимать?

— А так и понимать, — огрызнулся Орловский. — Теперь я подданный Швеции со всеми вытекающими последствиями. Может, теперь вы поймете, что именно желая Жанне и ее сыну (он так и сказал: «ее сыну» и это резануло слух Вашко) добра, я не мог оставаться в ее доме, не мог связывать ее семейными узами. У нее будут неприятности на работе! Что теперь об этом говорить — все в прошлом, жизнь разбита.

— Чем вы там будете заниматься?

— Писать. Писать и писать... Мне предложено место корреспондента «Свенска дагбладет» по русскому отделу. А еще впереди — книга! Я расскажу об этой истории.

— Вы сами хоть верите в то, что говорите?

— Верю!

— Дай-то бог! Вам уже, как я понимаю, все равно, что творится на родной земле?

Орловский сделал возражающий жест.

— Отнюдь. Теперь мне это столь же интересно, как и раньше, но я надеюсь, что смогу об этом рассказать людям.

Вашко как-то сбоку посмотрел на лицо журналиста — оно было одухотворенным.

— Не хочу быть предсказателем, но у вашей книги будет трудная судьба, она не скоро придет в Россию. Кому читать? Шведам?

— И, может быть, не только им. Правда не знает границ, если она правда.

— Вы думаете, там лучше? У них трудностей тоже хватает выше головы.

— А вот это дело самих шведов — я в эти проблемы лезть не стану. Мое дело — Россия. Мой дом.

— Не стройте из себя Герцена. Его «Колокол» и ваша газета — слишком разные вещи. Там тоже есть владелец, который захочет писать лишь о трудностях в нашей стране, об экономическом кризисе, девальвации рубля и так далее.

— Может быть, может быть...

— Оставайтесь. Для вас здесь непочатый край работы.

— Идеалист вы, Иосиф Петрович! В такие-то годы... А?

— А вы?

— Наверно, я тоже.

— Трудно было получить визу?

— Спасибо, нет. Помогли, — то ли с грустью, то ли с иронией произнес он.

— И скоро отъезд? — спросил Вашко.

— Через четыре с половиной часа. Вовремя меня вы застали.

Вашко усмехнулся.

— У вас до вылета еще достаточно времени. Прогуляемся? У меня есть несколько вопросов, на которые я не смог пока найти ответа. Машина у подъезда — отвезу с ветерком.

— Как раз времени до вылета в обрез! Пока таможню пройду, пока регистрацию... Могу я вас попросить об одном одолжении?

— Вне всякого сомнения.

— Я хочу попрощаться с Мариной без свидетелей. Я многим ей обязан в этой жизни. Можете десять минут подождать меня на улице. Не бойтесь — я не сбегу. От вас, мне кажется, вообще сбежать невозможно.

Вашко не любил комплиментов и не считал нужным на них отвечать. Выйдя из подъезда, он достал сигареты и долго мерил шагами дорожку у дома. Середина марта! С крыш сплошными потоками текла вода, капли звонко стучали по лужам, громыхали по жести водосточных труб. Хлопнула дверь, и на крыльце появился Сергей в легком плаще, с тощим портфелем в руке.

— Извините, — опешил Вашко, а вещи?

— Это все! — усмехнулся журналист. — Здесь лишь фотографии, да письма...

— Не богато же вы нажили. А как же квартира, книги?..

— Все остается людям! Помните, был такой фильм. Вы, кажется, хотели меня о чем-то спросить. Спрашивайте!

— Как вы вышли на Аршальск и причем здесь Пимачев?

Орловский удивленно посмотрел на Вашко, будто видел его первый раз в жизни.

— Пимачев? Пожалуй, он в эту компанию попал по слабоволию, но постепенно ему понравилась эта игра, и он увлекся. Началось все с мелочи — мне рассказал об этом еще Олонцов. И это была не тяга к деньгам или наживе, а просто стремление жить чуть лучше, чем другие. Есть зимой фрукты и овощи, поставляемые самолетом с юга. Его убеждали, что в этом нет ничего особенного. Расплачиваться за это приходилось не деньгами, а строго фондируемыми материалами, которые тоже уходили на юг. Причем, в больших, поверьте мне, количествах. Кое-кто готов был спросить за это с руководителей, но в игру постепенно втягивались новые и новые люди, прикармливаемые Аббасовым, — кроме рыбы уже в товарниках шел лес, бумага, сталь, прокат... Так в Аршальске организовался избранный круг людей, связанных одной тайной. Заметьте — общей тайной! Они могли жить хорошо лишь при одном условии — все молчат.

— А для чего Аббасову все эти материалы?!

— Теневая экономика! Самый виноватый из них, с их же точки зрения, конечно, Анарин. Он не совладал с ситуацией — ему надо бы ублажить этих двух милиционеров, да взыграли генеральские амбиции. Дело, как тесто на дрожжах, полезло из кастрюли вверх и получило огласку — а тут и я влез по незнанию в это дело и оказалось, что знаком с ним давным-давно.

— Аршальск, выходит, не начало, а конец?

— Примерно так... В Аршальске они, правда, познакомились и спелись, но я на это дело впервые вышел в Баку. Правда, тогда, еще не понимал, что к чему, а потом смотрю — места разные, а фамилии мелькают одни и те же.

— Так что, Пимачев? Неужели, берет?

Орловский задумался.

— Думаю, что сейчас нет, а вот раньше определенно брал. Это его как якорь тянет на дно. Положение, между нами говоря, у него — не позавидуешь. С одной стороны, он конечно же хочет забыть об этом досадном факте биографии, а с другой — встаньте на место Аббасова.

— Да, покровителя такого уровня он не найдет — тем сильнее ему хочется вновь привязать Пимачева к себе.

— Только чем? Не будет же он возить деньги чемоданами.

— А бриллианты? — Вашко посмотрел на Орловского.

— Не думаю...

Пока они стояли у машины Вашко выкурил уже не одну сигарету. В горле першило, он закашлялся. Дохал он долго, натужно, с каким-то внутренним хрипом.

— Бросайте курить, — по-дружески посоветовал Орловский. — Вы же еще не старый, а губите себя этим зельем.

— Надо бы... — Вашко выпрямился, вытер нечаянные слезы на глазах. — Разъясните мне одну непонятность — почему вы решили скрыться и как ко мне пришли ваши фотографии?

— Фотографии? Какие фотографии?

— Из вашего альбома. Сценка у посольства — вы там с папочкой стоите, другая на стуле, а третья... — он спохватился: про третью говорить, видимо, не стоило.

Орловский теребил рукой подбородок.

— Странно, я и не заметил их исчезновения.

— Альбом у вас?

— В портфеле.

— Когда вы их забрали из квартиры?

— Сегодня утром.

— Тогда все правильно, — с облегчением вздохнул Вашко. — Я их туда вернул на сутки раньше. Так что это за снимки?

— У посольства, говорите... Видимо, у консульства — это Ленинград. Ерунда, студенческие шалости. Практика в «Ленинградской правде», вечер, делать нечего, гуляли по городу. Фотокорреспондент, кажется, с нами был, вот и щелкнул на память. И на стуле в комнате — снимок того же времени. А вы, наверное, подумали, что меня держат взаперти?

— Кто его знает... Была и такая версия.

— Нет. Все гораздо проще — нужно было сфотографироваться на пропуск в столовую. Повесили на заднюю стену скатерть. Ну и всякое такое... Кадр вышел неудачным, но ребята мне его все равно отдали, а я его подклеил. А что за третий снимок? Вы не договорили?

— Ерунда, — отмахнулся Вашко. — Монтаж с манекеном... Когда вы почувствовали, что за вами следят?

— Довольно скоро после нашей встречи у Политехнического. Сначала думал, что это дело ваших рук, но потом среди преследователей я узнал подручного Аббасова — это страшный человек. И только после этого у меня появилась полная картина происходящего. Они не отставали от меня ни ночью, ни днем — все время шли по пятам. Мне еще и по ночам снится эта серая «Волга».

— Она мне знакома.

— Как, и вы ее видели?

— Представьте себе.

Орловский посмотрел на часы:

— Время! Вот и настал час прощания с Москвой, — он с жадностью втянул в себя воздух. — Чем пахнет?

Вашко пожал плечами:

— Всcной, сыростью, гарью...

— Родиной! — Орловский бросил быстрый взгляд на Вашко — не смеется ли он. Но он не смеялся.

— Садитесь, — Вашко открыл дверцы. — Давайте напоследок проскочим по городу — говорите, куда хотите.

— По Тверскому и на Горького, а там в Шереметьево по прямой.

— Поехали.

Полыхнув по кустам огнем фар, машина резко взяла с места и тотчас растаяла в полумраке улиц.

9. НЕТ ПРОРОКА В СВОЕМ ОТЕЧЕСТВЕ

Зеленый коридор таможни проглотил Орловского, с грустью посмотревшего на Вашко и как-то неуверенно взмахнувшего на прощание рукой. Вашко поднял руку над головой и долго качал в воздухе пальцами-сосисками. Настроение было паршивое: он вообще не любил участвовать в проводах.

— Можно вас на минутку? — Вашко удивленно посмотрел на полноватого холеного мужчину, рядом с которым стояло несколько молодых людей, чем-то похожих друг на друга выражением лиц, выправкой. Они старательно смотрели по сторонам, делая вид, что здесь оказались абсолютно случайно.

— Слушаю вас... — Вашко внутренне напрягся.

— Иосиф Петрович? Не ошибаюсь?

— Точно так.

— Вы коммунист?

— Предположим, да, — вам какая разница?

— И как это согласуется с тем, что вы провожали иностранного корреспондента?

— А никак! — неожиданно разозлился Вашко. — Какое ваше дело!

— Не скажите. У вас будут неприятности! Он уехал не совсем по своей воле. Он выдворен за пределы Родины! Вы это понимаете?

— Кто вы? — спросил Вашко и тотчас осекся — он заметил темно-синий номенклатурный пиджак, проглядывающий под воротником плаща.

— Вам это предстоит узнать в будущем.

— Знаете, что я вам скажу, — он порядочнее всех нас. Он даже не дал мне понять, что его высылают. Я думал, сегодня такое невозможно!

Незнакомец рассмеялся. На лицах молодых людей Вашко так ничего и не смог прочитать — ни участия, ни ненависти.

— Вы чудак! — коротко бросил незнакомец, направляясь к выходу из вокзала.

— Боюсь, уважаемый, что вам этого не понять.

— Посмотрим! — вся четверка как-то ловко просочилась сквозь двери и исчезла в ночи.

Вашко, постояв секунду-другую, направился к телефону.

Для него не было понятия «поздно», он звонил тогда, когда считал необходимым. Это качество не очень нравилось его друзьям и знакомым, но с этим они как-то научились мириться. Кто-то прощал Вашко эту весьма неприятную привычку, кто-то отключал на ночь телефон. Евгений Лапочкин телефон не отключал.

— Живой, сынок? — голос Вашко был глуше обычного.

— Нормально... Как вы?

— Не беспокойся, у меня все хорошо. И с журналистом все в порядке. Слушай, здорово они тебя?

— Фонарей, конечно, успели навешать. Вывеска чуток подпорчена, но ерунда все это. Жена приезжает лишь в четверг — мои синяки заживут, как на собаке. Хотите, насмешу?

— Давай, попробуй. Может, именно этого мне сейчас и не хватает.

— Она везет для вас настоящего омара... Как на той фотографии! — Вашко молчал. — Вы меня, наверно, не поняли, Иосиф Петрович? О-ма-ра! Омара! Вы же хотели увидеть.

— Спасибо. Ты мне лучше скажи вот что... Где эта компания, а?

— Так после выстрелов ребята из ГАИ подскочили, потом автопатрули. В Бутырке! Я их записал за нами. Правильно?

— Молодец. Когда будешь крутить это дело, знай: они имеют отношение к Аббасову. За ними числится много, но расследуя, получишь палки в колеса. Постарайся сразу же подключить мужиков из УБХСС — для них тоже хватит материалов.

— Не понял, Иосиф Петрович... Вы как-то не хорошо говорите. А вы? Что вы придумали? — тревога в голосе Лапочкина нарастала.

— Ты забыл, что я с сегодняшнего дня в отпуске. Бери все на себя — теперь ты главный! Ладно, давай спи, залечивай раны. — Он повесил трубку, вышел из аэровокзала и, пройдя к стоянке, сел в машину.

Шоссе было почти пустым. Изредка проскакивали такси, в этот час и у них не так много работы. В голове неотступно крутилась одна и та же мысль. Вашко повторял ее раз за разом, не зная, к чему она сейчас. Но она раз за разом возвращалась и проплывала в мозгу, вызывая неясную тревогу и беспокойство.

— Нет пророков в своем отечестве... Нет! — Вашко произнес ее вслух, и от этого ничуть не стало легче — в нем завелся какой-то скользкий холодный червь, разъедающий сознание.

Подъехав к дому, Вашко поставил машину у подъезда и, подумав секунду-другую, закрыл машину, оставив ключи в замке зажигания — он знал, что у соседа есть запасной комплект и он сможет открыть ее без труда. Домой идти не хотелось, и он медленно поплелся к центру. Напротив телеграфа в стеклянной будке одиноко застыл милиционер. Он то стоял неподвижно, то, борясь со сном, начинал ходить взад и вперед по мостовой. Вашко подошел к телефону — Киселев сразу снял трубку.

— Леонид, это я, Вашко! Разбудил, как всегда... прости!

— Ну, что, — ответил Киселев недовольным голосом, — всех преступников поймал?

— Нет.

— А журналиста нашел?

— Он улетел в Швецию. Мы проморгали парня. Мне было, честно говоря, неловко, и я его проводил.

— Старый ты дурак! Его же... — начал Киселев, и вдруг осекся.

— Я так и думал, что ты знал о выдворении.

— Знал или нет — не твое дело. Ты что, не мог дома посидеть?

— Мог, но сделал все наоборот.

— Что? До самого аэропорта?

— Да!

— Ты понимаешь, что этого не простят? Ты, насколько мне известно, на удочке у прокуратуры. Ты думаешь, тебе не добавят и это? Учти, ни Торшин, ни Пимачев ничего не забывают. Им нужен козырь, и ты им его дал.

— Я тебя поймал! Ты сам назвал фамилии, я тебя за язык не тянул.

Киселев недовольно хмыкнул.

— Что делать, Леон?

— Что делать... А раньше подумать не мог? Тебе же до пенсии чуть больше года, а как мальчишка ввязался в игру, в которой нет победителей.

— Сам знаешь, эта трясина затягивает в расследование все новых людей... А все так просто начиналось — подумаешь, уволили двух милиционеров.

— Теперь мне в связи с твоими открытиями надо ввязываться в игру. Гордишься, небось, что вскрыл центровую группировку?

— От гордости, того и гляди, джинсы лопнут. О чем ты говоришь, Леон! Разве в одном центре дело? А щупальца?

— Какие щупальца, Йоса? Ты случаем, не выпил?

— Пьян до безобразия. Да еще эта зараза висит над городом — будь моя воля, расколол бы ее на куски.

— А, как всегда, шуткуешь. Что там у тебя висит?

— Луна...

— Остановись, приятель! Ты что хочешь сойти с ума?

— Выходит, так. Тошно мне, Леон.

— Держись, Иосиф. Мне не легче. Ступай домой, отдыхай. Завтра встретимся, поговорим.

Вашко повесил трубку и вышел на тротуар. На крыльце телеграфа толпился немногочисленный полуночный народ. Милиционер по-прежнему мерил шагами асфальт. А в небе пронзительным светом горела ненавистно спокойная луна — она висела над городом, словно привязанная к звездам на башнях, зацепившись за купол колокольни Ивана Великого. Вашко хотелось прийти к подножию храма и закричать «во всю Ивановскую» площадь, словно древнему глашатаю: «Люди! Что же это делается? Доколь это будет продолжаться...»

Книга 4.
КОНФИДЕНЦИАЛЬНОЕ ДЕЛО

...Нам разрешается слыть невеждами, мистиками, суеверными, дураками. Нам одно не разрешается: недооценивать опасность. И если в вашем доме вдруг завоняло серой, мы просто обязаны предположить, что где-то рядом объявился черт с рогами, и принять соответствующие меры вплоть до организации производства святой воды в промышленных масштабах

(А. и Б. Стругацкие. «Жук в Муравейнике»)

1. ПРИЕМ У «ДИПЛОМАТА»

...В комнате буквально надрывался телефон. Чертыхнувшись, Вашко вышел из ванной и, оставляя на паркете темные влажные следы, подошел к столу.

— Слушаю, — не слишком дружелюбно произнес он в трубку. — Так точно... Что? Кого я могу привлечь? Одного из своих... Если не возражаете — старшего опера, товарищ проверенный, Лапочкин Евгений. А позвольте узнать, что за дело? Конфиденциальное? Есть, товарищ генерал-полковник! Прибыть к десяти ноль ноль в Министерство внешней торговли — комната четырнадцать двадцать восемь и получить там всю информацию.

Медленно положив трубку на рычаг, Вашко в задумчивости почесал мизинцем бровь — с какой это стати его поднимают на службу сегодня, ведь не далее как сутки назад он сдал дежурство по управлению и впереди еще значились полновесные двадцать четыре часа отдыха.

Когда Вашко вышел из дома, скупое осеннее солнце освещало толпы вечно спешащих прохожих на улицах. Потом, ближе к надвигающемуся с каждым шагом высотному зданию на Смоленской, утренний туман рассеивался и ярко заблестели мокрые от дождя стены старинных особнячков, московских усадеб, прятавшихся в чуть тронутых желтизной небольших садиках.

В бюро пропусков о нем знали: стоило Вашко предъявить удостоверение, как тотчас ему вручили красивую бумажку с вписанной фамилией, именем и отчеством. В приемной кабинета изысканно одетая секретарша сразу же провела его за огромные дубовые двери и бесшумно притворила их. Увидев человека, тотчас поднявшегося из-за стола и направлявшегося навстречу, Вашко сразу захотелось привести в порядок свой изрядно поношенный костюм. И пиджак, и рубашка, и галстук хозяина кабинета были словно только что куплены в модном магазине.

— Садитесь, Иосиф Петрович, — сразу же предложил немолодой, примерно одних лет с Вашко, но прекрасно сохранившийся мужчина. — Чай? Кофе? Тоник?

— Благодарю.

«Дипломат», как про себя Вашко окрестил хозяина кабинета, появился, держа в руках поднос с дымящимся кофе. «Сам ухаживает, даже секретарше не доверил, — отметил Вашко. — С чего бы это?»

— Настоящая «колумбия»! — подчеркнул «дипломат», приподнимая двумя тонкими холеными пальчиками миниатюрную чашечку с непривычно густой жидкостью. — На прошлой неделе покупал в Боготе. Вкус отменный!

С большим удовольствием Иосиф Петрович выпил бы сейчас отечественного «Жигулевского», но это, похоже, в ассортимент данного кабинета не входило.

— Признаюсь, меня несколько удивляет, что вы решили обратиться к нам, — начал Вашко, отхлебнув кофе из чашки. Она в его пальцах казалась не больше наперстка. — Мы, как вы знаете, больше по внутренним делам... Нет ли ошибки? Тем более, — продолжал оперативник, — и дело-то конфиденциальное.

— И тем не менее наш вопрос чисто милицейский, — вкрадчиво начал «дипломат». — Скажу больше: он чисто московский, без всяких иностранных примесей.

— Тогда я... — начал Вашко, пожимая при этом плечами, но собеседник не дал ему закончить фразу.

— Ничего, ничего, — «дипломат» сделал успокаивающий жест рукой. — Сейчас я все объясню. Тут, как мне кажется, речь идет о тривиальной уголовщине, — он продолжал изучать Вашко и, как тому показалось, нарочно не спешил с изложением сути дела.

— Надеюсь, вас не обокрали?

— Упаси бог! — «дипломат» сделал многозначительную паузу и, как бы преодолевая собственные сомнения, нерешительно продолжил: — Вам никогда не приходилось иметь дело с сумасшедшими? — последнее слово ему далось с видимым трудом — он его, похоже, взвешивал, пробовал на вкус, но, ничего не подобрав лучшего, все же произнес.

Вашко изумленно повел бровями.

— Извините, вы меня не совсем верно поняли. Речь идет о настоящем сумасшедшем! Который абсолютно не отдает себе отчета ни о времени, ни о пространстве...

— Это дело медиков.

— Они уже сказали свое слово.

— В чем же проблема? Он ваш родственник? Может, сотрудник?

— Вы попали в точку. Сотрудник! Еще неделю назад он был не глупее нас с вами, скорее наоборот... Отличный специалист, хороший товарищ. Зовут его Иваном Дмитриевичем. Фамилия — Тушков.

— Подозреваю, что это произошло с ним где-то там, за бугром, — Вашко махнул рукой в сторону окна. — Должен предупредить, что у нас как-то не складываются отношения с Интерполом.

И опять «дипломат» не дал закончить фразу, остановив его жестом руки.

— Иван Дмитриевич никогда не выезжал дальше Кавказа.

— Хм... — Шансов открутиться от дела, ограничившись лишь кофе, оставалось все меньше и меньше.

Собеседник грустно улыбался.

— Так думают многие. Раз Внешторг — значит путешествия, экзотика. На самом деле ездят за рубеж далеко не все. Один много знает, второго грехи не пускают.

Вашко бесцеремонно уставился прямо в глаза собеседника:

— Какие же грехи у Ивана Дмитриевича? Сидел?

«Дипломат» поморщился — его коробила подобная, отнюдь не дипломатическая прямота.

— Нет. Это мы проверяли... Дело в другом — его дочка работает в некой космической фирме. Кажется, что-то связанное с обеспечением полетов на орбитальных станциях. Я не интересовался. И боже упаси спрашивать ее об этом, если встретитесь. Хотите еще кофе?

— Благодарю! — Вашко поднял грузное тело из узенького тесного кресла и с наслаждением прошелся по кабинету. — У вас здесь курят? — «Дипломат» кивнул. — Мне кажется, мы ходим вокруг да около. Самым правильным будет начать с начала и сконцентрировать внимание на трех основных вопросах: что, где, когда? Начнем с последнего — когда это произошло?

Дверь в кабинет отворилась, и в помещение вошел столь же изысканно одетый человек с ранней сединой на висках.

— Извините, Виктор Петрович, — обратился он к «дипломату», решительно продвигаясь по ковру. — Срочная телеграмма, Марокко... — он подал через стол толстую натуральной кожи папку. «Дипломат» как-то совсем по-домашнему нахлобучил на нос очки и, отвернувшись от Вашко, принялся читать.

Вошедший, куда моложе «хозяина», с нескрываемым интересом принялся разглядывать Вашко, облик которого, манеры и одежда, так не походили к изящной обстановке.

— Хорошо, оставьте, — не меняя интонации произнес Виктор Петрович. — Можете идти и скажите Мальцеву, что через полчаса я прошу его зайти.

Дождавшись, когда за подчиненным прикроется дверь, «дипломат» вновь повернулся к Вашко.

— Вы спрашивали — когда это произошло? Три дня назад. Позвонили из бюро пропусков и попросили спуститься вниз. Сначала пошел наш сотрудник, а потом пришлось скакать галопом и мне. Ужас какой-то! В комнатке для посетителей сидел нищий заморыш, без документов, с блуждающими глазами, нечленораздельной речью. Каково же было наше удивление, когда мы узнали в нем нашего сотрудника.

— Это был Иван Дмитриевич?

— Да... С момента, когда мы его видели в последний раз, прошло не более двух дней: суббота и воскресенье. В пятницу он ушел с работы вместе со всеми, а в понедельник поди ж ты...

— Как он выглядел?

— Одет — во все свое. Но... Если раньше его костюм был нормальный, то теперь рваный какой-то, засаленный и, простите за выражение, дурно пах...

— Чем? — без обиняков спросил Вашко.

— А чем могут пахнуть брюки человека, который не в состоянии сообразить, как их снять? Похоже, это продолжалось с ним, не раз и не два.

— Он совсем не говорит?

Виктор Петрович горестно покачал головой.

— Нечленораздельное мычание. По подбородку текут слюни... В общем, перемены разительные.

— В чем причина столь строгой конфиденциальности вопроса, если не секрет.

«Дипломат» вновь как-то странно, будто изучающе, посмотрел на Вашко.

— На этот вопрос ответить и просто, и трудно одновременно. Пожалуй, дело в том, что Иван Дмитриевич до последних дней вполне успешно вел долгие переговоры с одной из западных фирм, информация о которой ни в коей мере не окажется вам полезной. Дело шло к крупному и выгодному контракту. Раньше с этой фирмой работали многие, но у Ивана Дмитриевича все сразу пошло на лад. Он, знаете ли, умел работать с фирмачами как никто другой. Теперь они требуют именно его. Представляете, что произойдет, если этот факт получит огласку в прессе?

— Как же обходитесь сейчас?

— Говорим, что у него простуда и не более — они готовы ждать.

— Любопытная ситуация!

— Вот она у меня где! — «Дипломат», словно забыв об этикете, совершенно по-русски рванул ворот рубахи и чиркнул ребром ладони по горлу. Вашко улыбнулся:

— Где он сейчас? Дома?

— Что вы? — удивленно посмотрел на Вашко собеседник. — Иван Дмитриевич человек достаточно одинокий — я уже говорил, у него есть взрослая дочь, но, насколько мне известно, живет она не с ним. Жена умерла лет восемь назад. Кто за ним будет ухаживать? Он лежит в ведомственной... Там за ним соответствующий присмотр и минимум огласки. Мы пока не хотим лишних разговоров.

— А это не секрет полишинеля? Ведь он пришел в Министерство и добрый десяток сотрудников могли не только услышать об этой истории, но даже и видеть его самого. Хотя бы вахтеры из бюро пропусков.

— Это абсолютно исключено! Они дали подписку о неразглашении, кроме того, вы помните, я говорил — встреча произошла в комнате для приема посетителей, куда доступ весьма ограничен. Что же касается сотрудников нашего отдела... Кроме меня знают еще двое. Одного из них вы видели — это мой референт. Олег Сергеевич Уланов — человек в высшей степени порядочный. Работаем мы с ним около пятнадцати лет и изъездили все континенты.

— Можете рассказать о нем подробнее?

— Об Уланове? Да... — собеседник мялся и не спешил с ответом. Ему, видимо, трудно было признаться в том, о чем Вашко уже начал догадываться и без него. — Как вам сказать... — Виктор Петрович задумчиво поглядел на Вашко, чуть покусывая губы. — Это... М-м-м-м...

— Кем он приходится вам?

— Зятем. Но об этом никто не знает, — он приложил руку к груди. — Иначе, вы, надеюсь, меня понимаете, семейственность на работе. И всякое такое! А парень он хороший.

...Когда они вышли из министерства и сели в поджидавший у подъезда черный лимузин, солнце совсем исчезло, и с неба сыпался нудный мелкий дождичек. Вашко удобно расположился на огромном бархатистом диване и с наслаждением вытянул ноги. «Дипломат» бросил водителю: «На набережную», отвернулся к окну и отрешенно смотрел на затуманенные косым дождем московские улочки. Сквозь запотевшие стекла резко выделялись огни сфетофоров, отражавшиеся в мокрой мостовой.

Трудно было предположить, что в этом небольшом двухэтажном особнячке, скрывавшемся за деревьями, находится больница. Внутрь дома с улицы не доносилось ни звука, ковры на полу глушили шаги. Предупрежденный о приезде врач, с небольшой бородкой «а ля Чехов», при разговоре уважительно склонялся к посетителям.

Застекленные двери бесшумно разошлись в стороны, и перед глазами Вашко предстала больничная палата: небольшой уютный кабинет с красивой кроватью, телевизором, цветами на подоконнике.

Тушков сидел на стуле, повернувшись лицом к окну. Вторжение посетителей не вызвало у него абсолютно никакой реакции. На вид ему было лет пятьдесят. Коренастый, коротконогий. Не проявляет никаких признаков беспокойства или недовольства. Беспричинно улыбнувшись, он медленно повернул голову к двери, как бы пытаясь что-то вспомнить, но тут же оставил эти безуспешные попытки. Первое, что сразу же бросилось в глаза Вашко — выбритая до синевы голова пациента. Вашко осторожно приблизился к больному и пытливо посмотрел в водянистые серые глаза — ответной реакции не было. Так мог смотреть народившийся и бессмысленно хлопающий веками трехдневный теленок. На затылке Тушкова виднелся небольшой свежий шрам, обильно смазанный йодом.

— Мы проверили — там всего лишь ссадина, — счел необходимым пояснить врач. — Вообще, ни малейших телесных повреждений и такой поразительный результат.

— Он способен говорить? — взглянул на врача Вашко.

— Иван Дмитриевич знал несколько европейский языков, — заметил первым Виктор Петрович. — Причем, в совершенстве: немецкий, испанский и, конечно же, английский.

— Голосовой аппарат не претерпел патологических изменений, способен извлекать звуки, — степенно произнес врач, — но... как говорится, иметь возможность и говорить, для нашего пациента понятие разные. Ведь можно иному больному вылечить порезы на пальцах, удалить занозы, но если он не умел играть на пианино, врач ему в этом не поможет.

— Он же умел говорить! — аналогия была явно неудачна. — И он единственный, кто знает, что с ним произошло, — возразил Вашко.

В этот самый момент больной резко дернул шеей, лицо скривила гримаса боли, а из горла с трудом вырвались нечленораздельные звуки... Вашко, как и остальные присутствующие, вздрогнул и целиком обратился в слух. Но кроме хрипа, некого подобия мычания, пожалуй, ничего разобрать было нельзя.

— Кажется, начинается приступ, — врач метнулся к двери. Тотчас появилась медсестра со шприцом в руке.

— Родственников известили? — спросил Вашко.

— Пока нет, — ответил Виктор Петрович. — Тут несколько причин. Об одной из них я уже говорил. Что же касается поиска других родственников, то кадровики пришли в некоторое замешательство — в их документах числится лишь старый адрес Ивана Дмитриевича. А он два или три раза менял квартиры. Причем, как это обычно случается, изменений в анкету не вносил. Более того — в автобиографии числится давно умершая жена и дочка, в то время еще ученица школы, на месте которой нынче расположен Калининский проспект.

— Неужели он ни с кем не был близок на работе? Кто-то был у него в гостях? Может, забегал по делам? Навещал во время болезни?

Виктор Петрович с сожалением посмотрел на подполковника милиции.

— Иван Дмитриевич, как оказалось, вел замкнутый образ жизни. Кроме того, мы стеснены в возможностях опросить наш персонал — я уже говорил вам, по какой причине. — Он бросил быстрый взгляд на врача, но тот сделал вид, что этот разговор его ни в коей мере не касается.

— А в медкарте? — не сдавался Вашко.

— Перерегистрация намечена на октябрь, — виновато пробормотал врач. — Мы пытались позвонить его родственникам, но... по указанному в карточке адресу проживают совсем другие люди. Они тоже несколько раз совершали обмены квартир.

— М-да-а-а-а... — только и смог произнести Вашко. — Ну и порядок у вас! Есть человек, и нет человека. — Он посмотрел на лежащего на кровати и уже дремавшего больного. — Не нравится мне это.

— Врагов у него не было, — поспешил успокоить Вашко Виктор Петрович, будто оперуполномоченный мог по своей инициативе отказаться от этого дела. — Никаких сомнительных похождений, никаких пристрастий. И по работе ни малейших претензий — наоборот, хотели недавно выдвинуть на очередное поощрение. По результатам переговоров с фирмачами. Путевку для него приготовили в ГДР! Он же, по сути дела, нигде еще не был. Отнекивался — денег нет. Так выбили профсоюзную! А поди ж ты...

Вашко еще раз посмотрел на мирно посапывающего после укола человека, веки которого чуть подрагивали во сне, и первым вышел из комнаты. Задание ему не нравилось, и он подумывал о том, что бы такое сказать генералу, дабы открутиться. Но разговор с начальством закончился так, что уже к вечеру Вашко частенько приговаривал к месту и нет, вставляя при случае «мой сумасшедший». К кому он это относил, осталось загадкой.

2. ШОРОХИ В НОЧИ

— Георгию Георгиевичу пламенный! — Вашко пожал руку криминалисту и выложил на стол сверток с одеждой, аккуратно запакованный в прозрачный пластиковый пакет. — Прости за запахи...

Тот положил сверток на стол и, предварительно расстелив бумагу, извлек то, что некогда было костюмом Тушкова.

— Мои ребята сейчас устанавливают «евойное» местожительство, — сразу же пояснил Вашко, — но полагаю, кое-что интересное найдем и мы.

— Труп? — без обиняков спросил криминалист, предупрежденный о приходе Вашко.

— Нет... — задумчиво произнес тот, закуривая. — Но и о себе рассказать может немногое... Вообще ничего не может! — поправился он.

— Пикантная, но довольно привычная история. — Криминалист надел резиновые перчатки и, подставив прозрачные кюветы, принялся молча выворачивать содержимое карманов — сыпалась какая-то шелуха, мусор, пыль.

Крепыш-криминалист нахлобучил на лоб толстые окуляры в массивной черной оправе и, не дыша, склонился над ванночками. Вашко, не удержавшись, приблизился к нему, пытаясь разглядеть нечто такое, что может пролить свет на произошедшее. В ушах Вашко еще звучали «напутственные» слова генерала: «Я уже думал над этим. Конечно, это дельце не по нашему ведомству, но... Если дело действительно связано с зарубежьем, обещаю — буду первым, кто снимет с тебя эту обузу. Но если история все же криминальная — извини, не отвертишься. Сам знаешь, откуда звонят».

— Он курил? — спросил криминалист.

— Сие для меня неизвестно.

— Похоже, что нет... Ни малейших признаков табачной крошки. А вот тут...

— Что тут? — поспешил с вопросом Вашко.

— Остатки рыбной шелухи.

— Воблу в карманах таскал? Любитель пива? Это у каждого второго, кто смог ее достать. Чего-нибудь посущественнее?

— С уверенностью это можно будет утверждать позже, если анализ выявит признаки соли. А если нет, то он заядлый рыбак.

— Я не представляю рыбака, который ходит на речку в костюме. А посущественнее?

— В принципе, Иосиф, много любопытного. Кора, остатки щепочек, даже немного угля. Это интересно?

— Хм... Безусловно...

— Спектральный анализ, споро-пыльцевой, думаю, поможет кое-что прояснить.

— Спасибо, сынок! — Вашко звучно шлепнул ладонями по подлокотникам и поднялся с кресла. — Надеюсь на тебя.

В свой кабинет Вашко не пошел, а поднялся в комнату, где обычно собирались сотрудники отдела.

— Привет, Евгений!

— Здравствуйте, шеф!

— Пошли по мне... Погутарим!

В кабинете Вашко бросил на стол пачку сигарет и, переместив с подоконника на стол пепельницу, с трудом раскурил отсыревшую сигарету. Все же осенняя погода с годами совсем не нравилась ему — начинали болеть суставы, частенько ломило затылок.

Лапочкин сразу же плюхнулся в кресло, закинув ногу на ногу и, играя карандашом, сказал:

— По вашему утреннему заданию ответ готов! Адресок «сумасшедшего» установлен. Недалеко живет — у «Котельников». Попотеть, шеф, пришлось — за семь лет три переезда. Квартирки все меньше и меньше. Гоголевский, Балчуг, теперь за «Иностранкой».

— Где «Иллюзион»?

— Минут семь ходьбы в сторону библиотеки.

— С кем живет? Удалось с кем-нибудь поговорить?

— По словам соседки — один. Из посторонних никто не заходит. Дочь действительно имеет место быть, но, похоже, живет не в Москве.

— Из чего это следует? — Вашко ослабил галстук на воротнике и с удобством развалился в любимом кресле.

— В последний раз она была в гостях у отца минувшим летом. Заезжала не одна, а якобы с молодым человеком, которого старушка не видела, а только слышала.

— Как так?

— Дом крупнопанельный — слышимость, как в консерватории.

— Можно ли доверять на слух пожилым женщинам? Подозрительная осведомленность, коль она его не видела?

— А у нее вообще зрение, как у крота. Вот слух и обострен до предела... Я так думаю!

— Ладно, про хахаля пометь на потом. Он нас не шибко интересует, хлопот хватает и без него, а вот где живет тушковская дочка — вопрос вопросов. Как ее зовут?

Евгений широко развел в сторону руки.

— Вечно у тебя недоработки, — хоть и ворчливо, но вполне добродушно произнес Вашко. — Может быть, есть смысл исследовать «евойную» квартиру?

— Думаете, конвертик с адресом? — вскинулся Евгений. — Возможная штука...

Вашко молчал и, думая о чем-то, известном лишь ему, неотрывно глядел на Евгения. Тот никак не мог взять в толк, что произошло с начальником — еще несколько минут назад он активно интересовался, спрашивал, а сейчас ушел в себя и молчит. А Вашко просто был зол: на себя, на генерала, впутавшего его в эту банально-бытовую историю, на лощеного «дипломата», напустившего тумана и таинственности. Больше всего Вашко злился на себя — похоже, он ничего не понимал в этой истории.

— Поедем смотреть квартирку? — нарушил молчание Лапочкин. Вашко посмотрел на него, словно увидел впервые.

— Как ты думаешь, — он придвинулся к столу и навалился на него грудью. — Если мы с помощью врача выволокем этого чудика в его же собственный аппартамент — он заговорит? Может же это послужить шоком или каким-то психологическим ударом. Как мыслишка? Одобряешь?

— Вообще-то я о подобных опытах читал. А что будет, если он решит «свернуться с катушек». Рискованно, шеф!

— А врач на что? С другой стороны, любопытно посмотреть на поведение... Узнает ли он обстановку, шмотки. Вообще — как себя поведет? Чем черт не шутит, вдруг натолкнет на мыслишку. А? Пока все одно — итоги неутешительные. Информация, дери ее в бога и душу. Гляди! В пятницу он, как всегда, ушел с работы. В понедельник, хоть и с опозданием, скорее по привычке, чем по необходимости пришел по привычному маршруту к работе. А посередке мрак! Что суббота, что воскресенье — полная неизвестность. Вроде ничем не обременен, ничто не тяготило, нет ни врагов, ни «дружбанов». А? Как тебе эта ситуевина? Многое бы прояснило наличие каких-нибудь телесных повреждений. Ударчик там, к примеру, или травма, тогда — дело ясное — должен быть преступник, а так... Царапина на затылке! Чепуха на постном масле.

— Может, еще чего есть? К примеру, удар?

Вашко провел тыльной стороной ладони по лбу — обильная испарина выступила на коже. Обычно так начиналась болезнь. Простуда проявлялась сперва потливостью и лишь потом температурой. Кроме того подозрительно першило в горле. А может и в самом деле подцепил какую заразу? Мысль о возможности заболеть не уходила и вызывала неприятный холодок на спине — Вашко поежился. Только этого ему не хватало.

— Кто его знает... — задумчиво произнес Вашко. — Он же не труп. Чтобы его освидетельствовать, хорошо бы получить согласие. Хоть и не в своем уме, а живой человек — тут без желания...

Сняв с вешалки пальто, Вашко завернулся в него и улегся в кресло: его явно лихорадило. Он с удовольствием выпил бы сейчас рюмку коньяку и завалился в постель.

— Одевайся! Поедем, пожалуй.

— Решили осмотреть квартиру? Понятых берем?

— Жору-криминилиста обязательно надо. Но это не сейчас. Может, завтра. Сейчас в другое местечко подскочим.

Они вышли на улицу. Дождь прекратился, уличные фонари залили мокрую мостовую мертвенным желтым светом.

Такси, как назло, попадались с пассажирами, и они долго ждали, пока появится машина с зеленым огоньком. Когда они припарковались на Смоленской площади, часы на фасаде высотного здания показывали четверть восьмого. В бюро пропусков бдительный милиционер долго и придирчиво проверял их служебные удостоверения, сверяя со списком, куда были внесены их фамилии с указанием в графе срок действия — «круглосуточно».

Вашко не стал подниматься пешком, а, поблуждав по хитроумным закоулкам и лабиринтам первого этажа, вместе с Евгением вошел в какой-то старомодный лифт, облицованный не пластиком, а настоящими, истертыми от времени дубовыми панелями. На четырнадцатом этаже они вышли, в коридорах царил полумрак: горело лишь дежурное освещение.

— Я не хотел осматривать его стол днем — много лишних глаз, — счел необходимым пояснить Вашко.

Найдя нужную дверь, Вашко сделал знак Евгению, чтобы он открывал. Войдя, они сразу же зажгли свет и затворили дверь. В комнате почти не было мебели: шкаф, сейф, кресло и стол.

Не долго думая, Вашко плюхнулся в кресло и начал выдвигать ящики стола. Лампа роняла свет на сукно, на которое одна за другой ложились папки с бумагами, какие-то проспекты, журналы, истрепанные записные книжки как минимум двадцатилетней давности. Судя по содержимому ящиков, Тушков был человек одинокий, нужный разве что на работе. А после того, как на столе появились затрепанные иностранные журналы, извлеченные из-под кипы газет на дне нижнего ящика, с призывно обнаженными заморскими девами в вызывающе фривольных позах, к скромному тушковскому образу невольно примешалось что-то странноватоновое. Лапочкин хмуро сгреб несколько таких журналов в охапку и, плюхнувшись в кресло, разложив их на коленях, принялся листать, время от времени глуповато похмыкивая.

— Нет, он точно был чокнутым! — ворчливо заметил Вашко. — Похоже, его ничего не интересовало кроме работы. Напрасно ввязались в эту историю. Нюхом чую!

Осторожно, словно боясь самого себя, неуверенно тренькнул телефон. Вашко взглянул на телефон и перевел недоуменный взгляд на Евгения. Но тот завороженно смотрел на аппарат.

— Да, — глуховато, со странными интонациями в голосе произнес в трубку Вашко, держа ее двумя пальцами.

Отвечать явно не спешили. Вашко ждал, уставившись на стол, заваленный бумагами.

— Слушаю...

— Иван? — грубовато поинтересовался мужской голос — слышимость была неважная.

Вашко выразительно выпучил глаза — Евгений застыл, боясь даже скрипнуть креслом, прошелестеть страницей.

— Я! — совершенно искренне согласился Вашко.

— То-то я смотрю у тебя горит свет.

— Работаю.

— Нет, это не ты, — засомневался вдруг собеседник.

— Простыл маленько, — нашелся Вашко, но услышал в ответ лишь частые гудки отбоя — на том конце повесили трубку.

Вашко положил трубку на стол рядом с аппаратом.

— Шуруй в другой кабинет и звони ребятам — пусть высчитают, откуда звонили! — Лапочкин пулей вылетел из кабинета.

Оставшись в одиночестве, Вашко вздохнул и принялся за работу. Развязывал тесемки, извлекал из папок какие-то письма с красивыми иностранными вензелями, гербами, прозрачными водяными знаками фирм, таращился на иностранные слова, ничего не понимал и откладывал в сторону. Так продолжалось минут десять. Тишина... Но эта тишина рождала не умиротворение в душе, а неизвестно откуда взявшееся чувство тревоги.

«Где же запропастился этот... гроза бандитов?» Вашко встал и направился к двери. В коридоре по-прежнему царил полумрак — лишь дежурное тускловатое освещение едва теплилось под потолком. Какая глубокая тишина! В ней даже чувствовалось нечто странное: какой-то до предела напряженный, натянутый как струна покой.

Вашко потрогал дверь соседнего кабинета — она спокойно отворилась, в комнате было темно. Скорее машинально он позвал:

— Женя?

Ответа не последовало, но в темноте, что-то, кажется, шевельнулось. Вашко замер. Со стороны едва угадываемого во мраке окна вновь раздался невнятный шорох или даже скрежет. Вашко нашарил выключатель, вспыхнул свет. За столом сидел мужчина — странно, — но это был совсем не Лапочкин. Неизвестный сидел, закрыв ладонью глаза, и сквозь пальцы, щурясь, посмотрел на вошедшего.

— Вы? — изумился Вашко. — Почему в темноте?

Референт неспешно поднялся с места. Его походка отличалась кошачьей легкостью.

— Если мне не изменяет память, сотрудник милиции? Я вас видел днем в кабинете.

— Да, Олег Сергеевич... Что вы делаете здесь в столь поздний час? — Вашко поглядывал на подошедшего Уланова, тот, в свою очередь, пытливо смотрел на оперуполномоченного.

— Не слишком ли много вопросов? — произнес уверенный в себе молодой человек. — Темнота не удовлетворяет? Что удивительного в том, что я нахожусь за своим столом в собственном кабинете. Это наказуемо?

— Похвальная работоспособность. И все же, что вы здесь делаете?

— Я обязан отвечать? — он скептически окинул взглядом фигуру Вашко.

— В принципе, нет... — Вашко размашисто прошелся по ковру и направился к двери. — Надеюсь для вас не секрет, чем мы здесь занимаемся. Более того, вам наверняка известны наши полномочия.

— Известны, — охотно согласился Уланов. — Именно поэтому я здесь.

— Вот как? — Вашко повернулся. — С какой целью?

— Все проверить за вами! — в глазах референта заплясали веселые чертики.

— ?!.

— Вы не ослышались, — молодой человек, уже не стесняясь, улыбался. — Я обязан дождаться вашего ухода, проверить состояние замков и сдать помещения на пульт сигнализации. У нас так принято! Так что страдаю я не по своей инициативе, а по вашей милости. Гораздо охотнее я бы провел вечерок в ином месте.

Вашко кивнул — ответ его вполне устраивал. И хотя Уланов мог говорить далеко не всю правду, того, что он поведал, было достаточно для проверки в утренней беседе с «дипломатом», а значит ему не было особого смысла врать.

— Погасите свет, запирайте комнату и идите к нам, — проворчал скорее по привычке, чем по необходимости, Вашко.

Лапочкин давно сидел в кресле и листал журналы с «девочками».

— Узнал? — бросил в его сторону Вашко.

— Так точно, товарищ подполковник! Телефон-автомат на Садовом кольце. Где-то у входа в «Руслан». Оттуда как раз отменно видны наши стеклышки, — он кивком показал на окна.

Едва Евгений договорил, как дверь открылась и в комнату нехотя вошел Уланов. Лапочкин, тотчас забыв о журналах, удивленно уставился на вошедшего и лицо его вытянулось.

— Смотри свои книжонки, — буркнул Вашко. — С тебя, как с козла — молока. Подсаживайтесь, Олег Сергеевич, попробуйте сочетать приятное, куда я отношу наблюдение за нами, с полезным — давайте вместе посмотрим эти бумаги, — он кивнул на заваленный документами стол. — Я не в состоянии здесь отделить, как говорится, зерна от плевел.

— Почему вы решили мне довериться? — Уланов не спешил снимать плащ и стоял у двери.

— А кому еще? Есть варианты?

— Вы ничего здесь не найдете. Это было бы смешно! Надо знать Тушкова!

— Вы полагаете? — отчего-то смутился Вашко.

— Скрытность Тушкова не знает границ. Он никого не посвящал ни в семейные дела, ни в служебные. Учтите время, когда он впервые вошел в это здание! Годы прошли! Воспитание сказывается — не болтай лишнего, держись скромно, почитай начальство. Неужели вы могли допустить мысль, что мы раньше вас не проверили содержимое его стола — это было сделано еще перед обедом.

— И ничего заслуживающего внимания не обнаружили?

Референт отрицательно покачал головой.

— А журналы? — Вашко посмотрел в сторону Лапочкина. — Их можно найти у каждого из вас?

— В принципе, да... Но они, как правило, долго у нас не задерживаются — какой смысл хранить старье. Новая поездка, свежие издания.

— А он, как будто, не ездил! — счел необходимым напомнить Вашко.

— Ему перепадало с барских столов. Отдавали, когда уже никто не интересовался.

Часы показывали одиннадцатый час. Вашко размял в пепельнице погасший окурок и сказал:

— Спасибо за помощь, Олег Сергеевич.

— Вы кого-то подозреваете из наших?

— Разрешите ответить через некоторое время.

3. ЧЕРЕЗ ДВА ЧАСА.

— Простите, что беспокоим в столь неурочный час, — виновато произнес Вашко, когда наконец соседка Тушкова открыла дверь. Женщина на самом деле оказалась подслеповатой — сильно щурила глаза, пытаясь разглядеть посетителя.

— Из милиции, подполковник Вашко. Разрешите войти? — он предъявил удостоверение, и старушка, похоже, страдавшая бессоницей — несмотря на час ночи во всех комнатах горел свет, а она была одета не только в халат, но и в обвислый вязаный жакет — долго и придирчиво изучала документ, близко поднеся его к глазам.

— У меня не прибрано, — она по-прежнему загораживала вход в квартиру.

— Дело касается вашего соседа, Ивана Дмитриевича. В каких вы с ним отношениях?

Старушка неприязненно фыркнула.

— Я не буду с вами беседовать, если вы не перестанете задавать бестактные вопросы. Я соседка, и не более того. А что? С ним что-то случилось? Меня второй раз за день спрашивают про него? До вас уже был один молодой человек с приятным голосом.

Как бы то ни было, но Вашко еще минут двадцать пришлось выслушивать ее рассуждения о тех, кто целыми днями стремится укоротить ее существование на белом свете, где жизнь, прямо скажем, и без того не очень-то веселая. Судя по ее словам, в одном подъезде живет столько негодяев и пьяниц, что милиции давно пора уже пристально присмотреться не столько к безобидному и весьма положительному Тушкову, сколько ко всем остальным обитателям дома. Добиться от нее большего, чем днем удалось Лапочкину, было делом неперспективным. Поблагодарив старуху, Вашко открыл дверь в квартиру Ивана Дмитриевича. Две комнаты, прихожая, маленькая кухня. Все вымыто и вычищено до блеска. Всюду порядок и чистота.

Аккуратно повесив плащ на вешалку, Вашко прошел к телефону.

— Женя, позвони Жоре-криминалисту — он человек холостой, ложится поздно. Надо осмотреть здесь все, как положено. Уж тут-то до нас еще никто не рылся.

Ждать пришлось долго, и Вашко успел выкурить сигарету. Порывшись в банках и баночках на кухне, нашел кофе, заварил и выпил две чашки. За окном угадывались очертания высотного дома на Котельнической набережной. В темноте светилось лишь несколько окон, да подмигивала вывеска над кинотеатром «Иллюзион».

В комнате неожиданно зазвонил телефон. Вашко снял трубку. Голос показался знакомым.

— Это ты? — осторожно спросил голос с прежними грубоватыми интонациями.

— Гм... — делая вид, что жует, ответил Вашко.

— У тебя горит свет и я решил позвонить... Ты что, простыл?

— Не без того, — с хрипотцой ответил Вашко — он не сильно грешил против истины, так как и на самом деле чувствовал себя достаточно паршиво.

— Можно зайти?

— Валяй! — в трубке раздались частые гудки.

«Ну вот, сейчас мы и познакомимся, — Вашко с удовлетворением потер руки. — Кто такой?»

Но встрече не суждено было состояться. И виной тому оказался Лапочкин — как он мог додуматься подкатить к подъезду на служебной машине? Вашко готов был наорать на него. Бросив через плечо: «Без меня не начинайте!», он стремглав выскочил на улицу и торопливо прошел сначала в одну, а потом и в другую сторону. Улица была безлюдна.

«Конечно же, он увидел автомобиль, — думал Вашко, замерев перед телефонной будкой. — Вот же какая невезуха! Звонит, не называет своего имени, ищет встречи с Тушковым. А может, он тоже... Нет, двое сумасшедших за один день — это, пожалуй, многовато».

Дверь будки жалобно скрипнула и замерла. Вашко посмотрел на нее, мгновение-другое размышлял, а потом стремительно бросился к подъезду — он понял, что звонили именно отсюда — из этой будки были видны светящиеся в ночи окна Тушковской квартиры. Более того, в светлом проеме окна совершенно отчетливо выделялись фигуры похожего на «кубик» Евгения и долговязого Георгия, пытавшихся разглядеть блуждающего по улице Вашко.

— Жора, с чемоданом на выход! — скомандовал Иосиф Петрович, едва отдышавшись от быстрой ходьбы по лестнице.

— Мы не виноваты, Петрович! — принялся оправдываться Евгений. — Попробуй найди ночью другую машину — эту то выпросил в дежурке еле-еле.

— Потом поговорим, — буркнул Вашко. — Бегом к телефонной будке и попробуйте снять пальчики с трубки. Хорошо, что ночь — там сейчас никого нет. Быстрее, одна нога здесь — другая там!

Подойдя к окну после их ухода, Вашко плотно запахнул шторы и, плюхнувшись в кресло, положил руку на грудь: сердце колотилось изо всех сил.

Входная дверь скрипнула, и на пороге появилась соседка Тушкова. «Только старой карги здесь еще и не хватало, — неприязненно подумал Вашко. — Завтра всему дому разболтает».

— Иосиф Петрович, — начала женщина от порога, — она оказалась не такой уж и слепой — имя и отчество в удостоверении не только прочла, но и запомнила. — Я хочу вам коечто рассказать об Иване Дмитриевиче... Думаю, что вам это интересно. У меня были подозрения, что его убьют, но я не предполагала, что это произойдет так скоро.

— Откуда вам известно, что его убили?

— А разве по иному поводу милиции дождешься. Только убийство! Скажите, его будут привозить домой или прямо из морга?

— Пока еще не решили, — прервал он ее. — Скажите лучше, что вы заметили необычного?

— Я живу в этом доме с шестьдесят второго. Прекрасно знала и его жену-покойницу... Славная была женщина, не чета нынешним хозяйкам. И дочка у них прилежная, вежливая такая. Ну, это уже быльем поросло. Теперь-то дочка редкий гость! Может, раза два в год и наведается, а так он все один, да один. Но мужчина приличный, и, судя по всему, хозяйственный. По утрам, как идешь в молочную или за хлебом, а он уже на лестнице ботинки свои гуталином наяривает. Я ему как-то сказала, чтобы в квартире чистил, так он туда и перебрался — больше на лестнице не скипидарил.

Вашко слушал, не перебивая. Он преодолевал усталость из последних сил. Похоже, температура была высокая: лоб полыхал жаром.

— Да вы меня не слушаете вовсе, — долетел до Вашко голос соседки.

— Отчего же... Слушаю! — вскинулся Вашко, еле разлепив веки.

— Ага, — согласилась она. — А тут он и заявляется снова. Ждет, понимаете, на лестнице и никуда не уходит. Я к нему присмотрелась с подозрением... А чего доверять, коль впервые вижу! Ничего из себя, светленький такой, видный мужчина! Подождал, подождал, да вниз пошел. Ну, думаю, не дождался болезный, а сама к окну — интересуюсь: куда пойдет. Гляжу, а навстречу от автобусной остановки сам идет! Остановились они друг против друга, посмотрели секунду, а может и поболе чуток, а потом этот длинный чего-то руками у носа Иван Дмитриевича махать начал. Ну, прямо доказывает ему чего, а тот не соглашается. Так и разошлись они!

— Когда это было? — совсем очнулся Вашко.

— Так месяца с полтора будет. Еще тепло было...

— Он никак себя не называл?

— Нет, — старушка с сожалением покачала головой. — Но лицо его мне здорово не понравилось — сердитое. Такой, не ровен час, и порешить может.

— Опишите внешность! Каков портрет?

— Ну, рисовать-то я не умею, — по-своему расценила слова Вашко женщина. — А рассказать можно. — Она встала со стула и подняла ладошку. — Вот такой — видный!

«Тоже мне фигура, — чуть не рассмеялся Вашко. — Едва ли наберется метр семьдесят! Хотя для крохотной старушки...»

— Светленький. Волос немного вьется, а голос грубый и левая бровь щипаная какая-то. То-о-ненькая.

— Возраст?

— Так я же говорила — молодой. Может, чуток за тридцать перевалило. Одет хорошо — тут ничего не скажу. Я спервоначалу решила — с его работы, а потом засомневалась.

— Почему?

— У них там на работе говорят все правильно, по-интеллигентному, а этот с акцентом каким-то говорил. То ли «окал», то ли «якал»... Но мне подумалось, что хохол, не иначе.

— Почему подумали на украинца?

— Я не знаю... Показалось, и все!

— А дочку-то как зовут?

— Дочку? — переспросила старушка. — Иришкой! Теперь она уж взрослая, по отчеству надо величать — Ирина Сергеевна!

— Как Сергеевна? — опешил Вашко. — Он же Иван Дмитриевич! Ивановна...

— Эх, милок! Дело-то молодое-неподсудное... Жена к нему с приданым пришла... Он мужик благородный, взял.

Хлопнула входная дверь. Женщина вздрогнула и оглянулась. Увидев входящего в комнату Лапочкина, она приветливо склонила голову и поздоровалась. Криминалист шел следом.

— Как дела? — встретил их вопросом Вашко.

— Полный порядок. — Георгий Георгиевич поставил чемодан на стол. — Большой палец правой руки как с картинки. Класс!

— Что будем делать? — Евгений с наслаждением сел в кресло у стола, напротив Вашко.

Иосиф Петрович, вздохнув, поднялся. Больше вопросов к женщине у него не было, но предстояло найти весьма весомый повод, чтобы удалить ее из квартиры. Сама делать это, она судя по всему, не собиралась. Наоборот, усевшись поудобнее, старуха приготовилась взирать на происходящее.

— Благодарю вас, Мария...

— Петровна, — охотно подсказала женщина.

— Да, да, Петровна. Понимаете... Мы хотим попросить вас об одном одолжении, — Вашко приблизился к ней и вкрадчиво, глядя прямо в глаза, произнес. — Суд достаточно строго относится к сбору вещественных доказательств, многократно перепроверяет и уточняет, вызывает участников осмотра повестками в суд и всякое такое... — Старуха собралась и поджала губы, а Вашко продолжал: — Быть понятым — дело ответственное! Доверить это можно далеко не каждому.

— Ишь, чего придумали! Так у меня со зрением неважно. Вы тут сейчас наищете, а мне потом отвечать.

— Это уж как положено! — охотно поддакнул Евгений.

— Действительно, доверишь не всякому, — авторитетно заметил Георгий и повернул в сторону женщины объектив фотоаппарата. — Мы какие фотографии делаем — тринадцать на восемнадцать или меньше?

Хлопнувшая дверь возвестила не столько об уходе, сколько о стремительном исчезновении старухи.

— По полной программе? — спросил Лапочкин, поднимаясь с кресла и сбрасывая с него пиджак. — Следы рук, ног, обуви, одежда. И тэ дэ и тэ пэ?

— Да, — устало произнес Вашко и снова положил руку на грудь — сердце колотилось как и прежде, часто и гулко.

Лапочкина не пришлось уговаривать дважды. Пока криминалист щелкал фотоаппаратом, то и дело заливая то кухню, то комнату пронзительным светом вспышки, он распахнул шкафы, выдвинул ящики стола, буфета и принялся изучать их содержимое. Делал он это далеко не в первый раз, и Вашко знал — пройдет совсем немного времени и даже в этой запутанной и в общем-то пока совсем не криминальной ситуации появятся первые ниточки.

— Особое внимание на переписку, — произнес Вашко, приоткрывая веки. — С кем он вообще имел дело — раз, адрес дочки — два. — Он вздохнул, подумав о своей дочке и зяте, также не балующих его посещениями, и прикрыл веки. — Двадцать минут меня не беспокоить! — и через минуту забылся тревожным болезненным сном, неуклюже развалившись в кресле.

4. НЕОБЫЧНЫЙ ЭКСПЕРИМЕНТ

— А ведь он зарабатывал не так уж мало! — Вашко произнес первую фразу и оглядел комнату, походившую теперь больше на склад вещей — одежда, обувь лежали где попало, занимая все поверхности: стол, кровать, стулья.

— Что? — оторвался от стола Евгений, листавший связки писем.

— Машина, дача, сберкнижки? — спросил Вашко окончательно просыпаясь.

— Никаких документов! — бросил через плечо Лапочкин.

— А у меня интересный фактик! — крикнул из кухни криминалист. — Пальчик, что мы изъяли с трубки, обнаружился и в квартире...

— Что? — пришел черед удивляться Вашко. — На чем?

— На стакане. Он стоял на полке!

— Так я и думал! — сказал Вашко. — Беда в том, что его обладателя, который, думаю, мог многое рассказать, вы спугнули. А что вы думаете про машину?

— Сейчас можно крутануть информацию через ГАИ. Если он получал права, они числятся, техпаспорт тоже.

— А ну-ка узнай, сынок! Это важно... Девал же он куда-то деньги.

Евгений с неохотой встал из-за стола и направился к телефону. Ему не стоило никакого труда позвонить дежурному ГАИ и получить необходимую справку, но сейчас его мысли были заняты другим — он, кажется, нашел нечто, что могло помочь расследованию. В коробке от печенья лежала кипа открыток с обратным адресом — Одесса. Он бывал в этом шумном и веселом городе.

Вашко не спешил вставать с кресла — он сидел молча, с отсутствующим видом глядя на огни, горевшие на бульваре. Было в его практике несколько дел, о которых он не любил вспоминать, и, самое странное, это были как раз те дела, которые он принимал ближе всего к сердцу. Некоторые из них начинались так же, как и это, без малейших зацепок для расследования. Подобное начало всегда вызывало душевное беспокойство и маету.

— А может, он все деньги пускал на женщин? — предположил Георгий, входя в комнату. — Как говорится — седина в голову, а бес в ребро...

Вашко вспомнил журналы, обнаруженные в рабочем столе Тушкова, и с сомнением покачал головой.

— Что еще обнаружилось в его карманах? Чешуя от рыбы — это здорово, но...

— Вы хотите сказать, маловато? — криминалист положил в чемодан темную баночку и мягкую широкую кисть, измазанную порошком. — К ней можно добавить довольно свежие следы известняка на обшлагах брюк, семена чего-то похожего на репейник — прицепившиеся к носкам, и угольная пыль... — он потер пальцем лоб. — Есть еще одна штучка, которая для меня не совсем понятка.

— Что именно? — Вашко неотрывно смотрел на него.

— Несколько капель крови на коленях. Мелкие... Еле заметные.

— На коленях? — не понял Вашко. — Насколько мне помнится, единственная ссадина на затылке. Это что же выходит? Он склонялся к чему-то такому, возле чего была кровь? Вставал, к примеру, на колени, а на полу или земле...

— Механизм появления следов верный! Но не исключено и другое толкование — кровь на стене, а он прижат коленями к ней.

Вашко встал и начал шагами мерять комнату — в серванте тонко звякнули хрустальные бокалы.

— Кровь! Кровь! Кровь... — задумчиво повторил он и выразительно посмотрел на криминалиста. — Мда-а-а...

— Шеф, вы гениальны! — довольно воскликнул Лапочкин, радостно швыряя трубку на аппарат. — За ним действительно числится машина... не «кадиллак», не «вольво», но «жигули» — это факт.

— Молодец! — Вашко посмотрел в его сторону и снова повернулся в сторону криминалиста — его сообщение было не менее важным. — Тут у нас два вопроса: давность и принадлежность. Мы сейчас настроим с тобой версий, а кровь либо окажется собачьей, либо годичной давности. А?

— Исключено! И то, и другое проверено... Свежачок — максимальная давность три дня и хомо-сапиенсовая.

— Стало быть, человеческая... — Вашко вспомнил бессмысленное выражение лица Тушкова и помрачнел. — Разумный бы смог нам рассказать все сам... А тут, — он обвел взглядом комнату — вещи, вещи, вещи... — Половина шестого! Давайте подводить итоги!

Лапочкин не спеша подошел к столу, взял с него несколько отдельно лежащих конвертов и нерешительно потряс ими в воздухе — он еще, похоже, не успел прийти к определенному выводу, вне всякого сомнения, необходимого, для «подведения итогов».

— Хорошо! — наконец решился он. — Ирина Сергеевна лицо реальное... — медленно начал он. — Судя по всему, живет не в Москве, поэтому визиты к приемному отцу не часты. Периодичность общения — в среднем раз в два, три месяца. Содержание обычное — жива, здорова. Последние письма от июля этого года пришли из Одессы. Думаю, будет верным сегодня же запросить наших ребят — пусть зайдут, побеседуют с соседями по дому, узнают точнее, где и кем работает. Вообще все — семейное положение и так далее.

— Ты думаешь, она что-нибудь знает?

— Об отце? Отношения у них, надо прямо сказать, прохладные. Ни целую, ни крепко обнимаю.

— Даже о детях не пишет?

— Ей тридцать пять. Может, в старых девах?

— Портрета нет? — Вашко обвел взглядом стены — репродукция картины какого-то художника с цирковым артистом на огромном мяче, фотография памятника Юрию Долгорукому и все.

— Есть одна... — Евгений подал снимок блондинки, закрепленный в старой темной деревянной рамке. — Стояла в спальне у кровати.

Вашко достал очки и долго разглядывал фотографию.

— Ничего особенного. Не дурнушка.

— Можно взглянуть? — криминалист принял из рук Вашко снимок и, мельком посмотрев, отдал Иосифу Петровичу. — Но и красавицей на назвать.

— Ближе к делу, ребятки, — недовольно пробурчал Вашко. — Утро на дворе. Девочку мы проверим — это ты, Женя, берешь на себя. Дальше!

— Кроме того... — Лапочкин, громыхнув по краю стола рукояткой пистолета, по-прежнему болтавшегося в кобуре, взял другой листок бумаги. — В течение прошлой недели он несколько раз звонил в Одессу — счет пришел, но не оплачен. Правда, он его и не видел — лежал в почтовом ящике. Разговоров было три — все короткие, по три минуты.

— А одежда? Карманы смотрели?

— Чисто. Ни ключей, ни документов.

— Ясно! Что кроме пальцев?

— С пальцами история такая: судя по всему, у него бывал мужчина. Принимал он его не только на кухне — два отпечатка на шкафу и один на прикроватной тумбе. Все идентичны следу с телефонной трубки!

— Выводы? — исподлобья смотрел Вашко.

— Выводы... — криминалист поскреб курчавую шевелюру. — В гостях бывал мужчина.

— Которого не видел никто из соседей! — вставил слово Лапочкин.

— А ты еще с кем беседовал кроме нашей «блаженной»? — непочтительно отозвался Вашко о соседке.

— Да, еще с двумя...

— И все слепые?

— Нет, но никто не видел. Утверждают в один голос — жил один и скромно. Ни гостей, ни праздников. Изредка дочь.

— А он тем не менее бывал, — задумчиво произнес Вашко и вдруг спросил. — Выходит, он по ночам ходил? Старался без свидетелей. К чему бы это? А?

— Педераст? — предположил криминалист. — А как же журналы с девочками, что в столе на работе?

— Одно другому не мешает, — веско заметил Евгений.

— А накопали-то не так уж и густо, — подытожил Вашко. — Ладно, — махнул он рукой, — давай собирать шмотки и наводить порядок... Сегодня нам еще предстоит побывать здесь, — Вашко улыбнулся своим мыслям и принялся разглаживать большим пальцем усы. — Думаю, что не одним... Надо сделать высший класс — никто не должен увидеть, что здесь кто-то побывал, — он поднял вверх указательный палец. — В том числе и хозяин!

— Вы собираетесь... — Лапочкин неотрывно смотрел на начальника, приоткрыв рот — сколько они знали друг друга, а нет-нет да и удивит Вашко подчиненного неожиданной мыслью.

— Это знаете ли... — покачал головой криминалист. — А врачи?

— Положитесь на меня. Все будет, как говорится, тип-топ. Вот увидите!

Как ему удалось уговорить врачей, для всех осталось загадкой. А может и самому врачу было интересно посмотреть на поведение пациента в иной обстановке или он питал надежды на какой-нибудь особый терапевтический или психолечебный эффект. Так или иначе, но Вашко удалось его уговорить.

Для визита хозяина в квартиру была назначена вторая половина дня. Это было удобно не только для больного, которого успели накормить и сделать необходимые процедуры, но и для Вашко: он накоротке прикорнул на диване в служебном кабинете да перекусил в столовой. На этот раз ни криминалиста, уехавшего домой отдыхать, ни Лапочкина, бывшего вообще неизвестно где (Вашко звонил ему, но дома телефон не отвечал, а на работе его следы растаяли тотчас после утреннего возвращения), не было. Зато доктор решил изрядно подстраховаться и привез трех медсестер.

Иван Дмитриевич как послушный ребенок шел из машины и, ведомый под руку, стал медленно подниматься по лестнице. Соседка по квартире, заслышав шум, приоткрыла дверь и, увидев меж двух сестер в пальто, наброшенных поверх халатов, Тушкова, зажав ладонью рот, спешно хлопнула дверь. Вашко пристально наблюдал за лицом больного, но в его взгляде не проскользнуло ни одной мысли, ни одного воспоминания.

Распахнув дверь квартиры, Иосиф Петрович пропустил процессию вперед себя. И здесь Тушков впервые вздрогнул и замер в прихожей, а затем стал теребить воротник толстого махрового халата.

— Видите, — восклицает сестра, полная живая женщина средних лет. — Он узнал квартиру! Уверена, что он хочет раздеться.

Но на этом все воспоминания Тушкова, похоже, закончились. Так же, как и раньше, под руку, его провели в гостиную.

— Может, усилить акцент на каком-нибудь одном предмете? Части обстановки? — шепчет врач на ухо Вашко. Вашко задумчиво теребит ус, не сводя взгляда с Тушкова — тот, как и раньше, абсолютно спокоен и безмятежен.

— Видите, на телевизоре портрет? — Вашко кивком указывает врачу на портрет дочери Тушкова. — Давайте осторожно подведем его к нему и покажем.

Сперва Тушков не реагировал на фотографию, но через несколько секунд по его лицу проскользнуло некое подобие быстротечной улыбки, больше похожей на болезненную гримасу. Он повернулся к врачу, и из его горла вырвались нечленораздельные звуки. Дальнейшую картину Вашко многократно прокручивал в мозгу, словно она была записана на ленте магнитофона. Подгибая колени, Тушков как-то медленно плюхается на пол. В его руках крепко зажат портрет дочери. Пальцы сжаты с такой нечеловеческой силой, что кажется слышен их хруст. Но это скрипит деревянная рамка — он ее сломал и смотрит то на врача, то на скомканную меж пальцев фотографию. Широко раскрыв рот, Тушков беззвучно смеется и, вконец рассыпав рамку, разглаживает на полу снимок. Его затуманенный взгляд ложится на ковер с тесемками по краю. Поглядывая на врача, он прячет фотографию изображением вниз под край ковра. Опершись о пол одной рукой, с трудом встает на колено и на четвереньках ползет к столу. Схватив цветочный горшок с чахлым растением, Тушков сбрасывает его на пол. Заскорузлой ладонью Иван Дмитриевич сгребает землю к углу ковра. Сухие былинки герани застревают меж пальцев. Он не обращает на них внимания — радостно тычет пальцем в пол и, похоже, напевает под нос какую-то непонятную мелодию.

— Посадите его на диван, — потребовал Вашко, заметив на губах Тушкова обильную пену. — С ним что-то неладное...

Полнотелая медсестра с легкостью хватает тщедушного Тушкова под мышки и с помощью врача не сажает, а кладет его на диван. Вторая сестра — маленькая, похожая на девочку-подростка, сноровисто закатав рукав тушковского халата, делает укол. Больной бьется в их руках, поглядывая в сторону ковра, испачканного землей и зеленью, растоптанной по полу его же ботинком.

— Вы довольны результатами? — неприязненно спрашивает врач, беспокойно поглядывая на затихающего больного.

— Еще что-нибудь можно проверить? Он быстро придет в себя?

Врач отрицательно качает головой.

— Исключено. Видите, в каком он состоянии... Возможен кризис!

— Насколько это серьезно?

— Вас интересует возможность улучшения? Хм... Хотелось бы, конечно, надеяться, но... Трудно, очень трудно! Я понимаю, вам хотелось бы услышать его речь, но... — он с сожалением качнул головой еще раз. — Медицина, к сожалению, не волшебница. Боюсь, что процессы, затронувшие его мозг в связи с каким-то неизвестным, но достаточно сильным потрясением, могут быть необратимыми. Скажите, мы можем взять его одежду? Хорошо, если найдется спортивный костюм, легкая обувь. Не ходить же ему в халате постоянно. У вас не будет претензий или надо составить какую-нибудь опись?

Вашко пожал плечами и ничего не ответил. Выйдя на кухню, он закурил.

— А вообще-то чего я спрашиваю, — сообразил врач, теребя пальцем бровь. — Она же его собственная. Лидочка! Разберитесь с одеждой. Что-нибудь на смену возьмите.

— Я вами не доволен! — заключительная фраза генерала буквально застряла в ушах Вашко.

«Все в этой истории не так! — думал он, медленно идя по коридору в свой кабинет. — Отчего они придают столь большое значение этому контракту? Вообще-то, не так уж и велики деньги. А потом Тушков ведь нормальным вряд ли станет. Рано или поздно придется открыть фирмачам правду. А может тут что-то иное? С какой стати в это дело влез генерал? Звонили сверху? Странно и то, что все расследование носит неофициальный характер. Хотя для официального неплохо бы иметь труп или еще что-то в этом духе, а тут ноль! Пустышка! Дурик! Даже уголовного дела не возбудишь. Почему именно ему достаются подобные дела? Неофициальные... Конфиденциальные... Легко говорить:„Я вами не доволен'', а сколько прошло времени? День-два... Это не срок для расследования! Тем более для такого.

Около кабинета его ждал неизвестный, чем-то похожий на художника. Может быть такое впечатление создавала разлапистая борода, рассыпавшаяся поверх свитера.

— Иосиф Петрович? — без обиняков спросил он, делая шаг навстречу.

Вашко распахнул дверь, пропустил посетителя вперед.

— Меня прислал Виктор Петрович, — произнес незнакомец и, Вашко сразу же вспомнил холеного «дипломата». — Он сказал, что это может вас заинтересовать.

— Что именно?

— Дело в том, что я разговаривал с Тушковым в последний день. Я работаю в МИДе! Моя фамилия Панчин, — наконец представился он. — Егор Силыч.

— Очень любопытно, — оживился Вашко. — Давно вы с ним знакомы?

— Лет семь, наверно. Может, немного больше. Нет, около семи...

— Достаточно близко?

— Я бы не сказал... Я работаю на скромной должности в другом отделе. Раньше служил в армии, полковник в отставке, но... — он сделал паузу и тяжело вздохнул, — попал под сокращение по состоянию здоровья и пришел на работу в МИД, вот тогда и повстречались. Связывали нас шахматы. Он классно играл — по первому разряду, не меньше. Заскочишь, бывало, к нему в обеденный перерыв или в конце работы — если не торопится и дел нет особых, то партейку-другую сыграть удавалось.

— В пятницу тоже играли?

— Нет, не удалось.

— Почему?

— Какой-то он был озабоченный. Вроде бы торопился.

Вашко подошел к шкафу, достал купленную утром бутылку молока, перочинным ножом открыл пробку, посмотрел на Панчина:

— Хотите? — Тот отказался, боднув головой воздух.

— В чем выражалась озабоченность?

Панчин неопределенно пожал плечами — под грубо вязаным свитером буграми заходили мышцы.

— Грустный он какой-то был... Задумчивый. Словно что-то его тяготило. И еще, — Панчин посмотрел в окно, пышная борода задралась вверх, — может, это не очень интересно, я не знаю, но он куда-то торопился. Человек, который то и дело посматривает на часы, всегда торопится. Я к нему пришел без четверти час — это как раз в конце обеденного перерыва, и времени остается минут двадцать на одну «скороспелку». Шахматы я приношу с собой — у меня доска большая, играть удобно. Он посмотрел на меня и сказал: «Прости, Силыч, сегодня не до них. Давай отложим до понедельника». Но понедельника у нас уже не состоялось.

— Вы говорили о чем-нибудь во время игры?

— Ни о чем особенном... Знаете, как у доминошников — прибаутки, да подковырки: «Дуся, Дуся, я дуплюся!» Так и у нас — «Пешки не орешки!» «Шах вам и мат, товарищ автомат...» Ерундовина всякая в общем.

— Вы говорите, он был озабочен? А в предыдущие дни?

— Пожалуй, это началось у него со вторника... Когда играли, он против обыкновения больше помалкивал. А обычно говорлив был, чего греха таить — сделает неудачный ход, так и матюкнуться может. Не задержится! А тут, словно в воду опустили — редко слово услышишь, только глазами нет-нет да и посмотрит. А в них, я вам скажу, тоска! Большая тоска! — он сделал жест рукой. — Мне это сразу не понравилось.

— Пытались расспрашивать?

— Что вы! Это неудобно. У нас не принято лезть в чужие дела... Вот, если невзначай станешь свидетелем чужой беседы, тогда можно сделать кое-какие заключения. Но и так — все больше догадки... А в четверг мы засиделись до восьми вечера — мне потом дома влепила моя дочка по первое число — мол, долго работаю, про дом запамятовал.

— И к нему в это время кто-то зашел?

— Почему вы так подумали? — собеседник пристально посмотрел на Вашко. — Никто не приходил, был лишь звонок по телефону... Странный, я вам скажу, звонок!

— Чем странный?

— Он снял трубку не сразу, а, наверно, после третьего или четвертого гудка. Сперва смотрел на него подозрительно, на телефон, я хотел сказать... С опаской, что ли.

— Он как-нибудь называл собеседника?

— Нет. Он вообще разговаривал довольно односложно: «Да... Нет...»

— Отчего же разговор показался странным?

— Речь, очевидно, шла о деньгах. Мне показалось, о не малых. Вы знаете, что он продал машину?

— Машину? — переспросил Вашко. — Нет, не знаю... А что за машина?

— У него были «Жигули». Не новые. Я даже не скажу, какой марки — но не самые последние. Синие, с круглыми фарами — такие выпускали с самого начала. Одна из первых моделей. Мне несколько раз приходилось ездить с Тушковым. Когда заигрывались по вечерам, он подбрасывал меня до центра. Не думаю, что он выручил за нее много, но при нынешних ценах... Тысяч восемь, думаю, мог взять... Так вот, в разговоре, мне показалось, с него требовали деньги. Он разволновался и сказал: «Идите вы к черту! Я с огромным удовольствием швырну их в вашу поганую физиономию».

— Так и сказал — поганую? А цифру не называл?

— Нет. Только потом, уже после разговора, записал на календаре — я видел — пятнадцать и три нолика...

— Странно, этого листка в календаре нет... Если предположить, что восемь, как вы сказали, у него выходило за машину, то нужно было собрать еще, как минимум семь. Немалая сумма. У вас не просил?

Панчин замялся, видимо, размышляя над ответом.

— Полторы. Он просил полторы. Может, где еще хотел подзанять?

— Не знаете, у него были заначки?

— Не думаю. Он частенько сетовал на дороговизну, особенно бензина. Говорил, что еле сводит концы с концами.

— А вы не знаете, как он проводил свободное время?

— Сами посудите, какая может быть жизнь у пожилого, одинокого мужчины. Пить он не пил, а чему посвящал досуг — не знаю. Меня домой к себе не приглашал. Я его к себе частенько звал — поиграть. Отнекивался. Говорил, неудобно.

— Когда он вам обещал вернуть долг?

— В течение полугода. Потихоньку из зарплаты.

— Для кого ему могла потребоваться такая сумма? Может, кто-то угрожал ему? Вам он не говорил о страхе? Преследованиях?

— Нет! Тут что-то иное, мне кажется, это, наверно, как-то связано с тем, что произошло.

Теперь у Вашко оставалось куда меньше сомнений — дело действительно приобретало криминальный оборот. Речь шла о деньгах и, похоже, не малых. По своему опыту Вашко знал — там, где деньги, нужно искать криминал. Ни «дипломат», ни генерал, похоже, не ошиблись — ошибался он, Вашко, и это вызывало внутреннее неудовольствие.

Остальной разговор с Панчиным не принес ничего интересного: по сути дела он толком ничего не знал. Но информация про звонок заслуживала внимания.

Установить факт продажи машины и фамилию нового обладателя ничего не стоило. Найти время и встретиться с этим человеком, хоть и несколько труднее, но вполне доступно.

Через несколько часов Вашко уже шел вдоль длинной цепочки гаражей с разноцветными воротами. Бокс под номером двадцать шесть стоял с настежь распахнутыми дверьми, и тем не менее в нем было теплее, чем на улице. Из монтажной ямы под машиной доносилось легкое постукивание инструмента.

Согнувшись в поясе, Вашко заглянул вниз:

— Бог в помощь! Может, покурим! — Из ямы показался молодой парень. Его клетчатая рубаха с темным масляным пятном на груди как нельзя лучше подходила к скуластому смуглому лицу и делала его похожим на прожженного зноем ковбоя.

— Чего тебе? — без скидки на возраст спросил парень.

— Не холодно в рубашке? — начал Вашко.

— Нормально! У меня здесь гараж с удобствами — даже батареями отапливается, — дружелюбно ответил парень.

— Хороша машина! Я бы купил такую... Сколько отдал, если не секрет? Выглядит, как новенькая. Пробег большой?

— Не очень большой! Сколько запросили, столько и отдал! Отчего такой интерес?

Вашко вынул из кармана удостоверение.

— Зови меня Иосифом Петровичем.

Молодой человек принялся тщательно вытирать запачканные руки какой-то грязной тряпицей.

— А что, собственно говоря, произошло? Чем обязан?

Вашко несильно прихлопнул ладонью по капоту:

— Ей и обязан!

— Так все по закону... — он опасливо повел в сторону Вашко глазами, и тотчас отвел взгляд в сторону.

— Сколько отдал? Как нашел продавца?

— А вы у него спросите, — без былого дружелюбия заметил он.

— Мог бы спросить — не торчал бы здесь, — буркнул Вашко.

— А что со стариком? Причем здесь цена машины?

— Причем? Притом! — слегка огрызнулся Вашко.

— Его трахнули? Когда? Где?

— С чего ты взял?

— Так вы сами говорили, что у него уже нельзя спросить.

— Сколько отдал?

— Семь — так, и полторы — сверху...

— Восемь с половиной! — Вашко изумленно провел рукой по крыше — машина явно не тянула на такую сумму.

— Много? — обозлился парень. — А вы сходите в Южный порт. А на нее не смотрите. Она хоть и невзрачная, да пробег всего ничего. Мало старикан на ней накатал.

Вашко обошел автомобиль вокруг. Под ботинками звякали разложенные на бетонном полу ключи, в углу за спиной парня громоздились кругляши вонючих резиновых покрышек.

— Как познакомился со стариком? Вместе работали?

— Ни боже мой! Хотя когда-то и мечтал о чем-нибудь этаком — поездки за «бугор» и тэ дэ. Я — невыездной. Столько дал подписок, что и самому не сосчитать.

— Режимное предприятие?

Парень смешливо повел глазами и демонстративно приложил палец к губам — чувствовалось, что на эту тему ему давно надоело говорить.

— Знал бы хоть одну тайну. А то теряюсь в догадках.

— Чем занимаетесь? Об этом можно?

— Биотехнологиями. Понятно? Ну, там всякие птички, бабочки...

— А... — разочарованно протянул Вашко. — Итак, о старике!

— А чего про него гутарить? Нас свели у магазина. Я там крутился пару недель, но подобрать машину не мог — если по деньгам, то барахло, а если мало-мальски приличная, то не скопить ни в жизнь. Но примелькался, кое с кем познакомился. Пришлось дать одному ханыге — свел с продавцом: в его силах придержать машину, если она более или менее годится в дело. А тут этот деятель позвонил и говорит: «Приезжай, один чайник толкает по твоему кошельку! Вложишь еще кусок — будет новье!»

— Старик был там? Его вызвали?

— Не знаю, как они там договаривались, но он стоял рядом. Машина была не на площадке, а уже под навесом. Рядом всякие там «пежо» и «линкольны» — цены астрономические, а этот лимузин, — он похлопал ладонью по капоту, — притерся к ним как бедный родственник, но и от лишних глаз спрятался. Завелся с полоборота, клапана чуток постукивали, ремень подвывал, но это копейки...

— То есть вы до этого момента старика не знали?

— Я же сказал — нет. Впервые видел! Мамой клянусь! Я когда ринулся посмотреть машину, сами знаете — удержу нет, так рыжий и позвал стоявшего у стенки мужика и говорит: «Ключи у вас?» Тот отвечает: «Сдал в контору при оформлении». А он руку тянет: «Запасные! Должен быть еще комплект». Тот достал — ими и открыли. Вот и все знакомство!

Вашко протянул руку к стене, снял с гвоздя какую-то хламиду, похожую на старый, видавший виды плащ и, отстранив в сторону хозяина гаража, бросил тряпку поверх покрышек и сел.

— Вы не заметили странностей? Он был в себе?

Парень замялся и пожал плечами:

— Странностей? Черт его знает... Сами понимаете — мое дело было с покупкой не пролететь. А старик что... Такой же, как все — может, чудной малость, все приговаривал: «Хорошая! Хорошая. Я на ней и не ездил почти...» И еще о чем-то бурчал, но я как-то не прислушивался. У меня своих мыслей до хрена и больше. Боялся, что надуют.

— Ну и как? Не надули?

— Она-то? Да-к, в норме, можно сказать. Не лучше и не хуже! Как и другие четырех-пятилетки. Там подмазать, там заменить. А вообще-то жаловаться грех. Бегает! Да, вот еще, — он почесал бровь. — Может, это не имеет отношения к делу, но... Хотя, как сказать.

— Смелее, мне все интересно.

— Волновался он сильно! Похоже, ему очень надо было продать ее, ну, просто обязательно. Я даже немного запсиховал — думал, не ворованную ли толкает! Потом до смерти не отмоешься, — произнеся о смерти, он неожиданно осекся. — А что со стариком? В самом деле того-этого? А?

— Жив! — ответил Вашко. — Но для него, похоже, лучшим исходом была бы смерть...

— Не понимаю, — тряхнул головой парень. — Что с ним?

— Не в себе маленько. Заговаривается чуток и плохо помнит отдельные моменты.

Парень внимательно слушал, склонив по-птичьи голову к плечу.

— Хорошо осмотрел машину? Ничего не осталось любопытного?

— Например, чего? — напрягся автолюбитель. — Что вы имеете в виду?

— Записей каких-нибудь. Конверт, может, какой под сиденьем завалялся. А?

Парень оценивающе посмотрел на Вашко. Иосиф Петрович так и не понял, что значило появившееся у собеседника ускользающее выражение глаз, век, приподнятых бровей — ему почудилось во всем это нечто новое, странное.

— Я еще не дошел до салона. — Движения парня стали резкими, порывистыми, он слегка приоткрыл дверь и тотчас с огромной силой захлопнул, полностью преградив дорогу внутрь, в салон. — Пока ходовой занимаюсь, грязь туда не таскаю. Обивки не купить, сидений нет. Если найду что-либо интересное — я вам позвоню.

Вашко поднялся с покрышек и медленно пошел к выходу. Взгляд бродил по салону машины. Лежавшая на заднем сиденье автомобиля куртка привлекла внимание — она, как показалось, Вашко, вела себя как живая: ходила ходуном, вздымались и опускались ее края, шевелились рукава.

«Интересно, — подумал Вашко. — Чего это с ней? Разве что пришла в неожиданную ярость от стука дверцы?» Парень тоже смотрел на куртку, но в его взгляде сквозила настороженность и опаска: заметил или нет? Вашко сделал вид, что ничего не заметил, и вышел на улицу. Удивляла и та поспешность, с которой водитель захлопнул дверцу. Что-то за этим крылось... Может, он для своих опытов подбирает на улице бездомных котят или щенков? Разберемся, придет время. А вот с продавцом, похоже, интересная картинка получается! Надо будет звякнуть в ОБХСС Бахматьеву — пусть этого «рыжего» подготовят к разговору. Может, и для своей службы смогут накопать чего. Хотя трудновато доказать будет, почти невозможно. Комиссионные? А свидетелей нет! Кто признается? Один боится потерять купленное авто, а второй лишиться денег. Дураков рисковать нет! Не сдадут его! Значит, надо расколоть самого! Эх, незадача.

На душе было тяжело. Вашко угнетала мысль, что он, болтаясь по городу, теряя время, ни на шаг не приблизился к разгадке. Тяготила и погода — мелкий нудный осенний дождик, сыпавший с неба промозглую морось. С трудом добравшись до Управления, Вашко долго, борясь с одышкой, шел по лестницам. С облегчением сбросив отсыревший плащ, Вашко подошел к батарее и долго грел озябшие руки.

— Шеф, есть новости! — как всегда довольно бесцеремонно ввалился в кабинет Лапочкин.

— Валяй! — не оборачиваясь и довольно вяло согласился Вашко. Ему было не по себе.

— Помните «пальчик» с телефонной трубки? Ну тот, что снимали ночью у Котельнической.

Вашко обернулся: «Ну! Скорее! Чего тянешь?»

— В коридоре сидит его обладатель... — веснушчатая физиономия лоснилась от самодовольства.

От былого недомогания не осталось и следа.

6. ПОТРЕБНОСТЬ ПОКАЯТЬСЯ

— Как ты его нашел? — этот вопрос Вашко задал, уже обессиленно плюхнувшись в любимое, чуть поскрипывающее старомодное кожаное кресло. — Судимый? Числился по картотеке?

— Вы, шеф, как всегда, прозорливы, — Лапочкин произнес подхалимскую тираду, удобно расположившись на подоконнике. — Проверял, честно говоря, больше для порядка, он «проходил» еще по пятьдесят четвертому году, но совсем по другим картотекам...

— Хм... Ну и усердие! Глубоко копнул, хвалю. И какой у него, сынок, окрас? Жулик? Вор? Или...

Лапочкин соскочил с подоконника.

— Тут такое дело — не знаю, с чего начать. Он, понимаете, Иосиф Петрович... Не знаю, как сказать...

— Чего мямлишь! — вспылил Вашко.

— Пусть сам говорит! — Евгений выпрямился и выразительно посмотрел на дверь. — Но, предупреждаю, хлопот с ним не оберетесь, право слово.

Вашко рывком поднялся с кресла и настежь распахнул дверь. У противоположной стены стоял сгорбленный плешивый старикан, годящийся самому Вашко, если не в отцы, то в старшие братья. Одет он был аккуратно, но бедно. Темно-синий твид мешковато висел на худых плечах. На лацкане темнели пятна невыгоревшей материи. Похоже, раньше там были привинчены какие-то значки или ордена.

Взаимное рассматривание продолжалось долго.

Кивком Вашко пригласил старика войти в кабинет. Тот, вихляя и горбясь, прошел мимо Вашко, обдав его запахом немытого тела. Старик явно чувствовал себя по-хозяйски. Неспешно расположившись на стуле, он извлек из кармана огромный платок, размером с простыню и звучно высморкался. В носу у него что-то хрипело и булькало. Вашко обменялся с Лапочкиным взглядами. Во взгляде Вашко без труда читалось: «Откуда ты взял этого мозгляка?» Лапочкин, понявший этот вопрос по-своему, хмыкнул и спрятал улыбку в кулак. Неспешно осмотревшись, старик тонко потянул носом воздух и затих, уставившись на Иосифа Петровича.

— Курите? — коротко спросил Вашко, вновь усаживаясь в кресло.

— И вам, сынок, не рекомендую, — голос старика оказался тем же, что и тогда в телефоне. — Да и табак, честно говоря, дрянь... Вот раньше — турецкий «Самсун»! Это да! Хотя ума хватило и его не употреблять. Ладно, — швыркнул он в очередной раз ноздреватым носом. — Чем могу быть полезен?

Разговаривая, он поглядывал куда-то выше Вашко. Вдруг он задрал вверх корявый палец с длинным, на удивление холеным ногтем.

— Портрет!

— Что портрет? — неожиданно для себя сорвавшимся голосом спросил Вашко.

— Криво висит! В наше время это грозило...

Вашко оглянулся — портрет и в самом деле заметно косил.

— Как вас зовут?

— Эль Петрович Бачко! — он высоко поднял голову — тонкая шея горделиво напряглась и на ней проступила тонкая пульсирующая жилка. — Бачко!

— Хорошо, Эль Петрович. Не считаю необходимым водить вас вокруг да около. Что вас связывало с Тушковым? Вы были знакомы?

Казалось, вопрос не произвел на старика абсолютно никакого действия. Можно было предположить, что он странным образом оглох сразу и навсегда.

— Коммунист с девятнадцатого! — неожиданно произнес он. — Служил! Майор эмгэбэ... Работал при всех наркомах. Вопросы есть?

Вашко с укоризной посмотрел на простодушно ухмыляющегося Лапочкина: вот это хамство — мог бы и предупредить заранее, а не мямлить всякую чепуховину.

— Стало быть, коллеги... — задумчиво выдавил Вашко. — Что ж, неплохо, а Тушкова-то откуда знаете?

— Буду жаловаться, — спокойно, не торопясь произнес Бачко. — На беседу со мной вам надо получить санкцию от руководства.

— Так! — привставая со стула и медленно наливаясь яростью, рявкнул Вашко. — Документы есть? Чем докажете, что вы действительно тот, за кого себя выдаете? Пиджак с дырками я тоже могу взять у знакомых. Документы!

Старик не шелохнулся, не изменился в лице, но словно окаменел.

— Капитан Лапочкин, откуда его дактилокарта в наших учетах? — подчеркнуто спокойно и официально спросил Вашко.

— С Тушковым я дружил, — торопясь и сбиваясь произнес старик и протянул Вашко свое обтрепанное пенсионное удостоверение. — Иван Дмитриевич прекрасно, знаете ли, играл в шахматы.

— Где познакомились?

— В Бутырях, в сорок восьмом.

— Как он оказался в тюрьме?

— Как и все... — поморщился от непонятливости собеседника старик. — На него была информация.

— Какая?

— Нехорошая. Что еще хотите узнать?

— Где играли? Кто был? О чем говорили? Когда виделись в последний раз?

— Играем давно. Не часто. Раз, может, два в месяц. Чаще у него дома. Одни. Раньше присутствовали жена или дочка. Последние лет восемь никого.

— Кто к нему ходит? Что он рассказывал о семье? Что о работе?

— Не могу ручаться, думаю, кроме меня, никого. Ничего не рассказывал — в этом нет необходимости. Шахматы, кроме того, тишину любят. Что еще? Дочка ему неродная... Больше ничего не знаю.

Вашко вздохнул, расслабил узел галстука и с облегчением откинулся на спинку кресла:

— Давно бы так, Эль Петрович. Я же вас не спрашиваю про Бутырку — это не так сложно узнать из архива, а вот про его последние дни — прошу. И как можно подробнее. Предупреждаю — это в ваших интересах!

— Что с ним? Что-то серьезное? — водянистые глазки старика, очевидно когда-то бывшие небесно-голубыми, васильковыми глядели пристально на Вашко. — Его что, убили?

Вашко поморщился.

— Слишком, знаете ли... Жив он, жив! Скажите, что-то было в последнее время в его жизни не так, как раньше?

Старик пожал согбенными плечами:

— Пожалуй, сильно нервничал. Сетовал на дороговизну...

— Занимать не пробовал?

— По мелочи — трешку, пятерку.

— А более крупные суммы — сотни, тысячи?

— Извините, не понимаю...

— Что не понимаете?

— Откуда у него столько? Зачем? Хотя... Кажется, он говорил, что машину надо продать. Но я пропустил это мимо ушей. Да, у него знаете, в последний раз облигации на столе лежали, резиночкой перетянутые. Это видел.

Бачко повел плечами и уставился на Вашко.

— А картотекой зря пугаете, гражданин нынешний начальник. Мы там все числимся — и правые, и неправые. Это у вас, нынешних, бардак в учетах, а у нас такой корниловщины не позволялось!

— Почему «корниловщины»? — опешил Вашко.

— ...и контрреволюции! — горделиво добавил старик, поднимаясь со стула. — Где ваше руководство? Я буду беседовать с ним. Генерал здесь?

Лапочкин за его спиной строил рожи и отчаянно крутил пальцем у виска.

— Проводи его, — вдруг согласился Вашко. — Пусть беседует! — Он распахнул перед стариком дверь и, дождавшись его ухода, с наслаждением закурил сигарету. Подойдя к окну, он вглядывался в темень, смотрел на милиционера на перекрестке, закутанного в длинную накидку и мечтающего, наверно, о теплой комнате и стакане чая.

— Шеф, он его принял! — обескураженно выпалил с порога Лапочкин. — Сидят, как друзья детства, мило беседуют. Я боюсь, шеф, что генерал его отпустит, минуя нас. Ищи потом ветра в поле — хлопот не оберешься. Смыться может. Он же не все говорит. Темный, паразит...

— А это видел? — Вашко помахал в воздухе книжечкой пенсионного удостоверения.

— Отлично! У меня, честно говоря, наберется к нему еще несколько вопросов.

— Каких? — Вашко с любопытством посмотрел в простоватое лицо Евгения.

— Касающихся задержания Тушкова в те годы. Почему после всего произошедшего у них получилась дружба? Он что, следователем был таким дружелюбным или какой иной интерес? Странно все это.

— Странно, странно, — ворчливо заметил Вашко. — Не было у него на Тушкова доброй информации, вот и все дела. В те годы стряпали быстро, но долго пекли — требовалось признание. Это легко проверить не со слов. Поднимем в архиве папочку, если сохранилась, и узнаем. Кстати, иногда бывает интересно порыться в пыли.

— Вы не подбивали «бабки»?

— Что имеешь в виду? — Вашко размял окурок в пепельнице и снова принялся ходить по кабинету из угла в угол.

— Не идет, понимаете, у меня из головы его реакция на портрет дочери. Дурак — дурак, а для чего-то он запрятал его под ковер. Еще землей присыпал.

— Бред, не поддающийся анализу! — веско отрезал Вашко. — Это, клянусь, никуда не приведет. Лучше давай подумаем — для чего ему срочно потребовались деньги? Продал машину, сдал облигации.

— А покупатель нашелся?

— А толку? Ни одной зацепки. ОБХСС роется в биографии продавца. Если чего накопают — позвонят.

— Они-то докопаются, — авторитетно подтвердил Лапочкин. — У них это отработано...

— Не сглазь! Давай подумаем о неотработанной версии — что мы знаем о дочке?

— Девичья фамилия как у приемного отца — раз, — Евгений загнул палец, — это проверено по домовой книге. Живет или... — он сделал паузу, вздохнул и резко сказал, — жила в Одессе. Место работы — вопрос. Образ жизни — вопрос. Связи — вопрос... интересы — не известны.

— Все? — Вашко пристально смотрел на подчиненного, разглаживая усы.

— Разрешите вылететь в командировку? — спросил Лапочкин совершенно серьезно. — Самое время отыскать ответы на месте.

— Торопыга! Не думаешь о руководстве — может, оно тоже хочет погреться на осеннем солнышке.

— Виноват, — скорчил физиономию Лапочкин. — Не подумал.

— Еще раз свяжись с одесситами — что они накопали? Потом будем решать и этот вопрос. Договорились? — Вашко сел в кресло, сунул руку под пиджак и долго массировал грудь. — На тебя не действует эта мерзкая погода? Слякоть, дождь? Счастливый. Мне бы твои годы. Эх!

8 Зак. 4403 Н. Александров

Звонок телефона оказался неожиданным. Вашко бережно взял трубку и взгляд его постепенно мрачнел. Ничего не понимающий Лапочкин приблизился к столу, пытаясь услышать разговор.

— Так, так... А когда? Понятно... Ничего нельзя было сделать? Ага. Кому приятно получать такие сведения? — Вашко продолжал слушать, низко склонив голову. — Диагноз уже ясен? Понятно. Кто присутствовал? Та же самая, что и в тот день... Пусть задержится и не уходит домой — у меня к ней разговор. Еще кто? С вами тоже... До встречи!

Вашко положил трубку на аппарат и, нервничая, начал искать в кармане сигареты, но не нашел — они лежали на столе. Обнаружив пропажу, Иосиф Петрович непривычно подрагивающими пальцами схватил сразу две, одну из них сломал, а ту, что осталась целой, сунул в рот не тем концом. Обнаружив это лишь с помощью Евгения, он чертыхнулся и, затянувшись с жадностью и нетерпением, выдохнул густое облако дыма.

— На сборы пять минут! Одевайся... Час назад умер Тушков. Никто к нему не приходил, никто не спрашивал, а он тихо и спокойно... — Вашко щелкнул пальцами.

Лапочкин сразу поднялся.

— Теперь не открутиться — дело возбуждать надо! Кончилась эпоха конфиденциальности.

По дороге в больницу Лапочкина волновало, как поведет себя старик, «забытый» в здании управления. Но Вашко реагировал на это спокойно: «Одной жалобой больше — одной меньше!» Изменившиеся обстоятельства давали ему основания для подобного спокойствия. В конце концов подождет, поболтается в коридоре. Разговор не может закончиться лишь его претензиями — у Вашко их было ничуть не меньше, и теперь они становились куда более весомыми.

Протиснувшись сквозь толкавшихся в тесном проходе больных и посетителей, Вашко и Лапочкин снова вышли на улицу, обогнули дом и, войдя в морг, вскоре оказались в огромном зале, с оцинкованными корытообразными столами и белым кафелем на стенах. В нос бил противный запах формалина и тлена.

— Вы уже приехали? — долговязый врач нервно теребил бородку, поглядывая то на оперативников, то на стол, где лежал теперь уже безучастный ко всему происходившему тот, кто раньше был Тушковым. — Ждем вас. Можно начинать?

— Да. Можно сесть? — спросил Вашко, указывая на табуретку у стены.

Врач кивнул и, тотчас забыв об их присутствии, начал отдавать распоряжения помощникам.

Сбоку от Вашко за пишущей машинкой расположилась машинистка, которую Иосиф Петрович окрестил для себя «интересная дивчина», и по-другому уже величать ее не собирался. Он плохо соображал, не вслушивался в то, что диктовали ей, медицинские термины не вызывали особого интереса. Лапочкин, наоборот, как мог, приблизился к столу и из-за спины медиков с интересом наблюдал за происходящим.

Время летело и Вашко его не замечал. Могло показаться, что прошло совсем немного времени, но часы отчего-то показывали гораздо больше — стало быть, они находились здесь никак не меньше двух часов.

— Мариночка, отчеркните последнюю строчку и напишите «Заключение», — долетел от стола голос врача.

«Интересная дивчина» отозвалась стрекотом машинки. Вашко обратился в слух, но понял немного — опять латынь, опять невнятный говорок от стола. Минутная стрелка совершила еще четверть оборота на циферблате, и все столпились у рукомойников, сдирая с рук резиновые перчатки. Лапочкин от стола не отошел, а словно бы вглядывался в восковое, заострившееся лицо покойника, будто пытался выведать некую тайну. Смерть сгладила черты, стерла бессмысленность взгляда, внесла в облик спокойствие и умиротворение.

— Извините, а что это такое? — раздался от стола все такой же спокойный и заинтересованный голос Евгения. Врач нехотя обернулся в сторону стола, продолжая намыливать руки:

— Вас интересуют эти точки на ноге? Чуть выше щиколоток? Они внесены в протокол, но происхождение их неизвестно. Скорее всего, прижизненные царапины — механизм обычен: гвоздь, шипы на кустах. Насколько мне известно, он мог побывать за последние дни во многих местах?

— Причины смерти? — поставил вопрос ребром Вашко, вставая с осточертевшего жесткого табурета.

— Пока сказать трудно. Похоже, сотрясение мозга. То есть та самая первая травма. Хотя... Будем думать! Внутренние органы в норме. Аномальных изменений нет. Разве, что легкие? Есть незначительный отек. Отчего? Пока не знаю, — он покачал головой, — сомневаюсь, чтобы это было основной причиной.

— А что с головой?

— Видимых изменений нет. Небольшое кровоизлияние. Но, не думаю. И болезней нет! Все вполне характерно для его возраста. В общем, трудный случай.

— А точки? — опять спросил Лапочкин. — Смотрите: они запеклись багровыми корочками... Видите? И синеватые круги...

Врач нехотя приблизился к столу и посмотрел на левую ногу трупа. — Мда-а-а... Если настаиваете, то можно сделать вытяжку, но, поверьте, это скорее всего ничего не даст. Как у вас говорится? «Ложный ход»? Царапины как царапины, и не более того. Вот причины отека легких, — он погрозил Лапочкину пальцем, — это серьезно. Более чем! Подобный механизм может возникнуть при асфиксии, удушении, но никаких следов на шее нет.

— А если подушка? Кляп? Кусок тряпки? — Лапочкин проявлял удивительную настойчивость.

— Может быть, может быть... — с сомнением произнес врач. — Образцы мы изъяли — через некоторое время сообщим выводы. Хотя... — его сомнениям не было предела. — Все это странно — дело шло к физическому выздоровлению. Психическое — вопрос более сложный.

— Можно ознакомиться с его лечебной картой? — Вашко подошел вплотную к врачу. — Вы не допускаете, доктор, что ошибка кроется в какой-нибудь ерунде, например, укол сделан небрежно или ввели не то лекарство?

— Исключено! — сарказму врача не было предела, улыбались и остальные медики. — Мы сохранили не только записи, но и все ампулы. Они расписаны по датам и опечатаны. Заключение от нейтральных экспертов, если возникнет необходимость, можете получить по соответствующему запросу.

Дождь по-прежнему сыпал с небес нудную водяную взвесь. Вашко, по привычке, закинув голову, долго смотрел в ночное небо, стараясь отдышаться. Ему хотелось выдавить из легких густой запах формалина. Темные, еле заметные, похожие на поганки облака медленно перемещались, смешиваясь и сталкиваясь с такой же серо-синей гадостью.

— Может, перекусим? — голос Лапочкина раздался совсем рядом. — Еще неизвестно, сколько придется просидеть с дедулей...

Вашко вспомнил про оставленного в управлении старика и поежился — он для него был не намного приятнее сыпавших водяные споры облаков-поганок. Есть не хотелось, но вот выпить сейчас было бы очень кстати. В кафешке, куда его затащил Лапочкин, царил полумрак и играла музыка. Евгения здесь знали и не только сразу пустили, но и сразу обслужили. Вашко безучастно смотрел, как Евгений что-то заказывал полнотелому официанту, не заглядывая в меню, видел, как тот с пониманием кивал.

— Закажи грамм сто чего-нибудь крепкого.

Янтарная крепость коньяка обожгла нёбо и как будто прогнала ненавистный формалин.

— Чего заказал из еды?

— Баранину в горшочках с красным перцем.

— Спасибо, сынок, — заметно повеселел Вашко. — Это как раз то, что нужно. Гадость, скажу я тебе, эти морги! А ты молодец — царапины узрел.

— Чего уж... Тоже мне эскулапы — режут и не видят. Не нравятся мне эти ссадины... — он взял вилку в руки. — Представьте себе — вот средних зубцов нет, а крайние остались. Как будто ими ткнули.

— А давность? Раньше-то их не было!

— То-то и оно. Заметили, они немножно затянулись кровавыми корочками, а вокруг синеватая припухлость?.. Да вы ешьте, ешьте. Баранину надо горячей есть!

Вашко разлил коньяк по рюмкам:

— Помянем! — коротко бросил он и, не чокаясь, залпом опрокинул рюмку.

...В Управлении от былого недомогания Вашко не осталось и следа. Более того, он готов был беседовать со старичком хоть до утра. Тот понуро сидел у дверей вашковского кабинета, теребя фалду пиджака.

— Прошу, — радушно распахнул дверь Вашко. — Располагайтесь. Мне кажется, у вас возникла потребность покаяться.

Старичок осторожно втянул острым носом воздух и подозрительно поглядел на Вашко:

— Хорошо живете...

— И вам нальем. — Вашко сделал знак Лапочкину. Тот открыл шкаф и извлек плоскую стеклянную флажку коньяка, хранимого «на всякий случай» — от случайной простуды или для приема неожиданно нагрянувших гостей.

— Время уже не рабочее, уважаемый Эль Петрович, и никто не запретит помянуть общего знакомого. Царствие ему небесное! — глаза Вашко уперлись в потолок. — Может, там ему будет лучше.

Бачко бережно взял рюмку и долго смотрел ее на просвет.

— Позвольте спросить, уважаемый, что с ним сталось?

— С кем? — переспросил Вашко.

— Ну, с нашим «общим знакомым»?

— Почил, папаша, как говорится, в бозе...

Старик ухмыльнулся и повел головой.

— Что генерал? Понравился? — поинтересовался Вашко.

— Общих знакомых, к сожалению, не обнаружил.

— Тогда придется продолжить беседу... Ну, будем живы! — Вашко отпил крохотный глоток, а старик залпом опрокинул рюмку и крякнул. Вашко подмигнул Лапочкину — все идет как заведено: не пройдет и десяти минут, как он разговорится.

— Лимончиком, лимончиком закусывайте, — предупредительно пододвинул лимон Лапочкин.

Щеки старика загорелись склеротическим румянцем, на устах заблуждала скользкая, то появляющаяся, то тающая улыбка и он приступил к воспоминаниям — о жалобах он не вспоминал, и вообще ему все больше казалось, что вернулась молодость и он снова в родных стенах НКВД, и стало быть нечего таиться от друзей. Он почти в одиночку «уговорил» весь коньяк, и когда в начале одиннадцатого его решили отвезти домой, все никак не хотел выходить из машины, намереваясь вытащить из автомобиля провожающих с целью продолжить пиршество у него в гостях.

— Подведем итоги, — предложил Вашко сразу же, как только отъехали от дома, у подъезда которого, приплясывая, помахивал платочком Бачко. — Тушков тогда попал к нему по ложному навету в пособничестве кому-то и за что-то... Улик против него практически не было. Показаний он не дал. С Бачко сдружился. Все сыграло, да плюс к этому, за него, похоже, попросили из наркомата... Уважили!

— Да и амнистия, видать, подоспела.

— Ладно, старина, все это чепуха. Интересно другое — с дочкой-то у Тушкова неладно было.

— А фотография на телевизоре?

— Во! Главное! — Вашко сделал знак пальцем. — Он к ней всей душой, а она к нему нет.

— Ехать надо, Иосиф Петрович, — сказал Лапочкин. — В Одессе многое может проясниться.

— Завтра решим! — сказал, как отрезал, Вашко. — Спать хочу, сил нет. Давай решим завтра.

7. РАСПОРЯДИТЕЛЬ ДЕФИЦИТА

Главное, что беспокоило Вашко с самого пробуждения и весь день и чего он долго не мог понять, где он находится: среди честных людей, которым нечего скрывать и которые от души стараются разложить перед ним все карты, или же среди хитрецов с нечистой совестью, которые изо всех сил стараются обвести старого опера вокруг пальца, наврать с три короба, отмахнуться от него, проклиная тот самый день, когда судьба свела их с этим въедливым и нудным сыщиком.

От помощи ОБХСС он отказался, дежурную машину не заказал и долго трясся сначала на метро, а потом в автобусе до автомагазина, расположенного на окраине. Угадать дорогу к нему не представляло особого труда: за квартал выстроились у обочин всевозможные машины: мужчины группами и поодиночке шли в одном направлении, вытаптывая газоны, подминая чахлую траву. Торжище раскинулось перед огромным стеклянным сооружением, и разобраться во всех этих людских ручейках, обтекающих то одну, то другую, видимо, приготовленную к продаже машину, новичку было трудно.

«Ну и вертеп!» — решил про себя совершенно ошалевший Вашко.

— Эта вся площадка или еще где есть? — взял он осторожно за рукав мужчину примерно одного с ним возраста.

— Продаете или покупаете? — сразу отреагировал он.

— Присматриваюсь пока...

— А... — разочарованно протянул тот, окидывая Вашко пренебрежительным взглядом, и отошел в сторону.

— Есть хороший вариантец, — нашелся тотчас другой собеседник. — Пробег тыщ тридцать, ей бо... «Жигуленок» гаражный! Дефицитная тринашка — за девять сторгуемся...

Вашко не был готов к такому повороту дела.

— Дороговато... — нейтрально заметил он.

Мужчина пожал плечами и отвернулся.

Странно, но никакими настоящими продавцами на этой площадке, похоже, и не пахло. Побродив с полчаса у магазина, Вашко обнаружил неприглядную фанерную табличку, на которой было кривовато намалевано мелом: «Обезличка». Что это такое, Иосиф Петрович не знал и понял, лишь заглянув за пролом в заборе. Это, похоже, было именно то, что нужно. Контора располагалась за углом дощатого забора и угадать ее жилое состояние можно было лишь по легкому дымку, вьющемуся из трубы. За углом оказались распахнутые ворота.

По просторному двору, скучая, с ленцой передвигались редкие посетители — выбора не было: две-три ржавые, с пятнами краски малолитражки, один обгорелый остов от «Жигулей» да с десяток такого же старья, стоящего под навесом.

Около горелой машины стоял парень в болоньевой куртке. Вашко подошел и начал разглядывать кучу ржавого металлолома, из которого в разные стороны торчали горелые провода без изоляции, какие-то лохмотья пластмассы, кривобокие, странной конфигурации поскрипывающие от ветра железки.

— За один техпаспорт триста рублей ломят... — произнес молодой человек себе под нос. — А это сразу на свалку...

— Мда-а-а... — заметил Вашко, чтобы хоть как-то влезть в разговор.

— Сумасшедшее дело. Прицениваетесь? — он поднял голову и испытующе посмотрел на Вашко.

— Да как сказать... А кто ведает продажей?

— Да в конторе кто-нибудь, наверно, сидит... Чаи гоняют. Торговать-то нечем. Все самое интересное идет мимо них, — он мотнул головой в сторону забитой машинами площадки перед магазином.

За стеклянным барьером скучала полнотелая дама, лениво перебирающая какие-то бумаги.

— Скажите, могу я видеть Сухонцева? — несколько церемонно произнес Вашко.

— Там! — она мотнула стогом волос. — Дима, к тебе!

Не прошло и минуты как из дверей появился вяло двигающий челюстями парень лет тридцати, в джинсовом костюме.

— Ну? — заглотнул он бутерброд. — Кто ко мне?

— А вот дядечка! — отозвалась дама.

— От кого? — ожившие глазки пристально изучали Вашко и не могли припомнить, встречались они раньше или нет.

— От Бахматьева.

Дама оторопело уставилась на Вашко, а продавец, сменив маску безразличия, любезно распахнул дверь.

— Проходите! Если не ошибаюсь, Иосиф Петрович? Наслышан! Очень, очень приятно! Присаживайтесь... Вот кресло!

Вашко прошел в комнатку, в которой огнем калились спирали электрического обогревателя.

— Игорь Игоревич предупреждал о вашем приходе. Правда, не говорил о цели. Хотите что-нибудь подобрать? Мигом устроим, — он с готовностью принужденно рассмеялся. — Как говорится, запросы покупателей — наша задача! Удовлетворим всем самым изысканным вкусам. При скромных комиссионных — он суетился, гремел чашками, термосом и, наконец, перед Вашко возникла чашка, источающая кофейный аромат. — Не стесняйтесь — настоящий бразильский!

Кофеинчик не вытянут! С такой дозы трое суток как козочка — без усталости и сна! — он еще раз хохотнул.

— Говорит вам что-нибудь фамилия Ивана Дмитриевича Тушкова?

— Тушкова? Тушкова? — закатив глаза к потолку повторял Сухонцев. — Ничего... Продавец? Покупатель?

Вашко протянул ему предусмотрительно взятую фотографию. Сухонцев положил ее перед собой, разглаживая пальцем. Потом по-прежнему без слов, будто что-то припоминая, посмотрел в окно.

— Похожий, но вроде постарше был... Можно проверить по документам. Синий «жигуленок», пробег меньше пятидесяти тысяч, отличная резина и неотрегулированный трамблер. Да! — он сделал жест рукой. — В комплекте ключа не хватало — торцевика на тринадцать! — он не без гордости смотрел на Вашко.

— Ну и память у вас! — удивился оперативник.

— Профессиональная... — скромно произнес парень. — А вот, что касается фамилии, хорошо бы проверить — это не запечатлелось.

— Нет необходимости. Расскажите, как он появился? Как торговался? Все, что припомните. Память у вас — дай бог каждому.

— Что-то произошло? — по лицу продавца скользнул испуг. — Наша вина?

— Нет, — поморщился Вашко и сразу же поправился. — Речь не идет о виновности кого-либо. Все сильно запутано. Вы понимаете меня?

— Отлично, отлично понимаю, — с готовностью отозвался Сухонцев. — Мы всегда рады содействовать органам в их важной и нужной работе.

Вашко с любопытством посмотрел на него и ничего не сказал.

— Он не был похож на обычных продающих, — сбиваясь, начал продавец. — Какой-то торопливый, суетливый. Ему очень надо было избавиться от машины. Понимаете меня?

— Зачем? Как вы думаете?

— Не могу предположить... Сейчас все стараются вложить деньги во что-то, а он, наоборот, избавлялся от товара. Я даже подумал, не краденая ли? Но все было в полном порядке. Допускал и аварию... Вдруг кого задавил и хочет избавиться от улик. Потом сообразил, что есть лучшие способы — имитировать угон, к примеру. Или еще чего...

— Вот вы говорите, что в нем была заметна торопливость. Это с самого начала? Как он вообще появился здесь? Его кто-то привел?

— Никто его не приводил, — поспешно, даже слишком поспешно отреагировал на вопрос Вашко Сухонцев. — Он сам! Я как раз крутился под навесом — там один «чайник» приценивался к дипломатическому «мерсу», но я почуял праздное любопытство, и боялся, как бы чего не открутил, а тут этот... — он указал на фотоснимок. — Мнется, как водится, не знает, с чего начать. Ну и мне особого интереса нет. Он к Валентине... Ну, это та, что за стойкой в зале — вы видели. Она баба наметливая, машину еще у ворот приметила, подзывает: «Слышь, — говорит, — позавчера клиент как раз про такую намекал...» Я в записной книжке порылся — глянь, верно. В самую точку! Подхожу к старикану, как водится: «Чего желаете, папаша!» А он мне: «Продать надо!» А самому, видать, жаль тачку — сил нет... «Пойдем, — говорю, — посмотрим...» Посмотрел — машина в норме. Не девственница, конечно, но в полном порядке. Ну, ключ на тридцать... Мелочевка! Пробег, прямо скажем, детский. А он тут и спрашивает: «Как долго может продлиться эта процедура?» Он отчего-то подумал, что машина продается сперва магазину, а покупатель потом находится... Ну, пришлось просветить — говорю, недели за две-три, глядишь, и подыщем кого. Про этого, что на примете был, не говорю. А зачем, это не его в общем-то дело. Тут он меня и огорошил: «Я заплачу, только ты помоги уладить сегодня». Я чуть наземь не плюхнулся. «За день? — говорю. — Вы, папаша, не того?» А он на полном серьезе: «Может, и того, да за мной, приятель, не постоит — отблагодарю...» Ну, у нас к этому, сами понимаете строго. Пообещал, что посодействую, и позвонил тому, что ждал... Примчался, как миленький, ну и действительно сварганили за день. К вечеру поспели и в ГАИ, и, как говорится, на бензоколонку...

Вашко заметил, что Сухонцев тщательно обходит финансовые вопросы, и не стал расспрашивать — ему и так было абсолютно ясно — без крупных «подмазок» здесь не обошлось.

— О чем еще говорили? Времени было достаточно.

— Да, минут сорок, пожалуй... Пока клиент добирался.

— Не спрашивали, что у него за срочность такая? — Вашко закурил, и Сухонцев, увидев дорогие сигареты с изображением верблюда, оценил этот факт по достоинству. В его голосе заметно прибавилось непоказного уважения.

— Спрашивал. Он однозначно ответил: дело, мол, житейское. Надо, говорит, родне помочь. А что за родня, из-за которой машину продавать надо, не сказал. Да и я не спрашивал. Какой мне интерес.

— Ясно! — Вашко огладил усы. — Проверили вы машину, что дальше?

— Во двор закатили... Он еще про цену поспрошал — дадут за нее семь тысяч или нет.

— Что ответили?

— Сказал, что по всем правилам тянет на пять, а дальше как договорится.

— С кем договорится?

— С покупателем... Это же обычное дело — по нашим расценкам пять, да с ним на две сверху и порядок. Так все делают.

— И вот приехал покупатель. Минут через сорок — я правильно понял?

— Ну да... Времени немного прошло. Коробку какую-то бросил у входа и к машине. Лазил, смотрел, чуть не на зуб пробовал. Потом они в угол отошли. Я не лез. Долго они промеж себя толковали. Старик все горячился, руками размахивал, а тот, видать, сопротивлялся. Потом хлопнули по рукам и пошли на оформление. Если надо, я документы подниму — точно цена там проставлена, но мне помнится пять шестьсот с копейками. Проверять будете?

— Ни к чему! Пять так пять... а потом?

— Потом они вместе сели и поехали со двора.

— Старик за рулем?

— Нет. За руль сел молодой.

— Старик сзади или спереди расположился?

— Рядом. Сзади коробку поставили. Берег, видать, ее очень.

— Что за коробка?

— Обычная, как от магнитофона, картонная. Не знаю, что у него... Тесемочкой перемотана — может, чего и было, но вроде легкая.

— Еще вопрос, — Вашко покрутил в руках сигаретную пачку. — Какими деньгами расплачивался?

— Прямо скажем, не крупные — больше десятки и двадцатипятирублевки, «полтинников» было мало.

— Из коробки доставал?

— Простите, не приметил...

— А расчет с ним, со стариком, был при вас?..

— Упаси бог... Это личные дела, я в этом не помощник. — Сухонцев отчаянно закрутил головой.

— Еще светло было?

— Как вам сказать... Пожалуй, часов семь с минутками. Фонари зажглись незадолго до этого. Пожалуй, так...

— И это был четверг?

— Придется все же лезть в бумаги. — Он вышел из комнаты и через минуту вернулся. Вашко понял, что у него все было готово заранее к этому разговору. — Пятница! Фактически говорю. Вот в приходном ордере все точно записано. Это документ!

— Ясно! — Вашко поднялся и подошел к окну — итоги подводить было рано: продажа прошла как обычно, клиент известен, о цене договорились.

— А как покупатель вышел на вас? Долго ему пришлось ждать вызова?

Продавец посмотрел на Вашко и принялся задумчиво теребить пальцами кончик носа.

— Недели три прошло... Если не поболе — сами видите: спрос есть, а с предложениями не густо. Я обычно на такие дела не подвязываюсь, а тут он уговорил — без машины, бормочет, в трубу вылечу. На работу ездить — нужна, на дачу — нужна, и так куча дел.

— Да-к это всем нужна. Не объяснение... Почему помочь-то вызвались? — Парень молчал. — Симпатия или еще что?

— Да как вам сказать... — продолжал мяться продавец. — Он будто бы в производстве секретном работает. Вроде имеет отношение к медицине восточной — тибетской или монгольской, не скажу, — так обещал мазь от радикулита достать. Мучает зараза! Сами знаете — весь день на холоде да слякоти поди побегай...

— Ну и?

— Надул, как водится.

— Так-таки и надул? — хитровато посмотрел на продавца Вашко. — Сколько деньжат-то за содействие обломилось?

— Копейки! На бутылку, в крайнем случае, на две.

— А что пьете-то?

— Что за вопрос? — из-под поросших жесткими белесыми бровями на оперативника смотрели не на шутку встревоженные глаза.

— Давайте посчитаем — по документам он заплатил пять шестьсот? Так? Так! А почему при личной встрече он назвал другую цифру?

— Брешет!

— Пока не знаю, но склонен верить... восемь с половиной тысяч!

— Вот трепло! — продавец вскочил и встревоженно забегал по комнате — его лоб покрылся мелкой испариной. — Что б я так жил!

— Допускаю, — продолжал Вашко, — что семь с половиной ушло старику. Да плюс к этому доплата за пределами магазина.

— А что? Может быть, — с заметным облегчением пробормотал продавец, залпом опрокидывая в себя чашку с кофе, к которой так и не притронулся Вашко.

— Но за какие шиши он числит еще полторы тысячи? На две бутылки многовато — вот я и спрашиваю: «Что пьете?»

— Где эта скотина? — заорал продавец. — Я — полторы? — Он замахал огромными ручищами. — Сука! Сяду сам и его посажу... Офонарел он, вот что я вам скажу. Раз идет такая пьянка — режь последний огурец! Если хотите знать, то такое содействие по телефону отродясь тянуло на сотню! Это он пусть жене мозги втюривает — не знаю таких денег.

— Сколько дал? — не сдавался Вашко.

— Сто пятьдесят, — он распахнул шкафчик и вытащил небольшой сверток, перетянутый черными аптекарскими резинками. — Вот эту гадость для поясницы.

Вашко надорвал бумагу и из нее выпал небольшой пузырек, в котором маслянисто плескалась густоватая жидкость темно-коричневого цвета. Пробка отворачивалась легко, и в нос ударил незнакомый едкий и пронзительный запах.

— Смелый вы человек? Себя этим мазать? Я бы не рисковал, — задумчиво произнес Вашко.

— Выкину! Прямо в окно, — с готовностью отозвался продавец, его рука машинально потянулась к форточке.

— Одну секунду, — остановил его оперативник. — Если не возражаете, я возьму это с собой — интересно, что это за штука.

Продавец широко раскинул в стороны руки, что могло означать лишь одно: «Как будет угодно».

— Ну, вот и прелестно. Не смею больше задерживать...

Молодой человек с ясным облегчением провел по лицу рукой, и тотчас на физиономии появилась приличествующая прощанию улыбка.

— Всего доброго. Кланяйтесь Игорю Игоревичу... А про пузырек этот не берите в голову — я и не собирался его применять. Так, больше для любопытства, чего эти эскулапы намудровали. Поди, с женьшенем? А и черт с ним! Так Игорю Игоревичу всенепременно привет.

Вашко на прощанье лишь улыбнулся. А что еще ему оставалось делать?

...Оставив загадочную банку в сейфе, Вашко вышел на улицу, сел на троллейбус и долго ехал в известном лишь ему направлении. Когда он шел к красному мрачно-печальному зданию, окруженному стройными серебряными елями, навстречу уже появилась группа людей в строгих темно-синих и черных пиджаках, в безупречно накрахмаленных рубашках. Они шли, не скрывая облегчения от закончившейся тягостной процедуры; переговаривались, тихо смеялись, обменивались новостями...

— Здравствуйте, дорогой Иосиф Петрович! — навстречу Вашко с протянутой рукой шел «дипломат». Вашко ответил на рукопожатие Виктора Петровича, а затем и референта, тенью следовавшего за ним. Светлый чуб Уланова развевался морозным ветерком и придавал безмятежное выражение его напряженно-грустному лицу.

— Вот и похоронили нашего дорогого Ивана Дмитриевича... Нелепая смерть. До сих пор никак не могу поверить. Он не ожидал такого исхода!

— Жаль, очень жаль, — скорбно и торжественно добавил референт.

— Удалось что-нибудь выяснить? — «Дипломат» взял Вашко под руку и неназойливо повел его к выходу.

— Ничего существенного. Одни намеки и полунамеки.

— Отчего он умер? Это тайна?

— Пока не знаю, — Вашко поднял лицо вверх и посмотрел в хмурое небо. — Ясно одно — умер не от болезни, но не все так легко — экспертиза еще не окончена, выводы впереди.

— Да, да, трудная у вас работа. Все время вращаетесь вокруг печальных событий и фактов. Привыкли к смерти?

— А к ней можно привыкнуть? — вопросом на вопрос ответил Вашко и, не получив ответа, долго шел рядом с Виктором Петровичем.

— Вас подвезти? — «Дипломат» распахнул дверь большого черного лимузина. — Мы решили провести скромные, чисто служебные поминки... Не откажетесь присутствовать?

— Почему служебные? — не понял Вашко. — А дочери разве не дали телеграмму?

«Дипломат» поднял глаза на референта.

— Дать-то дали, Иосиф Петрович, а ответа не получили. Адресок у нас не сильно достоверный. Да и хлопот уйма — комиссию организовывали, гроб, венки, все прочее... Одну квартиру опечатать сколько нервов стоило. А документы собрать, — он обреченно махнул рукой.

— Значит, не приехала, — подытожил мысли Вашко. — Странно все это... Придется разбираться. Как фирмачи?

— Фирмачи в порядке! — отозвался «дипломат». — Подыскали другой вариант. А те, что с ним раньше работали, венок привезли от своей конторы, расщедрились на белые лилии. Теперь Олег Сергеевич продолжает эту тему. Договор, уже состоялся, но условия несколько изменились и не в нашу пользу...

— Не понял! — Вашко облокотился о крышу машины. — Конкуренты? В каких они отношениях с первой фирмой?

— Этот вопрос задали и мы, но ответа не получили — знаете, как у них: капиталист капиталисту волк, а кредиты дают. Они не прикрываются нашими словами, а бьют деньгами. Говорят — вы провозгласили человеческий фактор и мы его учитываем! Одна фирма работает с Тушковым, другая — хочет с Улановым. А суть — техника, которую закупаем, одна и та же... Разницы почти нет.

— Намного они различаются в рублях?

— В долларах! В долларах, дорогой наш Иосиф Петрович. Двести тысяч, и все в минус.

— Это много? — поинтересовался Вашко.

— По их понятиям, копейки, но... — вставил слово Уланов.

— Копейки! — неодобрительно отозвался «дипломат». — У нас сейчас и этого не густо, а речь идет о валюте.

Вашко протянул руку Уланову:

— Поздравляю с повышением. — Тот засмущался, но на рукопожатие ответил:

— Не бог весть что...

— Какие ваши годы, Олег Сергеевич! — похлопал его по спине «дипломат». — Наберетесь опыта, служба пойдет...

— Вы тоже на этой должности будете невыездным?

— Отчего? — тот бросил быстрый взгляд на своего начальника.

— Он выездной! Биография чистая — чище не бывает.

— Вы не случайно про биографию? — спросил Вашко. — Имеете в виду происшедшее с Тушковым конца сороковых?

«Дипломат» поднял грустный всепонимающий взгляд:

— Вам приходилось слышать выражение: «Никто не забыт и ничто не забыто?» Оно, к сожалению, относится не только к героям... Извините, нам пора.

— Вы позволите навестить вас еще разок? — Вашко отошел от машины.

— У вас пропуск до конца месяца? Вот и отлично — если буду нужен, приходите. Всегда к вашим услугам.

8. СОРВАННАЯ ПЕЧАТЬ

Телефон в кабинете Лапочкина не отвечал. Вашко наклонился, чтобы расшнуровать ботинок — правый ни с того ни с сего начал жать. Распустив шнурок, он сбросил его и долго шевелил зудящими пальцами. В дверь постучали. Иосиф Петрович задвинул ботинок под стол и принял приличествующее моменту выражение лица.

В кабинет вошел пожилой майор в толстых очках.

— Разрешите?

Вашко собрался встать и поприветствовать эксперта, но, вспомнив о ботинке, не стал этого делать.

— Проходите, садитесь, Станислав Юрьевич! Быстро вы пришли!

— Мне сказали, что надо оказать помощь.

— Да, да... — Вашко извлек из сейфа баночку, полученную от продавца автомагазина, и поставил ее на стол. — Вот это и есть оно! Понимаешь, это не самое главное, но может быть, может быть... Состав содержимого хорошо бы знать. Осилите?

Майор осторожненько двумя пальцами взял банку и принялся, потряхивая, разглядывать на просвет. Жидкость внутри маслянисто плескалась и медленно стекала со стенок.

— Предположительное назначение известно?

— Мазь от радикулита, а там кто ее знает.

— Мазь? — переспросил майор, бросив удивленный взгляд на Вашко. — Вот уж не предполагал, что мазь может быть подобной консистенции — жидковата, однако... Тут что-то другое.

— Дай-то бог. А составчик может представлять интерес. Понимаешь, один умелец с секретной фирмы его приволок, а что там...

— Выяснить можно.

— Как скоро?

— День, два... Заключение писать или приватно?

— Ты правильно понял — суть не в бумажках.

После его ухода Вашко еще раз набрал номер телефона Лапочкина. Он не отзывался.

«Запропостился, сукин сын! — выругался про себя Вашко. — И именно тогда, когда нужен».

Взяв лист бумаги, Вашко принялся огрызком карандаша рисовать таблицу. По горизонтали расположились дни, по вертикали — часы. Все это имело самое непосредственное отношение к Тушкову. В первых квадратах Вашко написал «на работе — во Внешторге». В последнем — «9.00, понедельник» он коряво вывел «проходная». Между ними несколько часов заполнились посещением автомагазина — последняя отметка «18 часов», а дальше пустота.

Он не стал отмечать ничего, что последовало за появлением Тушкова в проходной. От восемнадцати часов пятницы до девяти ноль ноль понедельника располагалась загадочная полоса неведения.

«А как же вторая половина пятницы? — дошло вдруг до Вашко. — Когда он был в магазине... Он что, не работал? Странно!»

Порывшись в кармане, он нашел визитку Уланова. Телефон ответил сразу.

— Олег Сергеевич? Еще раз Вашко... А что, в пятницу у вас был нерабочий день?

— Отчего так! — удивился референт. — Самый что ни на есть рабочий.

— А Тушков в пятницу был?

— Надо уточнить... Вы можете подождать? — после утвердительного ответа до Вашко долетели звуки удаляющихся шагов, стук двери, потом, минуты через две все повторилось в обратной последовательности.

— Вы правы — у него был отгул.

— За что? Он работал по вечерам? В праздники?

— Работой это не назовешь, скорее дежурство.

— Где?

— В первомайские праздники Тушков дежурил по министерству, а потом этим днем в течение года не воспользовался. В пятницу его могло и не быть.

— Спасибо. — Вашко в раздумье положил трубку.

Значит, у него было целых три дня. За это время можно не только исколесить Москву и область, но и смотаться в любой конец страны. Круг действия существенно расширялся. Конечно, можно проверить билетные кассы Аэрофлота, но это займет уйму времени. А поезд? Полная безнадежность — там фамилия в билет не вписывается.

Вашко снова пододвинул к себе телефон.

— Алло, здравствуйте! Вашко из милиции... Скажите, есть ли заключение по Тушкову? Вскрытие было позавчера. Ага, читайте!

Бесстрастный голос лаборантки методично ронял в трубку слова. Вашко слушал сначала вводную, потом описательную часть экспертизы и никак не мог вникнуть в суть.

— Дорогуша, читайте сразу выводы.

— На правой ноге отек и омертвение тканей, возможно возникшее вследствие токсического воздействия препарата семейства глюкозидов. Отек легких связан с возможным воздействием препарата ацетофенона в количествах, не повлекших и не повлиявших на летальный исход...

— Все?

— Больше ничего нет.

Вашко положил трубку.

Закурив, он откинулся на спинку кресла и долго изучал пятно на потолке.

«Ацетофенон! Глюкозиды! С чем это употреблять? Куда девать и к чему приписывать?» — Он был в полном смятении. — «Придется беседовать с санитаркой, анализировать предписания врачей и вникать в суть медицинских процедур...»

— Станислав! — буркнул Вашко криминалисту, едва тот снял трубку. — Нужна консультация.

— Что у тебя приключилось? Я не готов говорить о мази — времени прошло всего ничего...

— Что такое ацетофенон? Знаешь?

— Ацетофенон? — переспросил майор. — Известная, Иосиф Петрович, штука... Где обнаружен?

— В легких безвременно усопшего.

— В простонародье его величают слезоточивкой. К смерти, как правило, не приводит. Исключено!

— Он что, в свободном обращении?

— В магазине, Иосиф Петрович, эту хреновину, конечно, не купить, а на вооружении состоит.

— А глюкозиды? Тоже аэрозоли?

— Хм-м-м... Все у того же безвременно?

— Угу, — Вашко снова закатил глаза на пятно под потолком.

— Глюкозиды — штука серьезная... — в голосе эксперта звучали менторские интонации. — Яд органического происхождения. Омертвение тканей возможно в районе воздействия, без припухлостей, как правило, не обходится...

— А в сумме что дает? Если и то, и то сразу? А?

— Кто его знает... Ничего хорошего, сам понимаешь, от этого не будет. Только зачем сразу? А?

— А шут его знает... Чтоб наверняка завалить.

— Так не завалили.

— Об этом я позабыл, — честно признался Вашко. — Но на головку его как подействовало, скажи! От этого?

— Кто его знает... Эксперимент нужен.

— Скажешь тоже, эксперимент. Что, еще одного завалить?

Поговорив с криминалистом, Вашко почувствовал еще большее раздражение, чем раньше — дело не прояснялось, а запутывалось все сильнее.

Вашко выдвинул ящик письменного стола и достал оттуда фотографию Тушкова. Покойный, казалось, с улыбкой смотрел на опера — таким Вашко его никогда не видел и теперь уж никогда не увидит. Во взгляде Ивана Дмитриевича царило спокойствие и умиротворенность. Ничто не грозило его жизни и здоровью, а вон как обернулось всего через несколько месяцев.

В дверь постучали. На пороге стояла миловидная барышня лет двадцати. Дешевое пальтецо плотно обтягивало ее фигуру — оно было коротковатым и делало ее похожей на подростка.

— Мне бы Вашко... — заикаясь от волнения, произнесла она, теребя в руках выписанный в проходной пропуск. — Вот написано, в эту комнату...

— Садись, дочка, — Вашко, кряхтя, встал с кресла и галантно помог снять ей пальто.

— Чем обязан?

— Я из больницы... Доктор сказал, чтобы приехала на допрос. Вот я и пришла, не дожидаясь повестки.

— Молодец! Чаю хочешь?

Девушка отчаянно замотала головой, но Вашко извлек из стола кружку, долго рассматривал ее, пытаясь обнаружить пылинки и, не найдя их, налил из графина воды и включил кипятильник.

— Конфет у меня нет, а сахарку найдем... — он подмигнул санитарке. — И разговору это дело способствует... Как зовут-то тебя, дочка? Ирина! Отлично. А почему раньше я тебя в больнице не видел? — он прищурил глаза, припоминая. — Там тогда были этакие фигуристые дамы, — он раскинул руки в стороны, пытаясь очертить габариты медсестер, — а ты такая... — он постарался подобрать максимально необидное словцо, — миниатюрная... а?

— Так я ночная сестра, а они штатные... Как назло случилось все это с ним в мое дежурство. Тихо он умер так, незаметно, — она грустно улыбнулась своим мыслям. — Наверно, и жил так же..

— Да, ты права... Чай готов. Вот сахар... — он подвинул к ней кружку и завернутый в бумажную салфетку сверточек. — Пей, пей, не стесняйся. Разговор у нас с тобой долгий.

Она снова испуганно стрельнула в него взглядом пушистых глаз. Вашко налил воды в граненый стакан.

— Не стесняйся, дочка, я тоже буду пить — за чаем и разговор веселее пойдет. Верно? — Она кивнула и осторожно, двумя пальчиками, взялась за обжигающий фарфор.

— Как у вас делятся смены?

— Их три. С восьми до пятнадцати — первая. Вторая до двадцати двух, а потом ночная.

— А почему время неравно поделено?

— В ночную идут студентки... полторы ставки ради денег. На стипендию не протянешь.

— На каком курсе учишься?

— На третьем... — она осторожно, одними губами потянула чай; кружка обжигала губы.

— Вкусно? То-то и оно... Хороший чай трудно испортить, — неопределенно заметил Вашко. — Надо очень сильно постараться. Сколько студенток ходит в ночную?

— Должно быть четыре — ночь отдежурить, потом отдыхать. Но нас было двое. Я и Маша.

— Значит, дежурили вдвоем.

— Не совсем так... — девушка осторожно поправила кофточку на груди и снова испуганно посмотрела на Вашко. — Последние две недели я дежурила одна.

— Отчего так? Говори, дочка, не стесняйся — это между нами.

— Напарница уехала к родным в Чернигов. Мама у нее заболела. А я поддежуриваю за нее. Если сделать иначе, то может пропасть место, возьмут другую студентку, а так сначала я ее выручу, потом она меня.

— Когда же ты спала? — невольно вырвалось у Вашко.

— Иногда удавалось на дежурстве, иногда на лекциях. Там в кабинете главврача есть небольшой диванчик, можно немного подремать. Около трех часов ночи, обычно спокойно, даже самые тяжелые забываются, вот тогда и...

— Входные двери в такие моменты на запоре?

— Конечно. Не только ключом запираем, но и на задвижку. Там есть такая, железная. Вроде засова...

— Посторонний проникнуть не может?

— Нет, конечно.

— А днем?

— Об этом бы стало известно. Больница ведь на особом режиме из-за положения пациентов. Да, ведь, их мало — человек восемь, десять. Все на перечет. Есть приемные дни — у нас с этим строго.

— Расскажи о том дежурстве.

Девушка смахнула со лба светлую прядь.

— В тот вечер я немного опоздала. Минут на двадцать, не больше. С троллейбусом не повезло. Галина Викторовна мне за это устроила порядочную взбучку.

— Кто такая Галина Викторовна?

— Старшая медсестра. Мы обошли палаты. Она оставила записку, что кому делать, если будут жаловаться на бессоницу.

— Наркотики?

— Что вы — этого мне не доверяют. Анальгин, новокаин...

— А снотворные?

— Димедрол в основном.

— Что было необычного в тот вечер?

— Необычного? Наоборот, все было как обычно, даже немножко спокойнее. Только один укол за весь вечер в шестой палате. Назначение врача. Кажется, что-то сердечное. Если надо, можно уточнить по карточке — там записано.

— Как вел себя Тушков?

— Во время осмотра он уже спал. Тихо так, спокойно. Руки заложил за голову, на щеках румянец. Галина Викторовна осмотрела его и сказала: «Слава богу, а то днем досталось от него... Все горшки с цветами побросал на пол, топтал их ногами, в земле перемазался». Когда я пришла, было уже все прибрано, помыто. А сам он спал.

— Когда это обнаружилось? — Вашко отчего-то побоялся произнести слово «умер» и сделал сильное ударение на слове «это».

Девушка поежилась, как будто в комнате неожиданно повеяло могильной стылостью.

— Под утро. Мне показалось, что хлопнула какая-то дверь. Я выбежала в коридор — все спокойно. Дверь на щеколде. Окна закрыты. Пошла по палатам, а он лежит на полу, одеяло скомкано и не дышит...

— Совсем не двигался?

— Нет, но теплый был, совсем как живой. Я его повернула лицом вверх, сердце послушала, потом пульс, а оно и не бьется... Сперва позвонила врачу, а потом вызвала «Скорую».

— Отчего в такой очередности? Зачем «Скорую» в больницу? Странно...

— Я не застала доктора — у него молчал телефон, а на «Скорой» у меня подруга — я же не знаю, что в таких случаях делать. Лекарств никаких толком нет... Не димедрол же с анальгином ему давать.

— Значит, приехали врачи. Что дальше?

— Ага. Посмотрели, зафиксировали смерть, а потом приехал наш главный. Меня в палату больше не пускали.

— Ты, Ирочка, говорила, что проверила все двери и окна... Ничего не заметила? Может, какая была открыта? — наступила долгая пауза.

— Мне кажется, все было закрыто...

— Точно? Может, что-то смутило?

— Да. — Она замолчала, а потом испытующе посмотрела на Вашко и наконец решилась. — Знаете, в ту ночь разбились инъекторы. Все сразу. Они в коробке лежали. Скажите, а отчего он умер? Вы знаете? Говорят, вскрытие уже было.

— Заключение — от сердечной недостаточности. А что такое инъекторы?

— Инъекторы? Вроде шприца, но без иголки. От сердца умер? — Девушка медленно, задумчиво покачала головой из стороны в сторону. — Не думаю...

— Отчего так? — поднял лицо Вашко. — У тебя есть сомнения?

— Я видела его лечебную карту, привезенную из поликлиники к нам, — он никогда не жаловался на сердце. И заключения по кардиограммам хорошие. Ничего такого опасного.

— Ира, вы проходили глюкозиды? Что это такое?

— Глюкозиды? — она принялась поправлять воротник кофты. — А какой вас интересует?

— А они что, разные? — абсолютно не подозревая наивности своего вопроса, поинтересовался Вашко.

— Мы их изучали в прошлом семестре. А зачем это вам?

— Праздный интерес, — попытался отшутиться Вашко, но ему это не удалось.

— Это имеет отношение к Тушкову?

— Самое отдаленное... Для чего они нужны?

— В малых дозах могут применяться как лекарство.

— А в больших?

— В больших — яд.

— У вас в аптечке есть эти самые «зиды»?

— Если и есть, то где-нибудь у главного... Эти лекарства на особом учете.

— А что эти самые инъекторы? Они в дефиците? Откуда они у вас и как разбились?

— Наверное, случайно задела, когда услышала стук двери... Они не дефицитные, а, как сказать, опытные что-ли... Там лекарство в баллончик закачивается, а потом к телу прикладываешь, дергаешь за крючок и оно в сжатом виде вводится. Это без иглы — от СПИДа можно уберечься.

— Непонятно, — неопределенно заметил Вашко. — Тебе не очень попало?

— Нет. У нас их много — у главврача.

— Что ж, спасибо, что пришла. Давай отмечу пропуск.

Он проводил девушку до двери и, вернувшись к столу, долго сидел над разлинованным листом бумаги. Взяв карандаш, он вывел жирный знак вопроса на клеточке «пятница», а чуть ниже вписал: «Уланов — референт — Тушков — пятница — отгул», «Панчин — шахматист — Тушков — пятница — играли»... Подумав секунду-другую, Вашко продолжил линии и образовал еще целую сесть квадратов, последним из которых был день смерти, утренние часы. В этом квадрате он написал лишь одно слово «глюкозиды» и поставил знак вопроса.

Телефон взорвался долгим требовательным звонком. Вашко от неожиданности вздрогнул.

— Шеф! — голос Лапочкина срывался от нетерпения. — В его квартире горит свет и на двери сорвана печать...

— Что? — заорал в трубку Вашко. — Наблюдай за входом и выходом. Еду!

Он исчез из кабинета столь стремительно, что даже не убрал со стола расчерченный лист бумаги, не запер дверь, что с ним случалось крайне редко.

9. СИТУАЦИЯ ОСЛОЖНЯЕТСЯ

Было уже четверть седьмого, когда Вашко миновал всегда продуваемую арку. Он поднял воротник плаща, на секунду застыл на месте, в нерешительности оглядел двор, потом посмотрел на окна дома, потом снова осмотрел двор.

На пыльной лестнице он замер, делая вид, что раскуривает сигарету, два или три раза останавливался, в надежде услышать шаги Лапочкина. Увидел он его, лишь поднявшись к бывшей Тушковской квартире — Евгений стоял на лестничной площадке у окна.

— Кто входил? Кто выходил?

— Никак нет...

Вашко подошел к двери. Бумажка с блеклой печатью, разорванная точно посередине, колыхалась ветерком, едва вырывавшимся из щели двери. Потрогав пышные усы, Вашко подергал за ручку. Дверь была заперта изнутри. Осмотрев замок, Вашко не обнаружил ни малейших следов взлома. Похоже, работали ключом или хорошо сделанной отмычкой, не оставившей соскобов или царапин. Посмотрев на замершего рядом в полной готовности Лапочкина, Иосиф Петрович решительно нажал кнопку звонка. За дверью раздалась призывная соловьиная трель. Реакции не последовало — ни шагов, ни шорохов. Вашко нажал кнопку еще раз. Ответа никакого. Нашарив в кармане связку отмычек, он осторожно открыл замок. Дверь бесшумно отворилась. В прихожей горел свет. На коврике под вешалкой неряшливо валялись измазанные чем-то желтым, похожим на глину, женские сапоги. В коридоре, перегораживая проход, стояли два больших, перехваченных широкими ремнями, чемодана.

Бесшумно скользнув мимо Вашко, Лапочкин проник в комнату, где, так же, как и в коридоре, горела люстра. На кровати Тушкова, накрывшись с головой одеялом, кто-то спал. Приблизившись к кровати, Лапочкин осторожно дотронулся до плеча спящей. Раздалось невнятное мычание, больше похожее на стон. Евгений потряс сильнее.

— М-м-м... — послышалось бормотание, потом из-за покрова показалась всклокоченная голова. — Что вы здесь делаете? — испуганно произнесла женщина.

— Что вы́ здесь делаете? — недовольно вырвалось у Вашко.

— Ирина Сергеевна? — испуганно и вместе с тем восторженно произнес Евгений. — А я уж и не знал, где вас искать...

Дочь Тушкова медленно посмотрела сначала на Евгения, назвавшего ее по имени, потом на застывшего, теребящего усы, Вашко.

— Видимо, вы из милиции? — не слишком дружелюбно спросила женщина. — Я не буду спрашивать, как вы здесь оказались, но как бы сделать так, чтобы вы на некоторое время вышли — мне надо одеться.

— Мы подождем на кухне, — согласился Вашко. — Уходить не будем — у нас к вам уйма вопросов.

— Подождет ваша уйма... Человек только прилетел, и нате вам. Милиция!

Сначала Вашко, а затем и Евгений перебрались через загородившие проход чемоданы и прошли на кухню.

— О моем приезде, конечно, доложила эта старая карга? — крикнула женщина из комнаты.

— О ком вы? — крикнул, громче чем следовало, Вашко. Ему казалось, что женщина в комнате его не расслышит.

— Не шумите, пожалуйста. Я имею в виду эту поганку-соседку.

— Чем она так вам насолила?

— Стерва. Не могла сразу сообщить об отце.

Вашко и Лапочкин переглянулись.

— А кто же вам сообщил? — уже тише произнес Вашко.

— А я знаю? Получила телеграмму, интересуетесь, можете посмотреть. Да входите, я уже одета...

На ней было темное плотно облегающее платье, на шее черный шарфик. Теперь, после того, как она умылась и причесалась, Вашко ее признал — она как две капли воды была похожа на свой же собственный портрет, только лет на пять-семь старше.

— Скажите, что произошло с отцом? — Ирина приблизилась к Вашко и пытливо посмотрела ему в глаза.

— Я так же, как и вы, хотел бы получить ответ на этот вопрос. Как ваша фамилия? Мы не могли вас разыскать?

Женщина раскрыла лежавшую на письменном столе сумку и, нашарив паспорт, бросила его на стол.

— Для милицейского протокола, видимо, нужен документ... Со слов личность, насколько я знаю, не устанавливают.

— Протокола, как вы можете заметить, еще нет, — спокойно обронил Вашко. — И вообще, перестаньте, пожалуйста, говорить в таком тоне. Чем вы недовольны?

— Интересное дело, — принужденно засмеялась Ирина. — Врываетесь в чужую квартиру, задаете вопросы, а мне радоваться.

— Насчет «врываетесь», это вы зря. Считаю своим долгом предупредить, что в опечатанную квартиру вы могли войти только с судебным исполнителем либо с сотрудником милиции.

— Ха-ха, не смешите меня — я в своей квартире.

— И прописка это подтвердит? — Вашко протянул руку к паспорту.

— Причем здесь прописка. Формальность! Здесь жил мой отчим, когда-то жила я.

— Корнеева Ирина Сергеевна, — прочел вслух Вашко запись в паспорте. — Фамилия по мужу?

— Я не была замужем, — с вызовом ответила Ирина. — Откуда такая фамилия, вам должно быть ясно — по настоящему отцу... Сергею Львовичу Корнееву — первому мужу матери.

— Тысяча девятьсот пятьдесят второго года рождения... — произнес Вашко. — О какой это телеграмме вы говорили?

Женщина раскрыла сумку, долго искала в ней, потом на столе, затем прошла в прихожую, пошарила по карманам и, вернувшись в комнату, небрежно швырнула скомканный лист бумаги. Вашко развернул телеграмму:

«Одесса, Приморский бульвар, 29, кв... Ирина, отец скончался двенадцатого. Поступай, как считаешь нужным. Егор».

— Кто такой Егор?

— Понятия не имею.

— Никакого?

— Абсолютно.

— Женя, держи! Поднимешь на почте оригинал, посмотришь обратный адрес.

— Есть, товарищ подполковник, — чересчур официально отозвался Лапочкин, пряча бланк в карман.

— Ирина Сергеевна, вы не допускали мысли, что вас этой телеграммой могли разыграть?

— Не только допускала — думала, что именно так. Обычно в таких телеграммах есть подпись врача, а здесь... Но я позвонила ему на работу и какой-то «мэн» сообщил мне, что это правда. Если бы неизвестный Егор дал эту телеграмму на подпись врачу, я была бы здесь на два дня раньше. А так билетов нет, по этой филькиной грамоте никаких послаблений, и пришлось трястись на поезде. Конечно, опоздала на похороны.

— Ну это, положим, еще не так. Похорон, как таковых, не было.

— В смысле? — Она подошла к Вашко и испуганно смотрела на него, теребя руками кончик черного шарфа.

— Состоялась лишь гражданская панихида. Его кремировали. А похороны, судя по всему, дело ваше... Вы, ведь, единственная родственница?

— Пожалуй, так! Отчим говорил, что есть у него то ли двоюродный, то ли троюродный брат, но к нам он никогда в жизни не приезжал и, насколько мне известно, контактов не поддерживал.

Вашко оттягивал вопрос, который ему хотелось задать с самого начала, если бы не агрессивность дочери. «Теперь, пожалуй, в самый раз! — решил Вашко. — Она пришла в себя».

— Ирина Сергеевна, для чего отчиму потребовались деньги? Не для вас?

Вопрос не произвел на женщину никакого действия.

— Для меня? — она ткнула пальцем в грудь. — Кто вам сказал такую чушь? Во-первых, он за всю жизнь не сделал мне ни одного дорогого подарка, во-вторых, я бы их от него не приняла. Вот вы не спрашиваете, почему, а я скажу — именно из-за его прижимистости умерла мама. Она должна была до самого последнего дня работать — он, видите ли, копил на машину, а она должна была кормить и его, и себя, и меня... Хорошо, в институте стали платить стипендию, да мама потихоньку от отчима иногда давала то пятерку, то рубля три...

— Ясно. Кому же тогда могли потребоваться деньги? Он, вроде бы, говорил, что для родни? Мы подумали... Либо на свадьбу, либо еще на какое торжество...

— О какой сумме идет речь? — она посмотрела на Вашко.

— Более десяти... — Вашко сделал значительную паузу, — тысяч.

— Тысяч?! Вы с ума сошли!

— И тем не менее, — Вашко не спускал с нее взгляда и понял, что женщина не врет, отвечает вполне искренне. — Вы знаете, что он продал машину? Сдал все облигации?

— Десять тысяч! Мамочка, моя родная... Зачем? Кому? Кроме меня некому, а я о них не имею представления... Я лично, ну ни в чем не нуждаюсь — сама зарабатываю, слава богу.

— Кстати, кем вы работаете?

Ирина потерла кончиком пальца нос, раздумывая, сказать или нет.

— От милиции секретов быть не должно... Хотя нас предупреждали... А, ладно! — решившись, она махнула рукой. — О корабле «Космонавт Волков» слышали?

— Тот, что за спутниками следует? — сообразил первым Лапочкин. — С такими большими зонтиками над палубой.

— Вот-вот, с зонтиками. Это, вообще-то, антенны. Вот на нем я и плаваю. Бывает, и в иностранные порты заходим. Так посчитайте, сколько я получаю: зарплата — раз, командировочные — два, отдаленные — три, тропические — четыре, кое-что еще — пять, шесть и семь... Да перед заходом в порт, на Кубу, к примеру, в инвалюте! Нужны ли мне его деньги?

— Сейчас на берегу? — поинтересовался Вашко. — Или взяли отпуск?

— Временно стоим в порту. Отплытие не раньше марта. А потом прощай, любимый город...

— А кто вы там? — все же не вытерпел и задал вопрос Лапочкин.

— Скажу так: специалист по электронике. Достаточно?

— Вполне, — предупредил возможный очередной вопрос Лапочкина Вашко. — Скажите, а не помешала ли вам при оформлении история с судимостью отчима?

— Судимостью? Что вы имеете в виду. Ах, да... Мама говорила о чем-то таком, бывшем еще задолго до моего рождения. Кажется, его арестовали, но потом довольно быстро отпустили... Кстати, к нам дядечка такой ходил, так он с отцом там и познакомился. Может, сидели вместе — не знаю. Они все в шахматы играли.

— Знаем такого, — подтвердил Вашко. — Но вы не ответили на мой вопрос.

— Во-первых, меня о ней никто не спрашивал, а во-вторых, если бы спросили, я бы ответила — не судимый.

— Пошли бы на обман?

— А какой тут обман? И Ивана Дмитриевича без суда упрятали, и мой настоящий отец, погибший в пятьдесят пятом, никаких судимостей не имел. Как говорится, несчастный случай.

— Значит, родственников никого нет... — Вашко долго чесал мизинцем бровь. Лапочкин знал — это означает крайнюю степень замешательства. — Кому же тогда понадобились деньги?

— Десять тысяч, — задумчиво повторила Ирина, — и ничего, ни копейки в наличии... А я должна хоронить, выходит, на свои? Мне, конечно, не трудно, а он-то о чем думал?

— Увы, Ирина Сергеевна, в последнее время он не думал ни о чем, хотя...

— В каком смысле «не думал ни о чем?» — встревожилась ничего не понимающая женщина.

Вашко долго объяснял ей историю появления ее отчима на работе в тот день, обо всем, что последовало за этим. Она сидела на краешке стула, уронив голову на руки, и тихо, в такт словам Вашко, покачивалась из стороны в сторону.

— Когда думаете захоронить урну? — поинтересовался Вашко уже в дверях, ведущих на лестницу.

— Закажу место на кладбище — не хочу рядом с мамой, потом оформлю документы, а уж затем решу... Недели две, наверное, уйдет.

— Если не больше, — авторитетно заметил Лапочкин. — Квартирку-то есть смысл не упускать. Все же в паспорте она отмечена, как ваш предыдущий адрес.

— Я уже думала об этом.

— У меня к вам просьба, — Вашко поднял вверх палец, — не забывайте, что у меня будут вопросы и не исчезайте в ближайшее время из Москвы. И еще: не особенно делитесь с другими о характере наших бесед. Это в ваших интересах. Еще — допускаю, что вокруг вас могут появиться некие странные люди — к примеру, этот неизвестный Егор, что давал телеграмму — сразу информируйте меня. Мой телефон записан на календаре... — он кивнул в сторону комнаты и вышел на лестницу, где его ждал вышедший минуту назад Евгений.

— Что скажешь? — сразу же спросил Вашко Евгения, положив ему на плечо тяжелую ладонь.

— Похоже, не врет... — без обиняков заметил оперативник. — У меня на вранье поразительное чутье. Никогда не подводит!

— Способность хвалиться тоже не подводит! — смеясь, заметил Вашко. — Теперь вопрос-вопросов для нас — для чего он собирал деньги! Как узнаем, считай, что раскрыли...

— Ага! — охотно согласился Лапочкин. — Узнаем... Вопросов вагон и маленькя тележка. Егор этот, черт бы его побрал, объявился. Ему-то какой интерес? Из сострадания вызывал ее или как? — Он извлек из кармана бланк телеграммы, встал под фонарь и долго вчитывался.

— Да... — протянул, глядя под ноги, Вашко. — Ситуация только осложняется. Час от часу не легче... — Он отбросил окурок в сторону и, не глядя на рассыпавшиеся по асфальту всполохи искр, тотчас достал из пачки новую сигарету.

10. «А ОНА-ТО КОМУ ПОТРЕБОВАЛАСЬ?»

Вашко не любил ходить к криминалистам, а телефон у них все время был занят. Набрав номер еще раз, другой, третий, Вашко постепенно пришел к убеждению о безуспешности своей попытки дозвониться. Самое верное — отправить к Станиславу быстрого на подъем Лапочкина, но он, как назло, опять запропастился. Конечно, можно отправить к криминалистам другого сотрудника, но Вашко не хотел раньше времени придавать историю с Тушковым огласке. Раз уж дело объявлено с самого начала конфиденциальным, так тому и быть. В принципе, спешки с той банкой мази от «радикулита» никакой не было. Да и сами криминалисты не слишком любили, когда их начинали поторапливать, часто справляясь о результатах.

«Ладно, подождет!» — решил Вашко и принялся разглядывать схему, так и лежавшую на столе.

Он и сам сознавал, что таблица весьма несовершенна. Многого в ней не хватает — остаются большие пробелы во времени, да и действующие лица этого странного и запутанного спектакля присутствовали далеко не все. Он уже собрался было достать новый лист бумаги, чтобы составить другую схему, как на пороге кабинета появилась женщина, в которой с трудом можно было узнать дочь Тушкова. Перемены были разительными... Край пальто измазан чем-то черным, на щеках синие потеки туши, узел косынки сбился к левому плечу. Небольшая сумочка черной кожи зажата под мышкой, доставая длинным ремешком до голенищ измазанных в глине сапожек.

— Что случилось, Ирина Сергеевна? — привставая с кресла, только и произнес Вашко. — На вас лица нет...

Женщина решительно прошла к креслу и, тяжело опустившись, разрыдалась. Как назло, ни в одном стакане или графине не было ни капли воды. Вашко кинулся в коридор, долго, явно не торопясь, мыл в туалете чашку под сильной струей воды — на брюки летели брызги — и, вернувшись в кабинет, поставил воду перед Корнеевой столь резко, что залил собственноручно нарисованные схемы и чертежи.

— Вот черт! — невольно вырвалось у него.

Окинув раздраженное лицо Вашко взглядом затуманенных глаз, Корнеева глубоко вздохнула, сглотнула душивший комок в груди:

— Простите, я не вовремя? — Она принялась тереть платочком лицо. — Простите, произошло такое...

— Что произошло? — опершись о стол обеими руками и громоздясь над тщедушной фигуркой застывшей в кресле женщины, пророкотал ласковым басом Вашко.

— Час назад я поехала в крематорий. Мне не отдают урну.

— Что за чушь? Почему? Может, документы не в порядке?

— Не знаю... Ничего не знаю, — она всхлипнула, словно собиралась еще раз заплакать. — Они не объясняют...

— Не объясняют? Что за чушь? — он набрал номер дежурного и вызвал машину. — Не волнуйтесь, сейчас узнаем... Чепуха какая-то...

Свободной «Волги» не оказалось, и им пришлось долго трястись на белом видавшем виды «Москвиче». За окнами в порывах ветра плясали первые снежинки. Резинки «дворников» сбивали мокрую беловатую кашицу в стороны, а по бокам стекла и вовсе ничего разглядеть не удавалось.

По еловой аллее они не шли, а бежали. Ветер бил в спину, словно подгонял. Видимо, очередь шла медленно — в зале еще ждали посетители, помнившие Корнееву и с готовностью пустившие ее вперед. Она снова просунула в окошко ворох всевозможных справок и свидетельств. Вашко, стоя рядом, склонился к окну, наблюдая за худенькой женщиной, сидевшей за канцелярским столом и листавшей объемистые журналы с донельзя затрепанными страницами.

— Тушков, — произнесла она бесцветным бесстрастным голосом и карандаш в ее руке заплясал по графам. — Вы уже были у меня... Я же вам сказала — прах не поступал. Видите, в журнале отметки нет... Когда его передали нам?

— Кремирование состоялось четыре дня назад, — ответил Вашко за Ирину Сергеевну и сунул в окошко удостоверение. — Посмотрите, пожалуйста, внимательно.

— Вижу, вы из уголовного розыска. Что дальше? Прах к нам не поступал. Видите, нет отметки в журнале.

— Так где же он? Ведь кремация состоялась?

— Конечно! Четыре дня назад... Какие вопросы!

— А где прах?

— Не знаю, — простодушно призналась служащая. — Пройдите в группу конфликтов. Второй этаж, третья дверь налево...

На втором этаже чиновник долго и придирчиво изучал выложенный перед ним ворох документов.

— Все верно, — наконец, вынес он свой вердикт. — Сейчас проясним. — Он нажал кнопку селектора. — Марина, принеси мне журнал.

Через минуту в кабинете появилась уже знакомая худенькая женщина с потрепанным журналом.

— Я уже смотрела, Афиноген Петрович. Записи нет.

— Что значит, нет? — он пробежал пальцем по графам. — Действительно! А по отдельным накладным не проходил? Может, по спецпредписаниям?

— По спецпредписаниям? Я как-то не подумала...

— Он где работал? — строгим голосом спросил чиновник со странным именем Афиноген.

— В МИДе, — торопливо выпалила Ирина Сергеевна. — Ответственным работником.

— Ответственным? — переспросил чиновник и задумчиво пожевал губами. — Может быть, может быть...

— Пойду посмотрю, — собралась женщина с журналом.

— Погоди! — мужчина остановил ее жестом. — Сейчас спросим у конкретных исполнителей. — Он нажал селектор. В динамике раньше голосов послышался сильный гул, какие-то стуки, треск — Вашко вздрогнул, все это походило на звонок в преисподнюю, похоже, что так оно на самом деле и было. — Дойкина мне! — требовательно произнес Афиноген.

— Ну, я Дойкин... — Вашко показалось, что даже сквозь шум и треск «ада» можно различить пьяные интонации «конкретного исполнителя».

— Четвертого дня ты работал?

— Ну.. Чего дальше?

— Тушкова такого помнишь? — В отвст раздался хриплый смех.

— Они без паспортов поступают и маненько неразговорчивые...

— Вот идиот, прости господи! — буркнул Афиноген, прикрыв трубку рукой.

— Для них хамство вообще характерно, Афиноген Петрович, — поджав губы, почтительно прощебетала застывшая у стола начальства «дама из окошка». — Я, как председатель профкома, поставлю этот вопрос на собрании. Не убеждайте меня — все работаем во вредных условиях.

— Глянь, Дойкин, по своим бумагам! Внимательно посмотри.

— Сичас, — поперхнулся то ли от смеха, то ли еще от чего Дойкин, и в динамике стали слышны сквозь рев и непонятный гул едва слышно пробивавшиеся звуки органа.

— Есть такой. Все исполнено, как в аптеке. Номер четыре четверки восемь... Третьего дня, как того этого...

— Ладно, Дойкин. Ты там смотри не налегай на того-этого! — Он отпустил клавишу и рев исчез. — Давай, Марина, забирай товарищей и смотри все, как следует. Спецвыдачи тоже... Понятно?

— Как тут не понять! — она направилась к выходу.

— Всего вам доброго, товарищи, — выскочил из-за стола с протянутой рукой Афиноген. — Примите, так сказать, наши глубокие сожаления и соболезнования. — Он обдернул нарукавники и тотчас начал двигать ящики, греметь чашками и прочим содержимым стола.

На первом этаже их почтительно провели в комнату, а не стали держать у окошка, и женщина принялась тщательно перебирать бумаги. Ирина Сергеевна и Вашко замерли в напряженном ожидании. Тишина прерывалась лишь невнятным говорком негодующих посетителей за спиной, едва доносившимся из-за закрытого окошка, да шорохом перелистываемых документов.

— Странно! — нарушила вдруг молчание женщина. — Нашла... Тушков Иван Дмитриевич, номер четыре тысячи четыреста сорок четыре дробь восемь. Выдан!

— Что выдан! — тревожно вскинулась Корнеева. — Кому?

— Минуточку... Документов никаких не подколото. Куда же они могли деться? Странно?

— Ни расписки, ничего? — Вашко приблизился и взял карточку из жестковатого картона. — Это действительно он... Все верно!

— Оказывается, мы еще не успели разнести в журнал. Прах выдан вчера.

— Как? — теперь уже не сдержалась Корнеева.

— А вы ему кто? — подозрительно посмотрела на нее женщина.

— Дочь, — произнесла Корнеева и тихо добавила: — Приемная.

— Прах получен вашей мамой... Тут есть запись — получила Тушкова и стоит число.

— Мамой! — воскликнула Ирина Сергеевна и заметно побледнела. — Позвольте, она же умерла. Тут какая-то ошибка!

— У нас, дорогая, ошибок вообще-то не бывает — видите черным по белому: «Получила Тушкова. Претензий не имею...»

— Сумасшедший дом! — пробормотал, выходя из комнаты, Вашко и медленно прикрыл за собой дверь. — Ничего не понимаю!

Холодный ветер бил в лицо, снежинки опускались на голову и таяли на лысине, но он этого не чувствовал. Он даже не успел дойти до стоявшего с включенным двигателем «Москвича», как его обогнала бегущая и, похоже, ничего не видевшая от слез и душивших ее рыданий, Ирина. Попытка остановить ни к чему не привела — она быстро перешла улицу и исчезла в парном чреве переполненного людьми автобуса, будто специально поджидавшего ее на остановке.

— Сумасшедший дом! — пробурчал снова Вашко и на немой вопрос водителя, коротко скомандовал: «В Управление!»

В кабинете Вашко сидел невозмутимый Лапочкин и, поминутно заглядывая в ствол, чистил пистолет. Его пиджак небрежно валялся на кресле, а детали и пружинки лежали прямо на полированной поверхности стола.

— Газету подстелить не мог? — раздраженно рявкнул с порога Иосиф Петрович.

— Простите, шеф! У меня есть новости...

— От твоих новостей голова идет кругом. Ты где болтался? Неужели я должен мотаться по пустякам, когда ты носишься черт знает где! Ладно, излагай свои новости.

— Нет, раз вы ругаетесь, я ничего не скажу. Бегаешь тут без сна и отдыха, а вместо благодарности одни оскорбления.

— Выметайся из-за стола. Мог бы чистить и у себя.

— У вас лучше — стол больше и вообще... Я тут побеседовал с одной нашей общей знакомой, с соседкой Тушкова. Интересная, скажу вам, информация.

— Ну-ну... — он все еще не мог понять, шутит Лапочкин или говорит серьезно.

— Месяца три назад к нему приходила одна дивчина лет, этак, двадцати. Старуха забыла про это. Может, посчитала ерундой.

— Как она отреагировала?

— Старуха? При случае поддела соседа. Сказала, что-то вроде того, мол, не пора ли успокоиться в таких годах.

— А он?

— Отговорился. Дескать, из службы «Заря». Посуду там, к примеру, помыть, полы протереть.

— Проверил факт?

— Сходил. Из районной службы никого не было, да и заявок не поступало.

— Может, чепуха? Заморочим себе голову, а выход «на ноль».

— Кто знает... — Лапочкин скорчил смешливую рожицу. — А если седина в голову, а бес в ребро! Книжки со скабрезными картинками он посматривал — факт! Для чего-то ему это надо было. Чресла оживлял!

— Много ты в этом понимаешь, — недовольно пробурчал Вашко. — Ну, приходила, ну и что? Выводы у тебя больно далекие... Тут сегодня выяснилось, что его урну выдали, понимаешь, неизвестно кому...

— Лихо! А на кой шут она кому-то потребовалась?

— Не ему, а ей! Назвалась дамочка Тушковой. Корнеева чуть в обморок не упала, подумала, что мамаша с того света вертанулась.

— Фигня какая-то... А я бы, между прочим, не спешил отказываться от этой девицы. Побеседовать с его старичками-приятелями, глядишь, и выпрет. Что, если денежки у нее? Для молодухи он мог пойти на все! Это и решение проблемы.

— Хорошо, с деньгами понятно. А зачем сводить его с ума? На наследство ей не рассчитывать при таком раскладе. Брак не зарегистрирован, а?

— А мы это не проверяли! — Лапочкин вплотную приблизился к Вашко. — Если он втихую был заключен, то какая ни то лимитчица могла, к примеру, получить столичную прописку. А к шикарной городской жизни не грех добавить и денег от продажи машины и сдачи облигаций.

— Ерунда! Он прописан один — сам проверял... Себе веришь?

— Ну, хорошо. А деньги?

— Допускаю, но это лишь гипотеза... Доказательств нуль!

Лапочкин подошел к креслу, одним пальцем поднял пиджак и, не торопясь, натянул его на плечи.

— Если хотите, то могу поделиться некоторыми соображениями. При его образе жизни: работа, дом, магазин — он не в состоянии был найти себе даму для утешения — ему обязательно кто-то должен был помочь. Подсунуть, так сказать, девчонку.

— А цель? — Вашко по-прежнему не успевал за ходом мыслей Евгения.

— Все та же. Взять деньги!

— На кого думаешь?

— Пока ни на кого.

— Ладно, хватит! Сегодня же свяжись с криминалистами и все, слышишь, абсолютно все разузнай про эту чертову банку. Голову даю на отсечение — там глюкозиды! Если так, то сегодня же преступник в наших руках.

— Думаете на покупателя автомобиля?

— Думаю! — вскинулся Вашко. — Не то слово... Сто против одного — его работа!

— А зачем?

— Пока не знаю, но если топать от частного к общему, от яда к мази, то следствие прямое. — Лапочкин нехотя пошел к двери. — Куда?

— А вы же сами сказали — к криминалистам... По поводу баночки.

— Стой! Найди хорошего художника, съездишь к старухе и пусть попробует нарисовать портрет той дивчины.

— Слава богу, поверили. В этом есть, Иосиф Петрович, определенный резон — сердцем чую. Что же касается художника, то вы, видимо, запамятовали. Она же ни хрена не видит. Слепая, как курица — все в слух ушло!

— Действительно, — раздраженно заметил Вашко. — А ты, вроде, говорил, что она заметила возраст — «около двадцати»? Чего-то, выходит, видела?

— По голосу определила...

— Да, да... Ладно, иди!

Оставшись один, Вашко подошел к зеркалу. На него взирал пожилой, в мягком костюме мужик, с коротковатыми брюками, набрякшими, покрытыми морщинами веками... Тут же он вспомнил о Тушкове и подумал, что все же Лапочкин, пожалуй, перебарщивает — двадцатилетняя для такого это слишком... Тридцать — тридцать пять — куда ни шло...

11. НОЧНЫЕ СТРАХИ

Не спалось. Вашко думал об автолюбителе. Никак не шло из головы воспоминание о том, что он не разрешил посмотреть машину — что в этой просьбе особенного?

Проворочавшись до утра, он, по сути дела, так и не уснул. Совершенно разбитый, вышел на улицу и вялым шагом двинулся в сторону набережной. Старинные особнячки, окруженные елями, походили на теремки — ощущение это пропало лишь тогда, когда он вышел на шумный, полный машин проспект. Здание архива массивно желтело всеми своими требующими ремонта этажами. За плохо покрашенной дверью молоденький милиционер придирчиво изучал удостоверение Иосифа Петровича и, не найдя, к чему придраться, вздохнув, пропустил.

Вашко спустился в подвал и долго жал кнопку звонка. Тишина долго не нарушалась. Потом послышались шаги, дверь распахнулась и на пороге, едва освещенном со спины тусклой потолочной лампой, возник подполковник в наброшенной поверх милицейской рубашки меховой безрукавкой.

— А, это вы? — разочарованно протянул он тихим «булькающим» голосом. — Проходите, пожалуйста...

Вашко поплелся за ним. Коридор, протянувшийся через весь подвал, был заставлен какими-то темными громоздкими шкафами. Свет падал на пол из распахнутых настежь дверей комнат. Некоторые были совершенно безлюдны, из отдельных доносился невнятный говорок, сдержанный смех и шорох неспешно перелистываемых бумаг.

Дойдя почти до конца коридора, подполковник свернул в комнату без окон. Вашко покорно последовал за ним. На столе горела настольная лампа. Пахло сыростью и мышами...

— Что вас интересует? — без обиняков спросил подполковник, присаживаясь на табурет. — Я, в принципе, знаю весь фонд и смогу найти интересующее быстрее, чем мои коллеги. Знаете, у девочек-архивисток зарплата маленькая, частая сменяемость... С чего начнем?

Вашко сосредоточенно морщил лоб.

— У вас как: по фамилиям или по номерам?

— Каждое дело имеет номер, но фамилии числятся по отдельной картотеке...

— Давайте попробуем — Тушков Иван Дмитриевич...

— Год?

— Как будто, сорок восьмой, хотя надо посмотреть еще плюс минус один — начать уголовное дело могли раньше, а закончить... Кто знает, когда.

— Понятно, — подполковник взял трубку и продиктовал по телефону сказанное Вашко. — Вы не знаете фамилии следователя?

— Бачко! Эль Петрович Бачко.

— Запиши и это... — проговорил в трубку подполковник. — Посмотри, может, фигурирует отдельно... Постарайся побыстрее! — он повернулся к Вашко. — Пойдемте, я найду для вас отдельную комнату — там будет удобнее, никто не будет мешать...

Вскоре Вашко очутился в крохотном кабинетике с обшарпанным столом, шатким стулом и капающей где-то за стенкой водой. Повесив пальто на гвоздь, он долго мерил шагами крохотную каморку, похожую на камеру-одиночку. Здесь, как и повсюду, царил мышиный аромат и, чтобы хоть как-то отбить запах, Вашко закурил. Дымок сигареты тотчас исчезал под массивным сводчатым потолком.

— Простите, — на пороге появилась худенькая бледная женщина в синем халатике, — вы правильно указали фамилию? Может быть, Ташков? Тишков? Тунков? Или год другой? — Она мяла в руке листок с продиктованными ей по телефону записями. Вашко взял листок, проверил, так ли она записала — все было верно.

— А за другие годы?

— Фамилия Тушков вообще не проходит по картотеке. Это означает, что он не привлекался к ответственности за всю свою жизнь.

— Не может быть — у меня точная информация: в сорок восьмом он был в Бутырке и с ним беседовал следователь Бачко.

— Бачко есть. Вам сейчас принесут его папку, а вот этого... — она встряхнула листком, — нет.

— Может, утеряно? Списано в архив? — он спохватился. — Ах, да, это же архив и есть... Куда оно делось?

— Что вам сказать, думаю, здесь какая-то ошибка. Кто вам давал эту информацию? Она достоверна?

Пришла очередь опешить Вашко — сказанное женщиной напрочь прогнало и сон, и заторможенность.

— Хм... Как вам сказать... Кажется, начинаю сомневаться. Простите, а Бачко, который у вас числится — это Эль Петрович?

Женщина рассмеялась.

— Точнее не бывает. На папке с делом так и написано: Э.П.! И звание и должность — все есть...

— И какие же они — эти звания и должность?

— Звания разные, последнее — капитан, а вот с должностью вы, похоже, ошиблись — он никогда не был следователем.

— Не понял... — Вашко подошел к женщине. — Кем же он был?

— Потерпите секунду, папка сейчас у начальника, — она сдержанно улыбнулась. — Сейчас принесу.

— Я сам! — произнес Вашко и, не в силах сдержать нетерпение, чуть ли не бегом припустился по коридору.

— А, это вы... — рассеянно заметил подполковник. — Да, да, уже принесли... — он листал тонкую папку личного дела. Желтая бумага и чернила были блеклыми, выцветшими. — Специальная часть, вам, наверно, ни к чему — тут материалы его проверок, а остальное берите... — Он вынул синий конверт и двинул подшивку к Вашко.

— Э, милейший, так не пойдет! Вам звонили и предупреждали, что я буду смотреть все материалы без исключения. Давайте конверт обратно!

— Как вам будет угодно, — пожал плечами подполковник. — Там вы все равно не найдете ничего интересного.

Спешно схватив документы, Вашко направился в комнату — теперь он не замечал ни сырости, ни мышиного запаха, ни капавшей за спиной воды.

Обуреваемый непонятным трепетом, Вашко открыл обложку. Из вклеенного кармашка выпала довоенная плохонькая фотография. Сомнений никаких не было. Со снимка глядел действительно Бачко. Правда, здесь ему было никак не больше тридцати, а может быть и меньше. Вместо теперешней лысины курчавились густые темные волосы. Разлет темных, как смоль бровей, придавал необычайно грозный вид.

Читал Вашко долго — сначала анкету, потом автобиографию, и лишь позже послужные характеристики. Он никак не мог взять в толк, для чего Бачко потребовалось врать — он никогда не был следователем, всю жизнь прозябал в мелких комендантских должностях. Более того, из дела явствовало, что в сорок восьмом его не было в Москве — в это самое время он проходил службу в каких-то неизвестных Крестах Колымских. Ничего интересного не содержал и синий конверт — проверка показывала, что к Бачко никакого отношения не имели ни кулаки, ни троцкисты — подобной родней он не обзавелся. Достав записную книжку, Вашко выписал данные о семейном положении — жена, годовалая дочь. Вот они-то, действительно, жили на Лесной, что идет стрелой от Белорусского вокзала к «Новослободской».

— Разрешите позвонить? — задумчиво спросил Вашко у подполковника, возвращая ему дело.

— Нашли? — поднял он усталое лицо.

— Как вам сказать... Кое-что! Скорее, очередные загадки, чем ответы на вопросы.

— Да, да, — думая о своем, посетовал подполковник. — У нас, к сожалению, подобное бывает. Загадок всегда больше, чем отгадок. Часто.

Телефон Бачко молчал. «Куда он запропастился?» — подумал Вашко, нервно теребя усы.

— Спасибо... Можно попросить об одолжении?

— Ради бога...

— Не убирайте папку слишком далеко. Возможно, потребуется в самое ближайшее время.

— Он чего-нибудь натворил? Это, знаете ли, большая редкость. Наши редко идут на преступление. Сами понимаете, кому охота, чтобы копались в его прошлом, тем более, что оно у всех работавших в то время далеко небезупречно.

Вашко еще раз попытался набрать номер. Телефон Бачко не отвечал.

— Вы абсолютно уверены, что было такое дело? — решился на вопрос подполковник.

Вашко, не отрываясь от телефона, кивнул:

— Тогда куда оно запропастилось? — подполковник принялся теребить кончик носа — похоже, у него тоже была любимая привычка. — Конечно, могли затребовать в другой департамент... Вы понимаете о чем я говорю? — Вашко кивнул — речь шла о КГБ. — Они нам не всегда отдавали дела обратно. Надзорные, те, что велись в лагерях — у нас, а вот те, что до ареста и с первыми допросами... Извините!

— Туда не дотянуться, — усмехнулся Вашко. — Я однажды пробовал — не получилось.

— Что же будете делать? — глаза начальника архива как будто светились в полумраке помещения.

— Беседовать, сопоставлять и находить. Все же его нет дома, — он положил трубку на место. — Спасибо большое и не убирайте, пожалуйста, папочку в дальний угол.

— Как будет угодно, — подполковник пожал протянутую на прощанье руку.

Умение Лапочкина отыскивать начальника отличалось поразительным умением. Стоило Вашко отойти от архива на какую-то сотню метров, как к обочине припарковалась служебная «Волга», призывно полыхнув фарами, и из нее тотчас выскочил Евгений.

— Слава богу, я вас отыскал — у нас неприятности...

— Что такое? — спросил Вашко, усаживаясь на переднее сидение.

— Ночью «Скорая» подобрала известного вам покупателя машины. Положение, судя по сообщению, тяжелое.

— В сознании?

— К сожалению нет, но любопытного хоть отбавляй...

— В смысле?

— На ноге два воспаленных прокола на коже. И еще точно такие же на руке.

— Ах так! — воскликнул Вашко. — Как его увидеть?

— Давай, — хлопнул водителя по плечу Лапочкин. — По той же дороге, что сюда.

Машина долго петляла по улицам и переулкам, пока не выскочила на Садовое. Вскоре она уже подруливала к клинике с коллонадой у входа.

— Откуда его забрали? — торопливо поднимаясь по ступеням, продолжал теребить вопросами Вашко.

— Соседи обнаружили у дверей его собственной квартиры. Говорят, лежал. Изо рта обильная пена... Ногу, правда, они не видели, а рука лежала сверху. Не в рукаве пальто, а поверх. И была она толстая и синяя.

— Глюкозиды! — поднял палец вверх Вашко. — Кто-то явно убирает свидетелей! Но для чего?

В палату, как и можно было предположить, их не пустили. Единственное, чего они могли добиться, суя попеременно под нос различным медицинским чинам свои удостоверения, так это то, что к ним вышел низенький самодовольный толстячок, оказавшийся каким-то начальником. Он то и дело извлекал из кармана носовой платок, шумно чихая и сморкаясь. Отдышавшись в очередной раз, он кротко посмотрел красноватыми глазами на нежданных посетителей и изрек:

— Чем могу быть полезен?

— Диагноз известен? — чуть ли не хором выпалили Вашко и Лапочкин.

— Предположительно... — согласно кивнул самодовольный толстячок.

— Что с ним? — Вашко машинально, забыв, где находится, извлек сигареты и, вспомнив, что в больнице, решил их спрятать в карман.

— Угостите? — совершенно неожиданно произнес врач. — Чертов насморк! Доконает меня...

— Простуда? — с деланным участием поинтересовался Вашко: нужно было хоть как-то налаживать контакт.

— Аллергия, будь она неладна — терпеть не могу новокаина даже на нюх, а он у нас здесь повсюду, вот и маюсь — табачок немного помогает... Забивает сопатку этак часика на полтора. А потом все изначально. Признаюсь, уважаемый, нет хуже гадости, чем эта аллергия... Апчхи! — он еще раз рассек воздух спешно извлеченным платком.

— Мдааа... — многозначительно уронил Вашко. — Так что же все-таки с нашим больным?

— Больным? Хо-хо... — отдышался он — и было непонятно — смеется он или нет. — Я бы так не сказал... Человек, который вводит себе в мякоть как минимум десять кубиков какой-то ядовитой дряни — в первую очередь враг самому себе.

— Самоубийство? Он умрет?

— Как говорится, все в руках всевышнего. Пока делаем, что можем — качаем кровь, продуваем легкие, фильтруем и отцеживаем.

— Известен механизм повреждений? — Вашко не терпелось услышать слово «глюкозиды», но как мог давил в себе этот вопрос.

— Механизм? — переспросил врач. — Что механизм... Уколы чем-то острым, смоченным в очень, я бы даже сказал чрезвычайно, токсичном веществе, сперва в ногу, а потом и в руку. Мне кажется, он это делал сам... Синяков, ссадин, следов какой-либо борьбы — абсолютно нет.

— Может быть, яд? — вылез вперед Лапочкин. — Глюкозиды?

— Это, молодой человек, в первую очередь должно интересовать вас, а не нас. Вы должны понимать — наша проблема не дать больному окочуриться... А-а-пчхи!

— Яд! Я так и знал, — тихо произнес Вашко. — Но кому это нужно? Зачем? Вы уверены, что он сам? Может, все же помогли?

— Не знаю, не знаю, — отдышавшись, произнес врач и глубоко затянулся сигаретой. — Я много повидал на веку. Скажу одно — в убийство при подобных повреждениях — не верю. Сам!

— Скажите, мы можем посмотреть его вещи?

— Нет проблем! Первый этаж, комната сто восемь — скажите, я разрешил!

Седая прихрамывающая старуха с крючковатым носом, то и дело путаясь в полах грязноватого с чужого плеча халата, выволокла из темных недр гардероба бумажный мешок с одеждой.

— Как его хвамилия? — поинтересовалась старуха. Вашко посмотрел на Лапочкина: у него начисто выветрилась фамилия автолюбителя, да и знал ли он ее вообще (все «покупатель» да «покупатель»). Евгений же нашелся моментально — у него была редкая память. — Получите! — прошамкала в ответ старуха и двинула им журнал и карандаши. — Хвамилии записывайте четко, чтоб читались и опосля претензиев никаких не было... Ох, господи! Че деется... Ишшо один отошел... Царствие ему небесное... Есть хучь кому одежду получать. — Ее голос стихал, по мере того, как она удалялась в недра темного гардероба.

Расписавшись в журнале, перепутав графы и число, Вашко и Лапочкин стремглав исчезли из больницы. Им повезло — в кармане брюк лежала связка ключей — от гаража, квартиры и, самое главное, машины. Теперь ничто не мешало осмотреть салон. Против ожидания Лапочкина Вашко отчего-то туда не спешил, а поехал в Управление.

— А чего так? — перевесился к переднему сиденью Лапочкин. — Сейчас бы все и обстряпали.

— Людей там сейчас много. А нам, в этом случае, свидетели не нужны. Сечешь?

Войдя в кабинет, Вашко положил мешок с одеждой на стол.

— Сходи за криминалистом... Стой! Где у него проколы на руке? Помнишь? А на ноге? Ясно. Иди! Стой! Помоги-ка разложить его брюки. — Расстелив газету, Вашко бережно положил на нее штаны водителя. — Здесь, говоришь? — он принялся сквозь очки сантиметр за сантиметром изучать их. — Гляди! — он ткнул кончиком ногтя в материю. — Будто бы есть жирноватое пятнышко... А на рубашке? Смотри, примерно в том месте, что и врач говорил. Теперь иди! Есть, что исследовать, факт.

Вашко с наслаждением расположился в кресле и довольно потер руки — похоже, дело стронулось с мертвой точки и противостоящий им некто начал активно действовать. Вашко ни на секунду не поверил в попытку самоубийства. Еще бы — за несколько дней столько событий! Все связаны между собой! Урна — раз, яд — два, и еще... вранье Бачко, которое ни в коем случае Вашко не собирался сбрасывать со счетов — он приблизил к себе лист бумаги с начерченным несколько дней назад графиком и жирной карандашной линией обвел фамилию Бачко, поставив около нее сразу три восклицательных знака. После этого он взял телефон и снова набрал номер. Квартира Бачко не отвечала.

Дверь снова раскрылась. Вошедший вместе с Лапочкиным Жора-криминалист склонился над одеждой и слушал пояснения Евгения, изредка роняя:

— Так, так, так...

— С банкой что-нибудь прояснилось? — прервал его вопросом Вашко.

— Более или менее... Похоже, мазь. Больше всего на випратокс. Правда, в сильной концентрации.

— Випратокс? — поднялся из кресла Вашко.

— Мазь от радикулита. От невралгии хорошо.

— Мазь! — задумчиво пробасил Вашко. — Ну-ну... Посмотри, посмотри на пятнышки, может, интересно. Глюкозиды! Я не должен ошибиться.

— Посмотрим! — уже через порог ответил криминалист, забравший с собой весь ворох лежавшей на столе одежды, а Вашко, по-прежнему сидевший в кресле, полузакрыл веки и откинулся на спинку.

— В гараж еще рано? — спросил Лапочкин. — Или съездим?

— А? — открыл глаза Вашко. — Рано! Знаешь, разыщи Бачко. Куда он мог запропаститься — ума не приложу.

— Чего его искать? — невозмутимо пожал плечами Лапочкин, простовато при этом ухмыляясь. — Хотите, покажу?

— Что значит, «хотите»?

— Так, — Евгений посмотрел на часы — время к четырем... Стало быть он на Тверском — у них там стариковская компания. В шахматишки дуются на деньги. Знаю я их породу.

— И ты молчал? — вскинулся в кресле Вашко.

— Мне ехать с вами?

— А чем хотел заняться?

— Потолковать кое с кем надо. Встретиться, кое-что выяснить...

— Встречаемся у гаража часа через три.

Вашко не любил служебных машин — и по антенне, и по номеру за версту видно, кто едет и где работает. Отпустив водителя, он отправился пешком в сторону центра. Заснеженный парк встретил его детским гомоном и чуть поскрипывающим, блестящим белым покровом. Евгений оказался прав. Действительно, шахматисты, облюбовавшие несколько лавочек у памятника Тимирязеву, беззастенчиво резались на деньги. Вашко обошел несколько компаний, прежде чем в одной из них ему удалось обнаружить бывшего коллегу. Бачко с горделивым видом восседал под толстым темным стволом вяза и, вытянув тонкую шею, обдумывал ход. Вашко не слишком хорошо играл и уж тем более не относился к заядлым почитателям подобных поединков, но то, что Бачко одерживал победу, сомнений не вызывало — белых фигур на доске было чуть ли не вдвое больше.

Решив не мешать матчу, Вашко притулился за спиной Эль Петровича, изредка поглядывая на доску, а на самом деле не сводя гляз с его скособоченной недугом фигуры: даже под пальто одно плечо заядлого шахматиста было заметно выше другого.

Кто-то осторожно дотронулся до локтя Вашко, он обернулся.

— Не желаете перекинуться? — долговязый сухой мужчина в золоченых очках и бобровой шапке постучал костяшками пальцев по зажатой в руке шахматной доске. — Вы из новеньких, попробуем...

— Простите, я совсем не играю, — не желая его обидеть, как можно более тактично произнес Вашко. — Жаль, конечно.

— Хотите, я вас научу? — охотно предложил тот.

Вашко ничего не успел ответить — окружавшие доску старики захихикали:

— Кока он такой — и жить, и играть научит...

— Хорошо учить, когда сам ни бельмеса...

— Зачем вы так! — возразил им Вашко. — Вот возьму и сяду.

— Вот и сядь! — резко отозвался Бачко, обернувшись, чтобы посмотреть на недотепу, который решил учиться у самого что ни на есть не профессионала. — Это вы? — изумление и удивление на его лице смешались поровну. Он резко поднялся со скамьи... — Все, Михалыч, доиграли — твоя взяла.

— Как взяла? — крутил головой неожиданный счастливчик, которому маячил полный проигрыш. — Ты серьезно?

— Вполне!

— А денежки? Как?

— Какие тебе денежки! — грозно завращал глазами Бачко. — Совсем спятил! — он скорым движением сбросил фигуры с доски. — Хватить дурака валять — мне домой пора.

— Где бы мы могли побеседовать, Эль Петрович? Или может вас величать Эдуардом, как вы писали в анкете раньше?

Взгляд Бачко помрачнел.

— Чего вы хотите от буржуев-родителей. Действительно, называли как хотели. Если бы вы знали, каких трудов мне стоило в тридцать третьем переделать имя... Эль! Хорошо, правда?

— Но не менее буржуазно.

— Ерунда, — он горделиво, орлом посмотрел на собеседника. — Энгельс! Ленин! А? Здорово?

— А Маркс где?

— А нигде... Для него, считайте, места не хватило. Чего вы искали в моем послужном? Как вас вообще к нему допустили?

— Да как-то так... По долгу службы.

— И теперь вы по долгу службы здесь? Ладно, давайте ваши вопросы.

— На этот раз, надеюсь, отвечать будете честно?

— Постараюсь, — неопределенно заметил Бачко, потряхивая зажатой локтем шахматной доской.

Некоторое время они шли молча. Бачко то и дело поглядывал на идущего рядом Вашко и с трепетом ждал вопросов, но Иосиф Петрович отчего-то не спешил. Он шел и улыбался своим мыслям — ему отчего-то казалось, что он как никогда близок к цели. Беспричинное вранье никогда не бывает бесследным, не пропадает втуне. Вопрос только в том, на правильный ли путь оно толкает.

— Скажите, — наконец решился Вашко, — что вас связывает с Тушковым? Вернее, связывало, — поправился он.

— Дружили мы просто. Сейчас это редкий случай, а мы с ним, почитай сороковник отшлепали нога в ногу.

— В шахматы играли?

— Не только. Приходилось и водки выпить. Чего греха таить.

— Но в сорок восьмом он был в Москве, а вы гораздо дальше. Да и следователем не были.

— Ну и что? Какая разница — следователь или просто офицер НКВД? Скажу я, что командовал солдатами — таких было много, никто не оценит, а следователь — это фигура, вроде ферзя. Кто не уважает, хоть боится! Сила! А потом мы в то время все были немножко следователями. В одном вы ошибаетесь — в то время Тушкова в Москве не было.

— Как не было? А где же он был?

— Руководил какой-то строительной шарагой в Смоленске. Чего-то там восстанавливали, возводили... Хрен его знает — я не особенно влезал в эти дела.

— Не понимаю: вам-то откуда было знать это на Колыме?

— А тут все просто, — поморщился старик. — Колыма, Колыма... Привязались к ней, как не знаю к чему. Жил я тогда на Лесной, ходил в форме и все в округе меня знали, загодя увидев, здоровались, а у кого совесть не чиста, обходили стороной. Ну, и он с женой жил этажом выше — как-то водичка протекла, вот и познакомились. А в сорок восьмом у меня как раз отпуск подоспел — приехал я на побывку, а жена его сразу же ко мне: «Выручай, Петрович! Мой-то на смоленщине чего-то там натворил...» Красавица баба, ничего не скажу! Смак! Как такой отказать. Взял билет — и туда... Встретили меня, как положено, у нас в органах завсегда встречать умели, не знаю, как ныне. Побеседовал с кем надо — познакомили с делом. Чистая, я вас скажу, уголовка! Они там сколько-то ящиков с гвоздями толканули налево. Строиться все хотели — земля-то выжженная. Вот он и того... Может, из корысти, а скорее из жалости. Политики там никакой и в помине. Ну, короче, обстряпал я дней за пять это дело — выцарапал его и приволок сюда! Правда, предупредил: сиди тише воды, ниже травы — никуда на должности не суйся, неровен час выплывет это дело, уж придется отдуваться за все сразу и меня под монастырь подведешь!

— И он всю жизнь старательно соблюдал уговор?

— Ага, даже к империалистам не ездил.

— И к социалистам тоже, — добавил с улыбкой Вашко.

— А разъехались мы где-то в шестьдесят втором, наверно... Когда всю Москву разгоняли по Черемушкам, мы подсуетились — быстро обменчики устроили, ну и остались в центре.

— Зачем вам придумалась история с политикой? Бутырка! Допросы!

— Так это просто... Нонче как? Если по пятьдесят восьмой сидел — считай герой. Кто ж думал, что вы проверять полезете.

— Мог он бояться этой истории?

— Факт! Боялся... Но во мне он уверен был на все сто! Могила! Подумайте, какой резон, сам выволок его оттуда.

— Но кто-то мог ему и помочь?

— Что вы имеете в виду?

— Раскрыть тайну.

Бачко несколько шагов шел молча, странно подергивая более низким плечом.

— А какой смысл? — Он повернул голову и долго смотрел на Вашко.

— Досадить, к примеру, или за что-то наказать.

Видимо, подобное предположение показалось Бачко слишком неудачным.

— Даже если так, кто об этом знал? Я? Вот он, перед вами и не говорил! Жена? Дочь? Одной это ни к чему, другой с того света...

— А по вашей линии?

— Эхма, — рубанул Бачко рукой воздух, — как говорится, гол, как сокол. Братьям, да сестрам, что разосланы по краям и весям, это и вовсе не известно. Если кто-то и решил разыграть эту карту, то поверьте — это не только плохая, но и весьма неудачная шутка. Тем паче, что времени прошло много, слишком много. Хотите, поделюсь одной мыслишкой?

— Хочу!

— Если вы действительно правы и его решили доконать этим, то этот человек где-то здесь, совсем рядом. В его ближайшем окружении.

— И при всем том Тушков ни словом не обмолвился с вами? Не поделился тревогами? Вы же были друзьями.

— Скажете тоже, друзьями! Так, знакомцы... Хотя, как посмотреть — кроме меня у него, пожалуй, больше никого и не было... Раз-два и обчелся.

— Вы знаете его окружение?

— Постольку поскольку. Кто вас интересует?

— Женщины, — невозмутимо произнес Вашко и пытливо посмотрел на собеседника. — Есть ли кто, способный назваться его женой? В первую очередь меня интересуют, естественно, не дочь и не соседка — с ними, как вы понимаете, я разберусь, они вполне досягаемы. А вот на протяжении тех лет, что вы дружили и жили, были у Тушкова сердечные привязанности? Там, к примеру, какой-нибудь дом отдыха, санаторий? Вообще, вы знаете, как он отдыхал?

— Он не отдыхал, — потупясь, произнес Бачко. — Во всяком случае, в обычном смысле. Разве что чаще появлялся на Тверском... Бульвар, шахматы — извечная компания. Может, и исчезал, но на неделю, не больше.

— Куда-нибудь ездил?

— Узнайте у дочери. Насколько мне известно, она в Москве.

— А все же не приходилось ли вам слышать о женщинах. Он же, черт побери, еще не старый был мужик.

— Может быть, может быть... Я не знаю.

На этот раз в голосе Бачко сквозила искренность, и Вашко понял, что ничего нового от него не добьется — он попросту ничего не знает. Дойдя до черневшего среди кустов памятника, они повернули назад.

— А почему вас интересует эта чисто французская проблема? — неожиданно нарушил молчание Бачко. — Что-то случилось именно такого рода?

— Врать не хочу, а сказать правду не имею возможности.

— Ну, хоть каких лет?

— Примерно одних с ним.

— Вот как? — Бачко не смог сдержать своего изумления.

— Кто-нибудь мог подойти под эту категорию?

Бачко отрицательно покачал головой.

— Знаете, что я вам скажу, пошукайте у него на службе — вдруг какая-нибудь матрона из столовой. Или еще, — он сделал знак кривоватым тонким пальцем, — у него дома. Когда это было? Пожалуй, месяца четыре назад. Мы у него сидели. Шахматишки, бутылочка армянского, мужской разговор... Так вот тогда сильно одна дама его донималась. Не только звонила, но и заходила в квартиру. Приметная бабенка, молодящаяся. Вот с «портретом» у меня хуже — боюсь, нарисовать не получится. Во-первых, я спиной сидел, а во-вторых, Иван засмущался и закрыл дверь в комнату. Минут пять они шептались в коридоре и он ее выпроводил. Интеллигентный бабец, между нами говоря. В дубленке, цветочками расшитая.

— Цветы — неважная примета, — заметил Вашко.

— Само собой... Но я видел немного и ее — зеркало прямо передо мной, вот и разглядел чуток. Волосы светлые, похоже, крашеные. Лет около сорока, молодящаяся. Я тогда еще прикинул — как пить дать с работы, а из разговора понял, что и живет где-то недалеко.

— А почему решили, что подходит под эту категорию? Какие-то общие дела?

— Экий вы непонятливый — бутылка-то почему была? День рождения у Ивана, а тут цветы... Неужели непонятно?

— А, вот оно в чем дело, — сообразил Вашко. — Это интересно. Стало быть, с цветами... Повторите про нее!

— Волосы светлые, полноватая, рост повыше Ивана...

— А почему решили, что живет рядом?

— А она сказала как будто — жду вечером, когда освободишься... Он: нет, нет, об этом не может быть и речи. Она ему: боишься размяться? Не нравится твое затворничество. Хоть на пять минут вышел бы на улицу, а заодно и заглянул на чашку чая... Вот примерно такая картинка получается.

— Угу... Это, похоже, действительно с работы. Придется поднимать карточки в отделе кадров и шуровать по домашним адресам. — Вашко посмотрел на часы. — Это мы завтра с утра и прокрутим — не проблема. Ого! — он посмотрел на часы. — Прогуляли мы с вами, Эль Петрович, предостаточно! Мне уж давно надо быть совсем в другом месте.

— Всегда к услугам! — раскланялся Бачко и долго смотрел вслед уходящему сыщику. По лицу его блуждала многозначительная, не лишенная иронии улыбка.

...Несмотря на час пик, улица была пустынна. Причиной этого мог служить лишь пронизывающий ветер, который крутил сухую снежную поземку. Пройдя через подземный переход, где толпились продавцы проездных билетов, цветочники и влюбленные парочки, Вашко, с трудом преодолевая обледенелые ступени, поднялся на другую сторону улицы. Ветер с неослабевающей силой рвал последние листья с облепленных снегом голых ветвей лип. Свернув в переулок, Иосиф Петрович некоторое время шел в полном одиночестве меж унылых домов. Пройдя квартал, он оказался перед темными прямоугольниками кирпичных гаражей. Тишину нарушал лишь свист в проводах да поскрипывание качающейся под напором ветра оторванной доски. Гаражи располагались отсеками по двадцать штук в каждом. Разномастно окрашенные ворота смотрели друг на друга, постукивая и позвякивая болтающимися массивными замками.

Добравшись до бокса, на двери которого белой краской было выведено «26», Вашко не обнаружил Лапочкина, с которым уговорился встретиться в семь. Чистая ровная поверхность снега не сохранила следов — даже позади Вашко поземка заметала свежую цепочку его собственных, немного косолапых вмятин от ботинок. Скинув перчатку, Вашко долго нашаривал ключи. Зажженная спичка на миг выхватила из мрака ручку двери, синие крашеные доски и тотчас погасла, задутая ветром. Вашко, привыкший доверять рукам ничуть не меньше, чем глазам, принялся ощупывать воротину. Руки прилипали к стылым железкам петель, на которых по идее должен бы висеть какой-нибудь замок. Его не было. Отверстия обеих петель были свободными. Вашко начал нашаривать скважину замка, приготовив подходящий ключ, но ничего похожего на какое-то запирающее устройство пальцы не ощущали. Под ботинком что-то звякнуло. Он нагнулся и вывернул из снега дугообразный кусок металла с откинутой в сторону круглой скобой. Из отверстия приличных размеров замка торчал ключ с проволочным колечком. Гараж, похоже, был открыт. Это привело Вашко в некоторое замешательство. Стоило взяться за ручку, и воротина бесшумно пошла в сторону. За ней не раздалось ни широха, ни скрипа. Ни малейший лучик не озарил тихое, и, как показалось Вашко, куда более уютное и теплое, чем улица, пространство. Воздух внутри гаража был густо настоян на бензине, красках, различных мастиках.

Сделав шаг в темноту, Вашко плотно прикрыл за собой дверь и в полной тишине замер у входа. Он не знал, где включается свет и в каком месте может быть расположен выключатель. Уже то обстоятельство, что дверь оказалась незапертой, рождало в его душе массу неясных тревожных чувств. Отчего гараж открыт? Неужели ему не страшно оставлять машину открытой? Объяснение на все вопросы могло быть единственное: то, что случилось с молодым человеком утром — произошло здесь. Это объясняло и незапертый в спешке гараж и его такое странное обнаружение у дверей собственной квартиры. Неужели он оставил открытым гараж потому, что не смог совладать с дверью? А квартиру не смог открыть? Чертовщина какая-то... Отчего произошло все именно так, еще предстояло разбираться и разбираться — состояние его здоровья не вызывало теперь опасений — Вашко звонил врачам, и предстоящая беседа с потерпевшим, конечно же, должна прояснить загадку. Однако Вашко не сомневался, что окажись автолюбитель здесь — он по-прежнему не пустил бы его сюда... Значит — выход один! Вашко даже не боролся с угрызениями совести, он считал, что интересы дела простят подобную мелочь вроде осмотра чужого имущества.

Тишина и мрак были полными. Иосиф Петрович постарался припомнить расположение шкафов, полок и прочего немудреного барахла, заполнившего все пространство у стен и даже у потолка, развешенного, как ему помнилось, на кривоватых ржавых гвоздях, вбитых в щели меж кирпичей, так тщательно разглядываемых им еще несколько дней назад. Ему казалось, что нечто похожее на электрический счетчик должно висеть слева от входа. Как будто там же вились и провода — черные толстые, идущие к коробке с приборами.

Чиркнув спичкой, Вашко действительно в секундном всполохе пламени ухватил взглядом выключатель. Свет произвел некое непонятное действие в глубине гаража — с потолка что-то глухо и мягко грохнулось о поверхность автомобиля, послышался тихий скрежет, едва различимый ухом, и тут же все стихло. Не успел Вашко нажать кнопку выключателя, как до него донесся еще один, куда более глухой шлепок по бетонному полу. Вспыхнули лампы. Вашко показалось, что у заднего колеса, откуда послышался второй шлепок, серебристой лентой мелькнула похожая на шитый серебром поясок длинная полоска и, скользнув в щели толстых досок, прикрывавших люк смотровой ямы, исчезла в подполье.

Машина, сверкая чистотой и поблескивая лаком, занимала весь гараж. Вашко не удержался и с невесть откуда взявшейся ласковостью похлопал по капоту. «Жалел тебя, небось, Тушков...» Все еще продолжая стоять у самого входа в гараж, Иосиф Петрович озирался по сторонам — гараж как гараж: много банок, тряпок и порожней, измазанной маслом и краской, посуды. В дальнем углу знакомо угадывались автопокрышки, громоздящиеся одна на другой. Странно, но подозрение Вашко о том, что утром здесь разыгралась трагедия, похоже, не оправдывалось. Разве что забытые на верстаке перчатки наводили на тревожные мысли, но их владелец машины попросту мог забыть. Другое дело, шарф... Хороший, мохеровый, валявшийся на земле у переднего бампера. Странно, странно... В темноте Вашко наступил на него, пробираясь к выключателю, и теперь, осторожно взяв в руки, принялся рассматривать, бережно сдувая сор, песчинки, мелкие щепки. Вздохнув, так ничего и не поняв, он положил его на верстак поближе к перчаткам.

«Везет же людям», — подумал Вашко. Ему всегда хотелось иметь пушистый шарф, но на распродажи для сотрудников Управления он обычно не попадал — либо слишком поздно узнавал, либо был на выезде. — «Хорош!» — подумал он еще раз и задумчиво провел рукой по длинному ворсу.

Из-за ворот донеслись вкрадчивые шаги. Вашко отступил в угол и прижался спиной к холодным доскам. Щелкнув выключателем, он погасил лампу. Дверь осторожно отворилась — в темноте угадывался чей-то плотный силуэт. Вашко, не долго думая, сгреб незнакомца в охапку. Человек завозился в цепких объятиях и без видимого труда освободился, съездив Вашко локтем по визиономии.

— Что за шутки, Петрович? — с хрипотцой произнес Лапочкин. — Тебя узнать по следам, как обделать два пальца. Косолапишь сильно!

Вспыхнула лампа.

— Опаздываешь, — недовольно буркнул Вашко.

— Ну и жарища здесь! Батареи жарят на полную катушку.

— Что с банкой? Есть новости?

— То же самое. Мазь для поясницы, но удивительно сильной концентрации.

— Значит, квакнули глюкозиды?

— Угу, — произнес Лапочкин, примащивая куртку на торчащий меж кирпичей гвоздь. — Это типиус уже в сознании — просит свести к вам. Врач звонил... Я ему пообещал, что приедем, как освободимся.

— Состояние?

— Чего ему будет — здоров, как бык! Думаю, пойдет на признанку. Голову на отсечение — Тушков его дело! Вот только чем он его?

— Признанку? — Вашко последовал примеру Евгения и аккуратно примостил поверх его куртки потрепанное пальто. — Ну-ну... Приступим к осмотру?

— Заперта? Не проверяли?

— Нешто не отопрешь? — он подбросил поблескивающую резную пластинку с хитроумными гранями и прорезями.

Лапочкин энергично обошел машину, хлопнул ладонью по багажнику и долго глядел внутрь салона. На заднем сиденье по-прежнему валялась старая куртка. Ее поведение озадачивало оперативника — она жила какой-то самостоятельной жизнью: то один ее край, то другой рывками приподнимались и замирали.

— Что такое? — ошеломленно произнес Лапочкин. — Там что-то есть.

Вашко вдруг вспомнил о шлепке по крыше, полу и ему стало не по себе.

— Стой! — крикнул он Лапочкину. — Гляди, у двери поднята кнопка запора — машина открыта...

— Ничего не понимаю, — ошарашенно пробурчал Лапочкин. — Вы же говорили, что он блюдет ее как девственницу перед выданьем. — Он стоял как и раньше у багажника, разглядывая сквозь стекло куртку на заднем сиденье. — Вот это да! — завороженно произнес он, отшатываясь в панике от машины. — Красавица!

— Что? — встревожился Вашко — в голосе подчиненного ему чудилось что-то гипнотическое — столько было изумления и неги.

— Ой, экземпляр! Прямо, как в цирке...

Лапочкин согнувшись в поясе стоял у машины — его безудержно влекло вперед и тем не менее во всей его напряженной позе читалась опаска и осторожность.

Подскочив к нему, Вашко с силой отпихнул оперативника и тотчас остолбенел сам: ему очень захотелось сей же миг открыть дверь, опустить окно и глядеть, глядеть на отталкивающую в своей грациозной опасности подрагивающую красоту. За стеклом машины, мерно раскачивая небольшой головкой, с донельзя раздутым капюшоном застыла кобра. Неподвижный взгляд ее глаз был направлен, как казалось, непосредственно на Вашко. Сквозь окостенелые чешуйчатые челюсти сноровисто появлялся и исчезал тонкий язык.

Рука Евгения непроизвольно потянулась к двери...

— Еще чего! — грозно зарычал Вашко, наливаясь багровым румянцем. — Смотри под ноги... Здесь, кажется, была еще одна — маленькая, блестящая... Она свалилась в подвал. Быстро на улицу!

Бегство было спешным: схватив подчиненного за шкирку, Вашко не вывел, а вытолкал его на улицу и лишь потом выскочил сам. Через какую-то минуту-другую беглецы почувствовали холод, пронизывающий до костей. С осторожностью приоткрыв калитку, Вашко подозрительно осматривал пол, машину, стену с гвоздем, на котором висела одежда. Протянув руку, он снял пальто, вытянул его сквозь дверь, встряхнул с необычайной силой и с гримасой отвращения посмотрел на снег, куда, по его разумению, должно было упасть нечто гадкое и противное. С брезгливой миной изучив содержимое карманов, он натянул сперва один, а потом и второй рукав, и лишь потом, вздохнув в облегчением, потянулся за курткой Лапочкина.

Евгений как зачарованный напялил куртку и принялся машинально застегивать пуговицы.

— Ну и зоопарк, — каким-то потерянным голосом произнес он. — Не надо никакой охранной сигнализации... Могила...

— То-то и оно, что могила! Надо же до такого додуматься. Охрана машины — высший класс. Правда, и сам влип.

— Ага! — охотно согласился не пришедший в себя Лапочкин. — А что теперь будем делать?

— А шут его знает.

— Может, — Лапочкин достал пистолет и звучно передернул затвор. — Разок шарахнуть?

— Сдурел? Машину повредишь. Вокруг кирпич, да бетон — срикошетит, как пить дать!

— Интересно, как он их «отключал»? Дудочкой что ли? Как йоги?

— А шут его знает, — ответил Вашко. — Может, рогулька какая на всякий случай имеется. Хотя, похоже, у него самого что-то не в масть получилось.

— Слышь, Петрович, а у нас специалисты по этим тварям есть? Может, куда звякнуть?

— Вряд ли, — выдавил из себя Вашко, и Евгений понял, что ему тоже не по себе. — Может, чего придумаем. Есть одна мыслишка.

— Шеф! — с озабоченностью и предупреждением воскликнул Лапочкин, делая загораживающий жест.

— Не мешай, — все больше набираясь решимости, буркнул Вашко. — Одну я как будто уже отправил в подвал — туда же, если повезет, спровадим и другую.

— Интересная мысль. Но ради чего?

— Думаю, так станут охранять лишь что-то важное. Голову на отсечение, в машине — разгадка.

— Тогда я с вами, — вяло выдавил Лапочкин.

— Нет, нет! Жди здесь. Понадобишься, крикну!

Сбросив пальто на снег, Вашко решительно исчез за дверью. Евгений, поразмышляв, приоткрыл ее и в щель смотрел за действиями начальства. Вашко нагнулся, откинул доску люка, ведущего в подполье. Взял длинную палку с кривым гвоздем на торце, взобрался на покрышки, и осторожно открыл палкой дверь машины. Ждать пришлось долго. Змея мерно раскачивалась из стороны в сторону, резко ударяя мордой по стеклу. Почувствовав дуновение воздуха извне, она опустила голову через порог, замерла, повела ей из стороны в сторону, вглядываясь в пространство, и быстро заструилась на пол. Оказавшись на холодном бетоне, ее толстое тугое тело свилось в поблескивающее кольцо, капюшон спал. Прицелившись, Вашко сбросил палкой трепещущий комок в темный провал люка. Гулкий шлепок засвидетельствовал окончание, может быть, самой рискованной за всю жизнь операции.

— Там еще... Петрович, куртка!

Вашко последовал совету замершего на безопасном расстоянии помощника — поддев гвоздем куртку, он вышвырнул ее прочь из машины.

Все, похоже, было в норме — ни одной твари.

— Порядок в танковых войсках! — подрагивающим голосом произнес Вашко.

Лапочкин, с другой стороны автомобиля, с явной опаской открыл дверцу водителя и придирчиво разглядывал пол машины, поверхность сидений, коврики. Отворив все двери нараспашку, закрыв доской люк, Вашко стукнул ногой по доскам, пытаясь убедиться в их прочности и надежности.

— Что теперь? — ища ответа, глядел через крышу машины Лапочкин.

— Что делать? — переспросил Вашко. — Сперва принеси пальто и дай перчатки. У меня нет желания рыться в этом сейфе без надлежащих средств безопасности.

— Я сейчас, — рванул на улицу Лапочкин.

Надев перчатки, Вашко сноровисто поддел и откинул в сторону заднее пассажирское сиденье. Обшитая грубой мешковиной ниша, запыленная, со следами соломенной трухи, щепочек и листьев, была пуста. В сторону отошла спинка — тоже пусто: только разноцветные провода пугающе змеились поверх той же мешковины. Провода вызывали чувство отвращения. Вытащив из карманов чехлов, «бардачка», с полки заднего стекла ворох бумаг, Иосиф Петрович протянул их помощнику:

— Разберись, может что-то интересное.

Тот разложил их на капоте и принялся перелистывать, откладывая в сторону мелкие клочки с блеклыми карандашными пометками.

Под сидениями хаотично валялось несколько гаечных ключей, фонарик без батареи, здоровенный охотничий нож, перепачканные маслом старые перчатки и черные резиновые галоши с твердыми комочками ссохшейся глины.

Закончив осмотр салона, Вашко долго ковырялся в моторе. Лапочкин не без интереса наблюдал за его манипуляциями — тот отвинчивал какие-то круглые крышки, заглядывал под них, недовольно хмыкал, приподнимал аккумулятор, шарил рукой под двигателем и противно по-стариковски кряхтел. Чертыхнувшись, Вашко захлопнул капот и молча перешел к багажнику: запаска, набор ключей, заводная рукоятка да сапоги... Поддев перчаткой, Вашко отодрал резиновый коврик — все та же соломенная труха, путешествовавшая с автомобилем, похоже, не первый год.

— Есть что-нибудь? — с надеждой спросил Лапочкин.

— Нет. Как там с записями?

— Сплошные пустяки, шеф. Какой-то километраж, расходы на бензин.

— Чьи? Тушкова или нашего водилы?

— А шут разберет.

Теперь голос Вашко раздавался с водительского сиденья — Иосиф Петрович грузно плюхнулся в него, широко раскорячив ноги вокруг рулевой колонки, и, сгорбившись, шарил рукой по нижней части сиденья.

— Не пойму — здесь ничего нет. Зачем тогда такие предосторожности? — Он закурил и, поворачивая из стороны в сторону голову, принялся оглядывать салон.

Спроси его, что он ищет, и он не смог бы ответить на этот вопрос. Письма? Записки? А кто сказал ему, что они должны быть здесь. Но тем не менее какое-то свербящее чувство подсказывало: должно быть здесь что-то, проливающее свет на эту далеко не самую симпатичную из известных ему историй.

— Все чепуха! — авторитетно провозгласил Евгений, садясь рядом, распихивая карты и путеводители. — Может, открутим приборную панель.

— Я что — таможенник! — неожиданно вспылил Вашко. — Я такие штуки делать не умею! — Он вылез из машины, вышел за ворота и долго с остервенением ковырял ногой снег.

Чертыхнувшись в который раз, он принялся ходить взад и вперед по небольшому дворику меж двух рядов гаражей. Тяжело шагая по пухлому снежному ковру, оставляя глубокие вдавленные в снег ямки, он старался не наступать дважды в один и тот же след. Евгений, оставшийся в гараже, подозрительно притих — не вышел, как это всегда бывало, за Вашко, а беззвучно сидел в машине, словно нашкодивший школьник.

— Скоро ты там? — не скрывая раздражения крикнул Вашко.

— Сей секунд! — с какой-то невозмутимой интонацией, свидетельствующей о возможном подвохе, ответил Евгений. — Тут, шеф, надо кое-что пересчитать, а у меня с арифметикой неважно.

— Потому и пошел в милицию? — рванул на себя дверь Вашко.

На коленях Лапочкина лежал кривой оборванный кусок полиэтилена, обрывок газеты, и пачки, пачки, новеньких червонцев и двадцатипятирублевок.

— Где взял? — Вашко нервно крутил в руке связку «десяток».

— А вот туточки лежало, — Лапочкин ткнул пальцем в противосолнечный козырек лобового стекла, продолжая подсчет, — шесть пятьсот десять... шесть пятьсот двадцать... шесть пятьсот тридцать...

— Да ты их сотнями, сотнями... потом просуммируешь...

— Угу, — не отрываясь от счета, согласился Евгений и продолжал считать точно так, как и раньше. — Вы, Иосиф Петрович, гляньте за вторым козырьком. Сдается мне, там тоже.

За козырьком водителя и в самом деле лежал перетянутый бечевкой пакет. Стоило тронуть его, как содержимое рассыпалось по полу. Это были облигации.

12. ИЩУЩИЙ ДА ОБРЯЩЕТ

— Привет, сынок! Вызывал? — В двери палаты стоял Вашко и смотрел на лежащего с одутловатым синюшным лицом автолюбителя. Врач, которого в коридоре «достал» вопросами Вашко, в конце концов махнул рукой: мол, идите и спрашивайте сами. Поискав глазами местечко, Вашко смахнул с табуретки невидимую соринку и грузно опустился на жесткое сиденье.

— Болит? — безучастно поинтересовался он, кивнул на забинтованное предплечье парня. — Это ты лихо придумал, но не до конца обстряпал дельце... А?

— Эскулапы поведали? — презрительная гримаса болезненно скривила губы. — Спецы хреновы... Искололи всего.

— Ну-ну... — Вашко неотрывно смотрел на больного. — Хороши змейки! Ничего не скажешь.

Парень скосил взгляд на Вашко и непроизвольно дернул рукой.

— Сколько их у тебя?

— Гремучка и «Королек».

— Что за «Королек»?

— Индийская королевская кобра.

— Красавица... Чем кормишь?

— Вы думаете, это для охраны машины? — больной повернул голову к собеседнику. — Ерунда! Просто я их не успел вчера отвезти в лабораторию. Решил, что до утра с ними ничего не будет.

— Закавыка! — Вашко положил ладонь на грудь. — Они у тебя и раньше были, когда ты меня в салон машины не пустил. Помнишь?

— Ерунда. Тогда были безобидные твари — полозы. Их я в тот же день отвез. — Он умолк и долго смотрел в потолок. — До сих пор не понимаю, как они выползли? Не должны были... В мешках же хранились. — Он вздохнул и добавил: — Это моя работа — возить из питомника, когда двух, когда десяток. Смотря какие опыты заявлены. Можете проверить в лаборатории — я не специально подстроил. Честное слово.

— Угу, — охотно согласился Вашко. — Наверно, очень удобно сочетать служебные интересы с личными — какая беда, если «экземпляры» немножко поохраняют частную собственность. А где же мешки? Что-то не припомню.

— Я не вру, — в голосе парня Вашко уловил обиду. — Я их, когда тяпнули, машинально бросил к покрышкам. Кто знал, что так получится. Эта гремучая стерва заранее приготовилась к атаке и лежала на полу. Там темно — не видно... Надо же так, шарахнула по ноге.

— А по руке? Кобра? — Парень кивнул. — Кто из них сильнее?

— В каком смысле? У кобры яд сильнее. Если бы она не оказалась такой покладистой и шарахнула еще разок — финита. Вы их убили?

— Никогда не уничтожаю государственное имущество. Кстати, что у вас с ними делают? Опыты какие?

— В основном, исследования. Раздражимость там, например, изучают. Где они сейчас?

— В смотровом колодце. Под машиной.

Парень оценивающе взглянул на Вашко.

— Сильно!

— Слушай, — уже совсем миролюбиво произнес Вашко, пододвигая табурет ближе к кровати больного, — а что за банку ты подарил рыжему, а? Вроде мазь какая...

— Она и есть. Из змеиного яда делаем — чего добру пропадать. У нас там есть один умелец — «доит» их, высший класс! А потом с вазелинчиком спиртовую настоечку замешает и порядок. — Он повернулся и морщась переложил под одеялом больную ногу. — Вас, ведь, интересует не это. Задавайте вопросы. Я готов ответить...

— Рассказывай, сынок! Самому лучше — чего мне гадать.

— А чего тут гадать — знал, что сообщат, вы ткнетесь в квартиру или на работу, а потом и до гаража доберетесь. Вы все нашли? — пытливо смотрел он на оперуполномоченного.

— Сомневался? — довольно разглаживая усы, без улыбки переспросил Вашко.

— В общем-то нет, — водитель повернулся лицом к Вашко, но старался избегать прямого взгляда. — Сколько мне дадут?

— Смотря что, приятель, ты имеешь в виду... Покушение на убийство, например, тянет на десятку. Смотря, правда, какие цели, — решил не открываться Вашко.

— Какое убийство? — водитель аж заерзал под одеялом. — Клянусь... — он с силой стукнул рукой по краю кровати и тотчас зажмурился от боли.

— Руку не сломай, — добродушно заметил Вашко, — еще пригодится... Расскажи лучше, как ты обустроил дельце с Тушковым?

— Что значит, обустроил? — теперь взгляд больного неотрывно следил за Вашко. — Что вы имеете в виду?

— Не надоело играть в кошки-мышки? Мы же договорились: только правду.

— Не понимаю...

— У него на ноге две ма-а-ленькие дырочки. Представь себе, — он показал на забинтованную руку больного — ну, точь-в-точь как у тебя? Сечешь? И это послужило причиной смерти. Тебя откачали, а его нет... Доходчиво объяснил?

— Клянусь вам, — парень стукнул ладонью в грудь. — Деньги да — взял... Из машины — вышвырнул... Что мое, то мое... Но не было у меня никаких змей, поймите же вы наконец. Он же сам на машине приехал, а я пешком... Спросите у всех, хоть у того же продавца.

— А коробочка? — напомнил ему Вашко. — Забыл?

— Господи! — понимая, что ему не верят, воскликнул парень и, потеряв силы, упал на подушку. — Ну как вам объяснить...

— Рассказать все с самого начала. Только учти, все будет проверяться. Пойми — деньги у нас, номера облигаций совпали с теми, что числились за Тушковым.

— Можете говорить, что угодно — мой ответ: нет, не был, не участвовал... Я его и видел-то тогда в первый раз и на кой черт, спрашивается, он мне сдался. С продавцом вступил в сделку — да. А как еще узнаешь о прибытии более или менее приличной машины... Может, какая информационная служба есть? Когда этот «чайник» приехал, мы столковались, оплатил, как положено, через кассу. Он получил. Поехали вместе, чтобы в укромном месте отдать положенное «сверху». Тушков этот самый принялся в машине подсчитывать — обмана сильно боялся, потом облигации перекладывал, ну и...

— Ты его «кинул»?

— Черт попутал.

— Когда это произошло?

— В пятницу. Часам к восьми дело шло...

— А подробнее?

— Остановились. Я говорю: «У тебя, как будто, стоп-сигналы не работают... Я нажму, а ты пойди посмотри!» Он простак-человек, сверток на сиденье — и попер. Я по газам и вперед... Поверите, даже не ударил его ни разу... Он же «чайник». Полный к тому же... Я впервые такого чудика встретил — все оставил на сиденье, даже документы...

— Ну и?.. — с нетерпением поторапливал Вашко. — Дальше, дальше что?

— Он сперва, похоже, остолбенел, потом всплеснул руками и вдогонку. Я ему через стекло портфель с паспортом на асфальт швырнул — думаю, подберет...

— Подобрал?

— Не знаю, — потупя взгляд произнес парень. — Мне показалось, он поскользнулся и упал.

— Можешь показать, как?

— Не могу, для этого вставать надо. На спину упал. Головой к бордюру. Ноги как-то странновато разъехались. Впечатление такое, что они бежали впереди тела.

— И чем он ударился? Затылком?

— Вполне возможно.

Наступило тягостное молчание.

— Что мне за это будет?

— Мы не определяем, — погруженный в собственные мысли, заметил Вашко.

— Машину конфискуют?

— Определенно. Деньги тоже.

На скулах парня заплясали бугристые желваки.

— Понятно... Куда меня теперь? В тюрьму?

— Сначала в больницу — рано вставать... Сейчас мы это оформим — можешь не волноваться. Там, конечно, не такие условия, но вылечишься. Последний вопрос — если не хочешь, можешь не отвечать: что было в коробке?

— Господи, да деньги. Деньги там были! И ничего больше. Клянусь!

— Хорошо! — Вашко медленно поднялся с табурета и медленно направился к двери.

В коридоре он чуть не столкнулся с Евгением.

— Какие указания, шеф?

— Оформляй его переселение к нам.

— Будет исполнено.

— И посади сейчас же с ним человека — кто его знает, начудит, потом греха не оберешься. — Кстати, не забудь послать ребят для осмотра гаража. Надо все запротоколировать.

13. ВИЗИТЫ, ВИЗИТЫ, ВИЗИТЫ...

В проходной Внешторга возникли, как и прежде, недоразумения. Пожилая женщина, облаченная в мешковатый синий костюмчик с треугольными эмблемками в петлицах, долго искала в журнале фамилию посетителя, потом извлекла какой-то дополнительный лист, сквозь старомодные очки изучала его, пришептывая беззвучно губами, и лишь после этого связалась по телефону с начальством. Человек, к которому она обращалась, похоже, также искал Вашко в своих списках, куда-то, видимо, отходил, подходил снова и через несколько минут разрешил пропустить. Женщина, получив «добро», окинула Вашко уже другим, куда более доброжелательным взглядом, даже с неким подобием улыбки и заботливо, без прежнего металла в голосе, поинтересовалась:

— Вы знаете, куда идти? Или попросить кого, чтоб проводили?

Вашко, естественно, отказался.

Кабинет Тушкова оказался нетронутым. Более того, на двери до сих пор белесо маячила полоска бумаги с печатью и подписью самого Вашко. Подцепив бумагу ногтем, он без труда отпер ключом дверь и оказался в кабинете, который раньше именовался им не иначе, как аппартаменты «нашего сумасшедшего».

Задернутые шторы не пропускали света. Забытые на столе газеты, журналы, какие-то малозначительные документы, извлеченные из стола в день первого посещения, соседствовали с обломками спичек и размятыми в пепельнице сигаретами. Неизвестно отчего, запах в комнате стал похож на музейный. Вашко аккуратно притворил за собой дверь, запер ее изнутри и, притулив старенькое пальто на вешалке, зажег свет.

Неожиданно послышался сухой щелчок, что-то зашуршало и давным-давно замершие напольные часы с тусклым латунным диском маятника глухо ударили несколько раз. Вашко озадаченно посмотрел на них, послушал жутковатую тишину, потом подошел к столу и резким движением сдвинул на край все бумаги и документы. Под стеклом виднелись курсы иностранных валют. Подвигав ящики стола взад и вперед, Вашко извлек несколько просмотренных еще тогда записных книжек Тушкова. Смотрел их Иосиф Петрович не в первый раз, и в номерах телефонов, начинавшихся не с цифр, а с букв, не видел ничего представляющего интерес. Без особого труда нашел он страничку, на которой значился телефон Бачко. И это все было теперь ни к чему — из этого, при всем желании, не выудить ни крупицы информации.

«Что за дело? — размышлял Вашко, сидя в шатком, но очень удобном кресле. — Как известно, с годами человеческая память крепче не становится, а у Тушкова не было ни одной записной книжки. Никому не звонил? Вряд ли... Хотя бы по служебным делам должен был это делать. А что, если сохранилось где еще? — Он поднялся и подошел к сейфу. — Пустота! И дома ничего не было. — Задумавшись, он перевернул обрывки газеты, устилавшие полки сейфа — газеты все старые, одна хуже другой. — Стало быть, если и были какие-то блокноты, то их взяли. Кто? Когда? Зачем? — Он вспомнил вахтершу внизу, затертые списки и почесал затылок — на чужих и не подумаешь».

Излазив все щели, ящики и полки, задрав ковер, раскрыв полки шкафа, Вашко методично, шаг за шагом, пристально, как делал это не раз в жизни, изучил содержимое всего кабинета и абсолютно ничего не нашел. Он все больше и больше утверждался в мнении, что здесь побывали задолго до его самого первого прибытия.

Лениво полистав лежавшие на столе журналы, Вашко сунул их в карман, потом неспешно оделся и под пытливыми взглядами проходивших по коридору сотрудников, изо дня в день видавших здесь лишь своих, направился к выходу.

Поплутав немного по огромному зданию, Вашко в конце концов обнаружил ту дверь, что была ему нужна. Навстречу из-за барьера поднялся пожилой мужчина, похожий по выправке на отставного служаку. Бегло посмотрев удостоверение, он без лишних слов исчез за шкафами и вскоре появился вновь с продолговатым ящиком в руках. В нем находились карточки из плотного картона.

— Как там у вас Милорадов? Держится старик? — спросил кадровик, поправляя измазанными в чернилах пальцами большой узел старого галстука.

— Знакомы с генералом? — удивился Вашко и брови его кустисто пошли к переносице.

— Как вам сказать. Тогда он ходил майором.

— Кем служили? Не в розыске? — Вашко облокотился о барьер и, перегнувшись, смотрел на быстрые движения пальцев кадровика.

— Когда это было... Я уж давным-давно на пенсии. Вас интересуют только женщины?

— Те, что живут рядом с Котельниками. Можно курить?

— Курите! — он достал из ящика стола и поставил рядом с Вашко банку от кофе, забитую окурками.

— Видимо, вы ошиблись в установке, — отодвинув картотеку в сторону, назидательно произнес кадровик. — Из ныне работающих там не живет никто.

— Неужели... Может быть проверить еще разок, старина?

Мужчина, похоже, не слышал или не хотел внимать дилетантским, по его мнению, замечаниям.

— Что же касается мужчин... — Он сделал значительную паузу. — Прошу любить и жаловать!

На барьерную доску легли сразу три карточки — две светлые, а одна темная и глянцевитая.

— Егор Силыч! — воскликнул Вашко, вглядываясь в снимок мужчины средних лет с тонкими чертами лица и без знакомой лопатообразной бороды. — Ничего не понимаю. Он говорил, что живет в другом месте, мол, Тушков подвозил его, но только до центра.

— Разрешите, — кадровик поднял на лоб очки и «невооруженным», подслеповатым взглядом принялся изучать обратную сторону карточки, испещренную чернильными записями. — Панчин Егор Силыч... Нет, ошибки быть не должно — раз здесь записано, значит так оно и есть. Котельническая набережная... Это высотка, где «Иллюзион». Ошибки быть не может. Знаете что, вы пока смотрите эти карточки, а я проверю по анкете. — Он обогнул стол и прошел в комнату за железной дверью: до Вашко донеслось хлопанье дверей сейфов.

С двух других карточек на Вашко смотрели абсолютно незнакомые молодые люди. Оба выпускники института международных отношений, оба со знанием иностранных языков. Судя по записям в графе «место работы», один из них был атташе в одной из латиноамериканских стран, второй — служил советником в Африке. Это явно не имело отношения к делу.

«Как же я про него забыл... Ах, дорогой друг, Панчин! А ведь мы с тобой обговаривались о встрече. Неужели?» — Вашко до такой степени погрузился в оцепенение, что очнулся лишь тогда, когда догоревшая до самого фильтра сигарета начала жечь ноготь.

— Все точно, он живет именно там, — гордо произнес кадровик, аккуратно прикрывая за собой дверь бронированной комнаты. — Вы с ним уже встречались? Такой основательный мужчина, примерно наших с вами лет — если не изменяет память, с бородкой. Хотите, можем проверить — на работе он или нет?

— У вас найдется местечко для беседы?

— Нет проблем. Вызвать?

— Только по какому-нибудь вашему вопросу, например, уточнить семейное положение.

— Понял! — кадровик с готовностью снял трубку телефона и голосом, не терпящим никаких возражений, с богатыми командирскими интонациями, обратился к собеседнику. — Михалыч, есть у тебя такой — Панчин? Да, да, Егор Силыч... Дай команду скоренько спуститься к нам — анкетка у него старенькая, пора бы кое-что уточнить. — Вернув трубку на телефон, он обернулся к Вашко, старательно списывающему в блокнот данные карточки.

— Он что-то совершил?

Вашко пожал плечами:

— Пока ничего определенного.

— Служебная тайна, — с пониманием заметил кадровик. — Ну-ну...

Кабинет, куда кадровик провел Вашко, кроме стола, двух стульев и телефонного аппарата больше ничего не имел. Здесь стояла такая же баночка, полная пепла и окурков. Вашко протер ладонью поверхность стола и положил перед собой карточку Панчина. Раз дело принимало такой оборот, надо было переписать все: год и место рождения, прежние места службы, состав семьи. Жену Егора Силыча звали Еленой Федоровной. Она была примерно одних лет с Панчиным, а дочери, судя по дате рождения, перевалило за сорок.

Черный, допотопного вида телефон внезапно звякнул. Иосиф Петрович поднял донельзя тяжелую трубку.

— Алло, вы слушаете, — голос кадровика смущенно замирал. — Маленькая незадача...

— В командировке? — напрягся Вашко.

— Куда проще — четвертый день на больничном. Лежит дома.

— Спасибо, — Вашко встал и начал рассовывать записи по карманам.

Примерно через полчаса он уже стоял перед высотным, увенчанным звездой на шпиле, зданием. Лифт, исцарапанный и исписанный пацанами, медленно, с покряхтыванием, тянул вверх. За остекленными дверьми проскакивали этажи и, казалось, им не будет конца. Но вот, стукнув шарнирами подвесок, лифт дернулся и остановился.

Звонок не работал, и Вашко пришлось долго стучать кулаком в коричневый дермантин двери. Изнутри послышались неспешные шаги и сухое покашливание.

— Вы к кому? — на пороге стояла полноватая средних лет женщина.

— Егор Силыч, — произнес Вашко, и женщина, тотчас потеряв к пришедшему интерес, крикнула, пропуская гостя вперед: «Папа, к тебе пришли».

— Кто там? — шаркая стоптанными тапочками, в прихожую вышел Панчин. Горло его было обмотано старым шарфом, очки висели на кончике носа, в руках он держал развернутую газету.

— А, это вы... — разочарованно протянул он. — Чем обязан?

— Извините, есть несколько вопросов. Разрешите пройти?

— Да. Я сейчас оденусь, — по-прежнему не слишком доброжелательно произнес Панчин и закашлялся.

— Я могу от вас позвонить? — Вашко нерешительно подошел к тумбочке с телефоном, стоящей в прихожей.

Ответил не Панчин, а его дочка:

— Ради бога.

Телефон Лапочкина откликнулся сразу:

— Привет, шеф! Все сделано, как просили. Пациент наш. Попросил бумагу — сейчас пишет. Листов десять измарал. В принципе ничего нового, но про машину и деньги — как говорил.

— Корнеева не объявлялась?

— Я сам звонил. Говорит, что еще раз ходила, но ничего нового. Уже успокоилась.

— Не надо бы ей сейчас проявлять инициативу — поговори с ней.

— Как ее уговоришь! Уже поздно — звонила во Внешторг, подняла там панику.

— Черт побери! Только этого нам и не хватало, — не удержался Вашко, нервно подергивая себя за усы. — Скажи, чтоб не лезла. Только слова подбери. Что опергруппа?

— Гараж запротоколирован.

— Еще что?

— Генерал справлялся о вас.

— Что ему?

— Не понял. Наверно, по ходу дела. Где встречаемся?

— Позвоню. Ты, кстати, не ездил в больницу? Что у них там за история с инъекторами?

— Ерунда. Копеечное дело. Разбили штук сорок. Я один из оставшихся взял. При случае покажу. Есть информация по телеграмме в Одессу... Помните?

— Ну...

— Оригинал напечатан на машинке. Отправлен со Смоленской площади.

— Рядом с Внешторгом? Интересно!

— Обратного адреса отправителя нет, фамилия наверняка вымышленная, даже проверять не стал. Дежурившую тогда телефонистку нашли, опросили.

— Ну и?..

— Ни черта не помнит.

— Все?

— Пожалуй. Разве что...

— Чего мямлишь?

— Прокуратура проснулась. Они, Иосиф Петрович, хотят осматривать квартиру нашего пациента.

— Автолюбителя?

— Ага... Может, мне подскочить?

— Санкция?

— Теперь есть — основания законные.

— Поезжай, — Вашко глянул на часы. — Будешь нужен, найду. Пока!

Положив трубку, Вашко обнаружил, что на него внимательно и изучающе смотрят хозяева квартиры. Если в глазах дочери читалась некая невысказанная тоска, то у самого Панчина сквозило неприкрытое любопытство: похоже, он давно свыкся с мыслью о смерти своего шахматного партнера.

Тоска дочери озадачивала. Вашко быстро отвел глаза в сторону, чтобы не выказать случайного интереса, и... внутренне замер: на вешалке он заметил расшитую цветами дубленку. Не подавая вида, он прошел на кухню, куда его пригласили и где на непокрытом столе уже дымились приготовленные чашки чего-то бурого — то ли чая, то ли кофе.

— Егор Силыч, — решил брать «быка за рога» Вашко. — Давайте откровенно поговорим, начистоту. Мне многое уже известно, как вы понимаете, есть с чем сопоставить ваши показания.

Панчин неопределенно повел плечами.

— Мы вроде бы уже поговорили не так давно, и все выяснили. А скрывать мне нечего.

— Так ли, Егор Силыч? — погрозил пальцем Вашко. — Ведь это вы дали телеграмму дочери Тушкова и сообщили о его смерти. Вы или нет?

— Да, я дал телеграмму.

— Откуда у вас ее адрес?

— Иван Дмитриевич как-то просил отправить ей бандероль, он сам приболел. Вот адрес ее и сохранился, совершенно случайно. Я и не думал сообщать ей о смерти отца, но оказалось, что на его службе никто не знал, где живет Ирина Сергеевна. У человека никого родни, хотя бы дочь приедет. С трудом нашел в своих бумагах адрес, и сообщил...

— А почему телеграмма анонимная, — жестко спросил Вашко.

Наступила долгая, полная внутренней борьбы пауза. По лицу Панчина пробегали непонятные судороги, он порывался что-то сказать и как будто не мог, что-то мешало. Он отвернулся к окну, долго разглаживал бороду, хмурился. Наконец, он произнес:

— Тут все, знаете, и просто, и сложно... Как посмотреть... Но раз уж пошел такой разговор... Словом, если помните, в ту нашу встречу я сказал, что Тушков занял у меня полторы тысячи... Ну, так вот, не занимал он у меня ничего. Не давал я ему денег.

— Почему врали?

— Как вам это объяснить... Он, по сути дела, просил свое. Этому долгу уже лет шесть, но... я, поверьте, никак не мог собрать нужную сумму, чтобы отдать. А когда все это случилось, решил, что нет смысла признаваться — деньги потребуют его близкие. А так... Вы меня понимаете? Честное слово, за этим больше ничего не кроется... Но совесть мучит, и от нее никуда не денешься... И перед покойным стыдно, и перед его дочерью... Вот и решил хоть чем-то помочь, но так, чтобы не вылезать особенно на глаза людям. Тем более, Ирина меня и не знает.

— Откуда долг? — навалившись грудью на стол, спросил Вашко.

— Поверьте, в нем ничего предосудительного. Долг как долг. Я бы не хотел о нем говорить.

— Так дело не пойдет, — резко заметил Вашко.

— Черт с вами! — в сердцах вырвалось в Панчина. — Если хотите знать — это обычный долг. Но вы заставляете меня признаваться в таком, что не очень легко. Чего хорошего, когда у тебя нет средств, чтобы сделать приличный памятник. Да, да! для самого дорого в жизни человека.

— Извините, я не хотел...

— Нет, уж дослушайте, — раздраженно заявил Панчин. — Я обязан был заработать их сам. Это позор... Но я поставил на могиле первой жены скромный кусок гранита, дабы не вызвать презрения со стороны родственников. Вот куда ушли деньги, взятые в долг. Я вообще их не просил — Тушков сам предложил.

— Извините, — сказал Вашко. — У меня на эту тему нет больше вопросов.

— Нет уж, спрашивайте — я могу не выдержать еще одного такого же допроса!

— Хорошо. Как вам будет угодно. У меня на самом деле остался один, совсем другого рода, вопрос. Чья на вешалке дубленка, расшитая цветами?

— Чья же еще — дочери.

— Она носит очки?

— Не всегда... Кажется, лишь тогда, когда смотрит телевизор. У нее близорукость.

— Вы позволите задать ей несколько вопросов?

— Ей? — его глаза совершенно высохли и в них появились жесткие черточки. — Избавьте! Оставьте, пожалуйста, в покое. У нее и без того достаточно забот и совершенно больное, как у матери, сердце.

— Согласен, но если вы не знаете ответа, рано или поздно его все равно придется задать.

— У нее нет тайн от отца!

— Вот как! — Вашко изумленно посмотрел на Панчина. — Редкий, как мне кажется, случай. Скажите, она знала Тушкова?

— Да.

— Где он живет?

— Конечно.

— Могла заходить к нему?

— Ах, вот вы о чем, — с явным облегчением произнес он. — Конечно, конечно... Это все так... Она иногда заходила к нему — не часто, совсем не часто. Это все я, старый дурак, виноват! — он махнул рукой, бессильно и горько. — Думал, пусть лучше с ним, чем в старых девах. Он-то моложе меня и одинокий. Но ничего из этого не получилось — он не захотел.

— Спасибо за угощение. Мне пора!

На улице Вашко долго и безуспешно ловил такси и, отчаявшись вскочил в промерзший, почти пустой троллейбус. Выйдя из него через несколько остановок, он свернул в переулок и, скользя на обледенелом, хоть и обильно посыпанном солью, тротуаре, еще минут пятнадцать шел к угадывающимся за чахлым парком высотным домам. Дом с аркой посередине — цель его путешествия — оказался не так уж и близок, как показалось с первого взгляда. У подъезда с включенным двигателем стоял милицейский уазик. За рулем дремал милиционер с чумацкими усами в донельзя потертой кожаной куртке.

— Где они? — без обиняков спросил у него Вашко.

— Туточки, — едва очухавшись от дремы, он ткнул пальцем в подъезд, у которого стояла машина. — Мабуть третий, та четвертый этаж...

Лифт не работал, а старые, истертые ступени, были чересчур высоки, — Вашко, переваливаясь с ноги на ногу, косолапо поднимался, держась за поручень перил. Милиционер не ошибся. Квартира на третьем этаже была распахнута настежь, оттуда доносился сдерживаемый разговор, а коврик у входа, сбитый множеством ног, валялся на отлете.

— Привет, ребятки! — вырос на пороге Вашко. — Ба, знакомые все лица.

— "Комиссар" приехал... — донеслось сразу из нескольких углов квартиры.

Вашко ничуть не удивился прозвищу — за ним прочно приклеилась эта кличка, придуманная кем-то из прокурорских.

— Есть что-нибудь интересное или просто описываете имущество автолюбителя?

— Не без того, — поднялся ему навстречу скособоченный от недуга, вызванного падением в детстве, следователь Котов — его красивое, греческого профиля лицо, как всегда до синевы выбритое, источало аромат дорогого одеколона.

— Шанель? — тонко потянул носом Вашко. — Смерть кинолога! Слышь, Алексей, и где ты только достаешь эту импортную дрянь? Взятки, поди берешь? А?

— Шуткуешь, — совершенно без обиды отозвался следователь, пожимая огромную лапищу Вашко. — Рад видеть!

— Моего парня не видел?

— Лапочкина? Здесь где-то крутился.

— Шеф! — загадочно произнес Евгений, появляясь в дверях комнаты. — Есть кое-что интересное для нас. Там в серванте.

— Что в серванте? — Вашко повернулся в ту сторону, куда указывал Евгений, и обомлел. — Мать честная... — Он сдвинул шляпу на затылок и рванулся к застекленной нише. — Эксперта! Срочно! Кто-нибудь наберите телефон!

Лапочкин, самодовольно пялясь на глянцевитый фаянсовый сосуд на толстой ножке и округлой, прочто замурованной гипсом крышкой, улыбался.

— Уже подумали об этом... едет! Ей богу, должны быть пальчики, как думаете, Иосиф Петрович!

— Молодец! Вот это ты, сынок, настоящий молодец! — Бедный Тушков! Пришлось встретиться еще раз.

Вашко снял шляпу и не мог отвести взгляда от погребального сосуда.

— Как она сюда попала? Неужто, водитель? Оказывается, он зашел дальше, чем можно было подумать!

— Проверим! — авторитетно заявил Лапочкин, пытаясь подойти вплотную к серванту, но Вашко загородил ему путь.

— Погоди! Сюда, надеюсь, никто не подходил. Прямо к серванту?

— Нет, — Евгений таращился на Вашко. — А что?
— Следы на полу... Хорошо бы...
— Заметано! Раз плюнуть.
— А может, не Тушковская? — вдруг засомневался Вашко.
— Исключено — на крышке номер написан. Чем-то красным, вроде карандаша. Не стирается... Цифирки в точности, что вы записали...
— А говоришь, не подходил!
— Хм.. — стушевался оперативник. — Я осторожненько.
— Ну-ну... Поглядим! — он обвел взглядом помещение. — Прошу до эксперта — ни одной живой души! Евгений, проследи!
— Хорошо, сделаем. Только я вот чего думаю, — зашептал он на ухо еще стоящему рядом Вашко. — Никаких следов мы не найдем.
— Отчего? — Вашко принялся большим пальцем отправлять усы.
— Не такой этот парень дурак. Взял перчаткой и баста! Ищи ветра в поле.
— Говоришь с таким спокойствием, будто у тебя дома этого добра, — он кивком указал на урну с прахом, — полным полно.
Достав сигареты, Иосиф Петрович вышел на лестницу и, чиркнув зажигалкой, закурил. — Пальчики и обувь! Пальчики и обувь.
— А зачем ему это потребовалось? Как думаете? Вроде, этот водила психически нормален.
— Спросим об этом, обязательно спросим — ему-то от нас точно никуда не деться. Как, кстати, его здоровье?
— Нормально! Уже ходит, как миленький. — Вспомнив о чем-то, Лапочкин хлопнул себя по лбу и спешно полез в карман пиджака. — Чуть не забыл. Он просил вам передать сверточек. Говорит, обязательно! Не забудь.
Вашко пренебрежительно левой рукой взял поданный Лапочкиным кулек из оберточной бумаги, помял, не разворачивая, пальцами — внутри что-то шуршало и мягко пружинило.
— Хм... — он отвернул краешек бумаги — шуршание усилилось.
Пришлось Вашко заняться делом всерьез — Лапочник с любопытством поглядывал на руки начальника, степенно разворачивающего сверток. Сигарета, зажатая в уголке губ, дымила и Иосифу Петровичу пришлось прищурить левый

глаз, который пощипывало от сизоватой струйки табачного дыма.

Развернуть сверток до конца Вашко не успел. Стоило ему чуть ослабить пальцы, державшие кулек с боков, как из него взвилось в воздух нечто блестящее и тонкое; ткнувшись в лацкан пиджака, это нечто задергалось и заколыхалось, шнуром свисая вниз. Сигарета упала изо рта и покатилась по лестнице. Вашко буквально окаменел, по спине пробежала судорога, на лбу появилась предательски холодная испарина. Пластиковая, прекрасно сделанная копия черного цвета змейки поглядывала с лацкана стеклянными бусинами глаз. Из ее раскрашенной пасти торчали небольшие липучие крючки, намертво вцепившиеся в пиджак.

— Ты чего? — ошалело заорал Вашко. — Сдурел! Фу-у-у... — с шумом выпустил воздух из груди. — До инфаркта доведешь... Сам «таковский» и шутки у тебя не мудрые.

— Пошутить нельзя, да? — обиженно заметил Евгений, с улыбкой поглядывая на Вашко; вокруг его глаз, широко посаженных на простоватом лице, смешливо сбились в кучу морщинки.

— Отцепи эту гадость! Ну...

— А хороша? А?

— Сам сделал? — поглядывая на тщетные усилия отодрать змейку от пиджака, спросил Вашко. — Умелец, твою мать! Одежду не испорти...

— Да она хорошо отлепляется... Не бойтесь! А вы не сильно испугались, честное слово. Другие гораздо больше. Надо было с зеленцой купить — они страшнее...

— С зеленцой, с зеленцой... — недовольно пробурчал Вашко, досадующий на себя: надо же, испугался, будто в первый раз разыгрывают. — Где там эксперт? Звони еще!

— Ага, — охотно согласился Лапочкин, засовывая змейку в карман. — Сей миг повторим! — он не спеша вернулся в квартиру водителя, откуда слышались методичные голоса прокурорских, тихо что-то считающих и старающихся говорить как можно тише.

Оказалось, звонить эксперту уже не было необходимости. Лапочкин еще безуспешно накручивал диск телефона, вслушиваясь в длинные гудки, когда на этаж поднялся криминалист, державший в руке чемодан. За ним в квартиру вошел и Вашко. Дождавшись, пока криминалист распакует саквояж, Иосиф Петрович прямиком направился к серванту и, не доходя до него шага-полутора, замер как вкопанный.

— Тут, Жорик, такое дело... Спервоначалу пальчики на вазоне поищем, а потом на полу чего осталось... Может, не все затоптано!

Расстелив на полу лист газеты, Георгий раскупорил большую круглую банку и принялся широкой кистью, измазанной чем-то серебристым, водить по полу. Постепенно поверхность паркета стала белесой, будто подернулась легкой плесенью.

Присутствующие с любопытством склонились над ним.

— Глянь, сейчас твои следы попрут... — донеслось из-за спины Вашко.

— Ерунда, я туда не ходил. Чего мне там, — вторил говорившему собеседник.

— Они сами ходили... А еще розыскники, — возразил ему собеседник.

— Ага, кажись чего-то есть! — хмыкнул Лапочкин.

— Не цыкай под руку, — рявкнул на него Вашко.

А криминалист, не взирая на присутствующих, делал свое дело. Взяв в руки другую, еще более широкую кисть, он сметал в сторону излишки порошка.

— Глянь, вроде буквы читаются... Нерусские!

— Ща, шпиена пымають, — опять заметили глухим голосом из-за спины.

На полу, действительно, медленно проявился след ботинка с каким-то непонятным текстом в полукруге каблука. Рядом с этим следом было еще несколько: стоптанный шлепок ботинка со сбитым мыском (Вашко узнал свой), по соседству маячил отпечаток зимнего сапога Лапочкина — тот поднял ногу и с удивлением принялся разглядывать ее так тщательно, будто видел впервые в жизни.

— Не играй в цаплю, бухнешься! — с ехидцей буркнул Вашко.

Криминалист с укоризной посмотрел снизу вверх на сгрудившихся.

— Свет не загораживайте!

Все послушно расступились, и на лицах присутствующих появилось деланное безразличие: «Подумаешь, не очень-то было и интересно».

И лишь оперативники по-прежнему следили за сложными манипуляциями эксперта, ожидая результатов. Поднявшись с колен, криминалист подошел к чемодану, взял широкую темную ленту пластика и прикатил ее ладонью к следу. Делал он все не спеша, будто каждое движение, каждая манипуляция доставляла ему физическое наслаждение.

Отодрав пленку от пола, он многозначительно, не обращая внимания на вновь прильнувших к нему любопытствующих сотрудников, подошел к окну и принялся внимательно рассматривать скопированный след, четким серебряным узором выделявшимся на темном фоне.

— Что скажешь? — не утерпел Вашко. — Наш — не наш?

Тот подозрительно оглядел обувь присутствующих:

— А у самого хозяина? Не интересовались?

— Ну... — несколько раздраженно начал Вашко, снова подергивая себя за усы. — Ты, в смысле, ботинок? А какие сомнения? Конечно, не босиком ходит. Только, что искать? Вот, около вешалки — штиблеты валяются. Сам посмотри, если не веришь?

— Искать что? — криминалист бережно передал из рук в руки темную пленку с серебристым узором. — «Саламандру»! Размер — 40-41... Новые, с небольшим изъяном на подметке. Видишь, у самого мыска щербина, на птичку похожая? Это, вне всякого сомнения, особенность индивидуальная. Теперь смотри еще: след не один, второй такой же, правда, хуже отпечатавшийся, расположен непосредственно у ножки серванта — человек подошел и стоял лицом к стеклу.

— ...и ставил урну на полку! — подытожил раньше времени Евгений.

— Этого я не сказал, — осуждающе посмотрел на Лапочкина эксперт. — Он просто стоял у серванта. Вот если найдем его пальцы на урне, тогда ваша версия, дорогой коллега, будет вероятна...

— Слушай, что я скажу, — произнес тихо Вашко себе под нос. — У нашего автолюбителя никакой «Саламандры» не было и в помине. — Он задумчиво мял рукой подбородок, словно хотел вылепить новую часть лица. — Но, клянусь памятью мамы, совсем недавно я у кого-то видел такие ботиночки. Более того, позавидовал, подумал: «Надо же, достают!» — Он посмотрел на Евгения. — Быстренько, сынок, вспомни... У кого? Быстрее, быстрее. Совсем недавно, на днях буквально...

— Шеф, можно вас на минутку? — Лапочкин взял Вашко за рукав и, отведя в сторону, зашептал ему на ухо. Вашко слушал его, шевеля губами, потом странновато посмотрел на оперативника...

— Хм-м-м... Чего он здесь забыл? А потом у него, кажется, тридцать девятый.

— А может, он приезжал сюда с осмотром?

— Генерал? С осмотром? Совсем сдурел? Тебя послушать, так у нас все руководство в «Саламандрах». Иди, предъявляй обвинения.

— Кстати, — встрял в разговор следователь прокуратуры, — наше тоже.

— Что? — набычился Лапочкин.

— А в «Саламандре» ходит, — не пытаясь скрыть улыбку, сказал следователь. — Это же обувь не простая, а номен-кла-тур-ная!

— А я так и думал, — неожиданно спокойно и уравновешенно заметил Вашко, чиркая карандашом в блокноте. — Жорик, что у нас там с урной?

— Похоже, протерли.

— Вот и славно! Спасибо тебе... Женя, урну в авоську и домой — в контору, есть одна мыслишка. Надо проверить!

— Вспомнили? — с надеждой в голосе поинтересовался Лапочкин. — Видели ботинки?

— И не то, чтобы да, и не то, чтобы нет... Так, пока лишь одни предположения. — Он посмотрел на сетку в руках Евгения и опешил: — Ты чего, сдурел? Заверни ее в газетку! Кстати, об инъекторе... Ты обещал показать. Где эта чепуховина? Не думаю, что это нужно, но раз достал.

14. ПОЗДНЕЕ ПРОЩАНИЕ

Ирина Сергеевна едва поспевала за размеренным и крупным шагом Вашко. Они шли по хрустящему снегу меж запорошенных могил. Аллея под сенью громадных черных деревьев, потерявших листву, была тиха и пустынна. Женщине было зябко, она все время куталась в пушистую, покрывшуюся от дыхания легким инеем, шаль. Миновав поворот расчищенной дорожки, они свернули у серого от старости мраморного ангела, и справа от них потянулась длинная кирпичная стена со множеством фотографий.

— А почему вы выбрали именно Введенское кладбище? — голос женщины срывался от частой ходьбы.

Вашко остановился, подождал пока она нагонит его.

— Как вам сказать... Отнюдь не из-за престижности. Мне было проще устроить дело здесь. А что, другие лучше? Это почти центр.

— Да, да, конечно, — быстро согласилась она. Нас ждут?

— Обещали...

Они молча шли довольно быстрым шагом еще несколько минут вдоль стены колумбария, пока вдали, за очередным изгибом, не показались стоящие у высокой серебристой ели, покрытой от корня до макушки рыхлым снегом, несколько человек, одетых по-рабочему: в ватниках, ушанках, валенках.

Приблизившись к ним, Вашко поочередно поздоровался с рабочими, а Ирина Сергеевна с интересом принялась осматривать окрестности.

— Здесь действительно хорошо, — вырвалось у нее, — ему будет спокойно!

— Ейный папаша? — полюбопытствовал рабочий с заиндевевшими от мороза седыми бровями. — Вы, барышня, не беспокойтесь. Здесь место, что надо. Петрович сам выбирал!

— И суседство доброе, — заметил его товарищ. — Гляньте, рядом с одной стороны генерал, с другой — артистка. Кумпания, что надо. Мы енто самое местечко для ба-а-альшого чина берегли. Скажите спасибо Иосифу — токма для него и старались.

— Да чего там, — немного смутился обычно невозмутимый Вашко. — Все готово?

— Полный порядок! Даже фотографию приладить успели. Глянь! — они отодвинули от стены прислоненную к ней плиту, по которой золотистыми рельефными буквами шла четкая надпись: «Иван Дмитриевич Тушков». И больше ничего — ни года рождения, ни года смерти.

Ирина Сергеевна достала из сумки урну и передала пожилому. Тот сбросил на снег варежки, такие же толстые, как и у его товарища, бережно обхватил ее руками и, приподнявшись на цыпочки, задвинул ее в нишу. Поставив ее, покрутил, стараясь придать некую красоту, затем сдернул с головы шапку. Его примеру последовали остальные.

— Царствие небесное! — отчетливо произнес старик. — Видать, хороший был мужик. Давайте попрощаемся!

Все присутствующие замерли, пораженные одновременно значимостью и прозаичностью происходящего. Ветерок едва заметно кружил, опуская на землю легкие невесомые снежинки.

— Взяли! — старик-рабочий, кряхтя, взял с земли плиту и поднял ее на уровень груди. — Черпани раствору-то в ведра, — толкнул он локтем приятеля. — Не жалей...

Некоторое время сухие постукивания мастерка были единственными звуками, нарушающими окрестную тишину, но тут из-за спины откуда-то донеслись всхлипы: плакала Ирина Сергеевна. Никто не пытался ее утешать, все понимали, что любые слова бесполезны. Утерев кончиком шали повлажневшие глаза, женщина дождалась, когда рабочие, скинув в сторону излишки раствора, отошли к ели, подошла к квадрату гранитной плиты и долго вглядывалась в снимок, протирая стылый портрет жаркой ладошкой.

Назад они шли медленно.

— Вы, Ирина Сергеевна, не забыли о моей просьбе?

Она подняла на него задумчивый взгляд.

— А? О просьбе? — Она принялась что-то искать в кармане. — Сейчас, как только вернусь домой, еще раз обзвоню всех. Все сделаю, как договорились!

— Хорошо. Я сейчас вас покину и заскочу в одно место. Приеду к шести. Если успею, значит, вместе со всеми. Нет — немного опоздаю. Деньги у вас есть?

— Кстати, о деньгах, я хотела посоветоваться с вами. Тут вчера произошло одно событие, которое ставит меня в несколько неудобное положение..

— Что такое? — Вашко смотрел на нее, начиная догадываться, что она скажет.

— Вечером зашел мужчина, примерно одних лет с отцом.

— С бородой?

— Вы его знаете? Он был не один, а с женщиной — наверно, дочка. Очень похожа... Ну, там соболезнования, цветы, а потом... положил на стол конверт. Говорит, что отцовский приятель. Путано, правда, говорил, смущался, сбивался. Дочка объяснила, какой-то долг. Не знаю — брать или нет.

— Сколько.

— Деньги немалые — полторы тысячи.

Вашко отвел глаза в сторону. Ему стало ужасно неловко.

— Это, действительно, долг?

— Да, — хрипло выдавил Вашко. — Это на самом деле деньги отца. А что они сказали еще?

— Мол, похороны — дело дорогое... Поминки опять же...

— Ну, и оставим этот разговор. Эти двое, кстати, тоже есть в списке — не забудьте пригласить их. Пусть помянут. Ему на хороших людей не очень везло. Ну что, давайте прощаться? — Он протянул руку. — До шести! Извините, вынужден исчезать — иначе не успею закончить дела. Приглашайте всех по списку. Отказов, полагаю, не будет — не тот повод. Извините, мой автобус, бегу...

...Комната была полна цветов, а на телевизоре стояла большая фотография Тушкова, перетянутая по углу черной матерчатой лентой. Ирина Сергеевна, готовившаяся к поминкам, долго перебирала альбом с фотографиями и нашла для пересъемки лишь этот кадр. Тушков с телевизора смотрел на присутствующих в комнате, которые пока располагались кто на стуле, кто в кресле.

— Это сколько же ему здесь лет? — сняв очки и вглядываясь в фотографию, поинтересовался «дипломат». — Не помню его таким... Наверно, еще до прихода к нам?

— Не знаю, — заметил стоящий рядом с ним Уланов. — Давайте спросим Ирину Сергеевну.

Корнеева, услышав свое имя, тотчас вышла из кухни с большим дымящимся в руках блюдом.

— Я как раз заканчивала институт. Видимо, начало семидесятых... Мы тогда приехали с Кавказа. Видите, какой он загорелый?

— Думаю, Ирочка, ты ошибаешься, — заметил, вставая из-за стола Бачко. — Скорее, конец шестидесятых... Мы тогда еще часто встречались — скучали после переезда, старались ездить в гости по любому поводу. Мама твоя замечательно пекла пироги. Тогда на балконе и фотографировались... Я же сам снимал — у меня и негатив, кажется, сохранился. Надо будет поискать — мы такой портрет сделаем!

— Может, помочь? — встал с кресла Панчин и, сделав знак дочери, добавил: — женщинам это сподручнее. Водку там достать из холодильника. Холодец порезать.

— Кого ждем? — поинтересовался референт, поглядывая на своего начальника. — Вроде, все здесь?

— Нет еще двоих, — крикнула с кухни Ирина Сергеевна. — Я еще пригласила товарищей из милиции — они тоже много сделали. В конце концов, нашли убийцу.

— Я бы таких горе-водителей ставил без разбора к стенке, — громко произнес Уланов. — Сволочь! Такого работника загубил.

— Да, специалистом Иван Дмитриевич был, какого поискать. Нелепая, нелепая смерть, — поддержал его «дипломат», протирая повлажневшие под очками глаза.

— Что ему теперь будет? — референт приблизился к Эль Петровичу. — Лет пятнадцать дадут? Вы, как специалист, знаете в этом толк.

Бачко не спеша поднялся, одернув пиджак, вся его фигура в этот момент выражала значимость.

— Налицо покушение на убийство. Причем, с целью ограбления, но думаю, квалификация будет иной — причинение тяжких телесных, повлекших смерть. Хотя, как посмотреть. Сложно все.

— Говорят, — заметил «дипломат», — его участь облегчается тем, что он не применял физической силы — уехал, не дотронувшись до него пальцем, а упал якобы сам. Это играет роль?

— Определенно. — Бачко оправил ремень на брюках и энергично взмахнул рукой. — Ограбление-то со счетов не сбросить. Но пятерик все одно будет.

— Мало, — вздохнув, произнес референт. — Все же это послужило основой всего произошедшего.

— Что мы в этом понимаем. Оставим лучше судить об этом юристам! — веско возразил «дипломат». — В кодексах все так сложно. Ей-богу, не смогу отличить, где кончается хулиганство и начинается, к примеру, бандитизм.

— Да, юриспруденция, это наука, — довольно заметил Бачко. — Жизнь надо посвятить, как и любой науке — тогда и в других областях все становится понятнее. Вообще на общество «человеков» смотришь иначе.

— Со своей колькольни? — спросил Уланов.

— Отчего? — не согласился Бачко. — Взгляд юриста, это взгляд вооруженным взглядом. Вроде, как через бинокль!

Вашко вошел в квартиру так, что никто не заметил. Молча повесил пальто на вешалку и стоя у зеркала, приглаживал все то, что называлось шевелюрой. Услышав последнюю фразу Бачко, он вошел в комнату.

— А вот и наш сыщик! — заметил его появление «дипломат». — Добрый вечер, Иосиф Петрович! — Мужчины, завидев Вашко, поочередно подошли к нему и обменялись приветствиями.

— А, Иосиф Петрович, пришел! — воскликнула появившаяся из кухни Корнеева. — Теперь можно садиться за стол...

В торце стола у окна стул оставался пустым — все было здесь: и тарелка, и вилка, и даже большая хрустальная рюмка, наполненная водкой, и по обычаю накрытая куском ржаного хлеба. Рядом с этим стулом стоял телевизор, на котором возвышалась увитая крепом фотография Тушкова: он был здесь, улыбался гостям. Вашко отчего-то трудно было смотреть на снимок, и он отводил глаза.

Уланов, по привычке, присущей ему по долгу службы, расположился рядом с начальником, который чувствовал себя не в своей тарелке — и неуверенность движений и какая-то странная дрожь пальцев — все выдавало переживания. Да и на портрет, пожалуй, он поглядывал куда чаще других. Вглядываясь в знакомые черты лица, он вел с покойником неоконченную, ведомую лишь ему беседу.

Бачко, стоило ему оказаться за столом, почувствовал себя хозяином — в любом его движении ощущалась уверенность и спокойствие. Он расположился между Корнеевой и дочерью

Панчина, оказывая им мелкие услуги, подавая хлеб, передвигая тарелки, создавая ту непринужденную суету, с которой начинается любое застолье, будь оно торжественным или печальным.

И только сам Панчин по-прежнему был «не в себе» — он крутил в пальцах рюмку с водкой, стараясь не встречаться взглядом ни с кем из присутствующих.

— А где ваш помощник? — поинтересовалась у Вашко Ирина Сергеевна.

Вашко посмотрел на часы — время шло к семи.

— Обещал быть. Видимо, как всегда, задерживается. Ждать не стоит.

— Правильно, не стоит! — сказал «дипломат» и встал, застегнутый на все пуговицы, мрачно и печально возвышаясь над столом. — Что ж, Иван Дмитриевич... Никогда не думал, что соберемся в твоей квартире, но без тебя, — он вздохнул. — Много нам с тобой пришлось поработать... Много! — он уронил голову на грудь. — А, помню, пришел он к нам еще молодым и курчавым.

Говорил «дипломат» долго и нудно, припоминая мелкие подробности совместной работы, какие-то случаи из жизни. И закончил неожиданно — разжалобленный собственными воспоминаниями, он по-бабьи всхипнул, залпом уронив в себя содержимое рюмки, и обессиленно сел на стул. Пытаясь выручить начальство, поднялся Уланов. Говорил референт лаконично и весомо, бережно роняя слова, и каждое воспоминание было на редкость метким и цельным.

Вашко не пропускал скорбных тостов, но водка не давала абсолютно никакого облегчения. Она лишь обжигала нутро, наливая теплом грудь. Сегодня его, что называется, «не брало».

Вашко в который раз посмотрел на часы — Лапочкин опаздывал.

— Я, к сожалению, практически не знал Ивана Дмитриевича, — начал Иосиф Петрович, грузно поднимаясь со стула — все посмотрели на него. — Вернее, не знал совсем. Но волей или нет, я знаю его с той стороны, с которой его не знает никто. Это убийство задало много загадок.

— Убийство?! — воскликнули присутствующие за столом.

Вашко обвел сидящих долгим взглядом, глаза его были тяжелы и неподвижны.

— Я не ошибся... Признаться, мне не хватает за этим столом одного человека, который косвенно виноват в его смерти — это автолюбителя.

— Косвенно? — поднял взгляд «дипломат». — Что вы хотите этим сказать? Неужели есть еще виновные?

Вашко не успел ответить. Хлопнула входная дверь и на пороге комнаты показался запыхавшийся от быстрой ходьбы Лапочкин. По его лицу блуждала вовсе не подходящая настроению присутствующих улыбка. Он был не один — с ним была молодая девушка лет двадцати.

— Здравствуйте, — просто сказал Лапочкин. — Простите, что мы запоздали.

— Присаживайтесь к столу! — приветливо сказала Корнеева и спешно направилась на кухню за посудой. — Сегодня такой день... Мы рады всем.

— Я продолжу. — Вашко дождался тишины за столом. — Иван Дмитриевич был хорошим человеком. Иногда доверчивым, иногда смешным для окружающих, но всегда отличался порядочностью и честностью. В этом у меня нет никаких сомнений.

— И все же, что означает ваше слово «косвенно»? — прервал его «дипломат». — Надо ли понимать, что речь идет не только о несчастном случае?

— Если водитель виноват лишь косвенно, — заметил вездесущий Бачко, — то должен быть настоящий виновник?

— Вы правы. — Вашко поставил рюмку на стол и принялся ходить взад и вперед вдоль стола, за которым сидели гости — им пришлось поворачивать головы по направлению движений оперативника. — Я бы назвал задачу, стоящую перед нами, — проблемой четырехдневного информационного вакуума. Пятница, суббота, воскресенье и понедельник — так это выглядело с момента исчезновения Тушкова. Потом, по мере изучения материала, таинственными, не менее странными днями оказались еще три, вплоть до его смерти.

— Вы все время, как мне кажется, на что-то намекаете? — раздраженно заметил «дипломат». — Убийство, убийство... Можете назвать преступника? Мы требуем ответа — кто он?

Вашко остановился перед «дипломатом», склонился к нему и громко, так чтобы все слышали, произнес: «Полагаю, что он здесь!»

— Среди нас?! — воскликнул «дипломат». — Это знаете... Хичкок какой-то!

Гости недоуменно переглянулись. Они напряженно застыли.

— Мы требуем ответа! — возмущенно произнес Бачко. — Доказательства!

— Чепуха какая-то, — подавленно произнес Панчин. — Я не верю во все это...

— За такие слова надо отвечать, — произнес Уланов, постукивая ножом по краю тарелки. — Мы же здесь переругаемся, подозревая друг друга. Вы знаете его? Кто он? Мужчина или женщина? Нельзя ли определеннее.

— Что ж, — словно размышляя, медленно произнес Вашко и снова посмотрел на часы. — Не обессудьте — не всем может понравиться мой рассказ, но... Давайте по порядку! Тушков появился около Внешторга в понедельник в невменяемом состоянии, так? Так! Происшествие с водителем, когда он потерял деньги и получил травму головы — вечер пятницы... Ни четверга, заметьте, как мне спервоначалу пытались доказать, а именно пятницы! Нераскрытым оставался вопрос о двух днях! В этом и была главная загадка... Сначала мне казалось, что разгадка в ином — стоит найти человека, которому он нес деньги, для которого он пытался добыть их любыми путями, и загадка перестанет существовать. Оказалось, я ошибался — это лишь часть проблемы. Хотя и не самая мелкая — один из присутствующих здесь сказал, я напомню: «Он хотел швырнуть их какому-то подонку в лицо!» И мы искали деньги... Потом возникла версия глюкозидов. Эксперты однозначно сказали — смерть наступила именно от этих двух отверстий на ноге! Двух! — он сделал знак рукой. — Не одного, а расположенных, к тому же, близко друг от друга, как от укуса змеи... Проверив всех вас, мы вышли на покупателя машины — что подтвердил осмотр его гаража. Но беда в том, что во время первичного осмотра несчастного Ивана Дмитриевича, в понедельник в больнице, у него не было никаких следов на ноге — не было! А змеи рядом с ним были в пятницу — водитель врал, он, как оказалось, и раньше практиковал подобный метод охраны машины — старый «Москвич» служил той же цели — получив змей, он на работу завозил их лишь утром. Чем не охрана личной собственности! В какой-то момент все достаточно прочно легло в цепь — ограбление, укус змеи, а только после этого выкидывание из машины.

— Откуда же могли взяться змеи, — недоуменно спросил Бачко. — Машину-то он купил лишь вечером — вы же сами говорили об этом?

— Верно! Но вы забыли про коробку! Для перевозки небольшой суммы денег она не нужна — купюры прекрасно рассовываются по карманам. Водитель же говорил, что деньги лежали именно в коробке. Пришлось проверять! Оказалось, наш герой в тот день, как всегда побывал в питомнике и получил очередной груз...

— Какой ужас! — вырвалось у дочери Панчина.

— А вдруг все же он? — произнес сам Панчин. — Два укуса...

— Я, с вашего позволения, разовью эту тему позже, — заметил Вашко. — Но самое главное, запомните слово — глюкозиды! Эти вещества, как оказывается, не животного происхождения...

— А какого же? — вырвалось у Ирины Сергеевны.

— Растительного! — авторитетно произнес Вашко. — Мы к этому еще вернемся. Дальше! Человек в пятницу вечером получает травму и остается лежать в довольно оживленном месте... Упав на асфальт здоровым человеком, Иван Дмитриевич поднялся уже не таким, каким был — это подтверждено медиками. Он еще не был в беспамятстве, но ему становилось все хуже и хуже. Кто ж знал, что удар придется именно в то место, где в молодости уже была травма — это тоже пришлось узнавать из медицинских карт.

— Кажется, я что-то припоминаю, — задумчиво произнесла Ирина Сергеевна, глядя на Вашко. — Еще до войны. Кажется, лошадь ударила... Он что-то говорил.

— Да, да, вы совершенно правы! Итак, в пятницу около семи часов вечера он упал, ударился головой об асфальт, потом поднялся. Два дня, до понедельника, он где-то находился. В карманах мусор, щепки, рыбная чешуя... Даже крошки цементной пыли. Где? Мы подумали, что должны быть свидетели, но где их искать? Свидетелей до самого последнего времени не было... Наш незадачливый автолюбитель уже лежал в больнице, как из крематория исчезла урна с прахом покойного.

— Как исчезла? — хором воскликнуло сразу несколько голосов.

— Да, да! Исчезла! Многие об этом не знают, да это и не тот случай, о котором надо кричать во весь голос. Но нашлась она в странном месте, а именно: в квартире автолюбителя. Тут мы поняли лишь одно — наш противник постоянно опережает нас, не на много — всего на полшага. Как ему это удавалось сделать, пока не ведаю. Похоже, у него была информация. — Вашко ходил по комнате, глядя себе под ноги. Он сознательно отводил глаза от сидящих за столом, дабы неосторожно не выдать себя взглядом. — Придет время, и я об этом узнаю, будьте уверены! Почему урна оказалась в квартире? Полагаю, с той целью, чтобы заставить нас еще более плотно заняться водителем. Но следы! Они выдали этого человека с головой... Потом телеграмма!

— Что за телеграмма? — привстал со стула «дипломат».

— Она и сейчас у меня где-то в бумагах, — заметила Ирина Сергеевна.

— Телеграмма, как оказалось, была ни при чем, но внимание тоже отвлекала... Хочешь не хочешь, а проверяй! — Вашко посмотрел на Панчина. — Итак, мы подходим к самому главному! Два неизвестных дня. След обуви в квартире водителя. Странные повреждения на ноге больного, и главное — выяснить, кому же нужны были его деньги? Кому так насолил Тушков? Кому хотел швырнуть их в лицо?

— И за что? — глухим голосом добавил «дипломат». — Это вопрос вопросов!

— Да, да, это интересный вопрос, но скорее для вас, чем для меня.

— Что вы хотите этим сказать? — встрепенулся он. — Вы намекаете на меня?

— Этого мне только не хватало, — сказал Вашко. — Использовать намеки — последнее дело. Я работаю с доказательствами! А их не так уж и мало. Но вернемся к Ивану Дмитриевичу! Представьте себе — человек идет по улице, держась за голову. Падает, опять поднимается, снова падает... Должен же к нему кто-то подойти? Так оно и происходит... Говори, Евгений!

Лапочкин встал, не спеша застегнул все пуговицы пиджака и громко начал:

— Мне пришлось обойти немало квартир, пока я не нашел свидетеля. Вот эта девушка! Познакомьтесь — ее зовут Татьяной. — Все удивленно посмотрели на пришедшую с Евгением девушку. — Предоставляю слово свидетелю...

— Я вечером гуляла около дороги. Пашку выгуливала, это моя собака, — пояснила она и скромно улыбнулась, почувствовав себя неловко в центре внимания. — Старичок, действительно, вел себя странно. Он был очень похож на пьяного. К нему, впрочем, так и относились... Многие проходили мимо... Он, знаете, что-то лепетал себе под нос, и то приходил в себя, то вновь говорил странные вещи. В конце концов я поняла, что ему нужна помощь — телефон у нас на углу дома, я повела его туда — надо было позвонить в"Скорую". Я же не знала, что с ним произошло. Тут он неожиданно заговорил! Нормально заговорил. Видимо, пришел в себя. Я поинтересовалась, есть ли у него кто дома? Он отрицательно помотал головой — вот так, — она встряхнула из стороны в сторону пышной копной волос. — И попросил позвонить по номеру, который назвал по памяти. Там как-то сразу ответили — меня спросили, кто я и откуда, а потом, кажется, выругались... Не помню! Потом уточнили адрес и попросили подождать, не отпускать его одного. Что я и сделала!

— Вы помните этот телефон? — спросил Вашко.

— Только последние три цифры... Но немного помню того, кто за ним приехал.

— Он здесь? Среди присутствующих? — воскликнула Корнеева.

— Кажется, да, — глядя то на Лапочкина, то на Вашко, ответила девушка. — Он здесь...

— Стоп! — остановил ее Вашко. — Ни слова больше, — громко произнес Иосиф Петрович, заметив, что все смотрят на свидетельницу.

— А я не понимаю, — веско возразил «дипломат». — Пусть она укажет этого человека...

— Не спешите, — остудил его пыл Вашко. — Всему свое время... Сейчас я расскажу о том, что произошло после этого. Тот, кто приехал за Иваном Дмитриевичем, не ждал звонка. Но он догадывался о грозящей ему опасности. У них уже состоялась перед этим беседа, весьма трудная, горячая... Именно по этой причине так прочно и втемяшился в память Тушкову телефон «противника». Он без труда вспомнил его, даже в столь плачевном состоянии. Тот, кто после этого его забрал с собой, сам оказался в незавидном положении — он надеялся на деньги, которые должны были быть у Тушкова, ради них он и затеял эту игру, идя на огромный риск, но вместо них получил человека, теряющего с каждой минутой память. Он не знал, куда его девать... Пришлось подыскивать местечко, чтобы собраться с мыслями, обдумать действия, ожидая дальнейшего развития событий. Что это за место? Судя по мусору и всяческой шелухе, осмелюсь пока лишь предположить. Потом все проверим! Возможно, это дача, сарай...

Утро не принесло облегчения — Тушков то приходил в себя, то нет. Это же продолжалось и в воскресенье. Сознание Тушкова медленно регрессировало. И тогда... Это была дьявольски хитрая придумка — этот человек решает вернуться в город и имитировать несчастный случай. Рано или поздно, Тушков, брошенный на шоссе или перекрестке, должен случайно попасть под машину, сгинуть в какой-нибудь строительной яме, каковых в городе пруд пруди или, наконец, просто исчезнуть в большом городе. Тушкову фатально повезло — с ним не произошло ничего плохого... Он ходил по городу, ночевал на лавочке или вокзале, кто-то угощал его таранью или воблой, но он не погиб и не попал под машину... По чистой случайности он оказался утром у знакомого здания, где его опознал кто-то из сотрудников — для нашего «некто» это была катастрофа! Такого он не мог даже предположить. Но факт остается фактом — произошло... Если бы на этом все кончилось, то, не сомневаюсь, мы бы не сидели сегодня за этим столом по столь печальному поводу. Иван Дмитриевич, скорее всего, готовился бы к выписке. Его состояние, за те несколько дней в больнице, стало заметно улучшаться. Если наш не совсем удачный с ним эксперимент в этой самой квартире говорил о том, что ему плохо, как и раньше, то в последующие дни к нему снова начала возвращаться память... Пусть не надолго, пусть изредка, но прогресс становился заметным!

— А что это за эксперимент! — спросила Ирина Сергеевна, не сводя настороженных глаз с Вашко.

— Это произошло здесь, в квартире, и рождало подозрения, что главным виновником, а точнее виновницей, произошедшего с Иваном Дмитриевичем являетесь вы... Но опыт оказался неудачным и нет больше смысла об этом вспоминать... Итак, Иван Дмитриевич вновь становился опасным — он мог поведать о своих злоключениях и, более того, мог вспомнить, где он провел субботу и воскресенье... Для человека, прятавшего его эти два дня по сараям и дачам, это было уже по-настоящему опасным! И вот тут-то и появились уколы на ноге...

Кто-то в комнате тихонько вскрикнул.

— Глюкозиды! — невозмутимо продолжил Вашко. — Вот мы и добрались до них. — Эти гадкие штучки рождаются во внешне безобидных, а иногда и симпатичных растениях, и несут в себе мучительную смерть, — он еще раз посмотрел на часы и удовлетворенно кивнул головой. — Убийца изрядно просчитался — нельзя было применять именно это растение. Тем более, в нашей стране похожих травок, полных яда, ничуть не меньше... В этом, Олег Сергеевич, и была ваша главная ошибка!

От лица Уланова разом отхлынула кровь, он побледнел и, облизнув пересохшие губы, с натужной улыбкой произнес: «Чушь! У вас нет доказательств!»

— Как сказать, как сказать, — задумчиво произнес Вашко, осторожно приближаясь к нему со спины.

— Из всех присутствующих в Аргентине, где растет эта травка, были только вы! Сохранность этого яда, по заключению экспертов, не так уж и велика — месяц, от силы — два — после срыва растения. Это как раз то, что надо!

— Чепуха! — референт медленно, словно нехотя поднялся со стула и обвел взглядом присутствующих. — Посудите сами, какой резон мне гоняться за Тушковым, словно в плохом детективе. Я мог расправиться с ним в любое время и в любом месте — мы виделись каждый день. Но, повторяю, эти бредни, сочиненные вами, не имеют ко мне никакого отношения. А что это за история с урной? Я не знал этого водителя, тем более, где он живет... Вам нечего на это возразить...

Вашко тяжело и неотрывно смотрел на Уланова, тот был напряжен до предела.

— Что ж, Олег Сергеевич, ваши доводы достаточно весомы! Но улики! Вы слишком много наследили... Ваша «Саламандра» мелькала то тут, то там! Как вы объясните ее появление в квартире водителя?

— Никак! Я там не был!

— Были и не только там! Более того, вы последний, кто видел Ивана Дмитриевича живым. Мы не сразу догадались взять отпечатки обуви с пола, в больнице, но постарались и нашли там вашу «Саламандру». Правда, не полностью — один мысок со щербинкой в виде птички. Но как вам удалось туда проникнуть — этого я до сих пор не знаю. Расскажете сами теперь.

— Хах-ха! Ничего не докажете... — Он прыжком оказался у входной двери, спиной к ней и лицом к Вашко — тот было рванулся к нему, но застыл, остановленный голосом Лапочкина. В руке Уланова мелькнул какой-то предмет из металла и стекла, немного похожий на небольшой хитроумный пистолет.

— Инъектор! — заорал Лапочкин, бесцеремонно отталкивая Вашко. — Стойте!

По лицу Уланова блуждала нездоровая улыбка:

— Я не подумал, что ваша ментовка столь сильна в географии... Это действительно штука из Аргентины. И с глюкозидами вы не ошиблись! Вы можете сколько угодно болтать и строить версии. Это ничего не доказывает... Вы умно, слишком умно, говорили о ботинках... Можете их поискать... Вы не уедете далеко на своих доказательствах... — Он долго подбирал слова, тяжело дыша, захлебываясь от крика. Все присутствующие сидели ни живы, ни мертвы, пораженные картиной произошедшего.

Вашко медленно протянул руку к Уланову — меж ними было метра два.

— Отдайте мне эту штуку! — Но Уланов тотчас принялся играть «пистолетом» инъектора.

— Осторожнее, шеф! — предупредил Лапочкин. — Дайте его мне!

Евгений заметил, что другая рука Уланова, в которой ничего не было, начала осторожно нашаривать ручку двери.

— Скажите, уважаемый, это сильнее укуса змеи? — Лапочкин, растопырив руки в стороны, шел в сторону референта, чуть-чуть согнув ноги в коленях.

— Змеи? Ха-ха-ха! Змея — это ерунда против «курами» — мгновенная смерть. Идите, идите ближе!

— Вы полагаете... — Лапочкин, не приближаясь, резко взмахнул рукой, его ладонь описала в воздухе замысловатую кривую и в воздухе мелькнуло что-то серебристо-черное, колеблющееся и трепыхающееся.

— А-а-а-а!.. — заорал в ужасе отпрянувший Уланов и, обронив инъектор, принялся обеими руками отдирать от одежды нечто дергающееся в извивах и изгибах — липучая поверхность змейки прочно вцепилась крючками в воротник его рубашки, щекоча тонким пластиковым языком набухшую от жил шею.

Лапочкин отшвырнул ботинком упавший на пол инъектор и в мгновение ока скрутил «референта». Вашко неспешно распахнул входную дверь квартиры. За ней стояли двое оперативников, заранее вызванных Вашко.

— Вот и отлично! — коротко бросил он. — Проходите... Я так и думал, что все будет в порядке и вы не опоздаете.

Когда он в сопровождении милиционеров вошел в комнату, Лапочкин, уже отсоединивший от воротника Уланова любимую пластиковую игрушку, бережно убирал ее в карман. Уланов не сводил с него брезгливого, опасливого взгляда...

— Прошу прощения, — нашелся наконец «дипломат», внезапно обретший дар речи. — Ваши доводы, Иосиф Петрович, весьма убедительны — это пятно на нашу организацию, но в чем причины? Это, извините, как-то осталось за кадром... Может, мы спешим с Олегом Сергеевичем? Он хороший сотрудник, знающий специалист, в конце концов он мой родственник... А тут какая-то мистика, инъектор, глюкозиды... Где причины? Не верю! Вы молчите о причинах. Вы все время молчите о них... Что это за деньги?

— Я могу все это объяснить, дорогой Виктор Петрович, но думаю, что есть люди, которые сделают это лучше.

— Кто же они? — обвел взглядом присутствующих «дипломат».

— Сам Иван Дмитриевич.

Вашко не спеша извлек из кармана маленький диктофон и нажал кнопку. В наступившей напряженной тишине послышались щелчки и шорохи магнитной ленты.

«Алло! Можно попросить к телефону господина Райзена, — все вздрогнули — это был голос Тушкова.

— Кто его спрашивает? — с сильным акцентом по-русски спросила секретарша. — У него заседание правления фирмы.

— Скажите — Тушков. Иван Дмитриевич Тушков.

— Хорошо, одну секунду... — Пауза длилась сравнительно недолго.

— Слушаю, Зигмунд Райзен. Это вы, господин Тушков? Что-то произошло?

— Да... Вы совершенно напрасно не прибыли вчера для подписания контрактов о поставке.

— Почему, господин Тушков?

— Да потому, черт возьми, что «Химмель» обошел вас на повороте. Они предложили более низкую цену...

— Вы же понимаете, что у них морально устаревшая технология и старое оборудование. «Крейцфогель» обладает всем тем же, но на порядок выше — вы же знаете это, господин Тушков?

— Знаю, но ничего не могу сделать. Вопрос решен на более высоком уровне.

— Господин Уланов?

— Да.

— Что они ему предложили лично?

— Не знаю, но думаю, что сумма весьма значительная.

— С вами, русскими, трудно работать. Там, где все можно решить просто, у вас обязательно должна появиться взятка. Почему вы не захотели взять подарок от нас? Мы бы оказались не менее щедры, чем «Химмель»?

— Мне не нужны деньги.

— Вы, господин Тушков, не обижайтесь — жилец из прошлого века. Что-то вроде, динозавра.

— Вымру, но останусь при своих идеалах, господин Райзен. Мне так проще.

— Уланов, Уланов, — с задумчивостью в голосе произнес представитель фирмы. — Скажите, Тушков, у вас будут неприятности? Может быть, мы чем-то можем быть полезными.

— Можете. Скоро я швырну этому подлецу в лицо деньги.

— Что за деньги?

— Те, в которых он обвиняет меня. Якобы я получил от вас взятку.

— Но мы же вам не давали. Мы просто хорошо и по-интеллигентному работали.

— Вот это и требуется под присягой подтвердить.

— Это возможно, но зачем вам терять свои собственные сбережения?

— Пусть эта сволочь подавится! Я швырну ему их в лицо и докажу, что он продался «Химмелю» ради подачки. Я сделаю это принародно, и хотят или нет, но будут обязаны заняться этим делом вплотную. Мне нужен конфликт!

— Странные вы люди, русские! Все у вас как-то не так! Можете, господин Тушков, полностью положиться на нас — мы документально докажем, что никакой взятки вам не давали.

— Спасибо, господин Райзен. Я знал... и я верил в вашу порядочность.

— А мы верим и ценим вашу! Когда это надо будет сделать? Сегодня?

— Нет, нет... Никак не раньше понедельника. Прошу вас. Сначала я швырну ему их в лицо.

— Гут, гут! До встречи в понедельник".

Лента магнитофона продолжала шуршать в полной тишине, царившей в комнате...

— Позор! Какой позор! — едва слышно, одними губами выдавил из себя «дипломат». — Какой скандал! Это конец! — думая о своем, качая из стороны в сторону головой, бормотал совершенно убитый горем «дипломат».

— И тут вы правы, — заметил Вашко. — Эта пленка из компетентных органов, где уже обратили внимание на вашего родственника. С трудом мы ее получили, но она стоила этих трудов. Товарищи, — обратился он к присутствующим, попрежнему оцепенело сидевшим за столом, — давайте помянем Ивана Дмитриевича. Хороший был мужик... Вот только вокруг него — сплошной вакуум... порядочности.

Все встали, молча в гробовой тишине подняли рюмки и лишь Уланов, сопровождаемый милиционерами, пошел к выходу из квартиры.

— Женя, — шепнул Вашко на ухо Лапочкину. — Ты не того... Не особенно налегай на спиртное. — И опрокинул свою рюмку в рот. — Вот теперь точно, все! Можно идти, конфиденциальное дело закончено.

— Кончено, говорите? — спросил Евгений. — А какое дело? Может скажете, уголовное?

— А какое же? — опешил Вашко.

— Похоже, политическое.

Вашко отодвинул рюмку в сторону, огляделся. Все за столом были поглощены своими разговорами и не обращали на них никакого внимания.

— Политическое говоришь? Не знаю... В России без политики, в сортир не сходишь... Такая уж это страна. Вся жизнь в прыжках — кто в пропасти, кто выбирается.

— А мы с вами? Выбрались?

— Как тебе сказать... Да в общем ты и сам знаешь ответ на этот вопрос. О чем тут говорить!

ПОМОЩЬ—БУМ

РОМАН

Обращение автора к читателям.

Автор считает необходимым предупредить, что все совпадения ситуаций и фамилий главных героев (сотрудника ЦРУ Стива Эпстайна, сотрудника немецкой разведки Курта Шлезингера, подполковника милиции Иосифа Вашко) с какими бы то ни было реальными ситуациями и лицами чисто случайны.

Исключение составляют люди, без которых автору показалось невозможным сколь-нибудь правдоподобно обрисовать ситуации в различных странах и в мире: президенты США и России, руководители ЦРУ и КГБ (МБ), послы.

Автор ни в коей мере не собирался бросать тень на уважаемых лидеров, вершивших Большую Политику. Просто он боялся слишком далеко уйти от реальности.

Реальность же в этом произведении зримо присутствует: время действия — весна 1992 года, география — от США до республик СНГ. И реальность, честно говоря, страшная. Однако, когда автор писал это произведение и направлял своих героев в трудный путь для доставки гуманитарной помощи, он еще не предполагал, что всего через несколько недель (даже не месяцев) на этом маршруте разразится война между Грузией и Абхазией. А в романе война чувствуется, но еще не разразилась...

Но я не стал переписывать какие бы то ни было сцены, приближать их к сегодняшнему дню. Пусть все останется таким, как виделось весной 1992-го...

Февраль 1994 года

...В конечном итоге для нас неважно будет, чем мы сражались, — цепом или тросточкой. Для нас будет очень важно, на чьей стороне мы сражались.

Г. К. Честертон

ГЛАВА 1. В ДВАДЦАТИ МИНУТАХ ЕЗДЫ ОТ БЛИЖАЙШЕГО ГОРОДКА В ШТАТЕ ВИРДЖИНИЯ

Свет фар уткнулся в заросшие плющом ворота фермы. «Лендровер» встал, почти задев бампером каменную стойку. Облако пыли просочилось сквозь давно не крашенные прутья ограды и непрошеным гостем поплыло на территорию владения.

«СЭМ ЭПСТАЙН» — блеснула в ярком свете фар бронзовая табличка; чуть ниже неровными мазками кисти было выведено: «КАКОГО ЧЕРТА НУЖНО?»

— По-моему, это не слишком вежливо? Как считаете, док? — усмехнулся долговязый негр в полковничьей форме, вылезая из-за руля. Следом за ним с пассажирского сиденья поднялся средних лет блондин в безукоризненном голубом костюме с портфелем в руках. Если бы он в таком обличье появился в центре Нью-Йорка или в каком-нибудь офисе — это было бы в порядке вещей. Но здесь — среди полей, зеленых от поднявшихся на добрый десяток дюймов побегов кукурузы, на пыльной дороге под яркими майскими звездами, он смотрелся как невесть откуда взявшееся чудо. Полковник — другое дело. Военная форма уместна и в заполненном талой водой овраге, и на великосветском рауте.

Поправив узелок бордового в мелкую белую горошину галстука, блондин решительно приблизился к воротам и принялся искать кнопку звонка. Ее почему-то не оказалось...

— Хотел бы я знать, как до него добраться без риска для жизни... — проворчал негр-полковник. — Нрав у него, что у иракского «скада». Знаешь, что грохнет, а где — невдомек даже создателям... Месяца три тому назад, док, он устроил такую пальбу, что пули летали, будто саранча в Эль-Пассо...

— Разве у пуль тоже бывает брачный период? — усмехнулся тот, кого величали доком. — Впрочем, узнаю Стива... — Он толкнул калитку, которая оказалась незапертой, и осторожно ступил на угадываемую в темноте, хоть и порядочно заросшую травой, дорожку.

Полковник, без видимого желания, поплелся за ним. Во мраке виднелись лишь нашивки на кителе да эмблемы на погонах. Ни смуглое лицо, ни темная кожа шеи, ни иссиня-черные волосы — ничто не проступало в ночи. В какой-то момент могло показаться, что форма, словно на человеке-невидимке, идет сама по себе.

Вскоре, как только перестали шуршать листвой разлапистые кустарники, росшие по обочинам дорожки, впереди проступило нечто, напоминавшее приземистое деревянное сооружение. В окнах, тусклых от некогда налипшей на дождевые капли пыли, ни света, ни отблеска.

— Он большой оригинал, док, — произнес полковник и при этом обрел видимость — блеснули зубы, смешливо повернулись желтоватые белки глаз. — Посмотрите, что это за ферма! Можно подумать, что «Фрэнсис Беннет и сын» решили бойкотировать ее и не поставлять сюда ни досок, ни панелей под орех и ясень, ни сантехники... Я уже не говорю про первоклассные коттеджи с голубыми и розовыми бассейнами. И ведь не скажешь, что не в состоянии...

— В состоянии, Джон, в состоянии... В чем, в чем, а в этом можете не сомневаться. С его счетами все о'кей!

— Тогда какого черта?

— Долго объяснять... Вы когда-нибудь бывали в России?

— Бог миловал... А причем здесь Россия?

— А притом, что это не ферма, а классическая русская изба. Такие часто показывают в их фильмах. Называется она «пятистеночник» или как-то примерно так. — Док подошел к окну и довольно звучно постучал сгибом пальца по стеклу.— Стив, как поживаешь, старый перечник?

Негр-полковник, услышав последние слова, произнесенные на варварском незнакомом наречии, опешил.

— Ваша речь, сэр, напоминает мне эту избу... — пробормотал он.

— И неудивительно, Джон, они одного поля ягодки...

В доме ничего не изменилось: ни осторожного шороха, ни громкого звука. Лишь по-прежнему загадочно мерцало звездное небо, да легкий ночной ветер, несущий свежесть, шуршал листвой.

— Может, уехал? — предположил полковник и принялся поправлять головной убор. — Хотя... Нет-нет... Черт побери, отключил всю связь — телефон, факс — не дозвониться, не достучаться...

Блондин постучал еще раз, куда более настойчиво. Но ответа не последовало...

Вдруг далеко позади на высокой ноте взвыл двигатель машины. Свет фар заплясал, задергался, и «лендровер», в котором никого не оставалось, буквально припер незваных гостей к дому. Хлопнула дверца, и с подножки соскочил средних лет мужчина в ковбойке и джинсах. И то и другое было далеко не новое, изрядно ношенное, но не ветхое. В руке у мужчины поблескивал воронением винчестер. Ловко перекинув его с руки на руку, он повел стволом в сторону пришельцев.

— Какого черта, я вас спрашиваю? — произнес он не слишком-то дружелюбно.

— Привет, Стив! — ринулся к нему навстречу блондин.

Но владелец фермы, как могло показаться, не обратил на него никакого внимания — ствол ружья уперся в живот полковнику.

— Будь на твоем месте сам Джордж Грей или даже Норман Шварцкопф, старина, я скажу то же самое: зачем пожаловал? Я не хочу с вами иметь никаких дел... Хватит с меня Багдада, и точка!

— Прости, Стив, — улыбнулся блондин. — Конечно, с нашей стороны большая бестактность являться без приглашения... Тем более, что мы знаем, как ты переживаешь смерть отца. Не наша, в конце концов, вина, что старина Сэм решил умереть как раз тогда, когда шла «пустынная» компания. Он был нормальный мужик, старина Сэм Эпстайн. Но на нем не кончилась династия; Стив Эпстайн — его продолжение, его потомство...

— Уж не хочешь ли ты сказать, — пробормотал полковник, — что мы помешали ему продолжить род прямо сейчас? Ты помнишь, Стив, что под Багдадом я был рядом с тобой? И наши парни — Джефри Симз, Рональд Торбетт и Рой Тарбон — тоже... Ты помнишь ту сумасшедшую ночку в щели у трассы Ирак — Кувейт? Когда эта проклятая девчонка, пасшая своих вонючих баранов, решила открыть крышку бункера... Мы же тогда не сговариваясь вскинули пистолеты и... никто не выстрелил. А потом, Стив, ты помнишь, как мы дрались в окружении. Сколько было «хусейновцев»? Человек сто — не меньше... И только молодчага Рандольф со своим «блэк хоком», помолотив воздух винтами, помог нам выбраться из этой передряги... Будь я здесь, разве бы не прилетел к твоему отцу?.. Кстати, парни звонили — просили передать тебе привет...

— Не дави на психику, Джон, мой контракт кончился. И если хочешь знать, то, как только вы отсюда умотаете, я как раз займусь проблемой продолжения рода. Это ты правильно наталкиваешь меня на идею. Сам, поди, настрогал с добрый десяток чернопузых «джоников»...

— Пока только восемь, Стив. Три девочки и пять мальчишек...

— Какого черта ты здесь? Чего опять нужно?

— Это я его попросил, — вплотную приблизился к Эпстайну блондин.

—Доктор Кол Маккей как таковой может ничего и не значить, — усмехнулся Стив, упирая ствол винчестера в носок собственного ботинка. — Но появление доктора Кола Маккея может означать и слишком многое! Короче, почему обо мне вспомнили в Лэнгли? Я-то все забыл и ничего не помню...

— Как поживаешь, старый перечник? — по-русски, с легким акцентом произнес Маккей.

Стив усмехнулся:

— По русскому ты всегда отставал от меня... Сколько раз тебе говорить — не «перечник», а «перечница»! Да и откуда бы тебе знать — у меня за плечами почти семь лет московского университета, а ты стажировался лишь наскоками...

Полковник с удивлением воззрился на своих собеседников, без умолку болтавших на чужом языке, — он, естественно, не понимал ни слова.

— Ладно, хрен с вами, — частично по-английски, частично по-русски произнес Эпстайн. — Коль приехали — проходите... Что хотите: кофе, джин, виски? А может, русской водки?

— А она у тебя есть? — Маккей, пригнув голову, пробирался внутрь дома.

— Ну и темень, — пробормотал полковник. — Черт, что у тебя здесь понаставлено? Ну вот, какая-то палка свалилась...

— Это грабли... — пояснил Эпстайн. — Как положено стоят — зубьями наружу... Со второго раза обычно привыкаешь!

И щелкнув выключателем, расположенным в одному ему известном месте, Стив зажег свет.

Все помещение представляло собой одну большую комнату, впрочем довольно просторную. У окна стоял огромных размеров стол, на котором среди вороха бумаг нездешним чудом выпирал компьютер. Повсюду — тут и там — лежали дискеты. Стив, едва вошел в помещение, первым делом собрал их со стола и бережно убрал в ящик. Вскоре туда же отправились и страницы рукописи.

— Научные расчеты? — поинтересовался полковник и огляделся: все в комнате казалось ему странным и непривычным — ни тебе телевизора, ни телефона, ни удобных кухонных комбайнов. Даже тот факт, что в углу пылесос мог соседствовать с лопатой, смешил и удивлял одновременно. Распахнув дверцу холодильника, Стив извлек несколько упаковок мяса, расфасованных в пластиковые коробочки, вывернул содержимое на тарелки и тотчас рассовал по полкам микроволновой печи. Вскоре на столе, при полном молчании, появились три высоких стакана и запотевшая бутылка «Смрнофф».

— Итак, — сказал Стив, продолжая хмуриться, — готов слушать... Что привело вас ко мне?

ГЛАВА 2. ШТАБ-КВАРТИРА ЦРУ

Стив шел по коридору предпоследнего этажа штаб-квартиры ЦРУ в Лэнгли. Он миновал уже трех охранников, пристально сличавших фотографию на пластиковом пропуске с его заметно посмуглевшей физиономией, и ни один из них не попросил открыть дипломат, который он нес с собой. Хотя, если бы они попросили его открыть, не нашли бы ничего предосудительного. Несколько рубашек, галстуки, носовые платки и... соломенная ковбойская шляпа. Зачем он ее положил в кейс, Стив не знал сам. Случилось это почти произвольно — побродив по комнате, в которой витал еще запах выкуренных ночью сигарет, он заметил отцовскую шляпу и машинально,

11 Зак. 4402 Н. Александров

еще не зная, зачем она ему понадобилась, протянул к ней руку, взял, подержал на весу и положил поверх содержимого чемоданчика. Щелкнули замки портфеля, повернулся ключ в замочной скважине входной двери, и — прости-прощай... На день, на месяц, на год... Этого Стив не знал, как, впрочем, не знали и его вчерашние гости.

Сегодня на нем был строгий костюм. Его голубые с прозеленью глаза не выражали тревоги, а напротив, скорее, любопытство. Чуть выгоревшие на солнце волосы непослушно топорщились на затылке. Университетское кольцо — не московское, там их не давали, а академии в Вест-Пойнте — непривычно сжимало палец. Тот, кто видел Стива впервые, мог подумать, что он пребывает в глубокой задумчивости. Может быть, это так и было на самом деле, однако Стива вовсе не волновало мнение о нем абсолютно всех людей, а только тех, кого он сам знал и чье мнение могло представлять для него интерес. Жизнь не казалась ему ни простой, ни сложной. Он воспринимал ее с позиций собственной философии, каковая, впрочем, могла иметь аналоги с понятиями совсем других людей, как ныне живущих, так и в далеком прошлом. Его жизнь составлял раньше отец, он сам и работа. Та работа, которая время от времени испытывала его интеллект, проверяла изредка крепость мышц, силу духа. Финансовое положение Стива позволяло следовать ему по избранному пути. А путь этот он выбрал давно, и лежал он через ЦРУ. И под девизом «конторы», на котором значилось «Правда делает свободным», он подписался в юности и мог бы подписаться и ныне. Что же касается душевного срыва, случившегося с ним после «Бури в пустыне», когда он, оказалось, долгое время не знал о внезапной смерти отца, а вернувшись в Штаты и узнав, что это произошло, как может произойти со всяким, застал лишь оранжево-песчаный холм на кладбище, присыпанный высохшими цветами, то его он хоть и с трудом, но все же преодолел. По крайней мере, теперь ему так казалось.

Кол Маккей ждал его в своем кабинете. Завидев входящего Эпстайна, он спешно встал из-за стола.

— Привет, Стив!

Эпстайн примостил дипломат у кресла и сел.

— Теперь давай без обиняков — что произошло в нашем ведомстве? Чувствую, что ты рассказал мне далеко не все. И вообще, зачем ты брал ко мне этого полковника?..

— А-а-а... — махнул рукой доктор Маккей. — Прости, не хотел тебя обидеть... Знаешь, после той операции в Ираке, когда тебя пришлось на время включить в оперативную группу «Нормандия», мы все стали немножко другими. И мир выглядит иначе... Ты даже не представляешь, во что сейчас превратилась Россия. Она готова продать все, вплоть до военных секретов, лишь бы не сдохнуть с голоду. Ты хоть радио слушаешь?

Стив неопределенно покачал головой:

— Ага, музыкальный канал. Там еще иногда передают погоду...

— И про август девяносто первого ничего?..

— Так, немного... — Он покрутил пальцами в воздухе. — Как будто, была у них там какая-то заварушка. Неужто приглашают меня возглавить правительство?

Маккей исподлобья посмотрел на Стива пытливым взглядом. Он ему на какой-то миг показался не опытным сотрудником, которого он знал раньше, да что там раньше — всегда, а темным и дремучим отшельником, не видящим дальше кончика своего носа. Но Кол знал, что на самом деле это не соответствует истине.

Откинувшись в кресле, Маккей открыл папку, лежавшую перед ним на столе. Огромный стол был завален разноцветными пластиковыми и кожаными папками, к обложкам которых были прикреплены красные уголки, а на них значились различные кодовые слова. Вынув лист бумаги, Маккей, словно сам не был знаком с содержанием, еще раз пробежал по нему глазами, а потом протянул Эпстайну.

— Что скажешь по этому поводу?

Стив долго, чувствуется, не один раз, читал текст шифровки.

— У тебя кофе есть? — прервал он наконец молчание.

Маккей повернулся на шарнирном кресле, щелкнул крохотной красной кнопочкой стоявшей на маленьком стеклянном столике кофеварки и принялся извлекать из портфеля цветастую картонную коробку.

— По дороге зашел в кондитерскую. Угощайся, я очень люблю булочки с корицей...

Стив взял булочку и примостил ее на краешке блюдца.

— Роберт Вил, Роберт Вил... — пробормотал он в задумчивости. — Он вместе со мной учился в МГУ, но как будто на два курса позже...

— На три, — поправил его Маккей.

— И что же, он так сразу ушел в отрыв? Ни письма, ни звонка? Его хоть кто-нибудь видел перед этим?

— Ну как тебе сказать... Его командировали в Москву сразу после того, как их идиот, председатель КГБ, сделал нам подарок...

— Ты имеешь в виду подарок Бакатина послу Страусу?

Маккей внимательно посмотрел на Эпстайна:

— Оказывается, ты слушаешь не только про погоду.

— Московское радио... — коротко бросил Стив. — И все же ответь.

— Да, именно после этого. Мы решили откомандировать его в столицу «монстра коммунизма», дабы проверить кое-что на месте. Не каждый день, понимаешь, приходится получать такие подарки. Он выехал в качестве официального специалиста в области...

— Строительства, видимо... — съехидничал Стив. — Если мне не изменяет память, он учился на гуманитарном факультете.

— Нет-нет. Предусматривалась чисто дипломатическая миссия. Без всяких там штучек... И вот, представь, он отрабатывает три недели в новом здании. На завтра уже заказан билет в Штаты, а он фью-ю-ю... Вышел из старого здания посольства и не пришел в новое. Там всего-то пешком сто метров.

— Побеседовали с кем-нибудь из обслуги?

— Ноль-эффект. А уж когда кончилась виза, пришлось давать делу официальный ход.

— И что сообщил КГБ?

— КГБ ничего! У них просто нет теперь такой организации. Сам черт ногу сломит — АФБ, МБ, АБСДЕ... Им попросту никто не захотел заниматься. Вроде так — у вас заклинило, вы и разбирайтесь...

— Чепуха, это не в их правилах... Наверное, решили провернуть с Вилом какую-нибудь операцию. Колют какую-нибудь гадость, причем по-коммунистически изуверски — прямо в вену...

— Нет, Стив, ты все же превратился на этой ферме в питекантропа: откуда у русских лекарства? Если их даст Коль или Миттеран, тогда другое дело...

— Неужто дошли до ручки?

— Еще спрашиваешь!

— А много ли Вил знал по нашему департаменту?

Маккей задумчиво посмотрел в окно.

— Столько же, сколько и ты, если не больше, — у него не было периода самоизоляции на ферме.

— И он не дал знать о себе ни разу?

— Один звонок был. Очень короткий. Наверное, боялся, что засекут — либо мы, либо они. Говорил не из квартиры, а с уличного аппарата. Мол, не ищите — я женюсь...

— Неплохо придумано... А точно его голос? Может, подставка?..

— К сожалению, в этом сомневаться не приходится.

— И я должен ехать туда и... тоже жениться? — Эпстайн допил кофе и вытер губы бумажной салфеточкой. — Такие будут предположения?

— В первом случае ты прав. Второе — не рекомендую... Лучше подбери шлюху.

— Сам подбери! — огрызнулся Стив, вставая с кресла.

— Я не хотел тебя обидеть.

— Тебе это и не удастся.

— Оформляем документы?

Стив от порога обернулся и посмотрел на Маккея:

— Рабочий стол, компьютер и ключ к банку данных... Ответ не ранее, чем через два часа... О'кей?

— О'кей! Я тебя провожу — ты, наверное, забыл, где сидел раньше?

ГЛАВА 3. МОСКВА. ДОМ НА ТВЕРСКОЙ

— Сорок два, сорок три, сорок четыре... — Иосиф Вашко вяло перебрасывал по краю стола спичечный коробок.

За окном тускло разваливался дождливый сумрак. Нельзя было точно определить время суток — вечер ли наступил, или просто утро не вступило полностью в свои права. Часы пробили четверть какого-то. Звон спрятанного внутри механизма колокольчика увяз во влажной тишине.

— ...Сорок пять, сорок шесть, сорок семь... — коробок, влекомый пальцем Вашко, дошел до края и упал на пол — сухой щелчок отчего-то кольнул уши.

Приблизившись к окну, Вашко чуть-чуть отодвинул плотную штору и долгим взглядом посмотрел на противоположную сторону улицы. Зонтики, плащи, асфальт — все черно, без глянцевитого блеска и дождевой лакировки. Старый большой дом, что напротив, вызывающе глазел черными провалами потухших окон. Ни одной люстры, ни одной настольной лампы.

«Неужто перегорели все лампы сразу? — подумал Вашко. — Хотя чем черт не шутит... В магазинах нет уже какой месяц. А у спекулянтов, что выросли вдоль тротуаров, словно грибы по осенней слякоти, цены такие, что еще год назад можно было вместо одной лампы купить всю заводскую линию по их производству...»

Взгляд медленно переместился на прикрепленную к стеклу газету — это был позавчерашний выпуск «Известий». В солнечную погоду газета через несколько часов пожелтела бы и съежилась, а сейчас, казалось, набухла и чуть ли не покрылась плесенью. Вашко поочередно прижал прикрепленные по углам кусочки пластыря — все было в порядке: газетный лист и не думал отклеиваться от стекла.

«Чего он тянет? — размышлял Вашко. — Который сегодня день? Пятый? Шестой?...» В понедельник объявили приказ о присвоении «полковника». Торжественно вручили папаху и новенькие погоны. Отчего-то на лицах сослуживцев и подчиненных не было и тени улыбки, многие старались отвести глаза. Ну да, сказал, что думал... Назвал министра мудаком. Сказал, что и участковым оп был таким жс умным, как его задница. А еще усомнился в целесообразности слияния КГБ и МВД. Поведал, понимаешь, — будто они сами этого не знали, — что одни, мол, ловят бандитов и насильников, а что ловят другие — ему не интересно, но он точно знает, что ловят они что-то совершенно иное, и это «иное» ему, Вашко, совсем без надобности. Конечно, он понимает, что от слияния служб десяток генералов получит повышение, прибавки к жалованиям, номенклатурные дачи и так далее. Но ему, то есть Вашко, до этого как до лампочки, как до суверенной Украины, и дерьмовые демократы, как, впрочем, и дерьмовые коммунисты, думали о чем угодно, но только не о том, как бороться с грабителями...

Легко, что и говорить, избавились от него. Он еще пытался добиться приема у генерала — не принял. Обычно милая мордашка секретарши скукожилась и стала походить на полувыжатый лимон: «На совещании. Потом в «Белый дом». Сказал, что сегодня не будет...»

По привычке зашел в отдел, хотя не знал, о чем будет говорить с ребятами. Они старались избегать не только разговоров, но даже взглядов — все время отводили глаза. Родной кабинет со старомодным столом, любимым изрядно вытертым креслом и ворохом бумаг на подоконнике показался чужим и неуютным.

Неожиданного во всем этом было мало. Вечером домой заглянул один Женька. Его, Вашко, находка, его отдушина — сам нашел, перевел в отдел, выпестовал. Майорский китель сидел на нем безобразно. Сразу видно: уголовный розыск ходит в штатском. И вообще, для чего он напялил его именно в этот вечер? Что хотел сказать? Водка, которую он припер в кармане, показалась теплой и горчила сверх меры. Разговор не клеился — рассуждать о погоде не хотелось, а любая другая тема неминуемо приводила к службе, к которой Иосиф Вашко с самого утра не имел никакого отношения.

— Сорок восемь, сорок девять... — Коробок, поднятый с пола, снова начал кувыркаться по зелени сукна.

«И это тот самый Женька? — задался вопросом Вашко. — Мой Лапочкин, который говорил «ложить» вместо «класть» с жутким рязанским прононсом... Тот, который через каких-нибудь два месяца после начала службы бесцеремонно оттолкнул шефа в сторону и, гнусно раскачиваясь из стороны в сторону, виляя задом, медленно пошел на беглого зека, вооруженного неизвестно чем, — в сводках об этом не было ни слова — и взял его... Взял, вывернув за спину руку с пистолетом... И Женька тоже! — К горлу подкатил горький ком, веки предательски часто заморгали, но остались, как прежде, сухими. — Хоть бы вякнули чего на прощание напутственное : «Сто лет жить и двести ползать! С пенсией, старик, обращайся поэкономней — лучше в десятый раз жениться, чем все спускать в аптеках...»

Часы отбили еще четверть часа. Вашко даже не посмотрел на них — какой смысл, в этих сумерках даже не видно циферблата.

— Пятьдесят один, пятьдесят два, пятьдесят три...

«Куда они дели мой пистолет? Видавший виды «макар»... С немного стершимся воронением на стволе, белесой мушкой, крохотным сколом пластика на рукояти... Молодые, конечно, от него откажутся. Нет бы проверить бой — девять выстрелов в «десятку» и еще один... тоже в «десятку». Человека на свалку, оружие в переплавку!

Из глубины коридора глухо донесся шум поднимавшегося лифта. Он остановился на другом этаже. Вашко заглянул в дверной глазок. И снова наступила тишина.

«Где же он? — снова задался Иосиф прежним вопросом. — Чего тянет? Нет, я не ошибся — сегодня именно шестой день...»

Он подошел к холодильнику и достал из него пакет с хлебом и луковицу. Порезав и то и другое, он присыпал столь своеобразный бутерброд крупной солью.

«Ну пробился бы к генералу... А дальше что? Что бы услышал в ответ? Сакраментальное: «Я тебе говорил, Иосиф, что надо останавливаться вовремя. Нужно владеть политесом, а не только уголовным кодексом. Чего дали твои победы? Доказал, что дипломат — преступник! Урвал признание? Упек на неделю в следственный изолятор. А дальше что? Что, спрашивается, дальше? Доказал убийство? А адвокат все свел к случайно сложившимся обстоятельствам. Расклад просто такой, и никакого умысла... И опять фрак, крахмальная рубашка, и подальше от глаз — то ли Буркина Фасо, то ли Шри Ланка. Это же — номенклатура, дурья твоя башка! У них свой мир, не чета вашему: политика — политикам, бандитов — сыщикам... И ничего ты не изменишь...»

Вашко словно очнулся от забытья. Зачем-то протянул руку и взял со стола листок желтоватой бумаги, лежавший под пепельницей. Несколько строчек текста он выучил почти наизусть.

«Привет, лягавый! — почерк был неровным, а острие карандаша то и дело надрывало бумагу — видимо, писавшему было неудобно, и он спешил, используя в качестве подкладки какой-то случайный предмет, может, книгу, может, кусок фанеры. — Ты меня скорее всего не помнишь, да и не к чему тебе это. Мало ль у тебя «крестников» по всему свету! Кому изломал жизнь, кого подвел под «вышак», а кого, как меня, одарил приличным сроком. Все еще не могу понять, за что тебя величали «порядочным». Не заставлял хлебать крошево из собственных зубов? Не бил в промежность копытом? Это действительно так. Я бы назвал тебя рыжим — не за усы, не за шевелюру. Ты же хитрый, как бабушкин воротник в молодости, когда он жил в норе. Именно поэтому я не скажу тебе, лягаш, на чем ты меня брал и когда. Почерк мой тебе тоже ничего не расскажет — я не был таким дураком, чтобы собственноручно подписывать протоколы. Зачем я тебе пишу? Не знаю... В общем так — тебя вышибли из ментовки. Ты без пушки и ксивы. Но принципы твои известны. Значит, не сдашься. А дело такое... Эти фраеры, что из-за бугра волокут сюда жратву. Тушенку там всякую, прочую гуманитарную чепуху. Но, как ты сам понимаешь, до стариков она не доходит, да и не дойдет никогда. Воровство на Руси раньше бизнеса начиналось. Заключаем договор: я тебе покажу одну ниточку хищения, а ты уничтожишь моего конкурента... Это когда-то я был не в ладах с законом, а теперь с законом все в порядке, так бывшие подельники ходу не дают. Если не сдрейфил и принимаешь условия — прикрепи лист газеты к оконному стеклу. Я увижу это и найду тебя. Сам меня не ищи — бесполезно.

Закономерен твой вопрос: «А нет ли у тебя потаенной мысли?» Отвечаю: «Есть! Хочу честно «сбацать» свои миллионы. И чтобы ни одна падла не мешала».

Гонорар за мной. Не обижу... Так-то, мент! До встречи».

Вашко сидел, перекидывая пальцем спичечный коробок по столу, и мысленно перебирал тех людей, которые за долгую жизнь проходили через его судьбу, с кем приходилось сталкиваться случайно или по долгу службы, и не мог подобрать одного-единственного, кто мог бы направить ему это послание.

«И ведь главное — все знает про меня. Даже то, что с понедельника я без оружия...» — подумал Вашко и снова подошел к окну.

ГЛАВА 4. МИНИСТЕРСТВО БЕЗОПАСНОСТИ (БЫВШИЙ КГБ). ЛУБЯНКА

Министр департамента, который совсем недавно назывался КГБ, гордился не только огромным кабинетом, но и новенькой генерал-лейтенантской формой. И хотя никто из его предшественников на этом посту не любил и не носил формы, Баранников не мог преодолеть восхищения перед блеском и шитьем погон. Ему, каких-то пятнадцать лет назад простому участковому милиционеру, обслуживавшему десяток домов с дебоширами и пьяницами, наконец-то достался пост, на котором дают такую красивую форму.

И все же ему повезло — не доведись в те мятежные

августовские дни оказаться рядом с Ельциным, не совершил бы он тогда головокружительной карьеры: за полгода — три звания, причем два из них генеральские.

Правда, на Лубянке далеко не все с восторгом восприняли его появление здесь. Подумать только, какой-то ничтожный прапорщик-вахтер, пока решался вопрос на уровне президента России, решил не пускать его через проходную. Ну ничего, прапорщика того уж там нет, а сопротивление внутри самого КГБ... черт, совсем забыл — МБ... он как-нибудь да сломит. Кто не захочет подчиниться — пойдет на пенсию, а кто не дотянул — пусть открывают частные сыскные бюро или идут в кооперативы. Скатертью дорожка!

Стрелки часов над дверью сошлись на десяти. В дверь постучали, и в кабинет осторожненько вдвинулся моложавый майор, как и Баранников надевший форму с голубыми погонами и петлицами лишь несколько дней назад. Конечно же, он пришел следом за шефом из милиции. Иголка всегда тянет ниточку...

— Десять ноль-ноль, товарищ генерал-лейтенант. Разрешите запускать?

Министр посмотрел на наручные часы. Время совпадало.

— Давайте, Федоров.

Майор исчез, а в кабинет постепенно один за другим вошло человек восемь или десять. Все в штатском, примерно одного покроя темные пиджаки, и только галстуки и рубашки, похоже, выбирались по вкусу.

— Рассаживайтесь... — коротко бросил министр и, подойдя к окну, задернул штору. — Руководство контрразведки все в сборе? Я еще многих не знаю в лицо... Заодно и познакомимся. — Он сел в кресло. — Итак, нас не так уж и много... Думал, больше. Хочу передать вам слова Бориса Николаевича. Президент Ельцин возлагает на контрразведку большие надежды. Теперь она должна работать по-новому. Так требует демократия...

Речь министра вскоре приобрела монотонный окрас, будто звук жужжащей за стеклом мухи. Сидевшему в самом конце стола, сорокапятилетнему контрразведчику — интересному шатену с серыми глазами и ироничным взглядом, — стало не то чтобы скучновато, а привычно-знакомо. Добрый десяток руководителей разного ранга и в разных учреждениях изъяснялись точно таким же образом. И даже по телевизору рассуждения политиков и экономистов наталкивали на воспоминания о мухах.

Он незаметно толкнул локтем соседа.

— Алексей, что нового по посольству?

Тот, кого звали Алексеем, был примерно такого же возраста, но более склонен к полноте. Услышав вопрос, он взял карандаш и написал на краешке страницы блокнота: «Ничего нового».

— У тебя кто-нибудь работает по пропавшему? — снова зашептал шатен.

«Нет», — ответил с помощью карандаша Алексей.

— А выяснили, кто он? — снова зашептал сероглазый...

— Липнявичус! — голос министра приобрел металлический окрас.

— Я, товарищ генерал-лейтенант! — встал со своего места контрразведчик.

— Вам что, неинтересно, о чем я говорю?

— Никак нет, товарищ генерал-лейтенант, интересно... — Все сидевшие рядом, кто с испугом, кто с улыбкой, смотрели на вытянувшего руки по швам Липнявичуса.

— Вы эти свои литовские штучки бросьте. Доигрались в своей Балтии — теперь... теперь...

Что «теперь», он так и не сказал, видимо, и сам не знал.

— Садитесь!

Липнявичус послушно сел и тотчас написал в своем блокноте несколько слов и подвинул коллеге. Тот прочитал и кивнул, ответив на послание посланием: «Заходи ко мне, поговорим!»

Любое совещание, даже такое тягучее, как резина, когда-нибудь кончается. Липнявичус молча вышел в коридор, как и все остальные в этом здании узкий и мрачноватый. Дойдя до двери с номером 6045, он без стука вошел в крохотную комнатушку со стандартным набором мебели: стол, стулья, сейфы... Его былой собеседник — Алексей Карелин молча курил, поглядывая в окно и не оборачиваясь к вошедшему.

— Продолжим? — коротко бросил Липнявичус.

Карелин обернулся:

— Ишь как тебя заело... Какой интерес?

— Понимаешь, Алексей Петрович, в первый раз сталкиваюсь с подобной ситуацией: американцы не таясь говорят об уходе к нам сотрудника посольства, а у нас тишь да гладь. Наша работа?

— Нет, Иозас. Мы тут ни при чем. Информации очень мало — действительно, по дипломатическим каналам прибыл некто Вил. Роберт Вил... Виза на месяц. С нашими гражданами никаких контактов не имел. По гостям и выставкам не ходил. Маршруты короткие: старое посольство — новое посольство... А потом переполох!

— Тянется за ним какой-нибудь шлейф?

— Нет, совершенно новое лицо...

— Чем занимался не известно?

— Кажется, специалист по строительству.

— Негусто... — Липнявичус достал сигарету и тоже закурил. — Баранников знает?

— Спроси у него. Я ему не докладывал...

— Почему?

— А у него ценное указание Ельцина — все силы на борьбу с хищениями гуманитарной помощи. Стыдоба! Дело дошло до того, что Бундесвер присылает своих солдат, которые развозят по Москве посылки. Уж какая тут контрразведка! Смех сквозь слезы...

Липнявичус направился к выходу из кабинета, взялся за ручку двери.

— Хочешь услышать последнюю новость? — послал ему в спину вопрос Карелин; Иозас обернулся и застыл — «весь внимание».

— Ну...

— Слышал про ОКО ГБ?

— Что за ОКО?

— Общественный комитет обеспечения гоударственной безопасности. Входят только старые, проверенные сотрудники. У руководства — я не стану перечислять фамилии — ты их знаешь без меня — нормальные специалисты.

— А задачи, цели?

— Не растерять то, что учились делать годами...

— Мне бы, Алексей, твои заботы... Вчера вечером прибыли орлы — молодцы из российского МБ. Вынь да положь им семь кабинетов. Причем с руководством уже все согласовано. Указание лично товарища Баранникова. А у меня на весь отдел всего восемь кабинетов.

— Ну и что ты решил?

— А ничего... Распускаю сотрудников по домам. В

одну комнату, что пока удалось отбить, перетаскиваем архив и выставляем пост. Переходим на домашнее — суточное — дежурство...

— Ну бардак! — не выдержал и сгоряча произнес Карелин. — А ты про Роберта Вила... Кто, откуда... Дома, что ли, из сортира ловить его будешь?

— Не знаю. Пока — не знаю... — грустно улыбнулся Липнявичус и вышел из кабинета.

ГЛАВА 5. ВОЕННЫЙ АЭРОДРОМ БЛИЗ ГАМБУРГА. ГЕРМАНИЯ

Девять человек из десяти способны без устали любоваться самолетами и ровно столько же терпеть не могут летать. Стив относился к большинству. К тому же из памяти не до конца выветрились особенности полета на «блэк хоке», когда иракцы хотели превратить вертолет в подобие дуршлага. Эти несколько месяцев армейской биографии Стива подкрепили его ненависть ко всему, что имеет крылья и лопасти.

Он сидел сгорбившись в ковшеобразном сиденье на левой стороне грузового транспортного самолета, и колени его упирались в подбородок. Салон, забитый всякими ящиками и аппаратурой, не отапливался. Окон не было. Лишь тонкая металлическая стенка фюзеляжа ограждала Стива от мерзкой влажной непогоды, мятущейся за бортом.

Из пилотской кабины явно по своей надобности вышел второй пилот и начал пробираться в хвост. Проходя мимо Стива, он на секунду задержался.

— Сэр, готов держать любое пари — сейчас вас возьмут в партию зеленых без вступительного взноса. Достаточно лишь взглянуть на цвет вашего лица...

Стив, стиснув зубы, беззлобно выругался — этим мерзавцам все нипочем, они еще способны подтрунивать над всяким.

Шум стал чуть меньше. Наверное, двигатели сбавили обороты. Нос опустился градусов на двадцать. Казалось, что при столь крутом спуске самолет обязательно врежется куда-нибудь. Удар, еще один, грохот шасси по бетону, и наступившая тишина звенит в ушах. Стив с наслаждением выдрал из ушей затычки из пенорезины, которыми его снабдили перед вылетом, и встал, тотчас ударившись о какой-то выступ. Он не стал дожидаться того момента, когда его персонально пригласят к выходу, и, завидев тусклый свет, идущий из заднего люка, направился к выходу.

— Герр Эпстайн? — на неважном английском приветствовал его долговязый немец с заранее приклеившейся улыбкой. — Рады видеть на немецкой земле. Пожалуйте в машину. Меня зовут Карл Хейнц Вольф.

— Привет, Вольф. У вас не найдется чего-нибудь согревающего?

— Хельмут, — позвал Вольф водителся. — Достаньте термос с кофе.

Невзрачный хилый малый достал из отделения машины термос и, обогнув фиат-фургон, подал его в пассажирский салон. Вольф разлил напиток по пластиковым стаканчикам. Стив, против обыкновения, опрокинул кофе залпом. Небо согрело приятное тепло.

— Герр Эпстайн! Планы, которые вы строили в Вирджинии, оказались не совсем точными. Мы здесь, в федеральной разведслужбе, кое-что уточнили. Дело в том, что у нас возникли трудности с русскими, — у них нет керосина, и мы вынуждены вместо транспортных самолетов доставлять грузы автомобилями.

— Господи! — воскликнул Стив, — керосин-то они куда дели? Кажется, его еще не пьют...

— Очередной конвой уходит... — Вольф посмотрел на часы в весьма изящном корпусе. — Почти ровно через четыре часа...

— Когда он будет у них?

— На границе — сегодня ночью. Через Польшу идем транзитом и без остановок. Остановки чреваты хищениями и попытками подкупа. Что же касается Москвы, то если не будет задержек на их таможнях, как внешних, так и внутренних, то к вечеру следующего дня...

— А может, будет какой-нибудь самолет?

— Нет-нет, герр Эпстайн, самолетом исключено. Последние, чертыхаясь, вернулись позавчера. Вы не представляете, что значит лететь с двойным запасом топлива. Это же пороховая бочка...

— Хорошо, — Стив взял сумку на колени. — Автомобилем так автомобилем. Кстати, что за марка?

— «Мерседесы». Трехосные. Типа «транс-рад»...

— О'кей... Знаком. Как знать — может, придется

посидеть за баранкой... Водитель, конечно, достаточно опытный?

Вольф как-то хитро улыбнулся и прищурил глаза.

— В чем, в чем, герр Эпстайн, а в этом можете не сомневаться. Коллегам, я думаю, всегда найдется, о чем поговорить по дороге. Хельмут, — постучал он пальцем по стеклу окошка, отгораживающего салон от кабины, — вперед. Сначала на Вальдзее, а потом в место отправки гуманитарного конвоя. — Вольф обернулся к Стиву. — Есть смысл посетить отдел. Вдруг для вас пришло какое-нибудь письмо от местной Гретхен. Приходилось бывать в наших краях?

— Только в бывшей восточной части... Черт, я с трудом преодолеваю разницу в часовых поясах. Вы не будетет возражать, если я немного прикорну?

— Мой Бог, какой вопрос, — всплеснул руками Вольф. — В вашем распоряжении как минимум сорок минут.

— О'кей... — довольно пробормотал Стив и, бросив сумку под голову, растянулся, насколько это было возможно при его росте, поперек всего салона на заднем сиденье.

ГЛАВА 6. МОСКВА. ЦЕНТР ГОРОДА

— Осторожно, двери закрываются, — зелено-голубые створки зашипели, начали сдвигаться, и Вашко тотчас выскочил на платформу.

Третий час он ходил по улицам, завязывал шнурки на ботинках, поглядывал в витрины магазинов, резко разворачивался за углами домов и шел обратным путем. Если бы кто-нибудь посмотрел на его поведение, наверняка бы решил, что человек спятил. Он специально старался быть на виду, звучно сморкался, шел, не прикрываясь зонтом, отчего насморк приобретал все более ярко выраженный вид.

На сыскном жаргоне поведение Вашко называлось «искать хвост». И у него на это были причины. Его таинственный корреспондент довольно быстро среагировал на газетный лист на окне и позвонил. Голос его Вашко не узнал. Не слишком старый, чересчур деловой... Акцент? Вообще-то Вашко почудился какой-то особый говорок, но какой?.. А может, просто почудилось? Видимо, так.

— Вы решились на это дело? — еще раз поинтересовался незнакомец.

— Я не беру свои слова назад... — пророкотал Вашко в трубку.

— Так я и думал... — произнес незнакомец и долго молчал. — Вы знаете, где разгружают закордонные машины? — снова поинтересовался неизвестный.

— Конечно. Об этом вся Москва знает.

— Да-да, конечно... Так вот знайте: те, о ком я вам говорю, если не произойдет ничего непредвиденного, послезавтра заберут очень много продуктов. Уже на следующий день они появятся по коммерческим ценам в доброй половине ларьков.

— Нам надо встретиться! — предложил Вашко.

— Это исключено... За мной постоянный досмотр. В нашем деле все друг друга подозревают... А я не хочу рисковать своим бизнесом. Я слишком многое поставил на карту...

— Отмываете деньги? — пошел в атаку Вашко.

— И не собираюсь этого скрывать. Но теперь у меня все честно. Или почти все... И старушек, уважаемый Иосиф Петрович, я не обираю...

— Ишь как вы заговорили! То «мент поганый», то «уважаемый»...

— Мне не за что любить вашего брата. Теперь же, когда вас убрали, вы слабее меня. А слабых я никогда не обижал...

— Враки, — сказал, словно отрезал, Вашко. — На этом построена вся ваша воровская система.

— А если я не вор? — спросил незнакомец.

И тут Вашко вспомнил этого человека, но незнакомец поспешил прервать разговор, бросив напоследок: «Запомните, это слишком серьезно!»

Он вспомнил обладателя этого голоса, вспомнил его жесткую щеточку усов над верхней губой, крупный нос, пристальный взгляд, но совершенно не мог вспомнить ни имени, ни фамилии. Правда, теперь это будет не так трудно сделать. И он, этот «незнакомец», не врал — он не был вором, он был крупным дельцом, ворочавшим сотнями тысяч, имевшим добрый десяток маленьких фабрик. И тем не менее его деньги участвовали в преступлениях. Из-за них гибли люди. Хотя сам он не обагрил руки ни каплей крови...

Это была его самая любимая станция метро. В детстве, задрав голову, Вашко подолгу глазел на мозаичные плафоны с летчиками, самолетами и цветущими ветвями яблонь. «Маяковка»! Но сентиментальности сегодня не было места в его душе. Сегодня он не обращал внимания на эти панно. Его куда больше интересовали люди, особенно шедшие с ним в одном направлении. Близко ли, далеко — не играет никакой роли. Главное, в одну сторону. Или стоящие на месте...

Но, судя по всему, «хвоста» не было. Зря стращал «теневик-хозяйственник». Выйдя на улицу, Вашко не раздумывая направился к троллейбусной остановке. Минут двадцать ехал, зажатый со всех сторон пассажирами, и вышел у Белорусского вокзала. Подъезд зеленоватого дома с вычурными башенками на крыше провонял кошками и нечистотами. Приезжие из дальних мест не сразу осознавали свой промах: поспешив в город и забыв про услуги, оказываемые вокзалом, они уже через несколько минут начинали глазами искать привычные сельскому глазу дощатые будочки туалетов и, не находя их, справляли нужду в подъездах.

Дверь, в которую постучал Вашко, была оклеена вырезками с названиями газет и журналов: «Крокодил», «Правда», «Труд». У кнопки едва угадывалась потускневшая от времени табличка: «1 звонок», «2 звонка», «3 звонка»... Вашко дважды нажал на кнопку. За дверью царила долгая тишина. Потом послышались старческие шаркающие шаги, и дверь приоткрылась ровно на ширину цепочки.

— Вы к кому? — светлые безумные глаза из-под растрепанных седых косм страшновато взирали на Вашко.

— Рахиль Львовна? — узнавая и одновременно пугаясь этого узнавания, спросил Вашко.

— Если вы спрашиваете Цейтлину, то, наверное, знаете, что нажимая на кнопку звонка два раза, вы попадаете именно к ней... — скрипящим голосом с назидательными интонациями сказала старуха. — Кто вы такой?

— Я Вашко. Иосиф Петрович Вашко. Ваш хороший знакомый...

— Вашко? — острые глазки буравили сквозь щель. — Как же, как же, вы из домоуправления!

— Из милиции, Рахиль Львовна. Я товарищ вашего покойного мужа. Мы работали вместе с Михаилом Яковлевичем. Вы же меня должны помнить...

— Должна, — охотно согласилась женщина, — но я не помню... И Миша умер... Давно! Это произошло на пасху семь лет назад.

— Правильно, семь лет назад... — подтвердил Вашко. — Меня зовут Иосиф...

— Иосиф? — в глазах женщины промелькнул какой-то интерес. — Вы еврей? Иосиф хорошее имя... — дверь раскрылась. — Если вашу маму звали Юдифь, я полюблю вас еще больше...

Вашко не стал дожидаться приглашения, а быстро проскользнул в коридор и там, уже снимая и вешая на сгиб руки плащ, идя за безумной старухой по темному перегороженному и заставленному сундуками, корытами и велосипедами, стиснутому стенами пространству, еще и еще раз старался пробудить хоть какие-то воспоминания в голове несчастной.

— Мы с Мишей работали вместе в одном отделе...

— Мишу убили семь лет назад. А почему вы остались живы? Мишу убили, а вас нет... Вашу маму звали Юдифь?

Старуха прошла вглубь комнаты, села к столу, застеленному замызганной кружевной скатертью, и принялась пить чай, заедая крошащимся печеньем.

— Интересные дела происходят на этом свете... — многозначительно пробормотала она. — Какие, позвольте спросить, вопросы могут быть у молодых людей к пожилой еврейке? Скажите, молодой человек, что вам нужно, и я скажу, сколько это стоит... Например, керосиновые лампы на любой вкус, на любой интерьер. Или грамофон. Вы любите грамофон. Пластинок у меня нет — их разобрали соседи... Ш-ш-ш! — она по-змеиному вытянула шею в сторону стены. — Гады подколодные! Вы не знаете их? Хотите узнать? Мы можем поменяться квартирами — у меня хорошая комната с окнами на юг. Да я вижу, вижу, она вам нравится...

— Рахиль Львовна, я пришел совсем по иному поводу.

— По какому?

— У Михаила Яковлевича должны сохраниться альбомы, которые мы вели еще тогда. Я их принес вам, когда мы разобрали его стол. Там были фотографии, тетради, кое-какие заметки...

— Фотографии? — старуха замотала головой. — Фотографии не продаются! Зачем они вам? — она заметалась по комнате, полы халата крыльями разлетались в разные стороны. — Это мои папа и мама... — Снимки в рамках закачались на гвоздях, вбитых в побеленную стену. — Это мои братья и сестры в Борисове... — Еще одна рамка, закачавшись, рухнула на диван, но старуха этого даже не заметила. — Это дяди и тети. Родственники Миши... Нет-нет, не уговаривайте — это не продается...

— Я говорю о других фотографиях. Которые принесли вам семь лет назад. В больших альбомах...

— Мне? Приносили? Ах, эти подарки после смерти Миши... Вы знаете, как его ценили на работе... Он был хорошим милиционером. Ему очень много принесли подарков — он уже умер, а все несли, несли... Какую-то одежду, сапоги, шапки... Скажите, — может, старая еврейка чего-то не понимает, — зачем покойнику столько одежды?

Вашко понял, что у него начинает разламываться голова, сильно щемил затылок. Но пожилая женщина вошла в раж:

— Потом еще это... Как это называется... Ну это — вы знаете, подскажите. В чем носят... — Она вытянула руку вперед и сочно плюнула слюной: «Пф-ф-ф...»

— Пистолет?

— Да-да, пистолет...

— Это называется кобура! Она что, тоже сохранилась?

— Да-а-а, коне-е-ечно... Я ее присыпала порошком — она очень даже хорошо должна сохраниться.

— А можно на нее посмотреть? — осторожно, стараясь не выдать интереса, произнес Вашко.

— Коробка под диваном. Смотрите сами... Там такая пыль! — Она потеряла к Вашко всякий интерес и, сев за стол, обхватила стакан с чаем обеими руками, вытянула губы дудочкой и с шумом принялась втягивать в себя жидкость, время от времени собирая из вазочки крошки печенья и отправляя их в рот.

Вашко встал на колени, отбросил в сторону свисающий с кровати край покрывала и вытянул огромную картонную коробку, на которой еще сохранился приклеенный ярлык «Фабрика имени Бабаева. Конфеты «Мишка на Севере». Москва». Вместе с коробкой вытянулись здоровый пук паутины, стоптанная тапочка и пустой флакон из-под одеколона.

Память старуху, как ни странно, не подвела. Сперва

при разборке пошел ворох газет с портретами Брежнева, потом какие-то тряпки, а на самом дне лежала коричневая потертая кобура, обсыпанная то ли дустом, то ли нафталином.

Старуха смотрела прямо на Вашко. Он прикрыл кобуру газетой и принялся рассматривать альбом — в нем находились фотографии и из его собственного прошлого: отдел на спортзанятиях, на субботнике, во время совещаний...

В конце концов ей надоело смотреть на него и, взяв бутылку с водой, она принялась поливать огромный кактус на окне.

Кнопка на кобуре приржавела и не поддавалась нажиму пальцев. Вашко с силой дернул за ремешок, и он беззвучно оборвался. На руку вывалился черный револьвер — его Иосиф Петрович обнаружил в столе убитого Цейтлина и, не зная, что с ним делать, решил не поднимать шума, а спрятать до поры до времени в ворохе одежды: кителей, шинелей и плащей. После похорон одежда перекочевала в дом покойного, и револьвер вместе с ней. Жена Цейтлина как-то быстро после гибели мужа начала сдавать, тронулась умом, и до вещей мужа, как оказалось теперь, ей не было никакого дела. Так или иначе, но револьвер сохранился и в мгновение ока перекочевал в карман вашковских брюк.

— Нашли свои альбомы? — смотря отчего-то вдруг осмысленным взглядом, поинтересовалась старуха.

— Нет, знаете, это все не то...

— Жаль, жаль, я бы взяла совсем недорого...

Выйдя на улицу, Вашко сел в первый попавшийся тороллейбус и поехал к дому. Револьвер приятно оттягивал карман и будто бы даже грел ногу.

«Вроде Цейтлин, что-то говорил об этом револьвере... — припоминал Вашко. — Какая-то разборка деревянной двухэтажки... В подполе целый арсенал времен революции... Но зачем он его утаил? Мальчишеская выходка или милицейская любовь к оружию?»

Дома, заперев дверь и приспустив штору, он выложил оружие на стол и долго тер револьвер, смазывал и протирал детали, пересчитывал патроны в барабане. К его счастью, Цейтлин забил его полностью.

ГЛАВА 7. ДВАДЦАТЬ КИЛОМЕТРОВ ВОСТОЧНЕЕ БЯЛА-ПОДЛЯСКА. ПОЛЬША.

Тяжелые машины с красными крестами на боках и с кузовами, покрытыми серо-стальным пластиком, вытянувшись в длинную цепочку, встали на обочине. От начала колонны послышались два долгих гудка. С другой стороны дороги такой же вереницей выстроились легковушки. Вокруг них, нервничая, попивая прохладительные напитки, а то и не очень прохладительные, бесцельно слонялись пассажиры.

— Граница! — бесстрастным тоном произнес водитель — сорокалетний белобрысый немец по имени Курт. Он приподнял за козырек форменную шапочку и принялся отряхивать колени от сигаретного пепла.

— Скоро появятся русские? — обернулся к нему Стив.

— Скоро, нет ли... Кто знает? Обычно проходим это место довольно быстро. Им самим интересно получить свежие продукты. А тут как получится... Может, поляки начнут вставлять палки в колеса...

— Что, и такое случается? — не поверил Стив.

— В переносном смысле... — рассмеялся Курт. У него была хорошая открытая улыбка, обнажавшая небольшую щербинку на переднем зубе.

От зеленого «фольксвагена», зажатого разноцветными соседями, отделился и направился к кабине Курта цыганского вида мужчина. На нем был легкий плащик и замызганные, давно не знавшие крема зимние сапоги. Приблизившись к «мерседесу», он вскочил на подножку. Курт приспустил стекло.

— Пан розуме по-польски? — приторно улыбаясь, спросил незнакомец.

— Нейн! — сказал, словно отрезал, Курт.

— Что вы везете? — на плохом немецком поинтересовался мужчина.

— Гуманитарную помощь, — решил не вдаваться в подробности водитель.

Тот принужденно рассмеялся, ткнул пальцем в красный крест на борту и сказал:

— Это есть мы понимаем. Какой именно товар?

Стив с интересом следил за беседой.

— Лекарства.

— Господа не есть хотеть заработать? На той стороне хотим брать крупный партия сердечных лекарства. Оплата: марк, доллар, рубль...

— И яйца от дохлой коровы! — неожиданно для незнакомца на чистейшем русском ляпнул Курт. — Иди отсюда подальше...

— Простите, господа, простите... — тоже по-русски запричитал владелец «фольксвагена». — Я имел в виду только бизнес. Тогда мне ничего не нужно, — он махнул рукой в сторону кузова. — Но, может быть, вы прихватите маленькую посылочку? А я бы на той стороне забрал. Плачу щедро. Вас все одно проверять не будут...

Курт принялся закрывать стекло кабины, говоря этим самым, что разговор окончен, но Стив, то ли из любопытства, то ли шутя, перегнулся через колени Курта и приблизился к стеклу:

— Отвечать быстро — что в посылке и какая цена?

«Цыган» стушевался — он не предполагал, что эти немцы так великолепно говорят по-русски. Он спрыгнул с подножки на землю.

— Дураки! Свиньи! Я ж только прикурить попросил!.. — орал он, призывая свидетелей от легковой колонны, ждущей досмотра.

Курт нашарил под сиденьем монтировку и приоткрыл дверь кабины, собираясь выйти на улицу. Мужчина опрометью отскочил к легковушкам и встал спиной к своему зеленому крокодилу.

— В ка-гэ-бэ хочешь? — с сильным немецким акцентом, ломая язык, крикнул Курт; и тут произошло неожиданное: незнакомец от смеха согнулся в поясе, затряс кулаками, захлопал себя по коленям:

— Ой, держите меня... Мужики, гляньте на этих идиотов! КГБ — говорят... КГБ! Клал я на твое КГБ! Понял?.. — Он в весьма недвусмысленном жесте выбросил вперед полусогнутую руку с плотно сжатым кулаком и потряс этим сооружением в воздухе. — Езжайте, помощнички хреновы... Кормите своего Ельцина, а мы уж как-нибудь сами пропитаемся.

Пассажиры других легковушек, ставшие свидетелями этой сцены, хохотали, строя рожи Курту и Стиву, а одна весьма полная женщина в пестром халате поверх блузки и юбки швырнула в их сторону бумажный стаканчик. Курт закрыл дверь кабины.

— Ты хотел видеть русских? Любуйся — это они. Возвращаются с толкучки...

От головы колонны тяжелых «мерседесов» раздались частые гудки клаксонов.

— Порядок, — довольно пробормотал Курт. — Дали зеленый!

Стив внутренне напрягся — так с ним бывало всегда, когда приходилось пересекать границу: на самолете ли, автомобиле, или в ином виде транспорта.

Вскоре легковушки по бокам стали проскакивать чаще и плотнее — ближе к таможне они занимали уже почти всю проезжую часть. Вокруг них уже не было таких толп народа — пассажиры сидели в салонах, и лишь водители, нервно покуривая, перекидывались между собой редкими фразами.

Впереди идущий «мерседес» чуть притормозил, полыхнув стоп-сигналами, и тотчас, взревев дизелем, рванул дальше. Курт передернул рычаг передачи и устремился за ним.

За окном Стив успел заметить переругивающихся у шлагбаума польского и русского пограничника. Впрочем, может быть, это были и не пограничники, а таможенники — они исчезли так стремительно, что было бы удивительно, если бы он разобрался.

Потом промелькнула желто-синяя машина с мигающим проблесковым маяком на крыше. Рядом с ней стоял милиционер и, словно ветряная мельница, махал полосатой дубинкой: скорее, скорее, скорее...

— Здорово оголодали, видать? — посмотрел в сторону водителя Стив. — Даже документы не проверяют...

Курт обернулся к нему:

— Им вручили списки со всеми нашими фамилиями. Потом, при возвращении, сверят более подробно. А этот полицейский, — он кивнул в сторону левой обочины, где стояла раньше машина ГАИ, — будет нас сопровождать в хвосте. Точно такая же «канарейка» идет впереди... Куда мы денемся?

— Ну а если приспичит?

Курт расхохотался:

— Терпи. А если вовсе невмоготу... — Он вытянул из-под сиденья ведерко со шлангом и показал Стиву. — Рашен унитаз — с их сервисом станешь изобретателем. Вроде вашего Эдисона... Но, бьюсь об заклад, даже он бы такого не придумал.

— Слушай, Курт, — Стив пристально посмотрел сначала на ведро со шлангом, а потом на водителя. — Ты, случаем, не служил в дальней авиации?

Улыбка моментально сошла с лица водителя, он стал сама серьезность:

— А ты? Может, лучше поговорим о пейзаже за окошком — смотри, слева настоящая русская деревня, справа — настоящее русское поле...

— Ошибаешься, Курт! Белорусская, а не русская. Для Москвы это теперь заграница...

ГЛАВА 8. МИНИСТЕРСТВО ИНОСТРАННЫХ ДЕЛ. СМОЛЕНСКАЯ ПЛОЩАДЬ. МОСКВА

— Джеффри, — произнес посол, обращаясь к водителю, — сначала на Смоленскую, а потом в Спасо-хауз.

Тот кивнул, и машина тронулась. Встречный ветер сразу же наполнил небольшой флажок потоком воздуха, и белые звездочки на голубом фоне смешались с красными полосами в вихре замысловатого танца.

Посла ждали. В приемной русский дипломат, очевидно помощник министра, почтительно склонил голову и приоткрыл дверь.

— Здравствуйте, господин Козырев! — произнес посол, застыв в двух шагах от министра точно в центре ковра.

Тот, радушно улыбаясь, протянул руку для рукопожатия.

— Рад вас видеть, господин Страус. Сегодня я говорил с президентом России — он с благодарностью принимает официальное приглашение американского руководства и совершит официальный визит в предлагаемое вашей стороной время. Еще Борис Николаевич просил передать вашему народу большую благодарность за понимание наших сегодняшних трудностей и огромную помощь.

Страус слушал, едва заметно кивая головой в такт словам министра.

— Кстати сказать, — продолжил министр, — я собирался сегодня вам звонить, но вы, с присущей вам прозорливостью, догадались договориться о встрече раньше... Опять не догнать нам Америку! — Он засмеялся. — Ну что же мы стоим... Проходите, пожалуйста, садитесь в кресло.

— Простите, что пришлось просить о непротокольной встрече, — начал американский посол, глядя прямо в глаза министру. — Так уж получилось...

— Ну-ну, дорогой господин Страус, к чему лишние разговоры. Чем можем быть полезными?

Посол легким движением пальцев поправил манжету рубашки.

— Дело в том, что несколько дней назад у нас пропал сотрудник посольства... Мы не спешили с сообщением, так как должны были убедиться, что этот факт действительно имел место. К сожалению, наши догадки подтверждаются. Речь идет о некоем Роберте Виле, который приезжал для завершения некоторых работ внутри здания после прошлогоднего пожара...

Министр иностранных дел смотрел с сожалением и участием.

— Он специалист по спринклерно-дринчерным системам и является ведущим спициалистом фирмы «Коламбия Биг Файр». Его виза истекает сегодня, но он, господин министр иностранных дел, не звонит. Мы подозреваем самое худшее...

— Да-да, вы правы, господин посол, к сожалению, Москва стала криминогенно опасным городом. Конечно, будем надеяться на лучшее, но, как реалист, могу посетовать — подданные иностранных государств, имеющие валюту, подвержены нападениям более всего. Позвольте вас заверить, что сегдня же я проинформирую об этом наши правоохранительные органы, и мы примем все меры по его нахождению...Мы можем получить у вас его фотографии?

— Безусловно, да. Их вам предоставят по первому требованию. Благодарю, Андрей, вас за участие в судьбе нашего гражданина и надеюсь, что это происшествие ни в коей мере не скажется на развитии наших отношений. — Он встал с кресла и, прощаясь, склонил голову в полупоклоне.

Министр иностранных дел ответил ему точно таким же наклоном головы.

— Я позвоню вам, как только что-нибудь прояснится, господин посол, — провожая Страуса до самой двери, произнес Козырев.

— Я вам очень признателен... Спасибо.

После его ухода министр подошел к столу, взялся было за президентский телефон, но, секунду подумав, отодвинул его в сторону. Взяв карандаш, он что-то написал в блокноте и поднял трубку обычного телефона правительственной связи.

— Добрый день, Виктор, говорит Козырев. Слушай, твоим орлам из МБ что-нибудь известно о пропаже дипломата?

— Какой страны, Андрей? — отозвался в трубке голос Баранникова.

— США.

— Нет, не докладывали. Придется разбираться. Кто он и что?

— Некто Роберт Вил. Специалист по пожарной технике.

— Ой ли по пожарной...

Козырев поморщился:

— А это не мое, а твое дело. Для меня важно одно — если его ухлопали какие-нибудь бандиты, с которыми не могут справиться твои бойцы, то неприятности на межгосударственном уровне придется расхлебывать мне. И тут от Ельцина не жди пощады. Сам знаешь, какое значение сейчас придается нашим контактам, — это и гуманитарная помощь, и кредиты, и еще черт знает что. Думаешь, за красивые глазки нам все это дается? Приходится целые военные заводы перепрофилировать, ракеты уничтожать, ступить боимся, чтобы только выжить, а тут такой подарок...

— Ладно, не волнуйся раньше времени, что-нибудь придумаем. Если живой — найдем, нет — поищем трупешник. Как, говоришь, его звали — Вил?

— Роберт Вил... И не звали, а зовут. Слышишь, зовут! Мне нужен именно такой вариант — с трупом к Ельцину пойдешь сам. Понял? Пока...

ГЛАВА 9. ШТАБ-КВАРТИРА ЦРУ. ЛЕНГЛИ. ВИРДЖИНИЯ

Зазвонил телефон.

— Маккей слушает. Хорошо. Жду... — Он повесил трубку.

Напротив него у стола сидел совершенно рыжий толстяк — это был Тед Хенгерер из службы связи и дешифровки. Солнце из окна падало прямо на его шевелюру, отчего его голова походила на пламенеющий костер, и все время хотелось отвести взгляд в сторону, дабы не обжечься. Они продолжили ранее начатый разговор.

— Об этом, Тед, я могу лишь гадать, так же, как и ты. Брэзил тоже спрашивал меня об этом, но я ответил, что вопрос не совсем по адресу — то есть я имею в виду, что у меня образование по экономике и истории, а физик я никакой. Спутники, самолеты, их электронное обеспечение — не моя стихия. Но я могу выдвинуть основные требования — Эпстайн не должен пропадать из нашего поля зрения. Насколько проверена эта коробочка, что мы ему дали?

Хенгерер кашлянул в кулак.

— Сэр, конечно же мы ее проверяли. Не именно эту, что у него, но абсолютно аналогичные, одной модели. Из Сахары информация поступала стабильно. Точные координаты — плюс-минус три километра...

— А если откажет блок питания? Такое возможно?

Хенгерер расхохотался.

— Только в том случае, мистер Маккей, если объект бросит ее в топку какого-нибудь паровоза. Даже в таком случае еще минут десять она продолжит работу. Простите, сэр, но все ваши вопросы и сомнения, как бы это сказать, несколько беспочвенны.

— Беспочвенны! — вспылил Маккей. — За пять дней первое сообщение. Тут начнешь сомневаться... А мне ежедневно, слышите, ежедневно надо знать, где объект и что с ним. Если его координаты меняются в пространстве, хотя бы на ваши плюс-минус километры, стало быть дело идет. В случае, если неделю они постоянны — надо заказывать поминальную службу в церкви.

— Я вас понял, сэр.

В дверь постучали, и тотчас вошел Джек Дассел — помощник Маккея. Молча он прошел к столу и аккуратно положил прямо перед начальником темную тонкую папку. Маккей повернул ее так, чтобы содержимое было видно лишь ему одному, и, надев очки, быстро пробежал текст глазами.

— Что это за точка? — он ткнул пальцем в то место текста, где значились координаты.

— Район Смоленска, сэр.

— Западнее или восточнее?

— Восточнее, сэр. Примерно на семьдесят километров.

— Движется или находится в покое?

— Стоит на месте, сэр.

— Как давно?

— Около двух часов...

— Спасибо. Можете идти.

Маккей закурил и, не обращая внимания на сидящего по-прежнему в кресле Хенгерера, долго смотрел в окно.

— Что-нибудь не в порядке? — поинтересовался Хенгерер.

Маккей обернулся.

— Знаешь, один умный человек сказал примерно следующее: вероятность разглашения тайны пропорциональна квадрату числа людей, которые эту тайну знают. Поверь, старина, это как раз тот случай.

Хенгерер усмехнулся.

— Я что-то тебя не понимаю, Кол. То ты недоволен «координатором», а когда он дает тебе информацию об объекте, что он торчит в постели у русской бабы под Смоленском и четвертый час не может кончить, вместо того, чтобы восхититься физическим состоянием и подготовкой сотрудников, ты опять срываешь зло на «коробочке». Да хоть я с помощью самого классного хирурга вмонтирую ее ему в зад, чтобы он не выкинул ее, как пачку сигарет, или вошью в какое иное место, он все равно будет спать, сидеть в библиотеке, делать еще что-нибудь этакое — без смены координат в пространстве... И в этом нет причин для волнения.

— Извини, приятель, может, ты и прав. Но дело все в том, что он не должен сегодня находиться в покое. Он должен двигаться равноускоренно и монотонно, как велосипедист, скатывающийся с горы. Пауза может наступить лишь в... — Он уж хотел сказать: в Москве, но отчего-то спохватился и произнес более нейтральное: в другом месте.

ГЛАВА 10. МБ РОССИИ. ЛУБЯНКА. МОСКВА

— Вчера Страус решил объявить о пропаже Вила, — коротко бросил в воздух Карелин, и Липнявичус заинтересованно посмотрел на Алексея.

— Тебе откуда это известно?

— Баранников вызвал «на ковер» и давал накачку. — Карелин решил спародировать голос министра безопасности: — Вы, товарищи, совсем забыли о прямых обязанностях. Перестройка органов безопасности еще не означает отмену органов контрразведки. Почему о том, что по Москве болтается американский подданный, я должен узнавать от руководства, а не от вас?..

— Что предлагает?

— Естественно, что — найти живым или мертвым.

— Так уж и мертвым. Я тут попытался порыться в архивах... Кстати, фотографии нам не дали?

— Понимаешь, какая штука — Баранников со своим милицейским прошлым и недоверием к КГБ, похоже, ставит на две лошади.

— В смысле? — Липнявичус принялся чесать кончик носа — у него вообще была такая привычка, когда он нервничал и выслушивал незаслуженные обиды, относящиеся к нему лично или к делу, которому он посвятил свою жизнь.

— Озадачил поиском нас, а заодно науськал розыскников из департамента господина-демократа Ерина.

— Конкуренция с МВД. Это что-то новенькое...

— Так или иначе, но фотографию Вила он отдал туда. А когда они удосужатся сделать копию и переслать нам, одному Богу известно.

— Так вот, — Липнявичус посмотрел приятелю прямо в глаза, — я поднял архивы. В середине шестидесятых в МГУ учился один американец. Судя по возрасту и внешности, подходит. Только фамилия у него тогда была не Вил. Роберт Вильсон...

— А откуда ты прознал про его внешние данные?

Иозас достал из кармана желтый кожаный с тиснением бумажник и извлек фотографию — со снимка смотрел сорокалетний мужчина с тяжелой квадратной челюстью.

— Откуда взял?

— Ну и вопросики у тебя под вечер... Из ОВИРа, естественно. Он же при въезде в страну регистрировался, как положено, а наши ребята без копий не работают... А теперь посмотри на этот снимочек. — Он из другого кармашка бумажника извлек еще одну фотографию. — Роберт Вильсон собственной персоной.

Карелин положил оба снимка рядом.

— Я бы сказал — одно лицо.

— Я такого же мнения. Только вот в чем незадача — эти, с Чайковского, девятнадцать, утверждают, что он специалист по пожарному оборудованию. Якобы представляет интересы фирмы «Коламбия Биг Файр». А в МГУ он получил несколько иную специальность.

— Не томи душу...

— История и философия.

— Ну не хрена себе... — беззлобно, с некоторой долей

изумления выругался Карелин. — Если это действительно один и тот же человек, то настоящая его специальность, конечно же, третья.

— Но тогда зачем бы посольству поднимать шум? Обращаться в МИД?

— Видимо, происшедшее не входило и в их расчеты. — Карелин принялся перелистывать странички перекидного календаря. — Так, так... Когда он приехал в Москву?

— В середине апреля. Число могу уточнить позже, оно у меня записано...

— В середине апреля... Декабрь, январь, февраль, март... четыре месяца.

— Очень точное наблюдение! — съехидничал Липнявичус. — Оно, конечно, внесет ясность...

Карелин, погруженный в какие-то одному ему ведомые мысли, внимательно посмотрел на Иозаса, но на колкость не отреагировал.

— Наш драгоценный бывший шеф — Бакатин, сделал подарок господину Страусу в декабре.

— Девятнадцатого.

— После этого у штатовцев наступил некий шок. Но, когда он миновал, естественно, им захотелось кое-что проверить на месте. Так?

— Предположим.

— Я бы на их месте... послал бы в Москву спеца с отверткой и пассатижами, дабы поколупаться в кирпичах и найти подтверждение.

— Смешно рассуждаешь. Думаешь, у них здесь нет таких специалистов? Не заглядывая в бумаги, могу перечислить добрый десяток фамилий.

— Видать, Федот, да не тот. После такого подарка, если мы конечно не ошибаемся, Иозас, у них может возникнуть желание — найти источники подпитки энергией этих самых устройств, проверить подлинность подарка — не водят ли русские опять за нос...

— Лучше бы водили...

— Но они-то этого не знают. И еще — не найдя конкретных микрофонов, они захотят понять, как удалось в кирпичи, изготовленные в Штатах, в бетон, привозимый оттуда же, навставлять столько распыленных компонентов... Они же не дураки, а значит, додумаются, что большая часть операций по внесению изменений по химическому и физическому составу кирпичей и цемента производилась у них дома, а не в «рашен совьетик»...

— Козел вонючий! — выругался Липнявичус. — Конечно, политика это важно, но зачем сук рубить, на котором сидишь.

Карелин хитровато поглядывал на искренне возмущавшегося приятеля.

— Правильно возмущаешься, но на одной злости не вылезешь. Я же тебе говорил о новой структуре в КГБ.

— ОКО ГБ, что ли? Очередная политическая возня — делом заниматься нужно.

— А это и есть дело. Независимо от смен политического руководства — демократы ли, пацифисты, или морфинисты с гомиками — надо делать дело...

— А академик-журналист на внешней разведке — это дело?

— А Примаков нам не помеха... Там тоже ребята ушлые есть — кое-кто уже в ОКО. И работаем, как прежде, но только не обо всем докладываем. Эти Баранниковы все одно не разберутся во всех тонкостях, да им никто и не даст ознакомиться — ОКО решило держать их на расстоянии от настоящей оперативной информации. Понял?

— Понял-то, понял... Но какое касательство это имеет к Вилу?

— А такое, что уже этим делом занимаемся.

— И много накопали?

— К сожалению, хотелось бы больше...

— Он жив?

Карелин задумчиво посмотрел на Липнявичуса и широко развел руки в стороны, что можно было истолковать только одним-единственным образом: «Не знаю!»

— Ладно, пошел я домой — приказано работать в сортире, буду работать в сортире. Кабинеты им, видите ли, понадобились. Скоро ментов у нас будет больше, чем контрразведчиков...

— Не горячись, Иозас...

ГЛАВА 11. ПРИМЕРНО В СЕМИ КИЛОМЕТРАХ ОТ ВЯЗЬМЫ. ТРАССА

Утро и полдень проскочили незаметно. Курта за рулем сменил Стив, но машина от этого не пошла медленнее. Все так же метрах в пятидесяти мотался брезент впереди идущего «мерседеса». Только если под Гамбургом он был таким же синим, как весеннее небо, то на исходе второго дня, вдоволь помотавшись на российском дожде и ветру, он стал походить на предгрозовые облака — такой же пятнистый и серый.

Смоленск миновали по окружной. Притормозив на секунду-другую у обочины, Курт перебрался на пассажирское сидение, а Стив крепким обхватом взялся за огромную баранку руля.

— Перекусим? — поинтересовался Курт, доставая из рундучка аккуратненькие пластиковые коробочки с бутербродами и электрокофеварку. Вставив шнур в гнездышко бортовой сети, он укрепил все это сооружение в специальном кронштейне.

— Протяни руку, у меня там в сумке тоже кое-что есть — салями, джем, хлеб...

А по сторонам шли страшноватые дремучие леса да невзрачные, то целиком деревянные, то полностью железобетонные, поселки.

— Сколько до Москвы? — повернулся в сторону Курта Эпстайн, когда они закончили трапезу и выбросили в специальный ящичек под сиденьем остатки фольги и пластиковые стаканчики.

— К вечеру будем, если не произойдет ничего непредвиденного...

Но «непредвиденное» произошло буквально через полчаса после этого разговора — раздался подозрительный скрежет, шлепающие удары по асфальту и упала скорость. Курт, выскочивший из кабины после остановки машины, с грустью посматривал то на проскакивавшие мимо них точно такие же «мерседесы» с красными крестами на боках, то на лопнувшую шину. Идущая в хвосте милицейская машина на секунду притормозила, сквозь окно Курт разглядел, что сидевший на пассажирском сиденье капитан схватил рукой трубку рации, но не остановился, а проскочил вслед за колонной.

— Крейцхагель-доннерветер... — посмеиваясь, выскочил из кабины Эпстайн. — Кажется, так ругаются настоящие германские водители? Где у тебя запаска и инструмент?

— Сейчас раздобудем. — Курт отстегнул полог на кармане, укрывающем сзади кузов и полез внутрь.

Стив, улучив момент, извлек из лежавшей в сумке коробки какой-то небольшой предмет и, посмотрев по сторонам, словно определяясь по сторонам света, приладил его на кабине сверху — точно по середине. Нажав едва заметный тумблерчик на устройстве, он спрыгнул на землю и принялся помогать Курту домкратить машину.

— Говорят, у них гвоздей нету, — с горькой иронией пробасил он, — а вся дорога усыпана... — Он выдернул клещами из покрышки здоровый кривой гвоздь, каким раньше крепили не меньше чем монастырские ворота.

Ловко орудуя инструментами, вдоволь намаявшись и испачкавшись, они закончили работу минут за сорок.

— Сейчас помоемся и в путь, — упаковывая инструмент в чехол, произнес Курт. — Возьми там под сиденьем белый пластиковый флакон и в конверте бумажные полотенца... Крем без каустика, но очищает первый сорт.

Стив послушно полез под сиденье. Достал все, что нужно, и подал водителю. Тот принялся с необычайной тщательностью оттирать руки. Крем пах довольно приятно.

Рассевшись по местам, они поехали. Вдруг Стив, словно вспомнив о чем-то, открыл стекло двери и принялся шарить рукой по крыше.

— Что, что ты там потерял? — всполошился Курт. — Может быть остановить машину?

— Не надо, все в порядке... — довольно пробормотал Стив, убирая коробочку в карман.

— Ты с рацией поосторожнее, — посоветовал Курт. — Бардак у них, конечно, порядочный, но передачу засекут.

— Это не передатчик, — успокоил Стив водителя. — Абсолютно безобидная штучка. Работает со спутником в пассивном режиме.

— Координаты, что ли, срисовывает?

— Примерно так, — ушел от ответа Стив.

За окном промелькнула Вязьма.

— Часа через три-четыре будем на месте... — весело произнес водитель. — Два часа на разгрузку и о'кей... У них, понимаешь, нет никакого сервиса — гостиницу там какую или «постояльный двор».

— Постоялый, — поправил его Стив. — От слова «стоять».

— Черт с ним. Главное, подход непритязательный: привез — сгрузи и отправляйся восвояси... Представляешь, не то что пожрать, а даже вовсе наоборот не сделать. Гальюнов нет. Бегаем в ближайший платный. А откуда, спрашивается, у меня их копейки? Ага, понял... За помощь могли бы и бесплатно пустить — все ж им жратву привозим. А они... Марка, доллар давай!

— Вот прохиндейство, прости Господи! — изумился Стив и даже замотал головой.

Впереди, сквозь медленно надвигавшийся сумрак вечера, на дороге замаячило что-то белое с красным фонарем. Фонарь вращался на крыше, пуская блики во все стороны.

— Авария, наверное... — приблизил к лобовому стеклу лицо Стив.

— А может, ихняя милиция? Эти, что шли в хвосте колонны, о чем-то предупреждали по рации. Тогда, выходит, нас ждут. Сопровождать, что ли, собираются...

— Поздновато для сопровождения. Сколько времени прошло с момента ремонта. Нет, тут что-то другое...

Курт притормозил. Прямо поперек шоссе стояла красно-белая «скорая помощь». Рядом с ней, раскинув руки в стороны, стоял человек в не слишком свежем и чистом белом халате. Увидев, что «мерседес» притормозил метрах в двух-трех позади его машины, он, на бегу поправляя растрепанную ветром прическу, бросился навстречу:

— Гутен таг! — по-немецки поприветствовал он Стива и Курта.

Те ответили на приветствие — Курт словами, а Стив просто кивнул.

— Ихь бин арцт фон дизен... дизен...

— Вы есть можете говорить по-русски, — произнес Курт. — Мы не так много, но понимайт... Что есть дело к нам?

— Господа, я увидел, что у вас красные кресты... — Он ткнул пальцем в кузов «мерседеса». — Я врач из поселковой больницы — она здесь всего в трех километрах. Я пытался остановить те машины, что прошли перед вами, но не успел. Может быть, у вас есть лекарства. Особенно нужны кардиостимулирующие и обезболивающие. Второй год, как нет поставок. Больные умирают...

Стив почесал нос и испытующе поглядел на Курта. Тот сидел в задумчивости, вперив взгляд перед собой.

— Мне очень немного надо. Хотя бы две-три пачки...

— Что есть «кардиостимулятор»? — спросил Курт у Стива, гораздо лучше знающего язык, — тот перевел на немецкий как мог, потом продублировал по-английски.

— Не помню... Что-то такое загружали, — он достал

какие-то сопроводительные документы и начал их перелистывать.

— Скажите, доктор, — поинтересовался Стив, — неужто действительно так плохо? И почему, если мы везем все это в Москву, вам не получить свою долю оттуда?

— Простите, вы хорошо говорите по-русски, но, наверное, никогда не были у нас в России.

— Был, но очень давно. Туристская поездка — Кижи, Валаам... — придумал он то, что первым вспомнилось из рекламных проспектов — ни там, ни там он отродясь не был.

— Тогда я вам это не смогу объяснить. Поверьте — я не стал бы, словно нищий на паперти, просить у вас это, если бы можно было получить из Москвы.

Пока они говорили, Курт проворно, словно обезьянка, слазил в кузов и появился оттуда с огромным коробом.

— Герр арцт! — забывшись, он начал по-немецки, но быстро спохватился. — Это есть малый комплект лекарств, полевой лазарет... Здесь, есть смысл надеяться, полный перечень медикамент. Такой комплект я иметь честь от имени Европейского экономического сообщества и лично меня дарить вашим больным. Желаю здоровий!

Стив с любопытством наблюдал за столь непротокольным актом помощи и не мог сдержать улыбки. Когда врач излил все слова благодарности и, раскланявшись, понес коробку в свой микроавтобус с медицинскими эмблемами, наши путешественники включили зажигание.

— Как ты думаешь, Стив, — спросил Курт, — он так встречает каждую машину или только некоторые? Кто, скажи, не остановится перед «медпомощью»... А он, может, их налево — для бизнеса...

— Не думаю, — решил не согласиться Стив. — Когда меня последний раз штопали под багдадским солнышком... — Курт изумленно посмотрел на соседа, — у нашего доктора Ральфа были точно такие же пальцы: до синевы белые и в йоде. Специально так не раскраситься — для этого придется потратить слишком много времени. И еще — отдал лекарства — и не жалей, они все равно попадут по назначению. Дороже ли, дешевле — это не наш вопрос... Как мне кажется, есть смысл прибавить обороты — до конечного пункта не так уж и много.

— Это точно. Сегодня сброшу эти коробки, — Курт кивнул в сторону кузова, — расстелю гамачок, — он любовно посмотрел на заднюю часть кабины, где болталось некое подобие кровати, заправленное аккуратно одеялом, и даже на подушке виднелась голубая наволочка. — Отосплюсь наконец. Сразу за всю дорогу! Спокойной ночи, дорогой Курт!

Эпстайн слушал Курта и не слышал. Он уже жил не сегодняшним вечером и даже не грядущей ночью — его планы простирались в завтрашний день.

ГЛАВА 12. ЗАПАДНЫЙ РАЙОН МОСКВЫ

Третий день Вашко приезжал на то место, где производился прием автомобилей с гуманитарной помощью. Это была площадка, огороженная со всех сторон легким временным заборчиком. Преодолеть его физически подготовленному человеку не составляло труда. И даже небольшое оцепление из солдат внутренних войск не спасало положения. Документы при входе и выходе практически не проверялись. Да и таможня, сотрудники которой с ворохом бумаг переходили от одной машины к другой, бегло проводя досмотр, не вмешивались в дела распределения. Их самих, а также небольших кудлатых собачонок, деловито шагавших рядом с ними, интересовали наркотики. Ввозить в Россию все остальное — разрешалось.

Вашко не стремился на территорию разгрузки. Он припарковывал автомобиль у забора и подолгу смотрел на происходящее. То и дело сквозь перекособоченные ворота въезжали грузовики и фургоны, на черных «волгах» приезжали какие-то руководители и представители общественности, под их чутким руководством цветные, все в наклейках коробки перебрасывались в машины с московскими номерами и исчезали в безвестности.

Разобраться спервоначала было трудновато. Но время сделало свое дело. Наметанный глаз Вашко довольно быстро определил здесь главного: это был солидный располневший мужчина торгашеского вида, в темном пальто, шляпе, с постоянно бегающими глазами, беспокойный взгляд которых не скрывали даже толстые очки.

Весь день он крутился на площадке, командовал, распоряжался. Кому-то отказывал, кому-то указывал, какие коробки грузить.

Самое печальное зрелище открывалось тогда, когда приезжали из детских домов и интернатов. Сухонькие поблекшие женщины с группами подростков — бедно одетых и с бледными лицами — выстраивались в цепочку и, бережно передавая посылки, складывали в кузов грузовика, взятого на время у шефов, — каких-нибудь заводчан.

То, что посылки крали и вскрывали их тут же, не вызывало сомнений. Ветер гонял по асфальту обрывки целлофана от упаковок, бумажки от конфет. А иногда со двора выходили, озираясь по сторонам, невзрачного вида мужчины и женщины с увесистыми сумками. Из них, плоховато укрытые тряпками и газетами, торчали банки с кофе, сосисками, тушеной говядиной...

Да и помощницы самого «главного», того, что в толстых очках, частенько на ходу жевали импортное печенье, засовывая в карманы плащей целые пачки. Изредка перепадало и солдатам — иногда кто-то из наиболее сердобольных толстух, проходя мимо съежившегося у забора служивого, промокшего под дождем до нитки, совал ему в руки початую пачку галет.

Вашко все три дня пытался поставить машину в одном и том же месте — напротив ворот, но не слишком близко, и ему это удавалось. Там всегда стояло с десяток машин, принадлежавших то ли служителям этого «гуманитарного распределителя», то ли приехавшим гостям. Здесь, как ему казалось, он не будет бросаться в глаза. И вообще — может, он только водитель, ожидавший кого-то...

Что и говорить, место было удачным. Некоторые из служителей даже начали принимать его за своего — сперва, подходя к своим машинам не замечали, потом не пристально, но оглядывали, а уж с третьего или четвертого раза начали едва заметно кивать.

Как-то подошел кудлатый кучерявый парень лет тридцати. Мышцы так и играли у него под свитером.

— Кого ждешь, папаша? — без обиняков спросил он.

— Начальника... — коротко бросил Вашко.

— Большого? — не отступал жлоб.

— Для тебя — так очень... — рявкнул с озлоблением Вашко и кивком головы указал на группку таможенников, собравшихся в свободную минуту на перекур.

— Понятно, — сразу сбавил напор парень. — Так бы сразу и сказал... — Он протянул ловко выхваченную из кармана пачку «Винстона» и, бросив ее на сиденье вашковского жигуленка, достал вторую — это был любимый Иосифом Петровичем «Кемл».

— Начальнику подороже, а тебе подешевле... — расхохотался он и, бросив на прощание: «Бывай!», вернулся на огороженную территорию.

Так уж получилось, что Вашко после этого разговора стал более внимательно поглядывать за этим парнем, отмечать его перемещения по «зоне», с кем, и сколько раз он вступал в переговоры. И наблюдения были очень интересны. Судя по всему, он был далеко не последним лицом в местной иерархии. Частенько он подходил к «главному», тихо переговаривался, иногда жестикулируя, а потом отправлялся к очередному прибывшему транспорту и производил разгрузку в одному ему ведомые машины. Тут дело спорилось. И все его указания исполнялись с удивительной быстротой. В цепочку никто, тем более интернатовцы, не выстраивались, а появлялись плечистые прилично одетые мужички, которые, состыковав машины «корма к корме» — зарубежную к ЗИЛу или ГАЗу, что-то активно перетаскивали и увозили...

Что перетаскивали и что увозили было непонятно. Ни пустых упаковок, ни оберточного мусора не оставалось.

«Похоже, что как раз вы-то мне и нужны...» — решил Вашко и, выбрав под вечер одну из таких машин, пустился за ней сначала в довольно вялую, а потом и более интенсивную погоню. Машина привела его на Красноказарменную, к складу одного из кооперативных коммерческих магазинчиков.

Продолжить наблюдение он решил утром. Тут и произошло то, что могло произойти и раньше и позже, — его излюбленное место стоянки было занято. Видимо, поздно ночью пришел огромный грузовик с гамбургскими номерами и вперся прямехонько на его место. Почему этот «мерседес» не въехал во двор, Вашко было неведомо.

Прижав «жигуленок» между громоздким транспортом и тротуаром, Вашко чертыхнулся и запер дверь. Водитель «мерседеса» стоял около кабины с другой от Вашко стороны и о чем-то препирался с тем самым распорядительным парнем, что давеча одарил куревом.

— Нейн, нейн... — спокойно улыбаясь, отказывался от чего-то немец. — Это есть конкретный адрес помощи. Это не есть можно делать так...

— Ну, хочешь, пойдем спросим, — убеждал его

«жлоб». — Вон представитель мерии... Он тебе скажет то, что и я.

— Моя этого не есть понимайт... Это конкретный адрес помощи. Я буду звонить ваш парламент. Это медикамент, который доставить конкретный больница. Когда есть приезжайт именно из этот учреждение, я буду сдавать все под роспись и печать.

Его непреклонность, похоже, раздражала напористого распорядителя, тот часто поплевывал, курил и размахивал руками. Вскоре он отошел от «мерседеса», так ни о чем и не договорившись, прошел на огороженную территорию, бросил на ходу какую-то фразу «самому главному начальнику» — тот недоуменно пожал плечами. После этого молодой человек приблизился к группке хорошо одетых мужчин, стоявших у приготовленного к перегрузке лекарств грузовичка, крытого брезентом, и долго беседовал.

Вашко со своего места внимательно следил за происходящим. До него даже долетали кое-какие фразы: «Вот проклятый шваб!», «Дать ему раза... Не смотри, что иностранец!», «Тоже мне, цивилизация...».

А смуглый, похожий на кавказца мужчина в черном кожаном пальто и белом шарфе с сильным акцентом произнес: «Гавари с ним о цене... Доллары этому ослу тоже не лишние... Берем всю партию, что есть... мне все равно — презервативы или шприцы».

Потом они перешли на шепот, и Вашко стало не слышно.

Ничего не подозревавший водитель с присущей немцам педантичностью и аккуратностью тем временем расположился у переднего колеса и, разложив на листе валявшегося поблизости картона инструмент, начал подкручивать какие-то гайки.

Вашковский жигуленок ему мешал, но он ничего не говорил.

— Что, камарад, мешает? Может, немного сдвинуть? — поинтересовался у него Вашко.

— Это есть можно, если не составит большого труд... — согласился немец.

Вашко кивнул и полез в кабину. Он отодвинул машину так, что происходившее во дворе стало лучше видно, но там, к сожалению, не происходило ничего нового. Все то же самое, что и вчера, и позавчера, и позапозавчера... А вот как будет развиваться история с непокладистым немцем, Вашко интересовало, и он решил, что, отследив эту историю до конца, он с максимальной точностью и уверенностью выйдет на то звено цепи, которое поможет вытянуть на свет всю криминальную цепочку. А уж если повезет, то и на ту «контору», о которой его информировали в анонимке. У него не было полной уверенности, что проследил он именно то, о чем сообщалось в письме, говорилось по телефону. Ну и что, если даже это окажется чем-то иным? А ничего особенного — в любом случае рано или поздно ему станет ясна вся картина происходящих здесь чудес. Рано или поздно...

ГЛАВА 13. САДОВО-КУРДИНСКАЯ УЛИЦА. МОСКВА

Во дворе «Планетария» стоял забытый всеми бетонный глобус звездного неба. Горожане уже давно не интересовались тайнами астрономии, куда больше их привлекали тайны земного бытия. Где взять денег, чтобы справиться с инфляцией и купить то немногое из продуктов, что обеспечило бы нормальную, сносную жизнь. Поэтому и прохожих здесь было мало.

По тропинке, проложенной у самого глобуса, шел мужчина. Свитер, брюки, ботинки — ничто не выделило бы его из толпы москвичей. Под мышкой у человека была небольшая, обвязанная шпагатом коробка. Насвистывая «Подмосковные вечера», он прошествовал в сторону Садового кольца. Прогуливавший небольшого с подпалинами шпица молодой парень мельком посмотрел на прохожего и опустился на корточки, завязывая ботинок. А потом медленно поплелся вместе с собакой в сторону зоопарка.

Стив Эпстайн переложил посылку под другую руку. По предъявленной еще в Вирджинии фотографии он узнал сотрудника посольства и, как было оговорено, подал знак. Ален Роуз-Брайн, завязывавший ботинок, подтвердил, что сигнал о прибытии Стива в Москву принят. И не больше того. Каждый пошел своей дорогой. Ален не боялся, что эта встреча будет замечена компетентными органами, так как прогуливался здесь часто — и в дождь, и в снег, и в ясную погоду.

А Стив, миновав «Планетарий», вышел на Садовое кольцо, дождался «букашки» — троллейбуса маршрута

«Б» и поехал в сторону Зубовской площади. Там, припомнив дом, который часто в студенческие годы служил ему приютом, был местом студенческих сборищ и вечеринок, он вошел в подъезд и поднялся на третий этаж. На площадке всего две квартиры. Дом был стар и, похоже, за все эти годы в нем ничего не изменилось — так же пахло щами и кошками.

Дверь долго не открывали. Стив еще раз нажал на кнопку звонка. Послышались бодрые торопливые шаги, и на пороге выросла девушка лет двадцати — в джинсах, кроссовках и блузке, расшитой на украинский манер петухами.

— Скажите, — начал, смущаясь, Стив, — не живет ли здесь Майя Семеновна Скоробогатова?

— Скоробогатова... — с интересом воззрилась на него девушка. — А вы, собственно, кто?

Ответ у Стива на этот случай был подготовлен заранее:

— Дело, видите ли, в следующем... Я представляю благотворительный фонд милосердия и здоровья. Сейчас, как вы знаете, доставляется в Москву гуманитарная помощь... Так вот, мы ее развозим по адресам, если конечно они указаны...

— Гуманитарная? — скривила губы девушка. — Насколько я слышала, ее получают малоимущие и старики.

— Ну да, ну да, конечно... — затараторил Стив. — Но бывают исключения...

— Какие? — словно на допросе, сыпала вопросами девушка, как и раньше прикрывая собой дверь в квартиру.

— Если посылка адресована конкретному лицу...

— Интересно, — пробормотала девушка. — И что же, здесь на ящике так и написано — Скоробогатовой?

Стив протянул коробку девушке:

— И даже адрес, если хотите посмотреть...

— Действительно... А от кого? У нас нет родственников за границей.

— Этого я не могу знать, — сразу же отрезал Стив. — Наше дело доставить по месту назначения.

— Видите ли в чем дело... Простите, я не знаю, как вас называть.

— Сергей Иванович, — без запинки произнес Стив. — Сергей Иванович Болдырев.

— Сергей Иванович, дело все в том, что Скоробогатова — это фамилия моей матери. И она действительно здесь жила до позапрошлого года...

— А теперь? — по-птичьи склонил голову Стив, пытливо вглядываясь прямо в глаза девушки, — он пытался найти в ее лице что-либо от ее матери, которую он знал тогда, когда ей самой было примерно столько же или чуть больше лет.

— Она живет почти постоянно на даче. Может быть, я передам ей сама?

— Не положено... — с сожалением покачал головой Стив, которому, конечно же, не улыбалось таскаться с посылкой под мышкой, — он надеялся, что ему повезет с первого раза, но этого не случилось.

— Я даже не знаю, как быть...

— На даче есть телефон?

— Нет, конечно. Не в Америке живем...

— А где эта дача? Далеко?

— Метро, электричка, автобус, пешком... Часа на полтора дороги.

— Вот беда-то... — пробормотал якобы озадаченно Стив, пытаясь случайно не выдать радости. — Она, конечно, в ближайшее время не собирается к вам?

— Да нет вроде...

— Давайте сделаем так — я вам передаю эту посылку. Не исключено, что там внутри какое-нибудь письмо. Причем, может быть, срочное... Вы его отвозите матери, я вместе с посылкой даю вам лист бумаги — она вам пишет расписку в получении, а я вечером снова зайду.

— Это что же, мне сейчас прикажете ехать? А я в университет на лекции собиралась...

— Ну, тогда не знаю, как быть, — придется мне отнести посылку назад в фонд, а там как знаете... Продукты, если скоропортящиеся, могут пропасть...

— Продукты? — заинтересованно произнесла девушка. — Хм... Ладно, давайте сюда посылку — сейчас что-нибудь придумаем... — Она повернулась внутрь квартиры и громко закричала: «Виктор! Виктор! Иди сюда...»

Рядом с ней вырос довольно щупленький молодой человек в очках-велосипеде с круглыми линзами и в ношеной клетчатой ковбойке — Стив даже вздрогнул, так эта рубашка была похожа на его, ту, что осталась дома.

— Виктор, — протянул он Стиву руку, сложенную лодочкой.

— Муж... — коротко пояснила девушка, хотя сама представиться своевременно забыла.

— Сергей Иванович из фонда милосердия... — представился Стив.

— Витек, — обратилась к мужу девушка, — давай-ка бери эту посылку и мотай к матери на дачу. Еще возьми этот листок и к вечеру привезешь расписку в получении посылки... Так я говорю, Сергей Иванович?

— А как же лекции? — протянул, словно пел песню, Виктор.

— Обойдешься... Все равно я тебя хотела сегодня прогнать по магазинам. Выбирай, что лучше...

— Понял, — ухмыляясь, проинформировал о решении Виктор. — Еду немедленно... Теща хоть покормит по-человечески...

Стив, попрощавшись, с видом человека, честно исполнившего свой долг, вышел на улицу, пересек детскую площадку, свернул за угол дома и снова вышел на Садовое. К троллейбусной остановке он приближаться не стал — в двадцати—двадцати пяти метрах от нее подъезд дома, куда он только что заходил, просматривался более чем отчетливо. И ждать ему, судя по строгости тона, которым москвички дают поручения своим мужьям, придется не слишком долго. Так оно и получилось.

И поехал Стив — он же Сергей Иванович Болдырев сперва на метро до «Текстильщиков», потом на электричке до «Гривны», и дальше не на автобусе, которого не было, а пешком. И маячил перед ним метрах в ста синенький джинсовый костюмчик тщедушного Виктора, тащившего под мышкой ту самую коробку, что утром нес он сам.

ГЛАВА 14. ШТАБ-КВАРТИРА ЦРУ. ЛЭНГЛИ. ВИРДЖИНИЯ

— Доктор Маккей? — спросил в трубке знакомый голос Хенгерера.

— Тед, ты неистребим в собственной находчивости. Можно подумать, что по моему номеру сидит кто-нибудь иной, например, сам господин президент...

— Нет, у президента другой номер — я знаю... — рассмеялся Хенгерер.

— Слушаю тебя.

— Похоже, что твой парень в Москве вообще не собирается таскать эту штучку.

— В смысле? — насупился Маккей.

— Со вчерашнего вечера она дает координаты с одного места. А по другим каналам информации — объект перемещается, и его видели посольские...

— Слушай, Тед, какого черта... — Маккей едва сдерживал распиравшее его негодование. — Какого черта ты мне это рассказываешь! Вообще, откуда у тебя эта привычка лезть не в свои дела...

— Простите, сэр, но мои парни только что дешифровали оба этих сообщения и я решил, что будет неплохо, если вы об этом узнаете не из официальной бумаги, а от меня...

— Да, да, конечно... Спасибо, Тед! Я ценю твое отношение, но ради Бога, запомни одну русскую пословицу времен великой империи: «Болтун — находка для шпиона!» У них раньше это на каждом углу расклеено было. Как думаешь, не внести ли это предложение нашему самому большому шефу?

— Знаешь, мне кажется, что надо повременить...

— Что ж, давай тогда отложим это предложение до лучших времен.

И он повесил трубку.

ГЛАВА 15. ЗАПАДНЫЙ РАЙОН МОСКВЫ

Курт, разобравшись с колесом, повернул кабину машины и принялся ковыряться в моторе. Время подходило к обеду. Вашко, покуривая, сидел в «жигулях» и время от времени поглядывал на площадку. Кавказцы так и не загрузились. Отогнав машину с крытым кузовом немного в сторону, они будто бы бесцельно болтались по огороженному пространству, куда, казалось бы без всякой системы, без всякого порядка, въезжали, выезжали и просто стояли где попало автомобили. Впечатление хаоса было обманчивым — все подчинялось невидимой воле. И если с зарубежными машинами было все более или менее понятно — их обслуживали по привычной схеме: таможня, изредка милиция, и еще реже представители общественных организаций, то с отечественными грузовиками все было очень даже понятно — их расставлял «босс» и его подручный.

В конце концов «неправильное» стояние Курта — за пределами охранной зоны — их заело.

К «мерседесу» подошли трое таможенников, у ноги одного из них спокойно стояла овчарка с темной кудлатой полосой шерсти на холке.

— Гутен таг, — на приличном немецком начал старший по званию.

Курт, оторвавшись от мотора, поприветствовал их, соскочил вниз и подошел вплотную.

Вашко знал немецкий чуть лучше английского, который он не знал вовсе. Но суть разговора была понятна и без перевода: сначала официальные власти интересовались, почему водитель не подает машину на площадку (последовал недвусмысленный жест в сторону двигателя), потом старший попросил предьявить документы на груз...

— Что там у него? — поинтересовался второй таможенник, тот, что держал собаку.

— Лекарства, — бросил через плечо первый. — Ладно, у него все в порядке... И адрес доставки у него, как и у этих, — он кивком показал в сторону «зоны», — конкретный... Его право — передать тому, кому адресовано... Сейчас досмотрим как положено, а дальше не наше дело. Если Бородыня хочет лезть в это дело — его право. Наше дело сторона...

Услышав фамилию, Вашко посмотрел на очкастого распорядителя, но одновременно с ним это же сделал и один из таможенников, и Иосиф Петрович понял, что действительно произнесенная фамилия — фамилия главаря.

Курт распахнул полог фургона, и таможенники один за другим исчезли в кузове. Снаружи был слышен топот, шум перекладываемых коробок с лекарствами, тихий скулеж собаки.

Минут через десять—пятнадцать вся троица снова появилась снаружи — Курт плотненько застегнул брезент — и, расписавшись в его бумагах, притиснув к документам штампик, таможенники гурьбой, рассуждая о чем-то своем, пошли на площадку.

Молодой распорядитель в кожаной куртке спешно подскочил к ним и что-то начал доказывать, размахивая при этом руками. Старший, что проверял машину, ответил ему, похоже, довольно резко, махнув при этом рукой.

У Вашко от нехорошего предчувствия засосало под ложечкой. Эти ребята как пить дать что-нибудь учудят... Бедный немчик. Куда он со свои гамбургским ли, ганноверским ли педантизмом лезет в российские хляби! Как пить дать что-нибудь учудят — баллоны проколют, стекла побьют, а уж лекарства... заберут всеми правдами и неправдами... Дались они им! Аспирины с пектусинами... Хотя несколько дней назад Вашко, остановившись перед одним из киосков, торговавшим всем — от жвачки до электроники — с удивлением обнаружил, что пластиковый копеечный шприц тянет уже даже не на десятку, а антиспидовский презерватив в цветном пакетике стоит столько, что проще родить, вырастить и воспитать трех пацанов, произведенных на свет без этого резинового изделия...

Он вышел из «жигулей» и подошел к немцу.

— Эй, камрад! — он поманил его пальцем. — Ты, это... Как бы поточнее тебе объяснить... Черт, немецкого не знаю...

— Вы есть можете говорить по-русски. Я понимайт...

Вашко обрадовался и, отчаянно жестикулируя, торопливо пробормотал:

— Осторожность! Понял? Ахтунг! Видишь тех черных — они, похоже, хотят твои лекарства ауфвидерзеен сделать. Понял?

— Спасибо предупреждение. Я есть давно понял все это. Но вы за меня не сильно есть бояться. Я под охраной международных конвенций и «Красный крест»...

— Чудак ты, камрад, как я посмотрю... Они ж тебя, может, и не тронут, хотя я не стану ручаться, но авто твое разделают так, что не узнаешь...

Курт озадаченно посмотрел на Вашко. Похоже, про порчу машины он не думал. Выбрав из сумки с инструментами блестящую полуметровую монтировку, он задумчиво взвесил ее на руке и еще раз посмотрел на Вашко.

— Слабовато... — разочаровал его Вашко. — А баллончика на всякий пожарный нет?

— Вы есть спрашивать огнетушитель? Зачем?

— Да нет — это просто поговорка такая — «на всякий пожарный» — Баллончик против преступников — Си-Эс, там, какой... Для защиты...

Курт нахмурился еще больше и подбросил на руке монтировку: «Это есть оружие пролетариата, как у вас говорил Ленин».

— Ну, гляди, камрад, слабовато это... — Он посмотрел, как Курт принялся оттирать руки, убирать инструмент и доставать из коробочек бутерброды. — Слышь, камрад! У тебя машина запирается?

— Есть ключ. Какие проблемы?

— Пойдем суп есть. Тут рядом кафе...

Курт улыбнулся и поблагодарил, отказываясь.

— Рубль нейн. Нет советских, только марк.

— Ничего. Я угощаю. На суп со вторым хватит...

Курт мечтательно закатил глаза к небу — по-прежнему серому, хотя и с намечающимися голубыми проблесками. Солнце изредка начало падать на зазеленевшую траву.

— О, суп! Щи, окрошка, борщ...

— А это чего дадут, — многозначительно проворчал Вашко.

Они сели в вашковский «жигуленок» и минут через десять притормозили у знакомого Иосифу Петровичу дома. Свернув в переулок, прошли через калитку старинных чугунных ворот, обогнули несколько выступов стены здания, отдаленно походившего на церковь, и спустились в небольшой уютный подвальчик. Посетителей в кафе было мало — видимо, отпугивали кооперативные цены. Но две или три группки молодежи все же сидели. Под потолком клубился табачный дым, и изредка раздавались хлопки пробок шампанского.

— Однако молодежь гуляет... — пробурчал себе под нос Вашко, припоминая, что перед Новым годом шампанское шло, как минимум, по полторы сотни.

Выбрав уголок потемнее, Вашко усадил Курта и принялся листать меню. Стандартные названия блюд и закусок соседствовали с нестандартными ценами. Все было примерно в десять раз дороже, чем в тот день, когда Вашко был здесь последний раз — месяца два назад.

— Сейчас, Курт, наедимся... Такого, поди, у вас в Гамбурге не едят... — проворчал Вашко и знаком подозвал официанта; тот подошел неторопливо, словно нехотя.

— Давай, малыш, сообразим два борща, два жаркого и чай...

— Вы на цены посмотрели? — процедил парень небрежно. — А то потом вопросов как бы не было...

Вашко смерил официанта презрительным взглядом.

— Ты чего ж меня перед иностранцем позоришь, цибулька ты этакая...

Официант подозрительно посмотрел на Курта, одетого простенько и немодно, скривил губы и отошел.

Не прошло и пяти минут, как на столе появились две тарелки со свекольно-красным борщом. Хлеб был порезан крупно и, похоже, еще вчера. Вашко крякнул, но промолчал..

— Давай, Курт, начинай — чем Бог угостил...

Только они взялись за ложки, как входная дверь за спиной Вашко хлопнула и на пороге появилось несколько можчин лет двадцати пяти-тридцати. Они шумной, гудящей компанией расположились за соседним столиком.

— О, борщ! — восхищенно заметил Курт. — Есть хорошо суп — три дня не ел варм — горячий блюд.

— Ну вот и наворачивай! — подбодрил его Вашко.

Официант торопливо подкатился к вновь прибывшим — похоже, они внушали большее доверие или были старыми знакомыми.

Расправившись с борщом, Вашко снова подозвал официанта:

— Давай второе, приятель...

— Минуточку, — с совершенно иным настроением побежал на кухню парень, и Вашко не понял этой перемены в его настроении. Видимо, это было связано не с ним, а с прибывшей компанией.

Курт ел молча и сосредоточенно. Вашко не старался говорить с ним, понимая, что тому нелегко даются русские фразы.

От молодежной компании, распивавшей шампанское, к столику подошел высокий прыщеватый парень в обвисшем на плечах свитере.

— Чего тебе, хоккеист? — не поднимая головы, поинтересовался Вашко.

— Трикотажная хламида действительно делала молодого человека похожим на полуодетого или полураздетого «бойца ледовой дружины».

— Ты, дядя, богатый... Небось, на черной «Волге» ездишь. Дай закурить!

Вашко достал из кармана початую пачку «Кемла» и протянул парню. Молодой человек потянулся через стол за сигаретой, пошатнулся и не сел, а как-то повалился бочком на Курта. Только сейчас Вашко заметил, что он изрядно пьян. Курт, вскочив на ноги, пытался поднять парня с пола, тот сопротивлялся, и ему никак не удавалось совладать с «хоккеистом». Наконец он усадил его на свободный стул, но тот не удержался и снова грохнулся на пол вниз физиономией.

— Ой, мальчики! — взвизгнула девица с какими-то сетчатыми коленками, выглядывавшими из-под сверхкороткой юбки.

Компания тотчас загомонила, загундосила, послышался стук отодвигаемых стульев, громкие голоса.

— Не надо, — в полный голос заверещала та же девица.

Те мужчины, что пришли в кафе последними, с интересом обернулись.

Курт с вопросом во взгляде смотрел на Вашко, а тот невозмутимо допивал свой чай. Их окружили. Впереди толпы стоял некий длинноволосый студенческого возраста верзила в джинсах с дырами на коленях.

— Это что же, папаша, получается? — процедил он слюнявым ртом, обращаясь к Вашко, и помахал перед его носом рукой с какими-то коротковатыми пальцами.

За спиной его послышался звук бьющегося стекла — кто-то спьяну отколол у бутылки дно.

— Это что же получается, землячок?..

Лежащий на полу «хоккеист», не меняя позы, пошарил руками по грязному полу, по-поросячьи хрюкнул и засопел. Никто из подошедших и не думал оказывать ему помощь. Не вмешивалась в разборку и та компания, что пришла последней, — она лишь наблюдала.

Коротколалый сделал резкое движение, словно хотел поймать в воздухе несуществующую муху. Вашко в этот момент поставил стакан на стол. Курт, ничего не понимая, озирался.

— Врежь ему, Ванята, — крикнула вдруг девица, меняя сдержанность на раздраженность. — За инвалидность пенсию прибавят...

— Мальчики, мальчики... — засуетился официант, по лицу которого растеклись багровые пятна нездорового румянца. — Идите на место — сейчас подам горячее...

Вашко даже не посмотрел в его сторону.

— Деньги есть? — коротко бросил Вашко молодому нахалу; тот опешил: он ожидал любой другой реплики, но не этой. — А ну-ка молодежь, кошельки на стол! Все! Быстро!

— Зачем это тебе, дядя? — процедил кто-то из-за спины коротколалого.

— Платить за поврежденную обстановку, сосунки...

— Сволочь, — визгливо крикнули в толпе, и над головой Вашко со звоном разбилась бутылка.

Курт было собрался прийти на помощь, но Вашко бросил на него столь выразительный взгляд, что он понял — ему вмешиваться не надо.

Вашко повел шеей и принялся стряхивать с брюк крошки стекла.

— Дешевые фраера! — процедил он сквозь зубы и без размаха, не вставая со стула, ударил в подбородок слюнявого.

Тот без звука, без вздоха, мешком повалился на пол.

— Бей его, гада! — завопили сразу несколько глоток.

Вашко вскочил из-за стола, загородил спиной Курта. Подогретая спиртным, а, может быть, и наркотиками, компания, отступая, попятилась и бросилась врассыпную. Иного и быть не могло — в руке Вашко тускло блеснул тяжелый револьвер.

— Ну, так как насчет кошельков? — повторил свой вопрос Вашко, поводя стволом поверх голов разбушевавшейся компании. — Эй, официант! — подозвал он онемевшего и, кажется, оцепеневшего парня. — Взыщи-ка с этих... этих, — он так и не подобрал подходящего определения. — В общем, ущерб...

— Ни-ничего... — заикнулся официант. — Я с ними разберусь... Да и ущерб... Нет, можно сказать, ущерба...

— Ну, как знаешь. Сколько с меня?

— С обоих сто сорок восемь рублей двадцать четыре копейки.

Вашко бросил три пятидесятирублевки и, по-прежнему загораживая собственным телом Курта, направился к выходу. Оказавшись на улице, они стремглав бросились к «жигуленку». Вашко рванул вперед, стремительно переходя с передачи на передачу.

— Это есть замечательный сражение... — восхищенно зацокал языком Курт. — Я слышал, что Россия иметь высокий уровень преступность... Но так сразу — ейн момент... Нейн, нейн, я есть не понимайт, — он легким движением руки дотронулся до кармана вашковского пиджака, — Россия уже разрешайт своим гражданам?

— Нейн... — почему-то по-немецки ответил Вашко.

— Тогда как есть это у вас?

— Иногда разрешают, — соврал Вашко. — Я, Курт, видишь ли, раньше работал в криминалполицай — кажется, это так у вас звучит.

— Криминальный полиция? — заинтересованно, как показалось Вашко, спросил Курт. — Наркотики?

— Нейн. Убийцы — мордерманы... Это, кажется, так звучит у вас.

— Нет, не так... — возразил Курт и хотел что-то добавить, но не успел — они уже подъезжали к месту стоянки «мерседеса».

И то, что с машиной за это время ничего не сделали, было крайне удивительно: стекла, колеса, фары — все было цело.

А удивительного в этом, по сути дела, было мало: пока они обедали, рядом с «мерседесом» выстроилась вереница черных и серых «Волг» с напыщенными, важными водителями; они лениво покурили, сбившись в кружки и болтая о своих делах. А по площадке в сопровождении таможенников и целой свиты прилично одетых мужчин с какими-то флажками на лацканах ходила некая комиссия.

— Что есть у них там происходить? — поинтересовался Курт у Вашко после того, как обследовал свою многотонную громаду.

— У них там есть происходить, — совершенно серьезно и без издевки ломая язык произнес Вашко, — большой партейтаг. Ну, не партейтаг, не съезд партии, а так... Парламентская встреча... Наскакивают иногда проверить, как дела с гуманитарной помощью...

— О, это есть хорошо,— понимающе закивал Курт.

— Ага, — согласился Вашко. — Воровали, воруют и будут воровать. А эти ничего не заметят.

— А вы есть, как секретполицай, боретесь с этим?

— Нечто вроде этого. Только я, Курт, уже на пенсии...

— У вас — русски — ничего нельзя понимать. Скажите, а здесь есть Ельцин? Великий президент России? — не вытерпел Курт, пялясь на толпу официальных лиц.

— Нет. Если бы он здесь был, тут такое бы началось... Оцепления, охрана, сопровождение ГАИ.

— Жаль... — скучно произнес Курт. — Сколько я вам должен за обед? Я могу дать марки... Десять, двадцать, тридцать?

Вашко обиженно отвернулся и полез к себе в машину. Курт посмотрел на него, пожал плечами и тоже полез в свою кабину.

ГЛАВА 16. ДАЧНЫЙ ПОСЕЛОК ВБЛИЗИ СТАНЦИИ ГРИВНО, МОСКОВСКАЯ ОБЛАСТЬ

И кто это в России додумался до такого — называть дачами не дома у озера с прекрасным горным пейзажем за окнами, а обычные, то ли деревянные, то ли каменные строения, расположенные на окраине какого-нибудь города?

Синий джинсовый костюмчик Виктора петлял по улицам и переулкам, скрывался за поворотами, и Стив — он же Сергей Иванович Болдырев — ждал: ну когда, когда, начнется то, что называется у москвичей дачей? Ему рисовалась тропинка в лесу, тяжелые от капель ветки орешника, нетронутая свежесть росных трав у самых ботинок. Минут через пятнадцать после того, как он следом за Виктором спрыгнул с края платформы, вместо того чтобы по всем правилам пройти по мосту над железнодорожными путями, протопав по шлаку у рельс, по глине на небольшом косогорчике у забора завода, Стив углубился в уличное пространство. С фонарями у края дороги, с большим количеством низкорослых кудлатых дворняжек, не обращавших на прохожих вообще никакого внимания, с редкими старухами у калиток одноэтажных построек — блеклых домиков, зажатых сараями.

Виктор шел, раздумывая о чем-то своем, — он низко опустил голову, машинально шагал, глядя по сторонам, и чисто механически перекладывал посылку из одной руки в другую.

Добравшись до нужного дома — такого же, как и все на этой улице, — он просунул руку меж досок, сдвинул щеколду и открыл калитку. Стив издалека убедился, что это не какая-нибудь уловка, что он вошел именно в этот одноэтажный кирпичный дом со старой покосившейся верандой, и приготовился ждать. Ждать долго, до тех пор, пока Виктор не выйдет, чтобы ехать назад. Но спрятаться здесь, в месте, где каждый новый человек на виду, как ему представлялось, будет непросто. Пошарив глазами по сторонам, он обнаружил в тени разлапистой еще не расцветшей сирени лавочку. На ней сидел старик — в валенках, треухе и свитере с драными локтями.

— Привет, батя! — присел Стив рядом со стариком на лавочку. — Можно посидеть с тобой? Сердце чего-то прихватило...

Старик не слишком любезно посмотрел на неожиданного соседа и ответил на приветствие.

— Откуда будешь, молодой человек? Что-то я раньше тебя не видал в наших краях... — Старик пристально посмотрел на незнакомца.

Стив внутренне напрягся.

— Из Риги, — сказал он весьма удачно.

— Латыш?

— Нет, русский...

— То-то, я смотрю, у тебя акцент ненашенский... Видать, долго жил?

— Порядочно.

— Ну, как там у вас? К нашим — русским — как относятся?

— Как и всюду, — ответил Стив. — Оккупантами называют...

— То-то и оно. А что, спрашивается, мы им плохого сделали? По какому интересу к нам?

— Да вот... — нейтрально заметил Стив. — Подперло, выходит. О переезде надо подумать. Может, дом какой купить удастся. У вас тут никто не продает?

— Дом купить, — озадаченно промямлил старик. — Эвон как выходит. Это чего ж, можно, наверное. Искать надо...

— А вот в этом кто живет? — ткнул пальцем в дом Майи Семеновны. — Подходящее сооружение...

Старик поковырял палкой землю. Сочно сплюнул на траву.

— Так как тебе сказать... Дама живет.

— Одна, что ли?

— Почему одна... Дочка к ней заглядывает. Зятек, похоже, только что прибыл погостить.

— А муж? Есть он у нее?

Старик с какой-то лукавой усмешкой посмотрел на незнакомца.

— А этого я тебе, мил человек, не скажу — сам не знаю... Отродясь никаких мужчин в этом доме не помню. Одна ведет хозяйство. Дом ей этот от родителей достался: они померли как раз тогда, когда БАМ строить начали, — почему и запомнил время, шумиха тогда в газетах была порядочная, а тут они и сподобились — почти в одночасье. Сперва отец, а потом уж и матушка ейная...

— Тогда, выходит, одна... А дочка от кого?

Старик закряхтел, заперхался кашлем — так он смеялся.

— Это дело не хитрое — сам, небось, знаешь...

Калитка дома Скоробогатовой хлопнула — из нее вышли Виктор и не такая уж и старая, но сильно сдавшая с тех пор, как ее знал Стив, Майя Скоробогатова. Щурясь от солнца, она долго смотрела вслед зятю, помахивая рукой на прощание. Он шел быстро, видимо, торопясь на электричку в Москву.

Стив, будто бы доставая из кармана сигареты, наклонился и вжался в куст сирени — теперь его нельзя было увидеть от дороги.

— Чего прячешься? — засмеялся смышленый дед. — Чай, не муженьком ее прежним будешь?

Стив удивленно посмотрел на старика и не стал углубляться в развитие этой темы.

— Пойти, что ль, поговорить? — словно нехотя выдавил он. — Раз одинокая, то, может, и продаст полдома... — он встал с лавки. — Бывай, старик! Спасибо за информацию...

— Ну-ну, милок, молодое дело нехитрое... Глядишь, и столкуетесь...

Стив неспеша направился к калитке. Скоробогатова уже готовилась ее прикрыть, но, заметив незнакомца, задержалась.

— Добрый день! — поприветствовал ее Стив. — Вы уделите мне несколько минут?

Женщина зябко повела плечами — из дому она вышла одетой весьма легко, и теперь ей было прохладно.

— Вы ко мне? — она невольно движением руки поправила прическу — ее волосы, как показалось Стиву, были столь же прекрасны, как и в юности, — тот же неуловимый соломенно-золотистый цвет, та же длина ниспадающих на плечи локонов. Да и лицо было абсолютно узнаваемым — серо-зеленые глаза, опушенные длинными ресницами, гордый изгиб складок у губ, чутко трепещущие крылышки носа. Хотя время и делало свое дело — раскидало легкую сеточку морщин у глаз, но, похоже, к Майе Семеновне — Майе — оно проявило огромную снисходительность. И только прищур глаз, смотрящих на Стива, говорил о многом — наверное, при чтении Скоробогатова уже пользовалась очками.

— Се... Се... Сережа! — совершенно потерянно или отрешенно произнесла Майя. — Откуда ты здесь?

Стив рывком содрал с головы кепку, резким движением попытался пригладить непослушный вихор на лбу, виновато улыбаясь, приблизился и, схватив теплую руку Скоробогатовой, прикоснулся к ней губами.

— Здравствуй, здравствуй, дорогая... Сколько лет, сколько зим! Это удивительно, что ты меня не забыла...

Скоробогатова в порыве пьянящего чувства узнавания провела ладонью по его лицу.

— Совсем не изменился... Все тот же студент! Ну как ты там, в своей Америке? Стал, наверное, богатеем — капиталистом?

— Не стал, Майка... Не стал. Ну что, приглашаешь гостя в дом, или будем ждать ваших русских холодов?

— Ой, господи, да проходи, проходи, конечно... Ты где, кем работаешь? — тараторила она, пропуская его в дом впереди себя.

Стив повесил кепку на гвоздь, одернул свитер и вошел в горницу — здесь все было чистенько, уютненько и пахло пирогами.

— Кем работаешь... — усмехнулся Стив, глядя прямо в глаза бывшей однокурснице. — Все американцы, без исключения, работают шпионами. Это тебе еще тогда говорили — в институте. Помнишь, как всю вашу компанию, кроме меня, таскали к проректору? Докладные заставляли писать...

— Но у нас никто этого не сделал.

— За что и ходили без стипендии целых два семестра. — Они уже весело хохотали, вспоминая юность.

— Сережа, Сережка... — повторяла Майя, любуясь гостем. — Или лучше называть тебя Стивом? Как тебе привычнее?

— Как тебе лучше.

— Ах, дорогой ты мой шпион! Ну как ты там? Женился, конечно? Она дочка профессора? Семеро... Нет, постой, — она прикоснулась к его локтю рукой, — восемь детей... Угадала? Личный дом в Нью-Йорке и голубой бассейн с искуственной волной. Так?

Он отрицательно покачал головой.

— Нет, Майка, все не так... И дома у меня нет, такого, про который ты говоришь, и семьи...

— Чего ж так? — с сожалением посмотрела она на приятеля. — Кто будет продолжать род Эпстайнов?

Стив лишь выразительно посмотрел на Скоробогатову, на фотографии в рамочках на стенах — ее отец, мать, которых он помнил именно такими, как они были запечатлены на снимках, ее дочь, которую он видел лишь несколько часов назад, и промолчал.

— А у меня сегодня с самого утра было какое-то предчувствие, — призналась Скоробогатова. — Вот и посылкка эта странная...

— Это моя посылка, — сказал Стив. — Я не мог задать в лоб вопрос твоей дочери: где ты живешь? Пришлось устроить этот спектакль с переодеванием... — он кивком и движением глаз указал на свитер, джинсы, кроссовки; она поняла его.

— Откуда взял? Раздел на улице горожанина?

— Нет, конечно... Просто в Москве у меня стоит целый «мерседес», полный лекарств и одежды. Я выбрал то, что подошло из гуманитарной помощи. Конечно же, я хотел бы появиться перед тобой совсем в ином наряде, но, но...

— Ты мне так и не ответил — кем работаешь? Я не поверю, что ты водитель этого грузовика, который возит нам помощь.

— Нет, конечно. Я же тебе сказал — я военный. Кроме того, много пишу, путешествую, живу как все...

— И в каком же ты звании? Я просто не могу представить тебя в форме. То, что военные из Америки возят нам продукты, — я слышала, но тебя встретить здесь...

— Совсем не ожидала?.. Знаешь что, если у тебя есть нож, то давай откроем посылку — в ней ты найдешь то, о чем мечтаешь.

— Вино, шоколад, галеты? — без интереса начала перечислять Скоробогатова.

— Письмо, фотографию одного американца в форме подполковника, новое платье... Что же касается закуски, то она там тоже есть, и надеюсь, если ты меня не выгонишь раньше времени, мы сможем вполне сносно пообедать...

— Ой, прости, Сережа... Конечно — и как я могла не подумать — ты голоден. Хочешь помыться, принять ванну? Я быстро нагрею воды...

— О, это будет вполне кстати! Последний раз я мылся где-то в районе штата Вирджиния...

ГЛАВА 17. МИНИСТЕРСТВО БЕЗОПАСНОСТИ РОССИИ. ЛУБЯНКА. МОСКВА

— И все-таки я не очень тебя понимаю, — проговорил Карелин, ставя поднос на столик. — Ты, Иозас, слишком глубоко копаешь...

Липнявичус пожал плечами и, молча взяв ложку, принялся за свекольник.

— У нас в Вильнюсе его готовят всегда, когда появляется первая свекла. Немного картофеля, чуть-чуть трав и лимонной кислоты, одно яйцо и ложка сметаны... Но самый лучший все одно готовили на Зеленых озерах. Это недалеко от Вильнюса, можно сказать, пригород. Господи, увижу ли я когда-нибудь еще дом? Каунас... охотничий бар, Игналина... какая там великолепная рыбная кухня, Швентойи...

— И все-таки, Иозас, что слышно по поводу работы? Собирается давать руководство вашему отделу помещения или нет?

— А ты спроси у «Барана». Ты, кажется, к нему вхож?

— К Баранникову вхожи бывшие менты. Нас мурыжат в предбаннике. Но иногда кое-что решить удается.

— Что, например?

— По Роберту Вилу.

— Неужто нашел? Жив?

Карелин отставил в сторону пустую тарелку из-под первого блюда и принялся за отварную лососину.

— Многого хочешь... Пока, благодаря тебе, начали выяснять его студенческие связи. Идея была правильной. Оказывается, тот Вильсон и этот Вил — одно лицо. Сейчас поднимаем записи тех лет. Хорошо, что тогда наш офицер, который исполнял обязанности проректора по кадрам, исправно подшивал информацию в дело. Выясняем кое-какие связи. Пытаемся понять: кто сейчас и где из однокашников. Потому что если отбросить версию с мафиозным похищением...

Липнявичус прервал приятеля:

— За это направление можешь не беспокоиться — «Баран» со своими товарищами по прежнему месту службы, надо полагать, прошуруют и сами... Это как раз для «уголовки». Пусть розыскники вспомнят, откуда у них ноги растут, и побегают.

— Согласен. Но связи студенческих лет — наше дело.

— Внешняя разведка ничего не дает?

— Там, мне ребята звонили, всем заведует Примаков.

— Ставленник Горбачева!

— При чем здесь Горби, — поморщился Карелин. — Он пришел и ушел. Примаков же, как партийный и номенклатурный функционер, сидит тихо и особенно не рыпается...

— Дольше просидит. Может, и вовсе о нем забудут...

— Забудут — не забудут, но ситуация складывается так, что мужички из ПГУ стараются максимально сохранить свои кадры. Кое-кого новый босс хочет спровадить на пенсию, кое у кого вызвать доверие и симпатию. Но ребята там ушлые, недаром вокруг дипломатов всю жизнь прокрутились, пытаются сохранить центровое ядро специалистов. И именно по этой причине им сейчас не до разведки — консервируют агентуру. Еще неизвестно, куда эта демократия выползет. А вдруг боком?

Липнявичус промолчал. Умолк и Карелин, ковыряя вилкой рыбу. Вздохнув, он отодвинул тарелку и принялся за компот:

— Гадость. И компот не тот, что раньше... Не знаешь, кофе в буфете есть?

— Нет. На прошлой неделе был по четыре рубля за маленькую чашечку, а вчера и он кончился... Ну, лады — давай ищи Вила.

— А ты чего будешь делать? Небось, сортир кафелем обкладывать?

Липнявичус встал, собрал посуду на поднос и пошел было к конвейеру, куда после обеда все составляли грязную посуду, но на секунду задержался около Карелина, держа поднос на весу:

— Хочешь, дам совет? Правда, к Вилу он относится — так-сяк...

— Валяй, — небрежно кивнул Карелин.

— Подключи все-таки ребят из внешней разведки. Вместе с Вилом на два курса старше учился еще один «янки». Звали его Стивом Эпстайном. У этого Эпстайна здесь были какие-то амурные дела. Подробностей не знаю, но говорили, что все это на самом деле имело место. Если бы я сидел не здесь, а в Лэнгли, я бы обязательно подключил к операции этого самого Эпстайна. Допускаю, что он вообще в принципе может работать в посольстве на Чайковского. Тогда он здесь как рыба в воде. Знает по Вилу все входы и выходы. Кстати, фотографию Эпстайна, наверное, тоже нетрудно найти — он же проходил тогда по нашим спецучетам. И если посольство собирается искать выпукника МГУ Роберта Вила, читай Вильсона, то почему бы не подключить к его поиску второго студента — Эпстайна... Если он только не спился в своей какой-нибудь Калифорнии или Каролине.

Карелин встал из-за стола, отнес вместе с Липнявичусом на мойку посуду и, то и дело кивая знакомым, идущим по коридору навстречу, думал над словами Иозаса.

— В принципе, ты прав. Хотя все это, как мне кажется, из области предположений. Но проверить — есть полный смысл. Знаешь что... Может быть, тебе есть резон влезть в эту операцию?

— Фигу! — огрызнулся Иозас. — Раньше хоть знал: поймаю шпиона, получу орден. А сегодня что? Орденов нету! Все бывшие награды бывшей страны... А для меня — литовца — и вовсе заграничные.

— Только не строй из себя беженца, чертушка! — ласково приобнял Карелин за плечо коллегу. — Не хочешь за орден, давай за так...

— А за так, — еще горше и обиженнее произнес Липнявичус, — я пойду в собственный домашний сортир и начну учиться класть кафель. Вот, видишь, книжку купил... — Он вынул из кармана пиджака тоненькую брошюрку. — «Сделай сам!» Тут все инструкции. Так что до встречи...

Они попрощались и разошлись в разные стороны.

ГЛАВА 18. ЗАПАДНЫЙ РАЙОН МОСКВЫ

Дома Вашко не сиделось. Поужинав, он попытался включить радио, потом телевизор. По «Радио России» опять трепались про «акцию» Коля — дал обещание прислать еще несколько сотен тысяч тонн продуктов. Телевизионные «Вести» показывали, как американские солдаты разгружали в Шереметьеве самолет. Какой-то холеный офицер с блестящим прикусом хвалил русских за педантичное и повсеместное распределение продуктов: русские учителя так здорово все наладили, что внесли в списки на получение конфет, тушенки и галет даже иностранных школьников, родители которых работают в посольствах и консульствах.

Чертыхнувшись, Иосиф Петрович выключил всю эту капиталистическую пропаганду, ставшую такой же назойливой, как раньше коммунистическая, и отправился на свой наблюдательный пункт.

Когда начало смеркаться, он увидел, как Курт, забравшись в кабину грузовика, включил транзистор, — из радиоприемника, настроенного на немецкую станцию, полилась маршеобразная мелодия. Водитель улыбался и наливал в малюсенький кипятильник воду.

«Кофе, наверное, будет выкушивать — так у них принято...» — подумал Вашко, садясь за руль «жигулей».

Завел мотор. Но что-то его не отпускало. Какая-то смутная тревога. Неясность... Он заглушил мотор и поплелся сквозь ворота внутрь охраняемой зоны. Таможенников нигде не было видно. А Вашко хотя и недостаточно четко понимал, что его беспокоит, но решил разыскать того молодого парня в фуражке, который притискивал давеча штампик к бумагам Курта.

В конце концов это ему удалось — таможенник сидел среди своих коллег и пил чай из кружки.

— Здорово, орлы! — бесцеремонно ввалился он в вагончик — те подняли головы, ответили на приветствие.

— Вашко Иосиф Петрович, — представился он. — С Петровки я... От Коломийцева. — Он специально назвал фамилию начальника управления ОБХСС, которая им была хорошо известна по роду службы. Таможенникам сразу стал понятен этот неурочный визит, и они, потеряв интерес к Вашко, продолжили чаепитие.

— Слушайте, кто скажет, что этот, из Гамбурга, стоит в неположенном месте?

— А ты его сам спроси, — отозвался молодой парень в форме.

— Да я по-ихнему ни бельмеса, а он, видимо, по-русски, как я по-японски...

— Говорит, что ждет представителя больницы.

— Заболел, что ли?

— Да нет — лекарства он привез, а отдавать не хочет.

— Бумаги у него в порядке?

— Лучше не бывают — с ихними орлами и когтями на лапах.

— Так какого черта, спрашивается?

— Немцы перемудрили, — отозвался таможенник с большим количеством звезд в петлицах, но такой же молодой, как и остальные его товарищи. — Они, видишь, из гуманных соображений решили осчастливить своими шприцами и презервативами от СПИДа жителей Нагорного Карабаха... Вот и будет ждать машину оттуда до морковкиного заговенья!

— Из Карабаха? — чуть не ойкнул Вашко. — Ни хрена себе хрена... Там же война... Армяне с азербонами воюют...

— Ну так вот им как раз без презервативов никуда... — захохотало сразу несколько глоток.

— А чего, мужики, смеетесь, — пробурчал плечистый таможенник с армейской выправкой. — Вот когда я в тундре служил, так чтобы эту гадость болотную рвануть, мы заряды в презервативы прятали — от мокроты, мой милый, спасает — первый класс. А то ничего не взрывается — они ж все мокрые, заряды-то... Как моя задница!

— Ишь ты... — удивился кто-то из присутствующих. — А я думал, они только по прямому назначению используются...

Вашко, насмеявшись вдоволь, со всеми распрощался. Сев в машину, он долго крутил в руках ключ зажигания, по-прежнему не решаясь ехать домой. Но в конце концов собрался...

...И вот — маета. Нет желания спать, лежать, ходить. Так с ним бывало и раньше, когда он чуял преступника, знал, что тот действует, может быть, именно в эту минуту, секунду, миг, но что делать самому, он еще не решил.

Подойдя к телефону, Иосиф Петрович набрал номер своего бывшего визави по кабинету — Лапочкина дома не было. И на работе телефон не отвечал.

«Носят черти по каким-нибудь чердакам. Всех преступников все одно не переловит... — огорчившись, подумал Вашко. — Хотя я и сам был таким же...»

Он набрал второй номер. Трубку на том конце сняла женщина. Говорила она с сильным грузинским акцентом:

— Квартира Гоглидзе...

— Гамарджоба, калбатоно Манана. Вашко говорит...

— Ах, Иосиф Петрович, — обрадовалась жена Гоглидзе. — Зачем обижаете, дорогой? Давно в гости не заходили почему? Мы же каждый день говорим с Гоги только о вас...

«Врет, конечно, — подумал Вашко. — Это у них, как у японцев, сто тридцать три тысячи форм вежливости...»

— Хорошо или плохо говорите?

— Зачем обижаете, батоно Иосиф? Конечно, хорошо...

— Твой джигит дома?

— Вай, какая жалость — на работе. Он был бы счастлив, что вы звоните...

— Не знаешь, что у них там? Операция какая?

— Не знаю. Сказал, что будет очень поздно...

— Ладно. Передавай привет...

— Спасибо!

Он снова положил трубку. Звонить кому-либо с бывшей работы не имело никакого смысла. Все в бегах — так было при нем, так будет и после его смерти. Одно слово — уголовный розыск.

На лестнице он нос к носу столкнулся с соседом. Тот тоже был невесел, но, завидев соседа, улыбнулся:

— Привет, Иосиф!

Этот молоденький военный, капитан, приехал в их дом лет шесть тому назад и за все это время стал только майором. Видать, и в Москве не всем звания идут споро, хотя молва говорит об обратном: попадешь в штаб, готовь красный материал для лампасов.

— Здорово, Василий! Чего унылый?

Майор снял фуражку, протер тряпочкой, похожей на носовой платок, подкладку и посмотрел не то что с грустью, а даже с тоской на Вашко.

— Затрахался, понимаешь... Сегодня опять эти мамаши бой дали — я тебе скажу...

— Что за мамаши?

— Да солдатские матери. Их, конечно, понять можно — взяли пацанов в армию, а тех там бьют, лупцуют деды-старослужащие, но мы-то, офицеры, что можем, если система такая? Не приставишь же к каждому солдату по офицеру: веди себя порядочно, не дерись, кашу дели справедливо... Прямо-таки детский сад, Петрович!

— Мда-а-а... Всем тяжко!

— А как у тебя в ментовке? — Майор оперся локтем на перила и приготовился к долгому разговору — дома его ждали те же разговоры, что и на службе: жена начнет жаловаться на дороговизну, дети клянчить деньги на жвачку, а оклад увеличили пока не очень...

— Слышь, Василий, — сообразил вдруг Вашко. — Ты чего-то говорил, что у тебя по автомобильной части неплохо. А?

— «Жигули», что ли, полетели? Загоняй завтра в гараж при комендатуре. Там у нас такой парнишка, первогодок из Воронежа, золотые руки...

— Да я не об этом... Грузовик есть?

— Найдем. Завтра позвони на работу — у тебя есть телефон — и никаких проблем...

— Завтра поздно.

— Хм-м-м... Сегодня, что ли? Переезжать куда собрался?

— Вроде того.

— Тогда тебе и солдат с десяток надо. Погрузить-разгрузить.

— Это сверхзадача...

— А в чем дело, собственно?

— Понимаешь, Василий, — принялся на ходу сочинять Вашко. — Выделили нам на отдел гуманитарную помощь. Немчура с утра стоит у площадки, ну а мы, сам знаешь, без транспорта. Вот и маюсь с утра...

— А что за помощь? Может, тушенки подбросите? Банок десять — в порядке оплаты?

— Ящик дам, только машину найди. А? — Вашко легко было обещать — именно такое количество тушенки, правда, не импортной, а очень даже советской, лежало у него дома: хозяйственники расстарались перед пенсией и сделали царский подарок.

— Ты дома будешь? Жди! Сейчас мигом... Подадим прямо к подъезду!

И майор не обманул — стоило Вашко поставить на плиту чайник, как в дверь позвонили: на пороге стоял сосед Василий и розовощекий молоденький солдатик в потрепанной форме.

— Рядовой Мышкин, — приложил он руку к пилотке. — Прибыл в ваше распоряжение...

— Ты это, — произнес майор, одетый уже по-домашнему — в спортивный костюм, майку и тапочки, — чтобы все как положено, Мышкин! Без вольностей и все указания, как мои... Понял?

— Так точно, товарищ майор.

— Кто там в машине за старшего?

— Сержант Кириченко, товариц майор.

— Вот-вот... Передашь Кириченко мой приказ — все сделать в точности, как подполковник скажет, — он кивком указал на Вашко.

Иосиф Петрович засобирался, начал натягивать плащ.

— А про тушеночку ты, Петрович, не забудь. Как обещал...

Вашко отодвинул занавеску в прихожей и рукой показал на картонный короб:

— Забирай, Василий!

— Как, уже? — удивился тот. — Вот это я понимаю! Порядок в танковых войсках... Обещано — сделано! Давай, Мышкин, хватай коробку и отнеси ко мне...

Солдатик крякнул и, подняв ящик, понес в соседнюю квартиру.

У подъезда стоял здоровенный армейский ЗИЛ со звездами на дверцах. Кроме звезд виднелись в темноте еще какие-то цифры, но что они означали — номер полка, дивизии или давление в шинах, Вашко не знал.

— Садитесь, товарищ подполковник... — приветливо улыбаясь, распахнул перед ним дверь Мышкин. — Куда прикажете ехать?

— Приказывать тебе майор будет, Мышкин, а я только просить. Понял?

— Так точно, — разулыбался совсем парень.

— Сейчас посмотрим, что у тебя в фургоне делается, — Вашко подошел к задней стороне кузова и заглянул под брезент — там угадывались красные огоньки цигарок. — Кто тут живой, покажись!

Послышался топот, звяканье металла о металл, и у борта появился рослый рыжеусый солдат с сержантскими нашивками на погонах:

— Сержант Кириченко, — он подбросил в руке автомат и надел ремень на плечо, словно собирался идти на парад.

— Мать честная! — воскликнул Вашко. — Это-то зачем взяли?

— Товарищ майор приказали по полной форме, — не смущаясь, отрапортовал Кириченко.

— И сколько же у вас этого добра?

— Десять у бойцов, товарищ...

— Подполковник, — подсказал стоящий рядом с Вашко Мышкин.

— ...И один у водителя.

— Хоть патронов-то нет? — с мольбой в голосе спросил Вашко.

— Никак нет, — ответил серьезный Кириченко. — Есть... По два рожка у каждого! Боевые, калибр пять шестьдесят два... Как положено!

— Черт с вами, — совершенно не по-уставному ответил Вашко и неожиданно для себя добавил: — Ты там, сынок, с этим цибульками поосторожнее. Друг друга не перестреляйте.

Он пошел к кабине и устроился рядом с водителем.

— Куда едем? — передергивая рычаг передачи и запуская двигатель, поинтересовался солдат.

— Куда? — переспросил Вашко. Ведь он и сам еще не

до конца разрешил эту проблему. — Куда... Дуй в Армянский переулок. Знаешь где?

— Так точно, товарищ подполковник! Приходилось бывать...

— Ну и трогай, сынок. Раз так получается... — но что получается у Вашко именно так, он не произнес, а сидел, улыбаясь в свои пышные усы.

ГЛАВА 19. ШТАБ-КВАРТИРА ЦРУ. ЛЭНГЛИ. ВИРДЖИНИЯ

У шефа ЦРУ доктор Маккей бывал, но не часто. Тут нравы КГБ и штаб-квартиры в Лэнгли в чем-то совпадали: подчиненные ждали вызова шефа, но ни в коем случае не напрашивались сами.

Перед самым кабинетом Маккею предстояло пройти через наиболее строгий пост в Лэнгли.

— Добрый день, доктор Маккей.

Маккей улыбнулся в ответ:

— Здравстуйте, Кэти.

Кэти Коуландер сидела на своем секретарском посту более двадцати лет, работала с семью директорами и отличалась незаурядным чутьем и умением обходиться с людьми, занимавшими в разное время директорский кабинет. Формула, придуманная не ею: «Начальники меняются, а секретарши остаются», — относилась к ней в полной мере.

— Как ваши домашние, доктор?

— Спасибо, Кэти. Все в порядке. Мальчишка замечательно играет на скрипке, а жене хочется приучить его к пианино.

— Ах, Нэнси, ей все не дают покоя лавры Вана Клайберна.

Она нажала кнопку, скрытую под верхней планкой стола.

— Можете пройти прямо в кабинет, доктор Маккей.

— Спасибо, Кэти.

Повернув ручку замка, охраняемого электронной установкой, Маккей вошел в кабинет.

Хозяин кабинета, откинувшись в кресле, просматривал бумаги в папке, лежавшей перед ним на столе.

— Привет, Кол! Как дела? Садись ближе... Я тебя вызвал вот по какому делу... — Похоже, ему было трудно начать неприятный разговор. — Этот твой Эпстайн, что... вполне надежен?

— Этот вопрос я не хотел бы слышать из ваших уст.

— Я понимаю тебя, Кол: ты хочешь сказать, что мы сделали правильную ставку и именно на ту лошадь? Признаюсь, меня очень беспокоит эта история с Вилом... Не идет ли речь о двойной игре?

— Это исключено. Ручаюсь, как за самого себя...

— Тебя еще КГБ не завербовало — это точно! Если бы это случилось, я бы сразу подал в отставку.

— Я готов сделать то же самое, если ваши предположения подтвердятся...

— Об этом речи не идет. Но вот тут... — Директор ЦРУ извлек из папки лист шифрограммы и подал его Маккею. — Только что пришло через Германию. Что скажешь по этому поводу?

Маккей взял документ и погрузился в чтение:

«...В 21 час 35 минут на машину, в которой добирался *объект*, совершено нападение неизвестными лицами. Само транспортное средство испорчено: множественные проколы шин, в бензобак засыпан сахар, порван брезент. Что касается содержимого кузова, то люди, вооруженные штатным советским оружием и в военной форме, перегрузили медикаменты в машину неизвестной принадлежности и с места происшествия скрылись. Вместе с ними исчез представитель и подданный Германии Курт Россель. Находился или нет в машине *объект* неизвестно. Сам автомобиль оттранспортирован на стоянку немецкого торгового представительства в Москве, где в ближайшее время будет произведен тщательный осмотр. Объектов биологического происхождения (кровь, моча, слюна) и иных следов пока не обнаружено. По нашему мнению, речь может идти о деятельности органов безопасности России... При получении дополнительной информации постараемся проинформировать вас столь же оперативно...»

— Что скажешь? — директор напряженно ждал ответа.

— Пока только одно — чего-чего, а сахара, похоже, мы им завезли предостаточно...

— А что Хенгерер со своей разработкой? Молчит?

Маккей решил не «закладывать» Тэда, хотя и обещал ему сделать это при первой же возможности.

— Как раз с ним все в порядке. Утром поступала

последняя информация. Если спутник не ошибается, то координаты устройства который день одни и те же. Мы их определяем как северо-западный район Москвы. Видимо, там в последние часы стояла машина.

— Тогда почему ваш Эпстайн не носит его постоянно с собой?

— Трудно сказать. Возможно, боится дешифровки. КГБ есть КГБ! Кому это знать, как не нам...

ГЛАВА 20. ПОСТПРЕДСТВО РЕСПУБЛИКИ АРМЕНИЯ. АРМЯНСКИЙ ПЕРЕУЛОК. МОСКВА

Вашко тронул стеклянную дверь. Тихо звякнул колокольчик. Из-за стола тотчас поднялся молодой чернобородый и черноусый мужчина, к тому же в черной рубашке — именно такими представлял себе Вашко боевиков.

— Добрый вечер, — произнес охранник, приближаясь.

— Могу я видеть постпреда?

— Сейчас довольно поздно, и он отдыхает у себя на квартире.

— Кто есть еще?

— Сейчас. Минуточку подождите. Я позвоню... — Он взял трубку телефона и с кем-то долго изъяснялся на гортанном языке. — Сейчас к вам выйдут...

Вашко сел на стул рядом со столом «боевика» и принялся ожидать. На лестнице раздались легкие шаги женских каблучков. И вот по ковру спустилась немолодая женщина в сером жакете и темной юбке.

— Вашко Иосиф Петрович, — представился он.

— Айседора Мовсесян, — протянула тонкую ладошку женщина. — Я референт постоянного представителя республики Армения в Москве. Чем могу быть полезна?

— Мы не могли бы пройти в кабинет?

— Пожалуйста... — Она начала подниматься по лестнице, Вашко, грузно ступая, поплелся за ней.

То ли у Вашко был свой особый подход к армянским женщинам, то ли проблема, с которой он пришел в постпредство, оказалась простой и понятной, но не прошло и двадцати минут, как он спустился в сопровождении женщины к выходу, убирая в карман какую-то бумагу с печатью. Вахтер снова поднялся со своего места и пошел следом за Вашко, чтобы запереть входную дверь.

Мовсесян замерла на последней ступеньке лестницы и долго смотрела в спину уходящему Вашко.

— Ну что, — поинтересовался вахтер у женщины. — Последний на сегодня? Запираем?

— Не знаю, не знаю... — произнесла та в задумчивости. — И хранит его Господь! Не многие сейчас понимают беды нашего многострадального Арцаха...

И чернбородый «боевик» тоже с уважением посмотрел в темноту ночи, которая растворила ушедшего.

ГЛАВА 21. ЗАПАДНЫЙ РАЙОН МОСКВЫ

Еще на подъезде к площадке Вашко почуял неладное. Вокруг «мерседеса» Курта шла какая-то непонятная возня. Да и сам автомобиль, подозрительно накренившись, шипел сразу всеми шинами, из которых через широкие прорехи выходил воздух.

— Ах вы паскуды! — прошипел Вашко. — Все же добрались... — и повернувшись к водителю, закричал: — А ну, Мышкин! Жми вперед! Отрезай эту фуру закордонную от ихней машины — видишь, стоит наготове...

Мышкин врубил все фары и прожектора, что стояли на армейской машине, и, включив сирену, резво подкатил к «мерседесу».

Из кузова, словно горох, на асфальт посыпались солдаты — Кириченко так и не внял совету Вашко — они все были с автоматами в руках.

— Сынки! — крикнул им Иосиф Петрович. — Бери круговую оборону. Охраняем нашу машину и эту фуру с гамбургскими номерами.

— Во бля... — вырвалось у Мышкина. — Такую машину уделали... Полный крантец! Шины, фары, стекла... Охренеть можно...

— Водителя ищите! — приказал Вашко. — Здесь он должен быть... Некуда ему деться...

Кириченко с двумя бойцами, размахивая автоматами с примкнутыми штык-ножами, напирали на молодых людей в черных куртках. В темноте виднелись только зрачки их глаз, белые носки и шелковые шарфы.

— Делал я твою маму... — оскалился на солдата «вожак», которого Вашко заприметил еще днем.

Кириченко, не задумываясь, задрал ногу в сапоге до уровня плеч и двинул им по губам грузина. Вашко даже показалось, что на землю посыпались золотые коронки, но скорее всего, это отблескивали в темноте капельки крови.

— Это тебе за маму, падла... — прошипел разошедшийся Кириченко. — А это за папу... — Он взмахнул штыком и с маху пропорол задний скат машины. — Делай, как я! — рявкнул сержант, и тотчас машина, стоявшая у немецкого трайлера, испустив дух, села на обода — с превеликим удовольствием солдаты исполнили команду командира.

— Только без выстрелов! — предупредил Вашко. — Поднимем на ноги весь город...

— Есть, товарищ подполковник, — подал голос Мышкин.

Вашко подошел к кабине «мерседеса». В ней все было перевернуто и перекорежено.

— Главаря ко мне! — рявкнул Вашко, и солдаты, оттеснив от толпы уже не таких нахальных, как прежде, «повелителей зоны», подвели утирающего губы кавказца: один из солдат для надежности даже подпирал его спину штыком от автомата, похоже, стараясь сделать с его курткой примерно то же, что минутой раньше сделал с шинами.

— Привет, Вано, или как там тебя... — не глядя на него, произнес Вашко с известной долей раздражения. — Что скажешь?

— Делал я твою... — начал он и тотчас получил весьма чувствительный укол в спину.

— Сука мафиозная! — рявкнул Вашко. — Приперся в Москву, так пытаешься здесь еще свои законы устанавливать! И стой прямо, когда с тобой разговаривает подполковник милиции...

— ... Я таких подполковников, — не сдержался главарь и тотчас получил удар в челюсть — чего-чего, а это Вашко умел делать.

— Ты мне свою фамилию скажи, — поднимаясь с земли, прошипел чернокурточник. — Я с тебя завтра чахохбили делать буду...

— Это вряд ли... — гораздо спокойнее сказал Вашко. — Теперь твой дом — тюрьма. Часа через два ты и вся твоя компания будете в Бутырях. Я не я, если будет иначе... — Зажатая солдатами группка молодцов дернулась, но тотчас и стихла. — Так, вопрос первый — где водитель этой машины? — Он указал на покореженный «мерседес».

— Там, — кавказец нехотя указал кивком на кузов собственной машины.

— Мышкин, — кинул через плечо Вашко. — Будь ласков, слазь в этот драндулет и погляди — правда или нет.

Вскоре Мышкин вылез из-под брезента, помогая спуститься через борт Курту. Руки его были связаны веревкой, а под глазом не синел, не багровел, а чернел огромный кровоподтек.

— Так... — подытожил Вашко и снова без размаха коротким ударом кулака в живот сбил кавказца наземь. — Это от моего имени и от общества германо-советской дружбы... Ты на кого же это нападаешь, сволочь... Он нам помощь, а ты ему... по физиономии?

Грузин уже не ругался, а только зыркал глазами.

— Как дела, мин херц? — поинтересовался Вашко у Курта, как только Мышкин развязал ему руки и помог освободить рот от какой-то грязноватой тряпки.

— Это есть ничего, Иосиф... Спать ин Руссланд надо с большой осторожность. Машина жалко...

— Тебя жалко, Курт. Машина дело наживное... Они у тебя не успели из кузова товар перегрузить? Посмотри, пожалуйста.

— Ейн момент, — Курт размял затекшие от веревок запястья и мигом взобрался в кузов собственной машины. — Иосиф, тут есть большой орднунг. Все порядок... Они забрали много личный вещи аус кабин... Радио, сумка, немножко продукты.

— Слышишь, — повернулся Вашко к кавказцу. — Иностранная сторона предъявляет претензии. Сам принесешь или помочь?

Грузин обернулся к своим и что-то громко крикнул. От толпы было дернулся тот, кого он назвал, но солдат не пропустил его.

— Кириченко, — крикнул Вашко сержанту. — Пропусти одного — пусть вернет вещички...

Молоденький щупленький парень отделился от толпы, протиснулся в кабину газика и начал перетаскивать чужие вещи.

— Не туда клади, а сюда... — указал Вашко на армейский грузовик. — А вы, ребята, — повернулся он к солдатам, — заводите этих ореликов горных в кузов их драндулета. Так оно надежнее будет.

Солдаты исполнили это приказание, но внесли и свою

лепту — перед тем, как вводить каждого в кузов, выдергивали у них брючные ремни и каким-то хитрым способом связывали руки и ноги одновременно. От этого налетчики приобретали странноватый видок — походили то ли на актеров цирка, исполнявших сложные кульбиты, то ли просто на большие и неопрятные баранки.

— Ну, а ты чего стоишь, Вано... — повернулся Вашко к «главарю». — Туда же, милок, туда же... Всем вам лежать до прихода милиции. Я же обещал Бутыри, значит, будут Бутыри...

— Деньги хочешь? Скажи только, сколько... — прошепелявил парень разбитым ртом.

— У тебя все одно столько нет... Кириченко, значит, сделаем сейчас так... Одного поставишь на охрану кузова, остальные не спеша перекладывают все из «мерседеса» в нашу машину.

— Иосиф, это есть большой непорядок... — всполошился Курт.

— Не волнуйся, дорогой камрад! Вот, читай. — Он подал ему тот листок, что получил в армянском постпредстве. — Ты ждал машину из Карабаха...

— Яа, яа, — подтвердил Курт несколько растерянно. — Карабах...

— Вот здесь все и поименовано... И моя фамилия есть, и номер твоей машины, и печать... Все полный о'кей... Грузите, ребята, и через десять-пятнадцать минут отправляемся. А мы с тобою, Курт, пойдем-ка звонить... Держи пятнашку! Знаешь телефон своего посольства?

— Да-да, конечно...

— Расскажи, что получилось, но меня не надо называть — могут быть неприятности. И про солдат не говори — это трудно объяснить, ты плохо знаешь Россию. Скажи просто: случилась беда, напали, сломали машину, попроси транспортировать ее куда-нибудь на охраняемую территорию. Лучше, если в посольство, но это твое дело... А вот эта пятнашка, — он показал ему вторую монету, — сообщить в милицию, что в кузове драндулета лежат спеленутые, словно младенцы, злостные преступники.

— Что есть «младенцы»? — не понял Курт.

— Это я тебе потом объясню, камрад. Звони скорее. Я тебе обещаю отличный ночлег и полную сохранность груза.

Им повезло — Курта в посольстве поняли настолько

стремительно, что как будто ждали какой-нибудь похожей неприятности. А Вашко, впервые за неделю, отловил на работе своего бывшего подчиненного — Женю Лапочкина. И через полчаса на площадке у разгрузочного двора, сразу же как исчезла армейская машина, появилось несколько милицейских «москвичей» с мигалками. И сотрудники уголовного розыска принялись пересаживать поникших мужчин в желто-синие уазики, а заодно интересоваться у появившейся на территории охраны и таможни, солдат и прохожих, что же все-таки здесь произошло.

ГЛАВА 22. ЦВЕТНОЙ БУЛЬВАР. МОСКВА. ЦЕНТР

Стив пропустил Майю вперед. Она нажала на кнопку звонка. Дверь открылась тотчас, как будто ждали гостей. А их и на самом деле ждали — прямо с вокзала они позвонили и предупредили о своем визите.

— Кого я вижу! — завопил прямо от порога лысоватый стройный мужчина в очках с тонкой золотой оправой. — Хай!

— Хай! — ответил радостно Стив.

— Привет, Валерка, давно не виделись, — поприветствовала Майя. — Где Виктория?

— На стол накрывает... Да проходите же, проходите, черти немазанные... Ой, Майка, какое на тебе шикарное платье! — воскликнул хозяин квартиры — Скоробогатова выразительно посмотрела на Стива и признательно улыбнулась ему — ей действительно потрясающе шло это платье: сине-сиреневые цветы, раскиданные по нежно-розовому фону.

Они прошли в квартиру. По ее стенам тут и там были развешаны резные деревянные маски африканских тотемов, боевые бронзовые топорики и еще много всякой интереснейшей чепухи.

— Я даже домой не заскочила... — призналась Скоробогатова. — Представляешь, Валерка, он меня разыскал прямо на даче...

— Американский шпион! — восторженно воскликнул бывший однокашник. — У них, Майка, знаешь, поразительное чутье на потрясающих девок... А ты у нас из таких. Проходите, проходите в комнату.

— Я что-то слышала про потрясающих девок? — На пороге комнаты появилась смуглая стройная женщина.

Женщины принялись целоваться. Стив, который не знал раньше жены Валерия, простецки протянул ей руку: «Стив Эпстайн... Можно Сергеем, — пояснил он. — Так меня величали в МГУ...»

— Ты совсем не изменился, — сделала комплимент хозяину квартиры Майя.

— Льстишь, льстишь... — сконфуженно пробормотал он. — Все же десять лет в Анголе. Недешево мне обошлось обучение их специалистов. Жара, под пятьдесят в тени, и без кондиционеров... Сердчишко сбоит! Да и смотри, что на «вершине мира», — он наклонил к ней голову и обнажилась вполне приличных размеров лысинка, опушенная светлыми редкими волосками. — А вот ты и Сережка как будто только вчера из «альма матер...»

— Слушай, Стив, какими судьбами? Что тебя забросило в Москву?

— Так Майка правильно сказала — шпионю... — отшутился он. — У вас тут говорят так лихо строят капитализм, что пора бы и поучиться.

— По линии гуманитарной помощи... — поспешила с объяснениями Скоробогатова. — А вообще-то он писатель и путешественник, вроде тебя...

— Писатель! — восторженно пророкотал Валерий. — Вот это здорово! Слушай, я тут накропал сочиненьице про годы в Африке — там все: и про этих обезьян, которых приходилось учить высшей математике, и про львов с зебрами... Думаю, что представляет огромный интерес для вашего читателя...

— Прочитать надо... — уклончиво ответил Стив. — У нас, сам наверное знаешь, все определяет издатель. Хочешь, могу посодействовать...

— А что ты привез в Москву? — не отставал Валерий.

— Лекарства...

— Это замечательно, — опять обрадовался былой однокашник, — слушай. — Он принялся рыться в бумажнике. — Вика, — крикнул он жене, — где этот чертов рецепт, что прописали Сашке?... Господи, да куда же он запропастился! Ага, вот, нашел... Панадолиум!

— Панадол, — поправила его супруга, снова возникая на пороге комнаты с огромным блюдом в руках — на нем было что-то зажаренное, похожее на крупную курицу, обложенное картофелем и яблоками. — Да садитесь же вы к столу. Валерка, ты совсем не ухаживаешь за гостями. Разливай, для чего рюмки поставлены!

— Я посмотрю, — коротко ответил Стив.

— Ну вот и отлично. Это индейка — специально для тебя приготовили...

— У нас такую принято подавать в день Благодарения, — пояснил Стив.

— А может, у нас сегодня именно такой день, — прищурив глаз, захохотал Валерий. — Эх, ребята! Сколько же лет прошло... Дети уже выросли... Тебе водки или сухого?

— А кваса нет? — спросил Стив. — Знаешь, я иногда, когда очень жарко, вспоминаю ваши бочки, что стоят на каждом углу...

— Стояли, — поправил его Валерий. — Теперь ни бочек, ни квасу... — а наши фанта и колы — все не то — химия...

— Ничего, обойдешься без квасу — не в Калифорнии. Водочки, водочки! За встречу, за дружбу...

Они выпили, закусили и наконец наступил тот момент, когда первая суета встречи узнавания закончилась и можно было приступать к сути, ради которой они и пришли.

— Слушай, Валера, — начала Майя, — ты помнишь такого парня на два курса младше...Роберт Вильсон?

— Роберт? — переспросил Валерий. — Вильсон? Это тот, что учился как проклятый да с Катькой Гурковой на коньках кататься в Парк культуры бегал? Отчего не помню — преотлично...

— Понимаешь, — продолжила Майя, — они со Стивом не поддерживают отношений. Живут, вроде, в одной стране, а адреса друг друга не знают. Может, он кому из наших письмо когда написал? Или открытку?

— Хм, — хозяин квартиры поправил очки на носу и задумчиво, этак изучающе посмотрел на Эпстайна. — Чего ж это у вас в Штатах так хреново работают адресные бюро?

— Нет у нас таких, — поддевая на вилку маринованный гриб, сказал Стив. — У нас нет прописки, и каждый волен жить там, где ему хочется...

— Это что, ты пропагандой занимаешься?.. — смешливо наморщил лоб Валерий. — Ты это брось! Права человека и все такое — проходили...

— Да нет, — подумав, что его не поняли, пояснил Стив. — Права человека тут ни при чем... Мы об этом просто не думаем. Представь себе, что некий бизнесмен может себе позволить купить дом лучше, чем у него был... С бассейном, с садом, в хорошем районе. Или наоборот, средства не позволяют жить в тех же условиях, что раньше. Вот и переезд наметился... Или по состоянию здоровья — «вреден Север для меня...», как говорил Пушкин, — и уехал в Южную Каролину. Попробуй разыщи... Если бы он был крупным политиком или бизнесменом, да еще замешанным в крупном политическом скандальчике, — о нем бы трубили все без исключения газеты и журналы, от «Нью-Йорк таймс» до «Плейбоя».

— Кому он может написать? Ну и вопросики у тебя... Я бы подумал, что в первую очередь тебе... Но раз этого не произошло, то ... надо позвонить Катьке Гурковой! Ей бы он точно написал — ну, в день рождения, например. «Хэппи дэй! Хэппи дэй!» Слушай, Виктория! — позвал он жену, опять исчезнувшую на кухне. — Не помнишь, где моя старая записная книжка? Не та, что последняя, а предпредпоследняя — в красной обложке...

— В серванте, наверное... — долетел в комнату голос жены.

Хозяин квартиры встал, выдвинул ящик серванта и принялся рыться в нем. В руки попала зеленая коробочка — он с гордостью извлек из нее медаль на разноцветной планке и помахал в воздухе:

— Это мне черные подарили за дружбу с народом, — он расхохотался. — Лучше бы «шарпом» одарили... А наши обошлись только благодарностями... Где же эта книжка? — Он рылся в ящике. — Ах, вот она... Так, так... А,Б,В,Г... Га... Ге... Григорьев... Гуркова Катерина Петровна! Есть телефон, пишите... — он продиктовал номер. — Еще посмотрим, кто подходит...

Он дотошно перерыл всю книжку и продиктовал еще два или три телефона бывших однокурсников и однокашников, с кем, по его мнению, мог общаться в те стародавние времена юный американец по имени Роберт Вильсон.

И застолье продолжилось своим чередом... Лишь поздно вечером, наговорившись и навспоминавшись вдоволь, Майя и Стив вышли из дома. От крыльца подъезда им вслед долго махал рукой гостеприимный хозяин, а его супруга, отодвинув занавеску окна, добродушно улыбалась с четвертого этажа.

— Приезжай еще... Будем рады!

— Хорошо... Как-нибудь! — отвечал Стив, ведя под руку Майю Семеновну Скоробогатову.

И ни он, ни она еще не знали, что это их последний вечер вместе.

ГЛАВА 23. МОСКВА. ДОМ НА ТВЕРСКОЙ

Солнце попало в окно квартиры Вашко и если бы могло удивляться, сделало бы это непременно. Она походила на огромный склад. Все комнаты от пола до потолка были заставлены огромными цветными коробками с иностранными наклейками. В них были лекарства. Еще ночью Кириченко, Мышкин и другие солдаты, разгрузив армейский грузовик, попрощались и уехали восвояси. А Вашко и Курт до самого утра полоскались в ванной, брились, пили чай.

Когда Вашко продрал глаза, часы показывали начало десятого. Расталкивая спящего на раскладушке обложенного со всех сторон коробками Курта, он пристально разглядывал его заспанное лицо.

— Эй, камрад! Подъем!

— Гутен морген, — приветствовал его водитель, удивленно озираясь. — Добрый утро...

— Добрый-то добрый, а вот с глазом у тебя не полный порядок, — пробурчал Вашко недовольно. — Ишь какой синячище, глаз заплыл совсем...

— Это есть ничего... — бодро вскочил на ноги Курт и начал натягивать на себя одежду. — Сейчас будем доставать из коробки «плюмбум примочка»...

— Свинцовая, она, знаешь, тоже не сразу действует...

— Делать надо дело... — многозначительно пробурчал Курт, разглядывая себя в зеркало. — Мне есть надо быть там, где вчера...

— Встреча, что ли, какая? — вытряхивая на сковороду яйца, поинтересовался Вашко.

— Так точно! — ответил Курт, позаимствовав фразу из обихода вчерашних солдат. — Мой напарник есть ждать меня на старом месте.

— Какой напарник? — заинтересовался Вашко.

— Второй шофер... Мы в дальний поездка ходим вдвоем...

— А чего ж он тебя бросил?

— Э-э-э... — покрутил Курт в воздухе растопыренной пятерней. — Старый знакомства. Амурный дела...

— Тебе идти нельзя, — сразу охладил его пыл Вашко. — Куда с такой физиономией. Сразу же загребут в вытрезвиловку.

— Что есть «вытрезвиловка»?

— Дом, где лечат пьяниц.

— Который пьют много шнапс и поют «Подмосковный вечера»?

— Ну, положим, поют они про «шумел камыш», но сути дела это не меняет. Придется тебе, камрад, сидеть здесь в квартире, а уж я твоего друга найду...

— Ты его есть не узнать...

— Как опишешь. Портрет дашь?

— У меня нет портрет. Фотографии нет.

— На словах, на словах...

— Нет, это никак не есть возможность...

— А если грузины все еще там? — искоса посмотрел на водителя Вашко. — А у меня машина — раз, и там, раз, и обратно...

— Нет, мы едем будем вместе. Я не буду выходить из машины, а ты подзовешь его внутрь. Так хорошо?

— Так хорошо! Садись лопать яичницу... Прости, бекона сегодня не завезли...

И они сели за стол.

ГЛАВА 24. ДАЧНЫЙ ПОСЕЛОК ВБЛИЗИ СТАНЦИИ ГРИВНО. МОСКОВСКАЯ ОБЛАСТЬ

Остановив машину примерно в ста метрах от начала переулка, именуемого Дачным, Липнявичус закрыл дверь «москвича» и дальше пошел пешком. Дом Скоробогатовой он увидел издали. А напротив него в тени раскидистого куста сирени сидел старик.

— Добрый день, дедушка! — приветствовал его Иозас.

— Здорово живешь, молодец, — окинул его подозрительным взглядом старик.

— Скажи, а не знаешь ли ты случайно, не продается ли здесь вблизи какой дом?

Дед пристально с испугом посмотрел на незнакомца и отодвинулся на край скамьи.

— Чего замолчал? — поинтересовался Липнявичус.

Дед неспешно раскурил папиросу.

— С Прибалтики, что ли? — выпалил он с дрожью в голосе.

— С нее... — опешил Липнявичус. — А откуда знаешь? Акцент, что ли?

— У тебя как раз акцента нет... — недовольно пробурчал дед. — А ну-ка, мил человек, покажь паспорт...

Липнявичус полез в карман и извлек документ, распахнув на странице с фамилией, подсунул его под нос старику.

— Лип-ня-ви-чус, — по складам прочел тот трудную для него фамилию. — Литовец, что ли?

— Точно так...

— Квартиру ищешь? Видать, здорово вас там прищучило, что даже литовцы в Москву бечь надумали...

— Да нет, дедушка, я давно живу в Москве, а сейчас дачу на лето ищу. Надо, понимаешь, детей выгулять...

— А-а-а... — неопределенно произнес дед. — А ты вот энту напротив проверь... В самый раз подойдет!

— А кто там живет?

— Баба. Одинокая... К ей как раз вчерась один наезжал... Тож из Прибалтики. Может, и не сдала еще...

— Низенький такой, коренастый? — решил навести ориентиры Иозас. — С лысинкой?

— А сам с ней разбирайся... Низенький, высокенький — не мое дело. Навроде тебя — пронырливый...

И Липнявичус пошел к воротам дачи Скоробогатовой.

ГЛАВА 25. ЗАПАДНЫЙ РАЙОН МОСКВЫ

Стиву показалось, что на площадке, где распределялась гуманитарная помощь, сегодня творится что-то необычное. За ночь прибыло сразу несколько машин из Германии, и вокруг них крутились таможенники, сотрудники милиции и военные. Количество штатских за оградой резко уменьшилось. Не было уже и того, что так важно расхаживал взад и вперед с напыщенным видом, не суетился у его ног, словно собачонка, молодой в кожане. И самое печальное — он не мог разглядеть «мерседеса» с гамбургскими номерами.

Он прохаживался некоторое весьма непродолжительное время вдоль одной стороны улицы, а потом, чтобы не привлекать к своей персоне пристального внимания, уходил и огибал квартал. Потом минут через десять возвращался, проходил по другой стороне улицы.

«Кажется, что-то произошло непредвиденное, — озадаченно думал Стив. — Он не мог, не имел права уезжать без меня... И менять точку без согласования — тоже... Неужто проснулся КГБ или как там теперь по-новому именуют эту конкурирующую фирму?

Отойдя от площадки на приличное расстояние, он выбрал уединенный телефон-автомат, зажатый киоском «союзпечати» и коммерческим ларьком с гонконговскими джинсами и неизвестного происхождения банками с пивом, и набрал номер телефона Майи. Он отчего-то молчал. Это еще больше удивляло — тем более что они договорились сегодня созвониться примерно в это время. Ни дочь, ни зять к телефону не подходили тоже... Он уже собрался положить трубку, как гудки прекратились, — на том конце провода ответили.

— Слушаю вас... — раздался такой знакомый голос — это, конечно, была Скоробогатова.

— Майка, привет, это я...

— Вы ошиблись номером, — прозвучал бесстрастный ответ.

— Да это же я... Сергей!

— Я сказала, молодой человек, вы ошиблись номером...

Стив бросил трубку на рычаг — он, кажется, понял, что произошло, и это его не удивляло, ему просто было очень жаль Майку и еще немножко себя: он так и не сказал ей вчера у подъезда всего того, что хотелось, — думал, будет время, а вышло иначе....

У телефона толокся пожилой мужчина в мятой шляпе и сером плаще. Стив собрался обогнуть его и на всякий случай покинуть окрестности площадки для встречи гуманитарной помощи, но толстяк плотно взял его за рукав:

— Стив? Не могли бы вы пройти со мной к машине? — железные ладони больно сжали локоть и, казалось, готовы были обхватить все тело разом.

Эпстайн не испугался, но ему было чертовски обидно — он не рассчитывал, что его миссия кончится столь печально и быстро. Ну конечно, конечно, Скоробогатову уже взяли чекисты — именно по этой причине она говорила столь странно и упорно не узнавала его. Подключив свою аппаратуру, кагэбэшники моментально вычислили номер телефона-автомата, и вот он — оперок из второго главка, полковник ли, подполковник, а может, засидевшийся на должности капитан...

— Что вы от меня хотите? — на всякий случай спросил Стив.

— Пройдите, пожалуйста, к машине... И без глупостей!

— Не понимаю, в чем, собственно, дело? Кто вы такой? — тарабанил машинально Стив. — Вот мои документы, — он принялся извлекать поддельный советский «гербастый» паспорт, на котором даже его фотография была сделана на плохонькой советской фотобумаге и приклеена стандартным клеем, именуемым в России «пва».

— Сергей Иванович Болдырев? — прочел Вашко и несколько ослабил хватку, бросая взгляд через спину Стива, туда, где стояла его машина, — сквозь стекло Курт делал ему отчаянные жесты.

— А ну, Сергей Иванович, — схватил его Вашко в объятия и поволок к машине. — Двигай вперед...

Сквозь тоненький «Болдырева» свитерок Вашко ощутил такие накачанные мыщцы, что подумал: если он захочет оказать сопротивление по-настоящему, ему ни за что на свете не справиться с этим молодцем.

«Эх, годков бы двадцать назад — тогда самое время меряться силой!»

— Да отпустите, отпустите меня... — нехотя сопротивлялся Стив, думая, что у самой машины он уделает этого нахала-оперка так, что потребуется не больница, а как минимум реанимация, — чему-чему, а этим приемам он был прекрасно обучен.

Сквозь стекло на Стива пялилось улыбающееся лицо Курта. Только глаз его, в черно-синем обрамлении, заплыл до безобразия.

— Да не убегу я, — сразу ослабил сопротивление Эпстайн. — Какая дверь открыта?

— Любая, — буркнул Вашко и, отпустив «второго водителя», плюхнулся на переднее сиденье.

Стоило Эпстайну оказаться в машине, как они с Куртом не стесняясь, разразились руганью на смеси двух языков. Вашко завел двигатель и рванул к дому. Пассажиры препирались до самой остановки.

— Интересное дело получается, — заметил Иосиф Петрович, — вот дела... Вы там совсем свихнулись с ума — уже формируете команды из немцев и англичан...

— Он есть американец, — пояснил Курт. — Только сильно нервный.

— Это я уже заметил, — усмехнулся Вашко. — Пожалте, господа, в штаб-квартиру... Мыться, лечиться и отдыхать... Придется мне одному отвечать гостеприимством за всю Россию-матушку.

Они поднялись по лестнице, молча вошли в квартиру, и пока Вашко готовил на кухне стол к обеду, до него долетали из комнаты приглушенные расстоянием негодующие возгласы гостей — они ругались по-прежнему на смеси двух языков, а он — Иосиф Петрович — знал только русский и тюремный... Зато оба в совершенстве...

ГЛАВА 26. МИНИСТЕРСТВО БЕЗОПАСНОСТИ. ЛУБЯНКА. МОСКВА

— Не желаете познакомиться? — произнес Липнявичус, входя в кабинет Карелина — рядом с ним шла женщина.

Карелин оторвал взгляд от бумаг и протянул руку вперед, указывая на стулья:

— Добрый день, проходите Майя Семеновна. Меня зовут Карелин Алексей Петрович. Я подполковник министерства безопасности России. Начальник отдела. Надеюсь вы в курсе — почему мы вас пригласили?

Скоробогатова села на предложенный ей стул, достала из сумочки зеркальце и, посмотрев на себя, поправила прическу.

— Она в курсе, — подтвердил Липнявичус, прислоняясь спиной к подоконнику.

— Не совсем... — возразила Скоробогатова.

— Что же вы, твоарищ майор, — произнес Карелин, обращаясь к Липнявичусу. — Не подготовили товарища... Надо было рассказать о наших сомнениях, размышлениях...

— Этого мне только не хватало, — произнесла Скоробогатова, защелкнув сумочку. — Пусть ваши сомнения волнуют вас. У меня и своих хватает...

— Так ли наши сомнения отличаются от ваших...

— Порядочно. Например, весна вступила в свои права. Мне на даче надо достать как минимум две машины дерьма, а то огурцы не вырастут... Неужто вы мне сможете в этом помочь?

— Ну, огородные дела есть смысл оставить на потом, уважаемая Майя Семеновна, — произнес от окна Липнявичус. — Сейчас время подумать не только об огороде, но и о защите Родины.

— Вы хотите мне дать ружье, или как это там у вас называется, чтобы я пошла защищать Россию? Ничего не смыслю в оружии.

— Зато якшаетесь с представителями зарубежных разведок! — решил идти в атаку Карелин.

— Что это вы за слово подобрали гадостное, — с укоризной посмотрела на него Скоробогатова. — «Якшаетесь...» Вам не кажется, что это из лексикона кагэбистов времен тоталитарного режима?

Карелин и Липнявичус переглянулись.

— Слово действительно вырвалось неудачное. В этом вы, Майя Семеновна, правы. Простите... Но и ответьте заодно — кто это такой? — Он положил перед ней на стол великолепный цветной снимок Стива Эпстайна в военной форме. — Не будете утверждать, что вырезали его из журнала?..

— Не буду... Это... Это мой знакомый по институту. Вместе учились в МГУ. Живет в Америке...

— И бывает у вас в гостях в Москве?

— И бывает у меня в гостях в Москве. Впервые за почти двадцать лет. Прибыл по линии оказания гуманитарной помощи.

— По линии гуманитарной помощи? — с улыбкой переспросил Липнявичус и посмотрел сперва на Карелина, а уж потом и на Скоробогатову. — Вы хоть представляете, что это за форма? И вообще, почему он подарил вам снимок в этой форме?

— Про снимок я вам ничего говорить не буду, не только по той причине, что не разбираюсь равно ни в американской, ни в советской форме, а еще и потому, что мама с детства меня учила, что лазить по чужим шкафам — это плохо...

— Тут, Майя Семеновна, вы уж нас простите, но мы не можем поступать иначе, когда речь идет об измене интересам государства.

— Кто изменил, — Скоробогатова указала пальцем на фотографию, — я или он?

— Вы... — одновременно произнесли Карелин и Липнявичус.

— Интересно, в какой форме — накормив супом, помыв в ванной или сводив в гости?

— Кстати, о гостях. Где вы были? У кого? И какие вопросы вы там обсуждали?

— В гостях, дорогие мои чекисты, — насмешливо посмотрела на них Скоробогатова, — вопросы не обсуждаются — не в парламенте. В гостях ведут светский треп! Про шмотки, житье-бытье, и прочее... Выпивают еще иногда! Это осуждается?

— Не осуждается, — поспешил успокоить ее Карелин. — И все же, о чем вы говорили и с кем?

— Не помню...

— Может быть, в таком случае, вы знаете, где он находится сейчас?

Она пожала плечами:

— Знала бы, обязательно знала, если бы вы ко мне не приставали со своими дурацкими вопросами. Но мое знание и ваше — совершенно разные понятия. Я бы не стала докладывать о нем ни вам, ни вашим начальникам. В этом вы ошибаетесь...

— Чем же он так вам дорог?

— Не вашего ума дело!

— А хотите, мы вам сами скажем? — предложил Карелин. — Дело все в том, что ваша девичья фамилия Скоробогатова была изменена. После того, как вы вышли замуж, вы стали Карамзиной. Разведясь с мужем, вы не стали возвращать девичью фамилию. Но дочь носит именно вашу девичью фамилию и даже после замужества не стала брать фамилию вашего зятя. Отчего бы такие загадки?

— А ни от чего... Я вообще не хочу касаться того, что мне дорого. Это мои родные и близкие...

— А если мы все же назовем эту причину?

Она пожала плечами и совершенно спокойно ответила:

— Это не прибавит знания ни вам, ни мне... А кому об этом надо бы знать в первую очередь, этого все одно не узнает.

— Почему же?

— А вы его, кем бы он ни был, никогда не поймаете...

— Вот как! — воскликнул Карелин. — Интересно, очень интересно. Возьмем, причем в самое ближайшее время. И его, и Вила...

— А это кто такой? — подняла глаза на Карелина Скоробогатова. — У мужиков это называется двоеженство, а у женщин как? Двоемужество или двойное мужество? Не шейте, уважаемые... Не надо.

— Да, в мужестве вам не откажешь... Хорошо, можете не рассказывать о встрече и беседах. Это мы можем восстановить и без вас. Иозас, будь добр, пригласи, пожалуйста, в кабинет Валерия Сергеевича...

Липнявичус поднял трубку телефона и попросил пропустить к ним в кабинет Валерия Сергеевича.

Майя Семеновна повернулась в сторону двери, ожидая появления нового действующего лица, и оно не замедлило появиться: это был их вчерашний гостеприимный хозяин. Войдя в кабинет, он, не стесняясь, сел на стул, закурил сигарету и пристальным долгим взглядом вперился в Скоробогатову.

— Ты? — удивилась она. — Да как же ты мог, Валерка? Мы же вместе учились... Юность, молодость...

— Дело в том, уважаемая Майя Семеновна, что Валерий Сергеевич штатный сотрудник КГБ. Только по невольному стечению обстоятельств в тот момент он не знал, что ваш дорогой Стив, он же Сергей Иванович Болдырев, и Роберт Вильсон — он же Вил, крайне интересуют наше управление...

— Чего ж вы так хреново работаете?

— Я из первого главного — внешняя разведка, — улыбаясь, пояснил Валерий. — Какое же ты, Майка, по сути дела, дитя... Неужто ты не знала, что даже в Африке больше наших людей, чем штатных учителей... Об этом было не так трудно догадаться.

— Слушай, — Скоробогатова, вспомнив о чем-то, попыталась поймать взгляд Валерия, — значит, все те адреса и телефоны, которые ты дал — это подставка? Там его уже ждут?

— Естественно, милочка... Прости, но в этом мы ошибок не делаем. Хватит и одной.

— И все же вы его упустили! — отчего-то гордо произнесла она, и мужчины сразу все как один отвели глаза в сторону.

Скоробогатова поняла, что попала в точку, и рассмеялась. И в этом смехе — веселом, откровенном, жизнерадостном — не было никакой позы, политической игры, стратегических интриг — в нем было лишь счастье и что-то еще... Но об этом сейчас знала только она сама.

Учить Вашко осмотрительности не было нужды. Вот ладить с иностранцами у него навыков не было. В конце концов он оставил их в покое, а сам вызвался пойти по адресу, который интересовал Стива.

Он уж был готов к тому, чтобы разделаться с этими проклятыми лекарствами самым простым образом — еще раз сходить в армянское представительство и сказать без дипломатии: «Вам привезли — вы и забирайте!» Но Курт, а самое главное его напарник, который то ли «Сергей Иванович», то ли «Стив», похоже, собирались обязательно доставить их сами. И никакие уговоры, типа: «Что вы думаете?! Это не игрушки! Там самая настоящая война!» — не возымели действия.

И вот Иосиф Петрович пошел по некоему адресу, чтобы узнать, не живет ли там некая дама по имени Екатерина, а по фамилии Гуркова, учившаяся в МГУ где-то в середине семидесятых...

Но — незадача — дом, а особенно подъезд, Вашко совершенно не понравились: вокруг подъезда, якобы случайно, а на самом деле весьма и весьма нет, слонялись молодые люди. Выражение их глаз тоже было знакомо Вашко по той, прежней, угрозыскной жизни. Зоркие, цепкие глаза. Точно такие же бывали у его ребят накануне задержания, когда оцепляли дом.

«Наружка! — решил он. — Но не наша — своих я знаю всех, кроме новеньких... А откуда, спрашивается, столько новеньких...»

Вот и выходило, судя по всему, что это парни с Лубянки.

Задолго до нужного подъезда Вашко начал прихрамывать, волочить ногу, а когда дошел до лавочки у нужного подъезда, запустил под рубаху руку и с кислой миной на лице начал массировать грудь. На лавочку он уже на сел, а рухнул...

— Чего, папаша, — отклеился от стены долговязый парень лет двадцати пяти-тридцати, — сердце, что ли?

Вашко боднул головой воздух.

— Далеко живешь?

— На Тверской.

— По какой надобности сюда поехал, раз сердце шалит?

— Ды-к по стариковской... Приятеля хотел проведать. Как водится, рюмку дернуть... А поди ж ты! Вот черт!

— Скорую, может, вызвать? — участливо склонился мужчина к Вашко, и тот увидел в кармане пиджака кромочку темно-вишневого удостоверения.

— Щас-с-с... Таблеточку только приму, и все будет в порядке, — он вытянул из кармана рубашки цилиндрик нитроглицерина и сунул таблетку под язык, затем откинул голову и сделал несколько глубоких вдохов.

— Лицо вроде порозовело, отец... — довольно произнес парень. — Сейчас оклемаемся...

— Порядок в танковых войсках... Можно идти! — И он, не глядя даже на подъезд, поплелся восвояси.

За углом дома от его болезни не осталось и следа. Смачно сплюнув «лекарственную» слюну — в нитроглицерине, слава Богу, его организм еще не нуждался, — он, не оборачиваясь, пошел в сторону Пушкинской площади.

«Секут или нет? — мучил его еще некоторое время вопрос, но проверив «хвост», он такового не обнаружил. — Что ж, видать, еще не все растерял!» — довольно подумал он о своих актерских способностях.

Дома Иосиф Петрович без утайки рассказал обо всем гостям. И еще сделал предположение, что ищут их наверняка в связи с ночным происшествием у «базы», когда он с солдатиками накостылял «мафиозам». Видимо, Курт довольно подробно описал эти события Стиву, потому что вопросов у того после рассказа Вашко не появилось. Хотя и настроения тоже не прибавилось.

— А вообще фамилия Гуркова — редкая, — заметил Вашко. — Не какая-нибудь Иванов, Петров...

— Что это есть означать, Иосиф? — заинтересовался Курт.

— А то и означать, что редкая... — передразнил его Вашко. — Если хочешь знать, то таких в Москве едва ли больше десятка.

— Стойте, стойте... — сделал резкий жест рукой Стив. — Если они перекрыли эту квартиру, то точно также сделали и в отношении всех, кого тогда мне назвали...

— Кто назвал? — пытливо посмотрел на него Вашко.

— Мой знакомый один, с которым вместе учились. Я ж чего хотел... Посылки приятелям разнести, в память о студенческой дружбе — вместе в МГУ учились. Но раз вы так сильно начудили ночью, что у них из-за меня могут быть неприятности, придется затею с посылками отложить...

— Тогда можем везти это дерьмо, — Вашко ткнул в коробки с лекарствами, — в ту бойню? Пусть подлечатся армяне с азербайджанцами?

— Погодите-ка. — Кажется, Стив что-то вспомнил. — Где у вас телефон?

— На кухне — сам что ли не видел...

— О'кей... Минуточку.

Курт удивленно посмотрел на приятеля, потом на Вашко и пожал недоуменно плечами:

— Ты есть чего-нибудь понимайт, Иосиф?

— Нет.

— И я нет... Но, думай, и на нашей улиц будет праздник. Кажется, так говорить по-русски...

«Дурак! — ругал себя Стив. — Самый настоящий дурак... Взял за основу французский принцип: «Ищите женщину!» — и совершенно выпустил из виду все остальное. Конечно же, Вил был не дурак выпить, гульнуть и вообще весело провести время, насколько это ему позволялось обстановкой тоталитаризма... Но ведь у него в студенческие годы был приятель. Причем какой! И как я забыл про тот «Кодак»! А держал его в руках, щелкал объективом, любовался съемками. Интересно, как звали того парнишку с журфака? Фамилия у него чудноватенькая была... Звали Сашкой, Александром то есть. А вот фамилия? Что-то вроде «тяни» и «толкай» одновременно...»

Он положил на место телефонную трубку, так и не поняв, какой номер он хочет набрать, если не может вспомнить фамилию. Это дома хорошо — взял огромный фолиант телефонного справочника и по одним ассоциациям вычислил нужную, требуемую, искомую фамилию.

— Иосиф! — крикнул он через коридор. — Ты газеты читаешь?

— Ну и чего? — неопределенно заметил Вашко. — Думаешь, про наши чудеса уже прописали «Правда» и «Известия»? Многого хочешь — не в Нью-Йорке обретаемся...

— Слушай, не говорит ли тебе что такая фамилия корреспондента, как «Тяни-толкаев» или что-то в этом роде?

— Ты чего, Сергей Иванович, не надрался, случаем, на кухне? Так вот и я думаю — откуда на кухне спиртное?

— А если серьезно?

— Да я, мил человек, когда картинки в журнале смотрю, то на подписи внимания не обращаю.

— Зря. Как же узнать?

— Да ты объясни — чего хочешь?..

Стив, как мог, объяснил.

— Задача несложная. Жаль только, один мой знакомый, который всех знал как облупленных в этом мире, махнул за границу.

— Насовсем? — поинтересовался Стив.

— Насовсем.

— Как фамилия?

— Орловский. Она тебе ни о чем не скажет. Хороший был парень.

— Почему не скажет? — усмехнулся Стив. — Очень даже приличный журналист. Работает в «Свенска Тагебладетт».

— Ты чего, — всполошился Вашко, — Сергея знаешь?

— Ну «знаешь» — это звучит слишком... Однако на его лекциях об СССР приходилось бывать. Читал он несколько лекций в Вермонте. Понравилось...

— Странный, как я посмотрю, ты напарник — то водитель, то на лекции ходишь. Как тебе, Курт? Странноватый он какой-то?

— Это есть большой американский шпион, который есть возить русским котлеты и печенье, — совершенно серьезно поддакнул немец и, не сдержавшись, весело расхохотался.

Смеялись и Вашко со Стивом. Наконец, утерев слезы, Стив признался:

— Ну, положим, не такой уж и большой, Курт. Что же касается моей литературной деятельности, то, поверь, описание этого нашего путешествия будет пользоваться небывалым успехом. Это настоящий бестселлер!

— Хватит лирики, — отрезал Вашко. — Как, говоришь, фамилия твоего фотографа из газеты — «Тяни-толкаев»? Запоминающаяся! Есть у меня один выход — если твой «Тяни-толкаев» не в Израиле, то сегодня к вечеру он будет у наших ног.

— Или его адрес и телефон. Оставим посылки ему, а он, как все успокоится, разнесет им сам... Товарищеская поддержка! А, Иосиф?

— Вери вел, о'кей и просто хорошо, Стив Иванович! — сказал Вашко и начал куда-то собираться в очередной раз.

ГЛАВА 28. БЕЛЫЙ ДОМ. РЕЗИДЕНЦИЯ ПРЕЗИДЕНТА США. ВАШИНГТОН

Они ехали в служебной машине помощника директора ЦРУ Джона Хьюза. С Пенсильвания-авеню водитель свернул направо, в служебный проезд к стоянке машин. Здесь припарковывались высокопоставленные чиновники и репортеры, аккредитованные в Белом доме и в здании Канцелярии.

Пристроив машину, шофер по знаку охранника, внимательно осмотревшего все вокруг, вышел из автомобиля и открыл двери пассажирам. Хьюз вышел первым, и, нагнав его, Маккей, к собственному удивлению, обнаружил, что идет слева от помощника директора, придерживаясь дистанции в полшага. Ему пришло в голову, что эта инстинктивно занятая им позиция в точности соответствует нормам служебного этикета.

— Вы здесь бывали, Кол?

— Нет, сэр.

Хьюз удивленно посмотрел на Маккея и ничего не сказал.

Охранник раскрыл перед ними дверь. Агент секретной службы зарегистрировал их приход. Хьюз кивнул и пошел дальше.

— Куда мы идем, сэр? — решился на вопрос Маккей. — В комнату для заседаний кабинета?

— Нет, в рабочую комнату внизу. Она удобнее. А может, еще по какой причине именно туда — не знаю... Волнуетесь?

— Еще бы, сэр.

— Успокойтесь, это не самое страшное в нашей жизни. Говорят, что в приемной Горбачева в Кремле некоторые его сподвижники просто теряли сознание...

Против ожиданий Маккея кабинет выглядел вполне обычно. Комната вряд ли была больше знаменитого Овального кабинета, который он лицезрел лишь по телевизору. Стены украшали дорогие деревянные панели. Кажется, эту часть здания, по слухам, исходившим от вездесущих газетчиков, полностью переоборудовали при президенте Трумэне. Для Маккея уже было приготовлено место — в самом конце полированного стола орехового дерева.

Почти все уже были в сборе — дипломаты во главе со своим начальством, директор ЦРУ кивком благосклонно дал понять, что заметил появление подчиненных. Еще были люди, видимо, составлявшие окружение президента.

— Побудь пока один, — дружески кивнул Хьюз и прошествовал к директору ЦРУ. Склонившись к уху начальства, Джон начал делиться с ним какой-то одному ему ведомой информацией, тот, кивая в такт словам Джона, внимал.

Бесшумно открылась дверь, замаскированная под обычную стенную панель, почти ничем не отличающуюся от остальных. Все в комнате встали и так и стояли, пока президент шел к своему стулу. Джон стремительно за спинами дипломатов проскочил к Маккею.

— Все в норме, — успокоительно бросил он.

Президент что-то быстро сказал в сторону дипломатов, ни к кому конкретно не обращаясь, — что именно, Маккей не расслышал, так как слишком далеко сидел, потом взглянул на директора Центрального разведывательного управления и сел.

— Господа, приступим к делу. Полагаю, что директор ЦРУ хочет нам кое-что рассказать.

— Спасибо, господин президент. Думаю, основные моменты этого дела известны всем и я могу остановиться на главном. В рамках проводимой нами в настоящее время операции под условным названием «Беспечные игры» удалось установить, что откомандированный в посольство в Москве некий Роберт Вил — крупный специалист по сложной электронной технике, пропавший неожиданно двадцатого числа, видимо, еще жив. Об этом говорят официальные ответы русских: труп не обнаружен ни в моргах, ни в процессе розысков милицией, нет информации и о том, что он попал в госпиталь или больницу. Конечно, не исключена возможность того, что в связи с колоссальным развитием преступности в бывшем СССР он взят, так сказать, в качестве заложника какой-либо преступной организацией. Мы проверили полностью его личные документы — у него не было причин исчезать столь стремительно и неожиданно. Это полностью исключается. С другой стороны, в последнее время замечена большая активность русского КГБ, или, как они теперь себя называют, министерства безопасности. Причем в первую очередь их интересуют те объекты в Москве, которые должны бы интересовать и нас: его бывшие московские связи и их адреса.

— Не допускаете ли, господин директор, — поправив очки, пристально посмотрел на него президент, — что они могли перевербовать его?

— Допускаю. Но то, что этого не произошло до начала его нынешней операции, то есть до последнего приезда в Москву, господин президент, за это могу ручаться. Более того — русским, как мне кажется, нет особого смысла проявлять к его персоне пристальное внимание. Даже если они догадаются об основных причинах его визита — отыскать источники внешней «подпитки» скрытых внутри здания электронных устройств, — то после акции их бывшего председателя Бакатина, подарившего нам сверхсекретное оборудование прослушивания, на этой проблеме они поставили крест. Разве что журналисты еще не забыли об этом инциденте.

— Что дало бы вам это открытие? Зачем вообще он поехал туда? Надеюсь, не для того, чтобы ввязать нас в новый виток осложнений с нынешней русской дипломатией, которую мы, кстати, не так уж и хорошо знаем. С Шеварднадзе, если хотите было проще — он прогнозировался неплохо — партийный стаж накладывал свой отпечаток. Что же касается тех, кого они называют демократами, но, по сути дела, им еще очень далеко до демократии западного толка, то их предугадать сложно. Они могут придать этой незначительной, по вашим словам, истории большой вес.

Дипломаты, сидевшие по левую руку от президента, зашевелились, понимая, что основные претензии не в их адрес.

— Господин президент, я попрошу доктора Маккея, присутствующего здесь и руководящего этой операцией, внести бóльшую ясность в эти сугубо технические вопросы...

— Прошу вас, доктор Маккей, — произнес президент и с пристальным вниманием начал изучать его лицо.

— В семьдесят шестом году, господа, когда случился тот пожар в старом здании посольства, сотрудники КГБ, внедрившись под видом пожарных в здание, смели со столов все вплоть до календарей и бланков телеграмм государственного департамента. Хотя большой утечки информации и не произошло, но все же результаты оказались для русских значительными. По этой причине, мы, когда начали проектирование нового здания, постарались полностью исключить русское вмешательство. Все, вплоть до кирпичей и цемента, изготавливалось у нас здесь и потом доставлялось в Москву. Советских рабочих был минимум, и за всеми был строгий контроль. Однако результат вам известен. В задачи Вила входило следующее: доподлинно, с максимальной точностью установить, насколько подарок Бакатина соответствует реалиям — технические новинки для нас не столь интересны, у нас есть совершенно аналогичная аппаратура. Но кто изготовлял и какие именно кирпичи здесь, в США, — это и было вопросом вопросов. Эти уточнения позволили бы выявить русскую агентуру в строительных фирмах. А в том, что такая есть и хорошо законспирирована, у нас уже нет никаких сомнений. Этот подарок Бакатина мы оценили по достоинству.

— Продолжайте, господин Маккей, — попросил президент.

— Из первых же сообщений мы узнали, что русские подарили нам то, что соответствует истинному положению вещей. В конце концов мы приступили к окончательному выяснению конкретных элементов конструкции здания, которые несут, так сказать, двойную функцию. И именно в этот момент наш «дипломат» таинственным образом исчезает...

— Они могли одуматься, как считаете, господин Маккей? — заинтересованно произнес президент. — Русские могли допустить такую оплошность, не предположить, что мы пойдем дальше.

— Именно так и произошло. По имеющимся у нас сведениям, сегодня в самом бывшем КГБ этот подарок Бакатина воспринимается весьма неоднозначно. Назревает, если можно выразиться подобным образом, внутренняя аппаратная конфронтация.

— И вы продолжаете искать Вила внутри КГБ?

— Он не внутри. Бывший КГБ не знает, где его искать. Но в рамках операции «Беспечные игры» предпринятые шаги позволяют с полной уверенностью утверждать, что Вил жив и он, по неизвестным пока нам причинам, не может или не хочет выходить на связь. Его нет ни у русских, ни у нас.

— А не исчезнет ли второй ваш сотрудник? Насколько он надежен?

— Это кадровый офицер, господин президент. Он прошел через многие испытания и, если будет позволено напомнить, состоял в специальном подразделении во время «Бури в пустыне». Правда, после этого у него был душевный надлом или срыв — не знаю, как точнее выразиться, — во время кампании у него скоропостижно скончался отец и он тяжело переживал это событие...

— У него есть еще родственники?

— Нет, господин президент. Он одинок...

— Это и плохо...

— У меня нет оснований для недоверия. По имеющейся у меня на сегодня информации, он действует, и весьма неплохо. В частности, согласно спутниковой информации, он долгое время отрабатывал версии в Москве, но со вчерашней ночи его координаты резко начали меняться — аппаратура показывает, что он перемещается к югу примерно со скоростью 70—80 миль в час.

— Хорошо, — серьезно произнес президент. — Господин директор, какая помощь нужна вам со стороны официальной дипломатии?

Маккей с облегчением сел на стул и почувствовал, что изрядно вспотел, хотя в кабинете было довольно прохладно. Предупредительный Джон Хьюз тотчас наполнил его хрустальный стакан совершенно ледяной содовой.

— Может быть, моя просьба покажется странной, господин президент, но, на наш взгляд, было бы хорошо, если бы посол в Москве, господин Страус, дал указание пресс-секретарю провести пресс-конференцию для московских журналистов.

— Дальше, — попросил президент.

— На пресс-конференции надо выразить наше сожаление по поводу произошедшего события и пожелание подключить к этому делу Интерпол. Сделать это надо из тех соображений, что русские, если еще кого-то и боятся, то только своей весьма расшалившейся прессы. Других авторитетов, похоже, для них сейчас не существует. А буде такое произойдет, то поднявшаяся вокруг исчезновения нашего американского гражданина шумиха совершенно собьет с толку их министров и прочих руководителей. Они начнут давать, как это уже случалось, столь противоречивые указания, что для русских это дорога не вперед, а назад. Что же касается самого Интерпола, то сложившаяся практика показывает: русские пока не допустят международную полицию никуда, кроме как к поискам наркотиков...

— Мне кажется, — произнес президент, глядя в сторону дипломатов, — что это не составит большого труда... Это, по всей видимости, надо сделать в весьма изящной форме.

— Первые сообщения появятся сегодня в их вечерних выпусках, господин президент! — заверил главный дипломат. — А завтра будет порядочная шумиха...

— Спасибо, господа! — Президент поднялся, и его помощник спешно начал собирать бумаги, лежавшие перед ним, складывая их в необъятных размеров папку. — Желаю вам успехов!

Когда Маккей вышел из здания и приблизился к машине, Хьюз легонько толкнул его в бок:

— А ты молодчина, Кол! Мне кажется, шеф должен оценить твое выступление. Без твоей информационной поддержки ему было бы куда сложнее.

— Конечно, оценит, Джон, — усмехнулся Маккей. — Мы сегодня договорились вместе провести ленч...

И они сели в машину, двери которой были уже услужливо распахнуты охранником.

ГЛАВА 29. МОСКВА. ДОМ НА ТВЕРСКОЙ

В дверь позвонили. Стив, остававшийся в этот час один, — без Вашко, ушедшего по «журналистским» делам, и Курта, неожиданно засобиравшегося то ли в посольство, то ли в торгпредство, благо синяк под глазом, чуть побледневший, чуть подпудренный, уже позволял это сделать, — лежал на раскладушке, зажатой коробами с лекарствами, и размышлял о превратностях судьбы. В его практике это был первый случай, когда события управляли им, а не он событиями.

Подойдя к окну, он попытался увидеть подъезд здания — все более или менее спокойно, отсутствовали те бдительные ребята с пристальными глазами, которые работают не только в Лэнгли, и которых, как бы они ни прятались, наметанный взгляд профессионала вычисляет сразу. Невдалеке стоял шикарный, по московским понятиям, «форд-коррида» ярко-красного цвета с московским номером. Неспешно, заведенным московским порядком, тащились по тротуару прохожие с сумками и «тачанками» — так Стив окрестил для себя полюбившиеся местным жителям баулы на колесиках.

Прикрыв за собой дверь в комнату, чтобы неизвестным посетителям не бросились сразу в глаза короба с лекарствами, он подошел к двери.

«Почему, спрашивается, русские могут делать великолепные телескопы — такие, что видны заклепки на спутниках, и не в состоянии соорудить приличный глазок в двери?» — досадливо подумал Стив, разглядывая кончик носа и рыжие усы неизвестного посетителя.

Неизвестный был один. По крайней мере, ни у лифта, ни у стены никто не топтался — это бы Стив уловил на слух.

— Кто там? — спросил он, не открывая двери.

— Иосиф Петрович? — в голосе звучали бархатистые интонации.

— Его родственник, — нашелся Эпстайн. — Что вам угодно?

— Передать письмо.

— Подождите, сейчас открою, — сказал Стив и начал разбираться с премудрым набором замков — наконец совладав, он распахнул дверь настежь: будь что будет...

— Здравствуйте, — несколько озадаченно и почему-то напряженно вглядываясь, видимо, стараясь найти сходство в чертах «родственника» с самим Вашко, произнес незнакомец. — Это действительно квартира Вашко?

— Так точно... Какие будут еще вопросы? — резко схватив незнакомца за отвороты пиджака, он втянул его в квартиру и тотчас захлопнул дверь, гулко звякнув и щеколдой.

«Если все же это кагэбисты, — подумал Стив, — то с меня хватит и одного. А остальные пускай пробираются как хотят. Хоть через балконы, хоть через окна...»

— Вы, это... — недовольно произнес незнакомец. — Не слишком...

— Кто вы и откуда? — с угрозой произнес Стив, — нервы его в последнее время, чего греха таить, были на пределе.

— То же самое я хотел бы узнать про вас...

Стив извлек из кармана джинсов затертый паспорт и шмякнул на тумбочку.

— Сергей Иванович Болдырев, — вслух прочел незнакомец. — Проживает: город Клайпеда, улица Портовая, двенадцать, квартира сорок восемь. Допустим. А кем вы приходитесь Вашко?

— Это что, допрос? Не в милиции, вроде. — Он совершенно неожиданно для себя почувствовал, что незнакомец боится его куда больше, чем он сам, — и это озадачивало.

«Нет, на компетентные органы это не похоже...» — сделал вывод Стив и ответил, как посчитал, наиболее правильно:

— Двоюродный брат по линии матери.

— Это подходит, — обрадовался гость и принялся извлекать из кармана конверт, а из другого довольно объемистый сверток.

— Я, уважаемый Сергей Иванович, старинный друг вашего брата. Моя фамилия Таболин. Юрий Митрофанович Таболин. Я вас очень попрошу сразу же, как появится Иосиф Петрович, передать ему вот это и, поблагодарив, сообщить, что я очень жду его звонка — телефон есть в письме. Разрешите откланяться?

— Что здесь? — посмотрел на сверток Стив. — Надеюсь, не бомба? Не гремучая змея? Не месть мадам Вонг?

Пожилой джентльмен, — а он очень походил на какого-нибудь нью-йоркского маклера средней руки с российским привкусом, который выдавала то ли манера одеваться, то ли сдержанно улыбаться, то ли еще что-то, в чем Стив не смог бы разобраться без специалистов из межнационального отдела родного департамента, досконально знавших все о России и ее окраинах, — значительно ответил: — Для кого-то, может быть... Но для Вашко — ни в коем случае. Я могу быть свободен, молодой человек?

Стив приоткрыл дверь и выпустил «джентльмена» на лестницу. Он уже было хотел закрыть дверь, но мужчина вставил ботинок в щель двери и проникновенно заговорил, чувствуя себя в гораздо большей безопасности чем раньше:

— Только не надо, уважаемый, дурить мне голову — я многое повидал на своем веку и о многом наслышан... В Клайпеде, мое сердце, в то время, когда вам выдавали паспорт, не было никакой Портовой улицы. Местные националисты переименовали ее на свой литовский лад. Но это только вызывает еще большее уважение к вам — я всегда любил липу в документах. И еще — дело самого Вашко, нанимать или нет личную охрану. Мне кажется, вы для этой цели подходящая кандидатура... Имею честь откланяться! Пока!

Стив ошарашенно прикрыл дверь, запер на все замки, с которыми мог совладать, и уставился в свой паспорт.

«Черт вас всех дери, — думал он. — Его же в самом деле сотворили в Клайпеде, и именно в это самое время... Ну, ничего, эту загадочку пускай решают, кому положено, дома. И все же, что в свертках?»

Подойдя к окну, Стив еще некоторое время смотрел, как садится в своего «алого петуха» марки «коррида» седовато-рыжий субъект, а затем вскрыл тот сверток, что был потолще. Из него посыпались доллары... И все купюры были по сотне.

«Неплохо, сэр Вашко! — воскликнул про себя Стив. — Даже по нашим расценкам совсем неплохо... Примерно двухгодичная зарплата профессора Принстонского университета!»

Не стараясь скрыть или как-то утаить в будущем того, что он распечатал письмо, Стив разорвал конверт.

«Уважаемый Иосиф! Позвольте теперь называть вас так? Простите еще раз за те глупые с моей стороны обращения типа «мент», о которых я сожалею теперь. Вы доказали свой высокий профессионализм — мое дело с позавчерашней ночи не имеет конкурентов. И слава Богу! Бизнес надо делать чистыми руками. К сему, Юрий Таболин — вашей милостью семилетний обитатель УС/4357, а ныне генеральный директор консорциума «Элегант-Сервис». Если сочтете возможным принять мое предложение — милости прошу на переговоры. Место работы для вас с оплатой, соответствующей вашему опыту и квалификации, всегда найдется. Простите за столь скромный гонорар — поистине, вы заслужили большего. Еще раз благодарю и жду звонка...»

Стив пожал плечами и отнес распатроненные свертки назад в прихожую. Некоторое время он еще пытался ломать голову, что это за учреждение УС/4357, но вспомнив, что у подразделений КГБ иная аббревиатура — ВЧ плюс номер, — несколько успокоился.

Зазвонил телефон. Стив снял трубку, но ничего не стал говорить, выжидая.

— Сергей Иванович? — раздался голос Вашко. — Алло, алло...

— Слушаю, Иосиф!

— Похоже, что я нашел твоего «Тяни-толкая». Ребята

тут знают такого журналиста, он действительно занимается фотографией. Скажи, не похожая ли фамилия Тягны-Рядно?

— Вот-вот, — обрадовался Стив. — Это точно так... Александром звать. Он в Москве?

— Этого я не знаю, но запиши его домашний номер — на работу я звонил, говорят, третий день не появляется. И есть еще один телефон — это мастерская.

— Что такое мастерская?

— Ну, фотостудия, лаборатория иначе.

— Хорошо, Иосиф, записываю...

— Я еду домой. У тебя все спокойно?

— Порядок.

— Водитель не звонил? — Вашко не захотел называть Курта по имени.

— Обещал быть к девяти с каким-то подарком.

— Что за подарок? Не много ли в последнее время? Ладно, возвращаюсь.

Загудели частые гудки отбоя, и тотчас осторожненько звякнул дверной звонок.

В стеклышке линзы, установленной в двери, виднелась физиономия Курта — он, похоже, запыхался от быстрой ходьбы.

— Привет, Стив, посмотри в окошко.

Стив подошел к окну и не поверил своим глазам — там, в лазоревых лучах заходящего за крыши соседних домов солнца, поблескивал солнечными бликами в стеклах и хроме фар их родной трехосный «мерседес» с огромными красными крестами на боках.

— Как тебе это удалось? — изумился Стив.

— О, это большая тайна, но для тебя — полная откровенность. Московское представительство фирмы «мерседес» все отремонтировало самым лучшим образом.

— А оплата ремонта?

Курт пожал плечами:

— Обычная практика — выставили по безналичному в Германию. Фирме это все равно, зато нам большая радость: мы едем на своих колесах.

— О'кей... Отмывайся пока. Мне надо сделать один звонок.

Стив подошел к телефону и торопливо, немного сбиваясь от нетерпения, набрал номер, продиктованный Вашко. Это был номер лаборатории или мастерской Тягны-Рядно. Трубку на том конце сняли быстро:

— Хелло! — пророкотал Стив в трубку и тотчас перешел на плохой русский: — Могу я иметь честь говорить с господином Тягны-Рядно?

— А Саши нет, — ответил довольно приятный женский голос. — С кем я говорю?

— Меня зовут Эванс Тордфилд, — представился Стив. — Я имею честь предложить фотомастеру Тягны-Рядно прекрасный выставочный зал в штате Вермонт для коммерческой выставки. Хотел бы срочно знать ответ... Может быть, вы предложите домашний телефон?

— Вы знаете... я всего лишь лаборантка. Знаю точно, что его нет и дома. Только вчера он выехал в командировку. Он, как мне кажется, ждал вашего звонка.

— Ждал? Моего звонка? Это очень интересно.

— Вы ведь представляете фирму «Иллинойс пресс публикейшн»?

— Так, так, говорите дальше... Я понимаю, о чем вы говорите.

— Ну так Саша знал про возможную выставку в Америке, тем более, что к нему приехал представитель этой фирмы.

— Так, так говорите...

— Мистер Вильсон, кажется, — они еще весь вечер проговорили здесь, в мастерской, а потом засобирались в командировку.

— Оба? — совершенно без акцента выпалил Стив и, тотчас заметив свой промах, которого, кстати, не заметила собеседница, принялся привычно ломать язык.

— Да, как будто оба. Разве вы не договорились со своим представителем?

Тут надо было придумывать подобающий ответ, на что у Стива не оказалось времени, и он нарочито закашлял в трубку.

— О, проклятые сигары. Извините меня, мэм. Так вы забыли сказать, куда они уехали. Мы назначали встречу здесь, в Москве.

— Уехали они... — она сделала паузу, — в Тбилиси. Там начинаются какие-то важные события, и они хотели все это заснять как раз для выставки. Говорили, что гарантируется грандиозный успех.

— Мне кажется, что господин Александр утверждал, что у него в Тбилиси есть родственники, — совершенно наобум выпалил Стив, — у которых он всегда останавливался? Так?

— Ну не совсем родственники... Скорее, знакомые, но есть. Я, правда, не знаю их адреса, мистер Эванс. Мне очень жаль, что так получилось. Он, наверное, был бы рад этому предложению.

— О да, о да... — начал прощаться Стив с лаборанткой. — Прошу по приезде передать мистеру Александру мои глубокие сожаления по поводу отсутствия контакта.

— А разве Роберт не ваш представитель, мистер Эванс?

— Это такой рыжий и длинный с хищным носом, мэм?

— Рыжий — это правильно, а нос его мне не показался таким уж хищным.

— К сожалению, мэм, это конкурент. Проклятые иллинойцы, всегда чуть-чуть впереди... Позвольте откланяться!

Положив трубку, Стив долго сидел на табурете, обхватив руками голову и приговаривая отчего-то по-русски: «Козел! Свинья! Дурак! Простофиля! Мог бы догадаться об этом и раньше...»

Но, как известно, догадки приходят не раньше и не позже, а именно тогда, когда ситуация в них уже не нуждается.

— Курт! — заорал Стив на всю квартиру. — Собираем монатки! Этот идиот зачем-то махнул в Тбилиси.

— В Тбилиси? — утирая лицо в мыльной пене полотенцем, переспросил водитель. — А это по дороге в Нагорный Карабах или нет?

— Черт ее разберет, эту страну... Скоро придет Вашко, и он нам растолкует — где этот Тбилиси. Кажется, позавчера он был у тебя на физиономии... В виде синяка!

Курт дотронулся до все еще немного припухшего глаза и покачал головой:

— К черту! К чер-ту! Лучше тысяча встреч с головорезами Хусейна, чем одна с этими мирными жителями Кавказа.

— Ты тоже был там?

— Где?

— У Хусейна... «Буря в пустыне»...

— Только двумя годами раньше — помогал переоборудовать русские СКАДы на большую точность и дальность полета.

— Вот это о'кей так о'кей, — пробормотал Стив. — Никогда не знаешь, где найдешь друга, а где потеряешь...

Дверь открылась. Оказалось, что Стив просто-напросто забыл ее закрыть, — так стремительно ринулся смотреть «мерседес» под окном.

— Поздравляю с ремонтом! — воскликнул Вашко. — По-моему, так лучше, чем новая...

— Слушай, Иосиф, — не давая ему перевести дух, спросил Стив, — где у вас Тбилиси? Далеко, близко?

— Тбилиси? А зачем? Везем товар туда?

— Это попутно или нет?

— В одну сторону...

— Тогда в дорогу. Быстренько, быстренько...

— Может, подождем ночи? Мне бы не хотелось таскать эти коробки при свете дня. К тому же есть смысл перекусить.

— О'кей, Иосиф! Тут тебе пришло письмо — я вскрыл, прости, думал, что вдруг бомба, но там оказались деньги. Ты теперь богат, как Рокфеллер.

Вашко провел рукой по зелененьким долларом с серьезно взирающими на него президентами и принялся за чтение содержимого тоненького конверта. Дочитав письмо до конца, он уставился долгим взглядом в потолок и, чуть шевеля губами, повторил имя.

— Таболин... Та-бо-лин... Точно! И как же я не мог припомнить этого сразу. Конечно же Таболин! Статья — за хищение государственной собственности в особо крупных размерах. Семь лет лишения с конфискацией. Тюрьма УС/4357. Все в точку...

ГЛАВА 30. МИНИСТЕРСТВО БЕЗОПАСНОСТИ РОССИИ. ЛУБЯНКА. МОСКВА

— Тебе о чем-нибудь говорит фамилия Вашко? — Липнявичус придвинул стул как можно ближе к Алексею, сидевшему за столом.

— Ровным счетом ничего.

— Посмотри вот это, — Иозас выложил на стол довольно толстую картонную папку с истрепанными краями, на выцветшей обложке которой значилось «Личное дело».

— Это имеет к нам непосредственное отношение? Или некий иной интерес?

— Ты посмотри сначала...

Карелин стал терпеливо перелистывать страницы: автобиография, анкета, фотоснимки сперва безусого лейтенанта, потом пышноусого лысого подполковника...

— К чему ты задаешь такие загадки? Что-то я тебя не пойму — он уже на пенсии. Вот номер приказа, роспись в сдаче удостоверения, справки со склада одежды и оружия...

— Тогда слушай. Ты читал справку от «ментов» о происшествии позавчерашней ночью на площадке приема гуманитарной помощи? Когда неизвестный, сопровождаемый группой неустановленных солдат, отбил у рэкетеров немца-водителя? Так вот, сегодня наши орлы установили, что солдатами командовал именно этот человек. — Липнявичус постучал ногтем по фотографии Вашко. — Еще вопрос — откуда солдаты, да еще с полным боекомплектом?..

— Про боекомплект знаешь? Уверен?

— Пока нет... Но этих ребятишек со знойного Кавказа они уделали здорово. Правда, говорят, немцу тоже досталось...

— Да хрен с ними. Мне-то что с этого? Пусть милиция разбирается. Мне по гроб жизни хватит этого проклятого Вила. Читал, о чем сегодня строчат все московские борзописцы? Нет? Тогда на, полюбуйся... — Он небрежно швырнул на стол с подоконника пачку газет. — Хотел бы я знать, где санкционировали эту пресс-конференцию господину Страусу — в Вашингтоне или в Вирджинии?

— А-а-а... — досадливо поморщился Липнявичус. — Это для слабонервных. В конце концов не мне отчитываться перед Баранниковым и, надеюсь, не тебе.

— Перед министром я действительно не отчитываюсь. Он же, я тебе говорил, сделал ставку на милицию. А вот перед руководством Общественного комитета обеспечения госбезопасности — мне держать ответ, я дал слово.

— Все ж таки есть над тобой вожди! — расхохотался Липнявичус. — Не новые, так старые... Не то что я — реконструирую в свободное время сортиры из-за отсутствия для моих подразделений на сегодняшний день служебных площадей.

— Не ершись, — прикуривая сигарету, прищурил глаз от едкого дыма Карелин. — Делаешь же что-то по личной инициативе. Глядишь, потом зачтется...

— Только для того, чтобы квалификацию не потерять...

— Будешь таскать ко мне личные дела выживших из ума пенсионеров ментовских — точно деквалифицируешься. Тут проблема за проблемой: Скоробогатова сидит дома и молчит, ей никто не звонит, она тоже никому. На контакт с Гурковой никто не вышел — даром сколько времени держу там наружку.

— Все донесения у тебя?

— По Гурковой у меня.

— Дашь посмотреть?

— Нет. Не положено.

— Ну и хрен с тобой. Тогда сам собирай информацию.

— Иозас, стой, не уходи... Так уж и быть. Что ты хотел там увидеть?

— Нет ли в каком сообщении того, что в подъезде ли, около или на подходе фигурировал какой-нибудь субъект, похожий на Вашко?

— Фантазии у тебя, однако...

Нехотя Карелин открыл сейф и достал тонкую синюю папку, в которой, судя по всему, было никак не больше пяти — семи листков. Сев за стол, он по очереди брал один за другим и, далеко вытянув руку, будто страдал дальнозоркостью, глазами пробегал текст.

На третьем листке он споткнулся:

— Вот, что-то похожее... Смотри!

Липнявичус взял предложенный лист — это был стандартный отчет сотрудника наружнего наблюдения: со словами «объект», «указанное местоположение», «пост сдал», «пост принял».

— А ты говоришь, что Вашко ни при чем! — воскликнул Липнявичус. — Сидел на лавочке, хватался за сердце... А усы-то, физиономия в цвет!

— Пожалуй, ты прав... — он снова взял в руки личное дело и принялся листать его с бóльшим интересом, чем ранее. — Медаль, медаль, благодарность, ценный подарок... — перечислял он страницы награждений. — На этой должности семнадцать лет... Последнее звание подполковник. Чего, интересно, если столько у него раскрытий, папаху не дали? Не умеют ценить в милиции кадры!

— Похоже, что у нас тоже, — все еще задумчиво глядя на докладную записку, произнес Иозас. — Смотри, что получается, — тот водитель-немец, этот пресловутый Сергей Иванович, он же Стив Эпстайн, и Вашко — одно целое!

— Уверен?

— Абсолютно! Если хочешь знать — я был уверен в этом еще до того, как ты мне показал эту докладную.

— Прозорлив больно...

— Нет, предусмотрителен. В таможенных и пограничных документах числятся все фамилии водителй и их сменщиков, которые проходят через границу и волокут сюда продовольствие и медикаменты. Так вот, по искомому числу и искомому месту пересечения границы числятся: автомашина «мерседес», номер выдан в Гамбурге, характер груза — лекарственные препараты, основной водитель — Курт Шлезингер, запасной — Стив Болдман, он же Эпстайн.

— С твоими сообщениями можно вовсе в мозгах резьбу свернуть. Короче, что предлагаешь?

— Как всегда: постановление прокурора, обыск и задержание. Желательно всей троицы сразу...

— И чего ж ты им предъявишь? А? Ну опознание с Валерием из внешней разведки, ну Скоробогатова, может, от радости хоть слезу счастья прольет, хотя сказать все равно, ничего не скажет. И все? Рацию мы не найдем — ее нет, шифровальных блокнотов тоже, пистолеты с отравленными пулями — черта с два... А в результате газетные щелкоперы опять нас разделают в пух и прах. Дескать, вносим разлад в дело гуманитарной помощи. И тогда — голову даю на отсечение — на нас спишут не только пропавшие лекарства, но и мясо, которого никто в глаза не видел, и тысячи гекалитров французского «Наполеона», каковой я знаю только по цвету этикетки, а пить не приходилось никогда...

— И чего делать?

— Наблюдать, сопоставлять, мой милый, а уж если и брать, то только с поличным, — чтобы он мавзолей заминировал или отбил у экс-президента его дражайшую супругу. Никак не меньше!

ГЛАВА 31. МОСКВА, ВОРОНЕЖ, РОСТОВ-НА-ДОНУ, КРАСНОДАР...

Странная это штука — дорога. И очень хорошая... Даже такая плохая, как российская, полная выбоин и ям. Она успокаивает и вносит в жизнь разнообразие. Но когда мчишься по ней день и ночь на скорости 70 миль в час, она еще и выматывает...

За окном мелькали деревни и города, мало отличающиеся друг от друга, схожие своим запустением и неуютом, грязью и мусором.

Машину вели по очереди. Теперь у этого многотонного «мерседеса» было не два водителя, как на подъезде к Москве, а целых три. Вашко, до этого крутивший баранку лишь у легковушек, вполне сносно справлялся с этой трепещущей сине-стальным покрытым пластиком кузовом громадиной. Ночь, утро, день, опять ночь. А они все накручивали и накручивали на колеса километры дороги. И мелькали разлапистые кусты у околиц да зацветающие яблони и вишни.

— Опять топливо на исходе, — недовольно пробормотал Стив, сидевший в этот момент за рулем. — Может, черпанем из бочек, что в кузове?

Курт ответил категорическим отказом — впереди полная неизвестность, а радио утверждает, что на юге, куда они ведут свой грузовик, будет и того хуже.

— Заправку, будем искать заправку... В конце-концов Иосиф найдет подход к сердцу русской королевы бензоколонки.

— Или Стив — у него шансов больше, — тотчас отреагировал дремавший до того Вашко, сидевший с самого края — у окна.

Он достал карту. Ближайшая километров в восьмидесяти. С бензином у них наверняка хреново, а с соляркой, может, и получше...

— Если местные власти не объявили мораторий на заправку во время посевной, — философски заметил Стив.

Так оно и произошло — заправочную станцию на подъезде к Ростову-на-Дону они заметили сразу по длинному хвосту выстроившихся одна за другой машин. Водители слонялись, ругая на чем свет стоит всех и вся, и особенно родственников по женской линии.

— Погодь, мужики, — пробормотал Вашко, вылезая из кабины. — Сейчас проясним.

Он вразвалку прошел вдоль вереницы и не услышал ничего хорошего.

— Чего, нет топлива? — поинтересовался он у затравленно смотревшего по сторонам вихрастого паренька с потухшей папиросой на нижней губе.

— Есть, едри их мать, только не для всех.

— В каком смысле? — решил уточнить Вашко.

— Да только для своих — чужим хрен! Как хочешь, так и доезжай до дому...

— Что значит своим?

— Да ты что, батя, только родился? — вспылил парень. — Ростовским! Ясно ведь сказано. По разнарядке, язви их душу в корень.

Вашко ринулся к машине. Резво вскочил на подножку.

— Шустрее мужики, шустрее. Заводи, Курт, свою колымагу! До центра города километра четыре — сейчас мы тряханем их мэрию по первое число...

Ростов встретил их заводами, медленно уходящими в наступающую темноту ночи. Только краешки труб еще розовели в лучах закатного солнца. С трудом вписывая машину с длинным прицепом в узкие повороты и перекрестки, они издалека увидели монументальное здание с трехцветным знаменем на крыше. И тотчас раздался пронзительный свисток сотрудника ГАИ. Покинув свою будку с пультом и кнопочками, управляющими светофором, он вскарабкался на подножку и неумело или устало приложил руку к фуражке.

— Майор милиции Марченко! Нарушаете правила — въезд в центр на большегрузных машинах запрещен. Разве вы не видели указателя?

Вашко очень своевременно подмигнул Стиву, тот понял его правильно и разразился длинной тирадой на английском — с таким рокотом и цоканьем, наверное, говорили покорители дикого запада Америки, но ростовский милиционер, похоже, услышал это впервые, если не принимать в расчет телевизионные передачи.

— Чо, чо? — Он высунулся из окошка и, оглядев кузов, только сейчас заметил огромные красные кресты на кузове.

— Правила, говорю, нарушаете, — затарабанил он привычную фразу.

Настала очередь Курта, и тот усилил эффект гамбургским произношением и отчаянной жестикуляцией.

Вашко, довольный произведенным эффектом, смотрел на совершенно растерявшегося милиционера.

— Слышь, сынок, — произнес он, и милиционер очень обрадовался, что хоть кто-то в этой огромной сверкающей машине говорит на понятном ему языке. — Тут такое дело... Гуманитарная помощь. Этот американец. Этот немец... С ними толковать бесполезно. По нашему ни бум-бум. А привело их сюда то, что они не могут заправиться — говорят, нужно какое-то разрешение из мэрии.

— Уф-ф-ф... — отдулся милиционер и аж утер рукавом вспотевшее лицо. — А куда везете и что?

— Лекарства в Карабах.

— А чего не у нас сгрузить? И вам дорога короче.

— Не могут они. У них каждая посылочка подписана. Да и не нужны эти лекарства в обиходе, только для операций. Всякая там плазма-протоплазма...

— А от головной боли ничего нет? Хоть пару таблеточек, — взмолился милиционер. — С самого утра здесь стою — голова просто раскалывается...

Этот случай был ими предусмотрен, и, распатронив еще в Москве одну из посылок, Курт и Иосиф приготовили для «взяток» и, как выразился водитель, «презентаций», кое-какие лекарства. Они были в красочных упаковках и на все случаи жизни — от боли до импотенции.

— Значит, вы при них вроде переводчика, — произнес милиционер, проглатывая таблетку без воды и убирая всю оставшуюся упаковку в карман кителя.

— Получается, так, — ответил Вашко.

— Помочь, вам, что ли... — Он с тоской посмотрел на светофор. — Вы, ребята, здесь подождите — я только переведу его на автомат. И прокачусь с вами. В мэрии все одно такая суматоха — до утра пробегаете... А бензозаправщице дадите что-нибудь от этого самого — и порядок. — Он метнулся к будке, щелкнул тумблерами, и принялся заводить мотоцикл.

— Что он имел в виду под «этим самым»? — спросил Стив, выворачивая автомобиль поперек всей площади, пока милиционер перегораживал мотоциклом и палкой встречное движение.

— Может, презервативы? — предположил Вашко. — Или еще какие премудрости... А мы что, отложили такое, или придется лезть в кузов?

— Нейн, нейн, — резко запротестовал Курт. — В кузов есть лазить не надо! Тут есть одно средство. — Он порылся во встроенном в переднюю панель рундучке и достал ярко-красную коробочку с желтой надписью. — Это есть ей как раз подходить...

— Тебе виднее, — пожал плечами Вашко.

Милиционер не врал. Оттеснив от колонки дизтоплива несколько грузовиков, размахивая полосатой палкой, с криками: «Международная акция — без очереди! Специальное указание!» — он позволил беспрепятственно подрулить к колонке. Вашко поплелся к окошку расплачиваться:

— Это чего, рублями, что ли? — недовольно процедила этакая «Марьсеменна». — А еще международная помощь...

— Так это ж нам надо, а не им... — попытался возразить Вашко.

— А мне все едино — пока не подбавишь зелененьких, не отпущу. Еще сейчас водилам крикну, что вы обманщики, — они вам тут такой концерт устроят...

— Тихо, тихо, — зашипел на нее Вашко. — Пяти хватит? — Он извлек из кармана доллары, подаренные бывшим заключенным, а теперь крупным хозяйственником.

— Не жмись... Это по нынешнему курсу, знаешь, сколько? Какие-то полтысячи, не больше...

Пришлось Вашко выложить и вторую пятерку.

— Другое дело. Чего там этот говорил про «это самое»? Есть или врет?

— Есть, конечно. Вот! — Вашко выложил на прилавок красную коробку. — Стопроцентная гарантия. Лучше всяких презервативов. И кайф полный...

— Не врешь? — подозрительно скосила на него глаза женщина. — Ладно, езжай...

Возвращаясь к машине, Вашко заметил, что милиционер, садившийся на мотоцикл, прятал в карман точно такую же красную упаковку лекарств.

— Порядок, Иосиф! — довольно воскликнул Стив, уступивший место за рулем Курту.

— Ты есть большой дипломат! Благодаря этой причин мы едем совершенно спокойно до самый утро... Зер гут!

Вашко откинулся на спинку сиденья и, прикрыв глаза, слушал, как выезжали на тракт, как мотор заработал на ровных оборотах и за окном принялся посвистывать ветер, все больше набирающий упругость и силу.

— Курт, — очнулся от секундного забытья Вашко. — А точно эти таблетки «от этого самого»? Не отравятся невзначай?

Курт оторвал взгляд от дороги, посмотрел на улыбающегося загадочно Стива, потом на пытливого Вашко.

— От этого лекарства не есть умирать. — Он прицокнул языком. — Аспириниум!

— Как аспирин? — воскликнул Вашко. — Они же нарожают кучу детей.

— Гуманитарный помощь это есть ответственность не нести, — провозгласил гордо Курт.

ГЛАВА 32. КРЕМЛЬ. МОСКВА

Ельцин любил Кремль. Он знал в нем не только славу, но помнил и позор. Совсем недавно, по историческим меркам, ему довелось услышать здесь: «Борис, ты не прав!» А потом шесть миллионов москвичей вновь вернули его на политический небосклон. У него не было персональной машины и он, как и многие другие депутаты, ходил пешкодралом через ворота Спасской башни. Эту башню, помнившую его пешим, он не любил, и даже старался не смотреть в ее сторону. Но Кремль... Где-то рядом, за стенами Грановитой палаты, хранятся царские регалии и бриллианты Алмазного фонда. Это греет, наполняет все существо чувством личной причастности к истории. Теперь он точно вошел в нее — президент России. Этого не вычеркнуть, как бы этого кое-кому не хотелось...

Он отошел от окна и нажал кнопку селектора, стоявшего на столе.

— Слушаю, Борис Николаевич, — усиленный динамиком, послышался голос помощника в приемной.

— Баранников? — только и спросил он.

— Может войти?

— Да. И если есть Ерин, то тоже...

— Министра внутренних дел, Борис Николаевич, не вызывали.

— Да? Значит, забыл. Пусть Баранников входит. Обойдемся без Ерина...

Дверь распахнулась, и на пороге появился министр безопасности при полном параде — генеральская форма посверкивала и переливалась золотым шитьем. Не задерживаясь в начале кабинета, Баранников, улыбаясь и протягивая руку, шел прямо к столу. Ельцин ответил на рукопожатие.

— Что там у тебя с этими американцами? — с места в карьер начал Ельцин. — Газеты, понимаешь, трубят на весь мир. Нашел или нет?

— Нами, Борис Николаевич, проводятся определенные оперативно-розыскные мероприятия. Причем сразу по двум направлениям — по нашей и милицейской...

Ельцин серьезно посмотрел на министра — в его взгляде было больше недовольства, чем удовлетворения.

— Мне-то хоть не говори про «определенные». Это оставь для журналистов. Конкретно — что, где, когда?

— Ясно, товарищ президент. Докладываю обстоятельно — похоже, что американцы этой акцией, которой придают, видимо, большое значение, достигают многого. В частности, исчезнувший работник посольства, по нашему мнению, исчез не случайно. Доподлинно известно, что он представлял интересы некоей пожарно-технической фирмы «Коламбия Биг файр».

— Это я все знаю, — поморщился президент. — Козырев уже докладывал... Что сделано? Нашли или нет?

Затянувшаяся пауза сказала больше, чем слова.

— Ясно. — Ельцин несколько раздраженно постучал карандашом по столу.

— Тут, товарищ президент, еще более интересная ситуация. Оказывается, американцы тоже его ищут. Причем не посольские... Кажется, Трумен ихний сказал: «Бывают дружественные государства, но не бывает дружественных разведок». И хотя они сейчас весьма интенсивно оказывают нам всяческую помощь, их разведывательное управление, сегодня, сейчас, внедрило к нам кадрового офицера.

— Куда внедрило? — карандаш покатился по столу. — В правительство? Парламент? Конституционный суд?

— На поиски пропавшего дипломата. Кстати, зовут этого дипломата Роберт Вил.

— Новость первостатейная, — нахмурил брови Ельцин. — Об этом написано во всех газетах. А как зовут кадрового разведчика ЦРУ?

— Стив Эпстайн.

— Еврей, что ли? Фамилия какая-то такая...

— Американец, — недоуменно пожал плечами министр. — Хотя на Эйнштейна действительно немного смахивает.

— Внешне?

— По фамилии...

— Дальше — вам известно его местонахождение?

— Практически да. Последние дни он находился на квартире одного из бывших сотрудников московской милиции по фамилии Вашко, уволенного в этом году из органов. Это еще раз говорит, Борис Николаевич, о том, что нам надо тщательнее проверить кадры. Гнать надо поганой метлой тех, кто после подавления августовского путча не принимает демократизации России.

— Ты хотел рассказать про этого самого Эйнштейна, или как его там...

— В настоящее время он отправился в сторону Кавказа. Точная цель неизвестна. Видимо, где-то там находится и дипломат.

— Ваше решение?

— Хотим продолжить наблюдение, а потом взять всех скопом. Как положено с уликами, вещественными доказательствами.

— Сегодня на дворе май... В июне, как ты знаешь, у меня запланирована поездка в Вашингтон. И ты со своей акцией сделаешь мне такой подарок, что ни о кредитах, ни о помощи говорить не придется. Более того — ты забыл об избирательной кампании в Белый дом. Мы подбросим этим Бушу такой подарочек, что неизвестно, удержится ли он там. А мне нужен именно он — я знаю, что от Буша ожидать, а другой может выкинуть фортель.

— Так что же предпринять?

— Если мы дадим им уйти в другую республику, то наш ответ, что их нет на территории России, спасет нас дипломатически. На нет и суда нет. Но покажет, что против нас можно проводить и иные акции. У них там в России бардак, КГБ развален и так далее...

— Министерство безопасности, — поправил президента министр.

— Посоветуйся со своими специалистами, но у меня складывается такое впечатление, что брать их надо непременно, и на нашей территории. Вот как потом замять это дело и не дать ему широкой огласки — вопрос дипломатии. Думаю, что Козырев найдет путь передать этого Эйнштейна так, что наш акт будет воспринят актом доброй воли. Мол, просили поискать — мы вам нашли! Не одного, а двух... Ну, господа, это ваши заботы. Так что не тяните время и берите обязательно на территории России. И не надо нам этих Кавказов...

— Понял, Борис Николаевич. Разрешите идти?

— Давай. И Ерина, Ерина подключай...

ГЛАВА 33. ТРАССА ТУАПСЕ — СОЧИ

Дорога вилась по склонам гор, и справа неизменно голубело море. Высокие стрелы кипарисов, окрасившихся в нежно-зеленый цвет свежих побегов, тянулись к пронзительно-голубому небу. И весь пейзаж с зеркальной штилевой гладью, кипарисами и пальмами, распускавшимися в палисадниках розами, женщинами в летних платьях настраивал на праздничный лад.

Курт после «ночной вахты» спал в гамаке за креслами. Вашко не мог отвести глаз от моря, вспоминая при этом — сколько лет он не видел его и не купался в солоноватой волне — и по всем прикидкам выходило куда больше десяти лет. А Стив, достав на последней остановке из сумки отцовскую ковбойского стиля шляпу, нахлобучил ее на самые брови и, насвистывая мелодию какой-то песенки, все время крутил из стороны в сторону баранку.

— Медленнее пошли, — заметил Вашко. — От самого Горячего Ключа еле тящимся. Вот мать-природа поработала: горы, горы, горы. Не дорога, а сплошные повороты — один кончился и сразу другой.

— Дорога — «смерть Хусейну» — заулыбавшись, оскалился Стив. — Я не понимаю, как местные по ней ездят на такой скорости. Сплошное самоубийство...

Водители легковушек с местными номерами действительно были чрезвычайно рисковые парни: шины их машин скрипели на поворотах, в сторону летел гравий, а они проскакивали навстречу с такой скоростью, что нельзя было разглядеть лиц пассажиров.

— Это еще Россия? — поинтересовался Стив.

— Пока да... До Гагр километров тридцать — это уже Абхазия.

— А Грузия где? — повернулся в его сторону Стив: его мускулистые обнаженные по плечи руки продолжали крутить руль.

— А это и есть Грузия...

— Сложно у вас все... У нас если штат Аризона, то это штат Аризона и никаких Вайомингов или Миннесот внутри уже быть не может...

— Кажется, Стив, ты начинаешь понимать причины наших конфликтов. Поэтому и деремся...

— Но у вас давняя история. Национальные округа. Исторически сложившиеся регионально-национальные формирования... Этот, который с усами, — генералиссимус, — тоже переселял как на душу придется.

— Не без того, — согласился Вашко.

— У нас у всех одна нация, — в порядке информации произнес Стив, не вкладывая в эти слова ни пафоса, ни гордости, хотя, вполне возможно, испытывал эти чувства. — Если посмотреть на карту, у нас все внутренние границы, или почти все, проведены по линейке.

Дорога, дойдя до максимального подъема на склоне, начала столь же витиевато спускаться. Внизу показался мост через реку, которую скорее можно было назвать ручьем, петляющим меж каменных глыб и валунов.

— Иосиф, посмотри — что это там на мосту?

— Где? — пытался разглядеть Вашко, но машина совершила очередной поворот, и деревья скрыли мост.

— Сейчас снова появится... Подожди... Сейчас мы даже встанем на обочину. Притремся, я думаю — там как раз отсыпано пошире.

Доехав до нужного места, Стив притер машину к самому краю дороги. Облако пыли, поднятое колесами, медленно тая, проплыло немного вперед и исчезло. Вашко открыл дверь, собираясь привычно выскочить, но Стив резким рывком схватил его за рубашку и удержал на месте.

— Ты чего? — опешил Вашко.

— Летать умеешь? — усмехнулся Стив. — Посмотри...

Вашко посмотрел и обомлел — по спине прошла предательская дрожь. Прямо от подножки начинался крутой обрыв.

— Ну ты... ты... В общем, хорошо припарковался! В притирочку!

— Вылазь через мою дверь, — Стив легко спрыгнул на асфальт, а Вашко начал пробираться меж рычагов и педалей к водительской двери. Стив прошел метров на десять вперед, откуда открывался вид на мост, и, приложив руку ко лбу, вглядывался вниз.

Там происходило что-то не совсем обычное. Диагонально, косо по отношению к направлению движения, уткнувшись носом в парапет, стояла зеленая «Лада». Около нее расположился милицейский «уазик» с включенной мигалкой на крыше. Несколько человек, склонившись, разглядывали что-то лежавшее на земле. А смуглый гаишник в рубашке с короткими рукавами отчаянно махал жезлом, пропуская редкие встречные автомобили.

— По-моему, авария, — предположил Вашко. — И, как говорят в протоколах, есть жертвы...

— Как думаешь, Иосиф, проедем или застрянем?

— Должны вроде проскочить...

Они поочередно забрались в кабину, Стив дернул рукоять ручника, и машина бесшумно, с еще выключенным двигателем, зашуршала шинами по асфальту. Через секунду привычно взвыл двигатель, выбрасывая сперва дымные, а затем все более и более прозрачные клубы выхлопных газов.

Спускались с горы они с большой осторожностью. Вид трагедии всегда вызывает в человеке повышенное чувство осторожности. Так молча они и въехали на мост. Гаишник, завидев модную крупногабаритную машину, сделал жест остановки. Стив затормозил. Но милиционер сообразил, что подобное препятствие на мосту неминуемо создаст затор, и принялся «проводить» машину по полосе встречного движения. Водители, ожидавшие очереди с другой стороны моста, увидев это, сначала остановились, а потом, гудя клаксонами, начали сдавать назад. «Мерседес», въехав левыми колесами на узенький тротуарчик, медленно, шаг за шагом, продвигался вперед. Вашко, высунувшись в открытое окно, пытался рассмотреть, что происходит у правой обочины.

На зеленой «ладе» повреждений не было — даже удивляло, насколько аккуратно она приткнулась носом к ограждению. Ее переднее колесо, въехав на тротуар, приподняло один край машины, одновременно придав всей композиции перекошенный вид. У раскрытой водительской дверцы машины прямо на земле лежал мужчина. Ни крови, ни ссадин видно не было. Но рубашка на его груди была расстегнута до конца и подол ее даже выпростался из-под брючного ремня.

— Надо посмотреть, — предложил Вашко. — Может, чем поможем.

Стив взглянул на часы.

— Минут на пять, не больше... — Он снова прижал машину к обочине за мостом — благо здесь было широко и вообще, видимо, когда-то предусматривалась площадка для отдыха: бульдозер отсыпал гравий, но до асфальтирования руки у дорожников так и не дошли.

Приблизившись к месту происшествия, Стив и Вашко встали за спинами людей, пытавшихся привести пострадавшего в чувство.

Средних лет мужчина в светлом костюме и при галстуке отчаянно массировал грудь лежавшему на земле.

— «Скорую» вызвали? — спросил Вашко у стоявшего рядом с ним сержанта милиции, видимо, водителя уазика.

— Да разве скоро приедут... — пробасил он не оборачиваясь.

Вашко толкнул Стива кулаком в бок:

— У нас там в бардачке экспресс-аптечка. Тащи сюда всю, вместе со шприцами...

Мужчина, массировавший грудь потерпевшего, услышав разговор, поднял лицо:

— Видимо, с сердцем плохо. Еле успел перехватить руль, а то бы... — Он не закончил, но и так было ясно, что если бы не быстрота реакции пассажира в светлом костюме, то, скорее всего, сама «лада» покоилась бы сейчас среди камней на дне ручья.

— Вот, — подлетел запыхавшийся Стив, распахивая похожую на книжку аптечку.

На солнце заблестели обернутые в стерильную пленку пластиковые шприцы с уже набранным в них лекарством.

— Разрешите. — Он отодвинул в сторону массировавшего, закатал на руке лежавшего рукав и умело вогнал иглу в предплечье больного. Медленно выдавив все лекарство поршнем, он уж было собрался выбросить использованный шприц с обрыва, но тот, что был в светлом пиджаке, протянул руку и требовательно забрал все к себе.

— Сейчас медики все же подъедут. Надо будет показать им. Вдруг еще чего колоть будут, а оно окажется несовместимым с этим. Так будет лучше...

Лицо больного порозовело, грудь начала заметно вздыматься, и наконец с его уст сорвался легкий стон.

— Ну вот и порядок! — довольно воскликнул Вашко. — Осталось только глаза открыть...

И больной, словно по команде, открыл глаза. Сперва немного, чуть-чуть, едва приоткрыв веки, а потом все более и более осмысленно он посмотрел в небо, обвел взглядом присутствовавших.

— Поехали, — толкнул Стив в бок Вашко. — Теперь мы здесь не нужны...

— Спасибо вам, товарищи! — крикнул мужчина в светлом пиджаке.

— Не за что, — ответил за обоих Вашко, берясь за ручку двери.

«Мерседес» взвыл двигателем и поехал дальше. А на

месте происшествия начали происходить еще более удивительные вещи: больной сел на асфальт, взял из рук мужчины шприц и начал разглядывать его:

— Что за гадость он вкатил? Жить буду?

— Я уже посмотрел — все в порядке. Стимулирующее работу сердца... Эй, сержант! — крикнул он гаишникам. — Снимайте оцепление. Все в порядке. Спасибо.

«Больной», встав на ноги, начал застегивать рубаху, прятать края в брюки. Приведя в порядок одежду, он привычно сел в «ладу» и, ловко дав задний ход, стянул ее с тротуара. Еще двое мужчин, среди которых был и человек в светлом пиджаке, сели на пассажирские места.

— Ну что? Они? — задал вопрос один из них.

В светлом пиджаке и галстуке достал из кармана фотографии:

— Этот точно есть... — ткнул он пальцем в снимок Вашко. — Что касается того, в шляпе, то стопроцентной гарантии не дам.

— А третьего-то они куда дели? — поинтересовался «больной». — Черт побери, колотится, как зверь в клетке... — Он приложил руку к груди. — Вот что значит капитализм. А нашего валидолу хоть тонну сожри — не берет.

— С третьим неувязочка. Неужто упустили? Где?.. Ладно, Кацура, бери рацию, сообщай на «базу»: «Объект обнаружен. Опознание проведено частично. Есть фигурант с фото номер два и предположительно три. Первый и четвертый отсутствуют. Объект движется в сторону Туапсе. Какие указания?»

— Нет, они меня точно траванули, — посетовал «больной». — Вот уж действительно не только жизнью рискуешь, но и здоровьем.

— Алдан, Алдан, я сто сорок седьмой. Как слышите? Прием!

— Я — «Алдан». На приеме... Слушаю, сто сорок седьмой.

— Передай Иозасу — объект обнаружен... Какие будут указания?

ГЛАВА 34. УПРАВЛЕНИЕ МИНИСТЕРСТВА БЕЗОПАСНОСТИ ПО ГОРОДУ СОЧИ. КРАСНОДАРСКИЙ КРАЙ

Липнявичус после ночного перелета из Москвы выглядел уставшим. Повесив пиджак на стул, он остался в одной рубашке. После московской погоды здешняя уже казалась совершенно летней.

— Я в это не поверю никогда, — раздраженно заметил он. — Как так может быть — была машина и нет машины. Это ведь не мотороллер, который можно спрятать в кустах. Огромный трехосный грузовик, да еще с такими огромными крестами на боках...

— Сам ничего не пойму, товарищ майор, — оправдывался загорелый чуть полноватый мужчина в рубашке с короткими рукавами и в синем галстуке. — Как сквозь землю провалились. Сочи они проскочили в 16.20. В городе решили их не трогать, а остановить на следующем пикете ГАИ, что примерно в двадцати километрах, но там они до сих пор не появились...

— Другие дороги есть? Может, через селения пошли? Через горы?

— Какие горы, товарищ майор? Эта машина с подобным грузом хороша на асфальте. Да и нет им смысла убегать. Думаю, что они не должны ничего понять. Все было проделано классически.

— Классически! — передразнил интонацию Липнявичус. — Где этот пикет? — он развернул на столе карту. — Покажите, Ахтямов.

Ахтямов склонился над столом и ткнул острием карандаша в точку на карте.

— До Леселидзе каких-то три километра, а дальше...

— Дальше Грузия, товарищ майор.

— Грузия, Абхазия... Амброзия... Арбузия... Ананасия... Вертолет есть?

— Найдем... Сейчас позвоню военным!

— Не надо звонить. Машину и вперед. Договоримся прямо на месте. — Он рывком сорвал пиджак со спинки стула и начал натягивать его на плечи. — Сейчас выявим их как миленьких... Вычислим! Уж сверху-то они от нас никуда не уйдут. Факт!

ГЛАВА 35. В ТРЕХ КИЛОМЕТРАХ ОТ ГРАНИЦЫ РОССИИ И ГРУЗИИ

Вашко вода показалась чересчур холодной, но Курт настоял на своем. Стоило ему проснуться и увидеть море, которого нельзя было разглядеть в темноте ночи, как он принялся уговаривать остановиться.

— Это есть очень хорошо... — хлопал он по плечу Стива. — Тем более что Грузия и грузинский Гретхен обожай чистых мужчин...

— Нет, вперед, только вперед, — невозмутимо отвечал Стив. — Еще не хватало подцепить простуду. Сколько в нем сейчас градусов?

— Пятнадцать, наверное, — с сомнением ответил Вашко. — Двадцать бывает к концу июня...

— У меня по спина скоро будут ползать гросс блоха, — не сдавался Курт. — Тем более пора делать маленький обед-завтрак.

— Пожрать действительно не мешает, — встрял Вашко. — Есть у нас что-нибудь из запасов?

— Еще как есть, — обрадовался нечаянной поддержке Курт.

— Ладно, — сдался Стив. — Полчаса, не больше... Вон как раз вполне приличный съезд... — он круто повернул баранку, и «мерседес», переваливаясь из стороны в сторону, скатился на грунтовку, ведущую к раскидистым шелковицам.

Место под деревьями как будто специально устроили для стоянки. Крона скрывала машину от солнечных лучей, которые грозили превратить кабину в некое подобие сауны, а разлапистые густые кусты акации прятали машину от дороги, хотя до нее было едва ли сто метров.

Похоже, что летом это место представляло собою дикий пляж. Угадывались и следы от палаток. Под одним из деревьев виднелась полуосыпавшаяся яма с ржавыми консервными банками и битым стеклом.

Курт на бегу сбросил одежду и в темно-синих плавках плюхнулся в воду. Стив приблизился к воде степенно, не спеша. Аккуратно сложив рубашку и брюки, он накрыл их сверху своей замечательной шляпой и лишь после этого, попробовав босой ногой температуру, принялся медленно входить в море. Он плыл, догоняя Курта, энергичными взмахами рук вспенивая воду.

— Не Таити! — долетела до ушей Вашко его оценка.

Иосиф Петрович размышлял долго, и причина этого заключалась вовсе не в боязни холодной воды или простуды; причина была весьма и весьма прозаичной: трусы. Настоящие, до колен, семейные трусы, какие были у довоенных футболистов-«динамовцев».

— Где наша не пропадала, — крякнул Вашко. — Наша пропадала всюду... — И, сдернув то последнее из одежды, что на нем еще оставалось, мелькнул незагорелыми ягодицами и по-лягушачьи поплыл брассом.

— Наш экспедитор, — шутливо указал в сторону Вашко Стив, — оказался по-русски прозорлив. Не то что мы, простодушные капиталисты... Он будет ходить в сухом!

— Ничего, есть быстро высыхать... — выжимая плавки и прыгая на одной ноге, ответил Курт. — А теперь завтрак-обед...

Вашко, довольно ухмыляясь, облачился в одежду.

— А хорошо ваша машина бегает по песку... Не думал!

— Ралли «Сахара» — призовые места! — гордо произнес Курт, завязывая шнурки кроссовок. — Всяким «фордам» не чета...

Стив подобного оскорбления снести не мог:

— Ладно, ладно... Делали мы ваш «мерседес» на Мадагаскаре.

— Это был совсем другой модель. Этот абсолют призер!

— Поедим — проверим? — подначил водителя Стив.

Перекусывали они на скорую руку — не распаковываясь, разложив бутерброды и консервы на застеленной газетой подножке кабины.

— Кофе будешь есть? — спросил Курт у Вашко, держа в руке приготовленный к включению в бортовую сеть кипятильник.

Высоко в небе послышался гул летящего вертолета. Вашко задрал голову. Тяжелая зеленая машина с красными звездами на борту и какими-то странными консолями внизу, похожими на ракетные установки, приближалась с севера. Летел вертолет на некотором удалении от берега, словно пытался обнаружить на поверхности воды судно или лодку.

— Экология, контроль? — всполошился Курт. — Нам будет крупно попадать?

— Пограничники... — посуровел Стив. — Давайте-ка быстренько в машину. Может, пронесет?

Но не пронесло... Их машину заметили, и вертолет, резко изменив курс, закружил над ними, словно пытался указать кому-то на земле их местонахождение.

Курт резво вскочил в машину, завел двигатель и передернул рычаг передачи.

— Поезжай прямо по пляжу! — крикнул Вашко. —

Если уж в Сахаре катаются, то у нас тут и подавно можно. Песок плотный после зимы. Держись ближе к кромке воды — там он как асфальт.

— Смотр, Иосиф, что это? — Курт указал в сторону шоссе.

Вашко обернулся. С магистрали по проселку сворачивали в сторону моря несколько милицейских машин с включенными мигалками. А в грузовике, шедшем в хвосте колонны, виднелись какие-то военные в пятнистом обмундировании, касках и с автоматами.

ГЛАВА 36. БОРТ ВЕРТОЛЕТА «ОГНЕВОЙ ПОДДЕРЖКИ» МИ-24, БОРТОВОЙ НОМЕР 78452

— Вон же они, вон! — стараясь перекричать шум двигателя и свист лопастей, показал Липнявичус. — Командир, заходи на вираж. Сделаем два круга — спецназ должен успеть... Ахтямов, — повернулся он в хвостовую часть салона, где в жестком металлическом кресле в неудобной позе сидел Ахтямов, — передай им еще раз — стрелять только в воздух и ни в коем случае не на поражение!

Тот сдернул с колен портативную рацию на ремне, приблизился с ней к иллюминатору и принялся передавать информацию.

— Гляди, как идут, — повернулся командир вертолета в огромном шлеме с плексигласовым забралом к Липнявичусу. — Только брызги в стороны...

— В мастерстве им действительно не откажешь, а вот наши, кажется, телятся...

Сверху пляж был виден как на ладони — сине-стальной пластик кузова трепетал в вихрях воздуха и воды. За машиной оставалась четкая и красивая, будто проведенная по линейке, полоса. Метрах в пятидесяти за «мерседесом» вперед вырвался желто-синий «уазик», грозя настигнуть беглецов. Он точно повторил маневр «мерседеса» и шел по кромке воды, где песок спрессовывается до каменной твердости ударами волн. Остальные машины безнадежно отставали, а особенно грузовик с бойцами. В конце концов он увяз в песке, и солдаты, высыпав из кузова, падая и поднимаясь, побежали вслед за уходившей от преследования машиной.

— А у этого парня есть шанс! — прокричал пилот, тыкая пальцем в сторону «уазика».

Липнявичус довольно кивнул. А милицейская машина в этот самый момент неожиданно крутанулась на месте, одно из передних колес глубоко ушло в воду, вокруг носа взметнулись высокие брызги пены, и вся она исчезла в облаке пара.

Липнявичус вскрикнул и обхватил обеими руками голову.

— Это не взрыв, — решил его успокоить пилот. — Вода плюс раскаленный двигатель... Все, — произнес он, закладывая машину в глубокий вираж. — Летим на базу!

— Почему на базу? Мы должны их взять!..

Командир отрицательно помотал из стороны в сторону шлемом и продолжил выполнять маневр.

— Вон тот дом с плоской крышей — уже Грузия. Приказ командира: только до границы, а дальше ни-ни... Эти ушли уже дальше. Так что, как говорят в кино: «Аб гемахт!» — Дело сделано!

— А как же спецназ, или у них тоже приказ?

— Это не по моему ведомству...

Липнявичус резко обернулся в сторону Ахтямова:

— Как связь? Можешь им передать, чтобы попытались догнать?

— Нет никакой связи... Железо вокруг...

Липнявичус с силой впечатал кулак в обшивку вертолета.

— Понастроили границ, едри вашу мать! Заграница хренова...

ГЛАВА 37. ШТАБ-КВАРТИРА ЦРУ. ЛЭНГЛИ. ВИРДЖИНИЯ

Помощник директора ЦРУ Джон Хьюз, несмотря на свой достаточно высокий пост, не считал себя вправе приходить в какой-либо отдел без предварительного звонка.

— Привет, док! — произнес он, входя в кабинет Маккея. — Кажется, тебя можно начать поздравлять?

— Рано, дорогой Джон. Пока еще рано...

— Слушай, кто из вас кому платит за рекламу: ты Теду или он тебе? Он трубит о твоих успехах на каждом углу. Ну и, конечно, про себя не забывает. Все в порядке. «Коробочка» работает как надо. Объект регулярно дает свои координаты.

— Он только с тобой поделился этой информацией, или круг лиц, знакомых с «перемещением объекта», весьма широк?

— Пока со мной. Он полагает, что я об этом поспешу доложить самому директору.

— Трепло, к тому же не бескорыстное. По-моему, он выбрал для демонстрации своих успехов не самую удачную операцию. Мог бы потренироваться с какой-нибудь иной страной, но не с Россией. С ней всегда были шутки плохи...

— У этого дракона, док, кажется, изрядно подгнили зубы.

— Не преувеличивай, Джон. Противника, даже если он голоден, надо ценить. Русские вполне способны и в такой разрухе выкинуть фортель. А вообще-то твои поздравления, Джон, кажется к месту. — Маккей подошел к карте бывшего СССР, которую не собирался менять на только российскую. — Вчера днем наш парень пересек границу и находится в этом месте... — Его авторучка легко прикоснулась к куску черноморского побережья в районе Сухуми. — Я не совсем понимаю, почему он оказался здесь, но допускаю, что дело движется к развязке. Тогда он уже имеет в кармане Вила и рвет когти к границе с Турцией. Так это или нет, дело одной недели.

— Думаешь организовать встречу? Полететь?

— Еще не решил. В принципе, тамошние переходы сейчас не те, что были раньше. Мусульманский фактор играет свою роль, и вода течет на нашу мельницу. — Он обвел кусок границы ручкой. — Это Нахичевань. В прошлом году массовые прорывы и переходы. Пограничники деморализованы. Сейчас их зажали с двух сторон — там бородачи с Кораном и здесь бородачи с Кораном. Точно такая же граница со всей Средней Азией. Я уж не говорю про Азербайджан. Там непонятно, кто у кого в гостях, — иранцы у них, или они у иранцев... К тому же война и всяческая неразбериха. Твое предложение любопытно. А что, если взять и махнуть?..

— Вопрос только, в какую точку.

— Еще уточним, но первые наметки уже есть — сюда! — Ручка ткнулась в темно-коричневое гористое пятно.

— Ты решил откопать Ноев ковчег? Это же Арарат.

— И все же сюда. По плану, для прикрытия в Бонне им выписали маршрут в ту точку, до которой ни один КГБ не доберется. Где сам черт ногу сломит или может получить пулю в череп. Карабах! Полагаю, что пользуясь этим прикрытием, они доберутся максимум до Еревана, там сдадут груз и... А от Еревана до границы — час езды на автомобиле. И порядок тоже нулевой.

— Хорошо работать против страны, где нулевой порядок! — довольно воскликнул Хьюз. — Они все запутались в собственных политических интригах и борьбе за власть...

— А с другой стороны, ничего загодя не удается просчитать.

— Ладно, пойду. У тебя хорошо... Дела, расчеты, анализ ошибок. А у меня... Что у меня? Я специалист по лизанию задницы у начальства...

— Но ты это делаешь в силу должности, а остальные — и их здесь немало — из сплошной любви к этому искусству.

— Бай, док!

— Пока...

ГЛАВА 38. РАЙОН СУХУМИ. АБХАЗИЯ. ГРУЗИЯ

Очередность соблюдалась неукоснительно. Дорога перестала быть гористой — склоны в предрассветном сумраке угадывались в добром десятке километров от моря, и Вашко гнал машину вперед почти на полной скорости. Лишь иногда появлялись темные многокилометровые тоннели. «Мерседес» вспыхивал обилием фар, прожекторов, галогенных ламп и огненным чудовищем, ошарашивая встречные автомобили яркостью и размерами, летел, будто бы на крыльях, на юг. Тоннель кончался, и враз пропавший шум двигателя, многократно переотраженный стенами подземного коридора, превращал все вокруг в звенящую тишину, залитую малиновым рассветом.

Поселки и курортные городки уже жили привычной жизнью. Женщины в черной одежде, будто всех одновременно постигла смерть близких, шли из магазинов, неся в сумках огромные караваи хлеба. Серо-грязного окраса свиньи — худые с огромными ушами — паслись у самых обочин. Мужчины в кепках-аэродромах, неспешно переговариваясь, шли по своим делам. И дома, дома, дома...

Все как на подбор каменные, с большими открытыми верандами, увитыми виноградом, плоскими крышами, богато изукрашенные местными умельцами резьбой.

Темно-зеленая глянцевитая листва мандариновых садов, словно звездочками, пестрела обилием ароматных цветов. Воздух, настоянный за теплую ночь ароматами цветущих деревьев, благоухал.

— Где мы есть? — очнулся от дремы сидевший в пассажирском кресле Курт; Стив спал в гамаке, посапывая и изредка всхрапывая от неудобной позы.

— Новый Афон...

— Что есть Афон? Греция? — немец тер глаза кулаком.

— Нет, у нас свой есть, — немного устало произнес Вашко. — Смотри налево... Видишь на горе монастырь? От него и пошло название...

Курт приник лбом к переднему стеклу — на склоне, будто присевший на минуту усталый путник, высился желто-красный православный храм.

— Это есть не Василь Блаженов?

Вашко рассмеялся:

— Василий Блаженный в Москве. Жаль, не знал, Курт, что ты его не видел — я бы показал...

Промелькнул храм, вокзал с выцветшим фрагом на крыше — сквозь его бледный окрас еще можно было угадать изначально алый цвет. Пошли дома, утопающие в садах, а потом дорога снова начала карабкаться вверх, извиваясь и цепляясь за склон.

— Опять серпантин! — вздохнул Курт. — Я еще есть немножко спать.

— Валяй... — Вашко принялся крутить руль, вписывая длинную машину в узенькие повороты.

Минут через десять они попали на самую высокую точку шоссе. У ресторанчика, несмотря на ранний час, уже развернулся маленький рынок, дымился мангал с шашлыками, несколько мужчин в пиджаках и кепках-аэродромах, покуривая, дожидались автобуса. Вашко притормозил, передернул рычаг передачи — «мерседес», будто почуяв конец подъема, «вздохнул» двигателем и, послушный управлению, покатился вниз. Впереди в дымке угадывался большой город.

— Сухуми, — пробормотал себе под нос Вашко. — Можно будет остановиться и выпить чашку кофе. Или рвануть дальше? В сторону аэропорта? Там поспокойнее, пожалуй... И забегаловок всяких пруд пруди...

Но доехать до аэропорта им не удалось. Проскочив длиннющий мост через реку и совершив очередной крутой вираж, они въехали в город. Вашко посмотрел на Курта. Тот не спал и при каждом повороте чуть-чуть приоткрывал веки, будто проверял, насколько точно Вашко выполняет тот или иной маневр.

— Никак не возьму в толк, Курт, чего вчера к нам прицепились пограничники... В твоей практике такое бывало? Ну, когда раньше ездил?..

Курт открыл глаза, зевнул:

— Я есть думать это экологический контроль. Но потом думать совсем не так. У экологический контроль не может быть вертолет с ракет и инспектор с автоматом. Это был погранзон, и мы с иностранным для вас номер. Шпион, в общем. Турция плыви!

Вашко посмотрел на рядом сидящего и помотал головой:

— До Турции далеко. Да и ночью они в основном «пасут» — прожектора такие по морю шныряют... Ослепнуть можно.

— Иосиф, а зачем они не стали ехать за нами дальше? Почему вертолет ж-ж-ж? — Он показал рукой обратный вираж в сторону Сочи.

— А хрен их поймет. Видать, граница меж республиками действует. Указ, наверное, какой вышел — разве уследишь...

Центр города начинался от железнодорожного вокзала. Красивого, с колоннадой, открытыми верандами, обрамленного красно-белыми цветущими олеандрами. Но еще более пестрой казалась сама площадь, забитая народом. В руках у людей всеми цветами радуги полоскались лозунги и транспаранты, портреты интересного мужчины с седыми волосами, колючими глазами и жесткой щеточкой усов над верхней губой. Изредка, для поддержания накала страстей, раздавались гулкие хлопки автоматных очередей. Стреляли, похоже, в воздух — в небе можно было разглядеть летавшие светлячки трассирующих пуль. Автоматы, и это удивляло, были не у милиционеров или военных, а у молодых парней в черных рубашках.

«Звиади!», «Звиади!» — скандировала толпа.

Разом проснувшийся Стив высунул голову из-за голубой занавесочки и уставился вперед. Вашко, зарулив на обочину, заглушил мотор.

— Доброе утро, господа, — рявкнул Вашко. — Начинается настоящая Грузия.

А толпа, выкрикивая имя любимого лидера, время от времени столь же громко, но с нотками угрозы в тысячеголосой глотке, кричала: «Шеварднадзе! Шеварднадзе!»

— Что они кричат, Иосиф? Ты есть переводить?

— Не копенгаген, — машинально произнес Вашко привычный для русского уха оборот, но, спохватившись, что его и вовсе не поймут, поправился: — Не компетентен. Это по-грузински, а может, и по-абхазски... Но ясно одно: требуют возвращения Гамсахурдии — это он «Звиади» — и отставки Шеварднадзе — этого вы должны знать.

— О, да! — довольно воскликнул Курт. — Бывший министр иностранных дел. Он у нас есть раньше часто бывать! Бонн, Берлин... Гут ман! Хороший человек!

— Для тебя хороший, а для них не очень. Видишь, чего творится. С самого января началось... Чувствую, мужики, — он обернулся в сторону пытливо вглядывавшегося в происходившее за окном Стива, — нахлебаемся мы с этой Грузией горя. И чего, спрашивается, нас сюда занесло?..

Но ответить его спутники либо не могли, либо не захотели.

Несколько вооруженных молодых людей, завидев «мерседес» с красными крестами на боках, приблизились к машине и начали, поглядывая на них, что-то обсуждать.

— Ребята, — предупредил Вашко, — по-русски ни слова... Может, и пронесет.

— Кого я вижу! — вдруг произнес Стив и, вывалившись из гамака прямо на плечи Курта, соскользнул вбок и торопливо начал натягивать брюки. — Минутку, Курт... Прости... Дай выйти!

— Что? Что произошло? — испугался Курт, открывая дверь и вставая на подножку.

— Дверь, дверь закройте! — завопил Вашко по-русски, совершенно забыв о своем недавнем предупреждении.

А Стив, сорвавшись с места, уже пулей бежал вперед, не обращая никакого внимания на митингующих, рыбкой проскальзывая между людей с плакатами и транспарантами.

— Ты есть чего-нибудь понимайт? — всполошился Курт.

— Кажется, не в сортир, — заметил Вашко, — а нам сейчас придется лезть за туалетной бумагой...

Трое или четверо с автоматами в руках взобрались на подножку и постучали в стекло.

— Открой! Открой, кому говорю! — резкие требовательные голоса с сильным гортанным акцентом не оставляли ни малейшей возможности для неподчинения.

Вашко приспустил стекло кабины.

— Что вэзем? Тушенка? Консервы? Вино?

Курт, своевременно вспомнив о предупреждении Вашко, разразился длинной тирадой по-немецки, отчаянно жестикулируя в сторону митингующей толпы. Вашко набычился и молчал, недоброжелательно поглядывая в сторону боевиков.

— Каму вэзешь? — спросил мужчина с иссиня-черной щетиной на лице.

Курт издал короткое восклицание, понятное, наверное, лишь обитателю гамбургской подворотни.

— Пэрэводчик? — ткнул рукой в живот Вашко молодчик и угрожающе повел стволом автомата.

— Нейн! — рявкнул Вашко, выдав при этом практически весь свой словарный запас, вынесенный из школьной программы. — Хенде хох!

— Они не понимают! — переглянулись охранники. — Нужен пэрэводчик, — И они перешли на свой язык.

Вашко пощупал карман брюк, где лежал заветный револьвер, и тоскливо улыбнулся: «Что эта игрушка против оружия, которым воюет весь мир...»

Группа мужчин разделилась — двое пошли назад в толпу, а двое остались на подножке машины. Вашко и Курт смотрели не на них, а на Стива, пробравшегося к тому краю, где начинались деревья и газон, там он довольно мирно толковал с каким-то вислоусым мужчиной в пронзительно-желтой куртке, на спине и груди которой аршинными буквами значилось «Кодак».

Про разговор с такого расстояния ничего сказать было нельзя: ни мирный, но и не напряженный, не дружественный, но и без раздражения... Стив время от времени поворачивался к незнакомцу боком, поглядывая на сцену, разворачивавшуюся у машины, и было видно — он заметно нервничает. Видимо, ему удалось уговорить того, что был в желтой куртке, и они медленно начали пробиваться сквозь толпу к «мерседесу». Но их было уже не двое, а трое. Третьим в компании оказался молодой человек, явно из местных, интеллигентной наружности и при галстуке...

— Вот, Гоги, она знает немэцкий, — втолкнули двое уходивших на подножку машины девушку в черном платке. — Давай, Нана, переводи... Кто они и откуда? Что везут? Куда?

Курт, тревожно поглядывая на Вашко, начал отвечать. Вашко его довольно сносно понимал. А что тут не понять: «Гамбург», «медикаментум», «гуманитарная помощь», «Карабах»...

— Переводи, — снова скомандовал девушке небритый, видимо старший в команде. — В Тбилиси ходу нет. Ни одной ампулы не отдадим незаконной власти. Сейчас едем на склад и все разгружаем там. Карабах — нет! Тбилиси — нет! Сухуми — да!

Курт все понял еще в русском варианте, но напряженно ждал, когда девушка, сбиваясь и путая, закончила перевод. Потом протянул руку Вашко: «Папирен, битте!»

Вашко, ошалев, смотрел на Курта — тот что-то спрашивал, но что, для него оставалось тайной.

«Папирен? Па-пи-рен... — мучительно соображал он. — Бумага? Какая бумага? Туалетная, газетная, писчая... Господи, он требует документы...»

Щелкнув замком встроенного в приборную панель отделения, Вашко достал ворох бумаг. Отделив те, что были на немецком, он сунул их в руки боевику. Другие — из армянского постпредства, где совершенно по-русски значилась его фамилия, он временно задержал в руке. Но скрывать это удалось бы не долго, а обнаружив этот обман, бравые парни заподозрили бы и большее.

В этот момент Стив и его спутники наконец пробились к машине. Интеллигентный мужчина при галстуке гортанно крикнул что-то людям с оружием, рука его при этом очертила в воздухе замысловатую траекторию. Те удивленно посмотрели на него.

— Батоно Георгий, — прошептал один из них другому.

— Георгий! — приложив руку к груди, поприветствовал подошедшего главарь: забросив автомат за спину и соскочив с подножки, он ринулся к нему с рукопожатиями.

Интеллигент ответил без улыбки и радости. Бородач, то и дело показывая рукой на машину, отчаянно жестикулируя, принялся что-то доказывать. Интеллигент слушал его и кивал. Потом резко скомандовал тоном, не терпящим возражений, и подножка машины разом очистилась и от охранников, и от переводчицы. Вашко и Курт наконец смогли перевести дух. Стив и мужчина в желтой куртке, продолжавшие преспокойно беседовать у радиатора, сделали им жест: «Выходите!» Они вышли из машины и принялись запирать двери. Интеллигент, заметив это, приветливо улыбнулся и сделал очередной резкий жест: «Нэ надо! Они больше нэ подойдут...»

Вашко и Курт подошли к Стиву. Тот отчаянно молотил со своим приятелем по-английски, ничего из этого понять было невозможно.

— Георгий Амирджэба, — протянул руку интеллигент. — Пресс-секретарь Верховного Совета...

— А это кто? — прошептал ему на ухо Вашко.

— Си-Эн-Эн... Комментатор. Даг Ларсен...

От толпы отделился и подошел к ним столь же красочно и пестро одетый парень с лесенкой из алюминия и камерой, какие Вашко видел у телевизионщиков.

— Хелло! — радостно прокричал он. — Кадры о'кей, Георгий! Скоро передача! Спутник и о'кей... Скоро увидит весь мир!

Стив, вспомнив о попутчиках, поспешил представить Вашко и Курта. Ларсен протянул руку для приветствия.

— Сейчас поедем ко мне, — предложил Георгий. — Машину поставим во двор. Немножко будем завтракать. Придумаем, как вам ехать дальше... Думаю, удастся сделать документы и вас не тронут. Простите, что так получилось, — сами знаете, какая сейчас обстановка...

Ларсен и Стив продолжали беседовать. Вашко уловил из их речи лишь несколько раз произнесенную фамилию московского корреспондента — Тягны-Рядно. Судя по всему, эта фамилия Ларсену была знакома, и он, махнув рукой в сторону гор, произнес только одно слово «Тбилиси».

— Я знаю Александра Тягны, — произнес Георгий Амирджэба. — Часто бывает у нас. Странно, что на этот раз не заехал, а рванул прямо в Тбилиси.

Стив принялся объяснять суть Вашко и Курту:

— Даг вчера прибыл оттуда. Тягны-Рядно в городе. Работал на проспекте Руставели. Там Шеварднадзе выступал...

При упоминании фамилии Шеварднадзе Амирджэба поморщился:

— Нэ знаю, нэ знаю... Хорошо это или плохо! Второй раз в одну реку не входят.

15 Зак. 4402 Н. Александров

Вашко дипломатично промолчал.

— Хватит болтать, — с пафосом провозгласил Амирджэба. — Едем... Немножко кушать будем, немножко отдыхать с дороги. Видите вон ту черную «Волгу»? — он показал на левое крыло вокзала. Я сейчас иду туда, а вы пробивайтесь и следуйте за мной. Господин Ларсен! Господин Эпстайн! Господа... Прошу вас принять приглашение!

— О'кей! — за всех ответили Ларсен и Стив.

Амирджэба что-то крикнул в толпу — вновь появились те же вооруженные молодцы, — он им скомандовал, и они, дождавшись, когда приглашенные уселись в кабине «мерседеса», криками и стрельбой в воздух принялись прокладывать дорогу.

Вашко запустил двигатель и медленно, черепашьим шагом повел грузовик вперед...

ГЛАВА 39. УПРАВЛЕНИЕ БЕЗОПАСНОСТИ ГОРОДА СОЧИ

И вечер, и ночь, и наступившее утро не внесли в душу Липнявичуса душевного спокойствия. Он стремился подавить накопившееся раздражение, но ему это не удавалось. «Надо же, — думал он, — фатальное стечение обстоятельств, и с таким треском провалилась отличная задумка...»

Ахтямов, видя в каком состоянии гость из Москвы, не стремился к нему в кабинет, рассудив, что если понадобится, то его вызовут.

Но мысли Липнявичуса сейчас были уже далеко от Сочи. Надо было только кое-что утрясти с Карелиным.

Взяв трубку телефона, он набрал код и московский номер. Занято. Он еще раз набрал. Тот же эффект. Он положил трубку, и телефон разразился частой трелью.

— Слушаю, Липнявичус.

— Привет, Иозас. Это Карелин.

— Здравствуй. Ты телепат. Я только что пытался дозвониться до тебя.

— Можешь не докладывать, знаю...

— Доложили? Кто?

— Не мне, сам понимаешь, но доложили. Баранников рвет и мечет.

— Стало быть, вскоре мне на пенсию?

— Ее еще заработать надо, дорогой Иозас. Кричит

он, конечно, в полную глотку — в милиции научили, но до пенсии, думаю, дело не дойдет.

— Что предлагаешь?

— В Тбилиси сможешь вылететь?

— Постараюсь...

— Тут, понимаешь, нас технари озадачили. Дело вот в чем: «космики» наши — ты понимаешь о ком я говорю? — засекли странную штуковину — время от времени, с регулярным интервалом почти в десять минут, штатовская хреновина, что висит над Киевом, посылает вниз кодовую посылку. Интенсивность небольшая, направленность широкая: от Арктики до Африки...

— Я тебя слушаю, слушаю, Алексей! — прокричал в трубку Липнявичус, боясь, что междугородка прервет разговор.

— Но снизу, от нас, шурует очень короткая ответная посылка. Интенсивность, как говорят, на уровне шумов.

— Ну и что из этого?

— А то, что, проанализировав всю записанную телеметрию, они наложили ответные сигналы на карту. И знаешь что получилось?

— Не томи душу...

— Весь маршрут друга Майи Семеновны! От Гамбурга до Сухуми и дальше на Тбилиси. Так что вылетай туда и придумывай на месте. Похоже, что это будет основная база, — и Вил, похоже, там, и Стив туда тянется... Кстати, еще одна информация — немчик этот...

— Водитель который?

— Ну да... Тоже птица большого полета!

— В смысле?

— Из Федерального разведуправления. Понял? Нет?

— Хорошо, вылетаю...

— Прикрытие придумай! Проколов больше быть не должно. Литовский свой не забыл?

— Лаба диена! — ответил Липнявичус по-литовски, что означало всего-навсего «добрый день».

— Ну вот и прекрасно... Прикинься каким-нибудь сверхдемократом из Балтии. Мол, представитель независимого государства.

— Хорошо. Сориентируюсь на месте. Пока...

— До встречи...

Липнявичус набрал телефон Ахтямова:

— Сидишь? Работаешь? Ну и молодец... Сделай мне билет на первый же самолет в Тбилиси. Несложно? И машину до аэропорта организуй — не пешком же топать...

ГЛАВА 40. ТРАССА СУХУМИ — ТБИЛИСИ. ГРУЗИЯ

Теперь пришла очередь Стива сидеть за рулем. Рядом с ним расположился Вашко. Курт залез в гамак и молча сносил все тяготы последствий абхазского гостеприимства. Застолье было настолько долгим и принудительным, что сначала он пытался запомнить названия блюд и закусок, старательно повторяя за хозяином дома: «шашлык», «чахохбили», «сациви», «пури», «чача», — а потом, сломавшись, заплетающимся языком повторял то «прозит», то «будем здоровы» и поднимал бокал.

Четвертым в кабине сидел молодой парень с автоматом на коленях. Горбоносый, огненно-рыжий и донельзя веселый. Он то и дело рассказывал анекдоты, и все про грузин, которые отчего-то много чаще абхазцев попадали во всякие истории.

— Дато, — спросил Вашко, — если судить по обилию стола, у вас не так плохо с едой?

— А-а-а... — отмахнулся тот от не совсем удобного вопроса. — Политика! Понэмаешь, у всех есть все, но зачем отказываться, когда хотят помочь? Думаешь, Иосиф, у нас нет лекарств? Все есть! Хочешь американские, хочешь французские, самые последние — они у них еще с завода не вышли, а в Сухуми уже есть... Только дорого стоят. Машину купить можно... Дом построить можно... Жениться красиво можно... Весь город напоить можно...

— Откуда же они у вас раньше, чем на фабрике? — удивился Стив.

— Секрет бизнеса! — усмехнулся Дато.

Дорога шла по полям, покрытым нежной зеленью. Горы едва угадывались на севере. День предвещал быть жарким, сильно парило. Грузный Вашко часто утирался платком, но на лбу все равно тотчас проступали капельки пота.

— Странно, — ворчливо заметил Стив. — Пора бы им уже и появиться.

— Кому? — не понял Вашко.

— Да машинам каким-нибудь...

И только тут Вашко заметил, что действительно их не

обгоняли и не попадались навстречу ни легковушки, ни грузовики.

— Дато, что, с бензином так плохо? — повернулся к парню Вашко.

— С бензином хорошо — сорок рублей канистра. — Он встряхнул лежавший на коленях автомат. — С этим тоже хорошо... Мертвая зона!

— Что значит «мертвая»? — прищурился Стив.

— Там Кетовани! — махнул Дато рукой вперед по курсу. — Сзади мы, за Звиада! А посерединке ничья земля...

— Совсем ничья? — удивился Стив, но Дато не ответил, а лишь пожал плечами.

Вашко же задумчиво произнес почерпнутое из лексикона Дато словечко: «Политика!»

Километрах в двух впереди показалось село — такое же, как и встреченные раньше: с прочными красивыми домами под железными крышами, приусадебными виноградниками и садами. «Мерседес» стремительно сокращал расстояние. Из-под раскидистого дерева вышел на дорогу человек в странноватой на первый взгляд форме. На голове была милицейская фуражка, в руке жезл, на плечах пятнистая десантная куртка, а довершали убранство джинсы и белые кроссовки.

Стив нажал на педаль тормоза и посмотрел на Дато. Тот принялся рыться в кармане, извлекая какие-то бумаги.

— Смотри что там... — ткнул Вашко пальцем в садик близлежащего дома. — Мама моя родная!

Из-за виноградных лоз, обвивающих забор, прямо на них, слева и справа от дороги, пушками и пулеметами ощетинились «бээмпэшки» — боевые машины пехоты — с замалеванными номерами, гвардейскими солдатскими знаками и звездами: поверх них не слишком аккуратно вилась вязь грузинских слов.

— Кетовани! — буркнул Дато и нахмурился.

Он вышел из машины, так и не выпустив из рук автомата; человек на дороге тоже сдернул с плеча оружие и направил ствол в сторону машины.

Дато издалека показал, что автомат ему не нужен, и перевесил его на плечо стволом вниз. Человек на дороге не стал повторять столь дружелюбного маневра.

— Гамарджоба! — гортанно крикнул Дато, медленно приближаясь к незнакомцу.

Тот кивнул головой, не произнеся в ответ привычного приветствия.

Кусты у дома зашевелились, и оттуда вышли еще мужчины, одетые столь же пестро. У всех в руках было оружие.

Стив с интересом откинулся на спинку сиденья. Его занимало происходившее, и он, кажется, немного начал разбираться в грузинском противостоянии, хотя понять его было сложно.

— Иосиф, ты понимаешь, о чем они говорят? — спросил Стив.

— Только то, что они не собираются пить чачу — об этом, вроде, не упоминают...

А разговор, тем временем, шел на повышенных тонах. Дато горячился, размахивал бумагами и, похоже, требовал старшего. Но старшими в той компании, как оказалось, были чуть ли не все сразу. В конце концов мужчина, что вышел на дорогу первым, взял бумаги и пошел к дому. Дато стоял по-прежнему между «мерседесом» и остальными боевиками или гвардейцами — кто их знает? — и на него был направлен, как минимум, один автомат противников.

Обогнув Дато, к машине подошел светловолосый рыжеусый парень.

— Привет, мужики! — вскочив на подножку, произнес он без какого бы то ни было акцента. — Откуда? Не с Курска случайно?

Стив кивнул, а Вашко, протянув руку, ответил на рукопожатие через окно.

— Из Москвы я, а он из Штатов... Еще один водитель — спит сзади — из Гамбурга.

— А-а-а... — удивленно произнес парень и уставился на Стива. — Из самой Америки? Никогда не видел американца так близко.

Стив оскалил зубы и, сделав страшные глаза, произнес: «Гав!»

— Не боишься? Укусит! — рассмеялся Вашко. — Они же все капиталисты, шпионы и страшно кусачие...

Парень ответно улыбнулся.

— А ты чего про Курск спросил? Сам, что ль, оттуда?

— Ну... — утвердительно произнес он.

— А чего здесь забыл? — пристально, без тени смеха в глазах, посмотрел на него Вашко.

— Долгая история... Служил здесь, познакомился с

девушкой, ну а потом... Калым нечем платить, вот и пришлось дезертировать вместе с игрушкой...

— Какой такой «игрушкой»? — не понял Вашко.

— А вон в кустах стоит — пушкой на вас смотрит. «Бээмпэшка». Теперь мне в Россию пути нет...

— Ну хоть женился удачно?

— Еще не женился, — начал он тереть ладонью чуб. — Вот к осени, может быть... Звиадистов победим. Тогда...

— Слышь, долго эта канитель протянется? — спросил Вашко, указывая на Дато и его противников.

— А кто его знает... Бывает, что и в расход кое-кого приходится пускать. Провокаций много. Ночью особенно. Приезжают, обстреливают. Мы тут недавно такого парня похоронили — скульптор из Тбилиси... Жаль!

Из дома вышел полноватый мужчина, полностью обмундированный в пятнистую десантную форму, однако без оружия. В руках у него были бумаги, которые взяли у Дато. Вместе с Дато они направились к «мерседесу».

— Тебя как зовут? — прошептал Вашко бывшему жителю Курска.

— Юркой.

— Ты по-ихнему знаешь?

— Понимаю, но говорю плохо...

— Попереводи-ка нам немного.

Полноватый подошел к Стиву, с трудом поднялся на ступень:

— Командир подраздэлэния национальной гвардии Реваз Ткешелашвили! — он приложил руку к пятнистой кепочке. — Надо провэрить, что в кузове... Откройте!

Стив соскочил с подножки и пошел к задней стороне кузова.

Дато и Ткешелашвили пошли за ним. Вашко с «курским» обошли машину с другой стороны.

— Что здесь? — спросил Ткешелашвили, увидев множество цветных картонных коробов.

Стив выразительно посмотрел на Вашко и разразился длиннющей фразой на английском; Иосиф Петрович понял его желание продемонстрировать, что здесь есть представители иностранных государств, с которыми нужно обращаться согласно юридическим нормам.

— Англичанин? — изумленно поинтересовался Ткешелашвили.

— Американец, — сказал Вашко. — А там отдыхает еще и немец.

— Западный? — поинтересовался командир гвардейцев.

— А они сейчас все западные. Этот из Гамбурга...

— А ты откуда?

— Из Москвы, экспедитор... В кузове лекарства. Адресованы международным Красным Крестом в Карабах.

— Оружия нет? — нахмурил брови Ткешелашвили.

— Нэт! — ответил за всех Дато. — Мы это там провэряли... — Он неожиданно перешел на грузинский, и Вашко потребовалась помощь Юрия.

— Он спрашивает, — зашептал парнишка из-за спины Вашко, — нет ли у него родственников в Хашури.

Ткешелашвили заинтересованно посмотрел на Дато, как будто изучая его лицо.

— Теперь этот молодой, что с вами приехал, спрашивает: не двоюродный ли он брат дядюшки Гоги, который женат на кривой Маргарите... — Вашко, кивая, слушал, поглядывая за грузинами. — Молодой говорит дальше, что он этой самой кривой Маргарите приходится внучатым племянником...

— Вай мэ... — завопил вдруг начальник гвардейского подразделения. — То-то я смотрю, твоя физиономия мнэ знакома... Это что же, выходит — он прищурился и посмотрел на небо, — ты сын Вахтанга?

— Да, — осклабился в улыбке парень. — Вахтанга и Ноны...

— Иди сюда! Я тебя обнимать нэмножко буду! — он распахнул объятия и принялся буквально душить Дато.

— Вай мэ! Вай мэ! — утирал слезы умиления Реваз. — Вахтанг и Нона... Сколько лет, сколько зим! Они живы и здоровы?

— Да. Слава богу... Как ваши родители, Реваз? Тетя Манана и дядя Теймур?

— Спасибо, дорогой, спасибо...

Вашко дернул за рукав Стива:

— По-моему, мы сейчас поедем дальше. Оказывается, они тут все родственники. Тонко рассчитано, ничего не скажешь. Этот Амирджэба слов на ветер не бросает.

— Закрывай! — махнул рукой начальник гвардейцев. — Досмотр закончен.

— Мы можем следовать дальше? — спросил Вашко.

— Какой ехать? Кто сказал — ехать? — смеясь, почти

кричал Ткешелашвили, держа за плечо Дато. — Я, понимаешь, родственника встретил... А ты ехать! Потом в Америке будешь рассказывать плохо... Что с тобой случится, если будем немножко кушать — шашлыки, чача, вино... Дружба народов!

— О, шашлыки, чача, са-ци-ви... — донесся стон со стороны кабины, и на ступеньку вывалился взлохмаченный Курт.

Посмотрев на автоматы, бронетехнику, людей в пятнистом, он, кажется, ничего и не заметил. Покачиваясь, он подошел к обочине; предупредительный «курский» Юра, завидев немца и поняв, что с ним происходит, ринулся к нему на помощь, дабы он не свалился в кювет.

Курт, удерживая равновесие, схватился рукой за ствол его автомата и, сломавшись в поясе, наклонился. Его вырвало. Он выпрямился, утер губы платком и посмотрел все еще не совсем осмысленным взглядом на Стива и Вашко.

— Мы вчера есть немножко перебор! Не надо «чача»! Не надо «вино»!

— Слушай, дорогой, о чем ты говоришь! — заорал Ткешелашвили восторженно. — Надо чача, обязательно надо. Шашлык, сациви, чахохбили...

— О, ча-хох-били — простонал Курт и, махнув рукой, сел на подножку машины.

— Ты чего-нибудь понимаешь? — спросил Стив Вашко, садясь рядом с Куртом.

Вашко спрятал улыбку в усы.

— Просто так они нас не отпустят. Придется вести машину мне. А теперь тебе, Стивушка, основной удар брать на себя...

— Чахохбили, говоришь? — усмехнулся Стив и дернул головой. — Сколько раз мне говорили: Восток дело тонкое... Только сейчас начинаю понимать...

ГЛАВА 41. ШТАБ-КВАРТИРА ЦРУ. ЛЭНГЛИ. ВИРДЖИНИЯ

— Привет, док! Ты не смотрел последний выпуск Си-Эн-Эн? — голос Тэда Хенгерера прямо-таки сочился удовольствием.

— Что ты хочешь этим сказать? — Голос Маккея не казался радостным.

— Сейчас принесу последнюю сводку новостей. Для тебя есть любопытный сюжетец. Можно зайти-то?

— Давай...

В последнее время Маккей избегал разговоров с Хенгерером.

Тэд без стука вошел в кабинет, по-хозяйски прошел к телевизору, включил видеомагнитофон и вставил в него принесенную кассету.

Экран телевизора вспыхнул, пошла какая-то реклама, потом во весь экран вспыхнула эмблема телекомпании.

Диктор начал передачу последних известий.

— Зачем ты мне это принес? — недовольно пробурчал Маккей. — Меня не интересует предвыборная программа президента и наводнение в Гонолулу.

— Подожди... Сейчас получишь весь комплекс удовольствий, — заговорщицки подмигнул Хенгерер.

— Новости из стран СНГ. Россия и другие республики все больше и больше просят гуманитарной помощи. Наш Конгресс, кажется, и не думает им в этом отказывать. Из Грузии передает Даг Ларсен. Смотрите его репортаж...

На экране появился бронетранспортер, вокруг которого суетились парни в черных рубашках с автоматами в руках. Площадь города была заполнена митингующими.

— Здесь Даг Ларсен. Я передаю репортаж из Сухуми, города, где все еще сильны позиции президента Гамсахурдиа. Точно такую же сценку я мог бы снять и в Зугдиди, являющемся фактически центром оплота «звиадистов». Отличие будет только в том, что там еще больше военной техники, украденной с армейских складов, и людей с оружием. Но вся эта обстановка не мешает нам помогать обитателям столь неспокойной точки на карте продуктами питания, одеждой и медикаментами. Только сегодня утром, с огромным трудом, прорвался один-единственный автомобиль, доставивший из Гамбурга медикаменты...

Картинка сменилась. Вместо митинга на экране возникла деревянная дверь. Из нее в облаке пара появился закутанный в простыню Курт, за ним шел Стив, а последним, вслед за заросшим черными волосами грузином, показался лысоватый грузный мужчина.

— С истинно грузинским гостеприимством этот караван встретили на сухумской земле. Вы видите представителя Германии — водителя Курта Шлезингера, нашего соотечественника, — известного литератора Стива Эпстайна и представителя из Москвы, сопровождающего этот гуманный груз по линии Красного Креста.

— Стив отрекомендовался писателем — это так, — нахмурил лоб Маккей, — но почему он не залегендировал фамилию? Ведь была предусмотрена другая — Болтман...

— Может, потому, что Даг Ларсен знал Стива раньше? — предположил Хенгерер.

— Один взгляд на стол, за которым угощают наших представителей, — произнес Ларсен в микрофон, и камера поползла по столу, заставленному яствами и закусками, — со всей очевидностью позволяет утверждать — наши страхи относительно голода в России сильно преувеличены... И тем не менее, всмотритесь в эту сценку. — В кадре снова появились все выходившие из бани и еще какие-то старики, сидевшие за столом в черкесках, папахах и при кинжалах, все с рюмками в руках. — Очень радостно сознавать, что такое дружелюбие проявляется к людям цивилизованных стран в этом краю. Вы смотрели репортаж из Сухуми. Даг Ларсен. Си-Эн-Эн...

В кадре появился диктор.

— Этот репортаж был передан по спутниковой связи сегодня утром. Переходим к спортивным новостям...

Хенгерер выключил аппаратуру.

— Ну, что скажешь, док?

Маккей подошел к телевизору, включил его и снова просмотрел весь репортаж от начала до конца.

— Кто этот лысый, который представитель из Москвы? Не нравится, понимаешь, мне его физиономия — именно такие, добродушные и простецкие, бывают у их кагэбэшников. Ну, грузин — это понятно... Местное гостеприимство — допускаю. Может быть, представитель местной власти, но кто этот лысый? Слушай, сделай вот что: пересними-ка мне его с экрана покрупней. Чем черт не шутит — надо проверить по нашим учетам...

— Ты заметил — Вила пока с ними нет?

— Заметил. Но ты не допускаешь, что если бы он был, они бы не стали всовывать его в экран? Это только осложнило бы их положение... Кто этот лысый? В каком звании? Знаешь что... Попробуй выйти на Си-Эн-Эн, найти этого Ларсена, если он вернулся, и сделать так, чтобы он побывал у нас.

— А если не вернулся?

— Затребовать всю пленку целиком. Допускаю, что они там изрядно подмонтировали. Могли быть кадры, которые не попали в сюжет. Спасибо тебе — это достойная информация. Кто этот лысый? Кто?

ГЛАВА 42. ТБИЛИСИ

Гвардейцы, обещавшие за пиршественным столом помочь им добраться до Тбилиси, не обманули. Очередной провожатый — хмурый неразговорчивый мужчина — быстро улаживал все спорные вопросы по дороге, и к вечеру «мерседес», миновав скалу с красивым храмом на самой вершине, проскочив по мосту над Курой, промчавшись сперва по окраинным, а потом и центральным улицам, притормозил у здания, занимаемого Национальной гвардией. Вокруг дома, похожего на гостиницу, было многолюдно: входили и выходили вооруженные люди, подъезжали и отъезжали разномастные автомобили.

— Ставь здесь, ближе к стене, — пробурчал провожатый Вашко и исчез в подъезде.

Вашко припарковал грузовик к обочине и пошел проверять крепление брезента — все было в норме. Прохожие, видимо, привыкшие к иномаркам, не обращали на трехосную громадину с красными крестами никакого внимания.

— Что, приехали? — спросил Курт, дремавший в кресле; Вашко кивнул.

Стив, покинув гамак, довольно бодро пробежался вокруг машины.

— Тепло. Градусов двадцать по Цельсию?

— Не меньше, — меланхолично заметил Вашко. — Здесь всегда так... Какие дальше планы? Искать «Тянитолкая»?

— Стив, — сказал Курт, — думаю, есть смысл Иосиф и я караул! Машина охранять надо.

Вашко больше всего сейчас хотелось лечь и поспать, последний кусок дороги его не меняли за рулем.

— Как, Иосиф? — посмотрел на него Стив. — Я хотел бы пойти с тобой...

Вашко без энтузиазма согласился.

— Утром я веду... — понял его Стив. — Все будет о’кей.

— Как скажешь, начальник. — Вашко полез в кабину переодеваться.

Исчезнувший проводник то ли забыл о них, то ли долго искал в лабиринтах здания нужного человека, но так и не появился. Спрашивать же о нем посторонних ни Стив, ни Вашко, ни Курт не могли — они даже не знали, как его звать-величать, настолько его хмурость и неразговорчивость не располагали к обычной дорожной беседе.

— Куда на ночь глядя пойдем? — полюбопытствовал Вашко.

— Есть один адресок — Ларсен дал. Там у них что-то вроде ежевечернего сборища. Все журналисты толкутся... Вроде, рядом...

Вашко, не в первый раз бывавшему в Тбилиси, показалось удивительным, как Стив ловко ориентировался во всех этих темных улочках и переулках. Мелькнул и исчез круглый купол консерватории, улица поползла вверх мимо университета, а они все шли и шли. Справа темнело пятно парка с густыми кронами деревьев. Возвышался на столбе постамента какой-то бюст. Рядом с ним «стекляшка» кафе...

— Иосиф, ты хорошо читаешь. Посмотри, кому это памятник.

Вашко по ступеням приблизился к постаменту и попытался разобрать буквы. Из-за темноты, а может, просто они так витиевато были написаны, ему это не удалось.

— Тогда ниже памятника должен быть такой мостик... Нет, арка, а наверху сидит клоун. Есть такой?

Вашко, чертыхнувшись про себя, поплелся еще ниже по аллее. Деревья бросали густую тень на землю. В аллеях было темно и жутковато. Показалось какое-то сооружение, похожее на арку. Сверху на него, оскалившись, взирало некое латунное или бронзовое чудище с выпученными глазами.

— Стив, — позвал Вашко Эпстайна. — Стив!

Но тот куда-то исчез.

«Вот так незадача, — подумал Вашко. — Куда он мог запропаститься?»

— Стив!

— Тут я... — появился со стороны близлежащего самого обычного дома американец. — Все верно! Это парк Мзиури, это памятник писателю Думбадзе, а этот дом нам и нужен. Вперед!

Дом был самым обычным, без всякого грузинского колорита. Поднявшись по лестнице, они остановились перед сорок девятой квартирой. Дверь была незаперта, а из комнаты доносились смех и легкий шум, такой, который обычно не вызывает недовольства соседей или заставляет их стойко смиряться с неизбежностью.

Звонка не было, и Стив осторожно приоткрыл дверь, оставляя Вашко за спиной.

— Куда мы пришли? — поинтересовался Иосиф Петрович. — Не гостиница, не офис...

— Квартира. Здесь живет Резо Уригашвили. Корреспондент. У него обычно собираются собратья по перу.

Они вошли. Из магнитофона или проигрывателя лилась тягучая немного грустноватая грузинская мелодия. Шум доносился сразу из нескольких комнат. В одной шел давний, судя по всему, банкет. В другой несколько молодых людей и девушек вели спор. На кухне долговязый субъект с прической и носом великого Гоголя сосредоточенно варил кофе.

— Вы Резо? — спросил его Стив. Тот махнул куда-то в сторону комнат.

Не оказалось Уригашвили и в комнате жарко дискутирующих о демократии и власти. И только в третьей, откуда доносилась музыка, где был стол с остатками еды и закусок, обнаружился хозяин квартиры.

— Вы спрашиваете Резо? — жгучий брюнет с мягкими, покатыми, словно из теста вылепленными, формами и круглыми маслянистыми глазами встал из кресла у окна, откуда удобно было наблюдать за происходившим — похоже, ему доставляло огромное удовольствие наблюдать за тем, что делается в его квартире.

— С кем имею честь? — Он отер руку о широкие штаны вишневого цвета и протянул ее гостям.

Стив назвался Сергеем Ивановичем, Вашко настоящим именем.

— Ларсен сказал, что мы можем найти у вас Александра Тягны-Рядно.

— Ах, Ларсен... Где он? Почему не с нами?

— В Сухуми.

— Ах, там... Простите, кого вы ищете?

Стив повторил имя фотокорреспондента.

— Тягны! — заорал на всю квартиру Уригашвили. — Где ты? Покажись! За тобой пришли...

Пьяненькая компания подхватила:

— Рядно, Рядно, вылазь...

— Да он уже ушел, — грустно произнес появившийся в комнате «Гоголь» с кофеваркой в руке. — Дела, сказал, у него какие-то.

— Какие у него дела! — игриво возмутился хозяин. — Сейчас все дела здесь, у меня. Разве не так, братья-борзописцы и бумагомаратели?

На пороге появился красивый блондин — в рубашке, пиджаке и при галстуке; он как-то не гармонировал со всей остальной бесшабашной компанией. Он пришел из комнаты, где дискутировали.

— Иозас! — заорал хозяин. — Иди сюда, мил человек, хочешь я спою тебе колыбельную, как пела твоя мама? Хочешь? — Он принялся мурлыкать под нос мелодию, которая ему никак не удавалась. — Ладно, потом спою... Вспомню. У вас, литовцев, простые мелодии, не то, что у нас, с переливами...

— Вы ищете Тягны-Рядно? — с сильным акцентом произнес литовец, отводя взгляд от Вашко и пристально глядя на Стива. — Я тоже его ищу... Может быть, составите компанию?

— Я сейчас объясню, где он обретается, — произнес «Гоголь», допивая кофе из крохотной, как наперсток, чашечки. — Это не так далеко — до консерватории вниз по улице, потом на Руставели к самому Шоте и за угол... Там от Союза журналистов фотолаборатории на чердаке. Он там. Спросите, вам всякий скажет!

И махнув рукой, снова ушел на кухню.

— Ты чего-нибудь понял? — поинтересовался Вашко у Стива.

Тот неопределенно пожал плечами.

— Я знаю это место, — приободрил их Иозас. — Давайте знакомиться. Меня зовут Липнявичус. Я из Вильнюса. Работаю в газете «Атмода». Вы тоже журналисты? Откуда?

— Из «Московского комсомольца», — брякнул первое пришедшее на ум название Вашко и тотчас спохватился — очень уж его солидная внешность с лысиной и усами не подходила для молодежной газеты.

— А товарищ? Или у вас принято — господин? — не отставал Липнявичус, выходя из подъезда на улицу.

— Фотокорреспондент, — опять ответил за двоих Вашко.

— Стало быть, пишете — вы? — спросил новый знакомый.

— Нет. Я экспедитор! — отчего-то разозлился Вашко. — Простой экспедитор. У вас есть в Литве экспедиторы?

Новый знакомый отчего-то усмехнулся.

— В Литве все есть, — многозначительно обронил он.

Вашко получил неожиданный тычок кулаком в бок. Обернувшись, он увидел, как Стив шагнул в сторону, резко развернулся и будто бы растаял в проходном дворе. Ничего не понимая, он тоже хотел остановиться, но поняв, что происходит нечто неладное, постарался не выказать своего замешательства.

«А может, мне следовало идти за ним? — мучался он вопросом. — Черт, ничего не понял... Будь что будет! Иду дальше с литовцем».

— Какого рода издание вы представляете? — догнав литовца, спросил Вашко. — Я не знаю вашей прессы. Демократическое направление или консервативное?

— Странно, — с усмешкой произнес «журналист». — Мне казалось, что в «Московском комсомольце» наша газета известна — мы народнофронтовцы.

— Ах, да-да... — пробормотал Вашко и, сделав вид, что завязывает ботинок, оглянулся: Стива сзади не было.

— И кем вы там работаете? — настигнув Липнявичуса, поинтересовался Вашко.

— Ответственным секретарем.

— Это, знаете, меня всегда смущало, — довольный, что ему удачно удается поддерживать беседу на незнакомую тему, произнес Вашко. — Казуистика журналистская... Если есть ответственные, значит, остальные — безответственные?

Липнявичус обернулся и обнаружил, что спутник Вашко исчез.

— А где же Сергей Иванович? — обескураженно спросил он. — Ведь вышел вместе с нами...

— Сам не пойму. Может, чего забыл у Резо?

— У Резо? Хм... Странно. Он что, раздумал идти в мастерскую?

— Может, с животом чего... — предположил Вашко. — С утра мучается, ежели между нами; так его крутит, так крутит... Наверное, вода не подходит.

— Подождите меня здесь, — попросил Липнявичус. — Я мигом, — и ринулся назад к дому, от которого они не отошли и на сотню шагов. — Обязательно дождитесь!

«Эк тебя разобрало... — удивился Вашко. — Но мне тебя ждать особого резона нет. Еще неизвестно, что ты за птица...»

Он собрался было спрятаться в какой-нибудь подходящий подъезд, благо было их рядом предостаточно, но в этот самый момент ему показалось, что его кто-то окликнул по имени. Он посмотрел в ту сторону: метрах в двадцати, около телефонной будки, отчаянно жестикулировал Стив: «Сюда! Сюда!»

Вашко сломя голову бросился к нему. Пробежав квартал или два, они остановились, чтобы отдышаться.

— Зачем нам этот литовец? — произнес Стив. — А вдруг Александр не стремится к этой встрече...

— Да, неудобно приводить незнакомых, — многозначительно заметил Вашко, отирая пот с лица. — Тем более, что нам не ясны его цели. «Мне тоже нужен Тягны-Рядно!» — передразнил он голос литовца. — Всем нужен...

— Пошли быстрее! Я знаю туда дорогу... Мы должны опередить этого хрена!

И они побежали. Конечно, это был не стайерский бег, особенно у Вашко, но минут через двадцать они оказались возле указанного «Гоголем» дома. Чердачные окна светились — в мастерских шла таинственная фотографическая жизнь.

Потом, когда Вашко воссоздавал события той ночи, он так и не мог понять — откуда Стив так хорошо знал город и этот дом. То ли Ларсен успел рассказать про эти мастерские, то ли когда-то давно, о чем Эпстайн не распространялся, он был в Тбилиси. Правда, вообще его осведомленность об улицах, памятниках и скверах столицы Грузии поражала. «Наверное, не в первый раз все-таки здесь...» — решил Вашко и, честно говоря, он ошибался — в первый. Другое дело — Стив когда-то давно, лет восемь назад, готовился к «мероприятию» в Тбилиси и просмотрел все справочники, фильмы, каталоги и путеводители, которые существовали в Лэнгли.

Добравшись до чердака, они постучали в дверь. Она оказалась незапертой. Проникнув в коридор, Стив набросил на всякий случай крюк на входную дверь, и эта предусмотрительность тоже не осталась незамеченной Вашко.

В коридоре никого не было. Но из одной из комнат доносились сдержанные голоса.

16 Зак. 4402 Н. Александров

В центре помещения, похожего больше на зал для занятий бальными танцами — столько там было света и зеркал, — на треноге стоял здоровенный фотоаппарат. Из-под белого зонта светила сильная прожекторная лампа, заливавшая помещение ровным светом. Стив зажмурился на секунду и вскоре мог рассмотреть мастерскую: одна стена была выкрашена красной краской, множество фотографий валялись на подоконниках, столах, просто на полу. У фотоаппарата, примерно такого, как показывают в старинных фильмах, суетился невысокий толстенький грузин в полосатых штанах и жилетке. В кресле у стены сидел заметно погрузневший с тех пор, как Стив последний раз видел его, Александр. Тягны-Рядно держал в руке наполовину пустую бутылку вина и смотрел на натуру — обнаженную девушку, поставившую стройную ногу в черном чулке на фанерный куб. В руках у нее был огромный букет искусственных цветов, на голове — черный шелковый цилиндр.

— Александр! — воскликнул Стив с порога.

Все удивленно обернулись. Тягны-Рядно, похоже, не узнавал бывшего студента МГУ. Это было и неудивительно — виделись они всего два или три раза и так давно, что не мудрено забыть не только лица, но и фамилии.

— Я — Эпстайн, — без обиняков заявил Стив. — Можно вас на пару слов?

Фотокорреспондент встал с кресла и пошел навстречу Стиву.

— Вы ко мне? — удивился он.

— Я Стив Эпстайн, — еще раз отрекомендовался американец.

— Стив Эпстайн... — мучительно соображал Тягны-Рядно, роясь в памяти. — Из Англии? Фото-ревью?

— Из Америки. Ну, вспоминай, вспоминай... МГУ! Факультет...

— Философии?! — то ли спросил, то ли утвердительно ответил Тягны-Рядно. — Как же, как же... — похоже, он так ничего и не вспомнил.

— Я хочу поговорить с вами без свидетелей.

Тягны-Рядно окинул взглядом помещение, посмотрел на ничего не понимающего фотографа, натурщицу, продолжавшую в оцепенении позировать возле фанерного кубика, и вышел в коридор.

Стив тотчас вышел следом, а Вашко не оставалось ничего другого, как выйти за ними.

— Это мой приятель... — кивнул в сторону Вашко Стив, — он нам не помеха.

— Слушаю вас... — В голосе Тягны-Рядно, оправившегося от удивления, Вашко почудилось едва скрытое напряжение.

— Вам говорит что-нибудь имя Роберта Вила? — без обиняков начал Стив.

— В первый раз слышу. — Глаза его забегали от Вашко к Стиву. — Кто вы такие? Из КГБ?

— Нет, уважаемый Александр Рэмович, — довольно добродушно, насколько ему это удалось, произнес Стив и чутким ухом уловил хлопок автомобильной дверцы где-то далеко внизу, а потом и шаги на лестнице. — Если меня не подводит десятое чувство, то люди из этой весьма уважаемой организации — там. — Он ткнул пальцем в сторону предусмотрительно запертой двери. — Я — Стив Эпстайн. Отвечайте, где Роберт, — вы дружили с ним давно, и он еще в студенческие годы подарил вам свой «Кодак».

— Не знаю никакого Роберта... — потерянно посмотрел фотокор на входную дверь. — Что вам вообще от меня надо?

В дверь постучали. Робко, осторожненько. Фотограф, который оставался в зале, выглянул в коридор и посмотрел на Тягны-Рядно. Тот отчаянно замотал головой — не открывай.

— Кто там? — закричал фотограф в сторону двери.

Приглушенный расстоянием голос произнес:

— Здесь лаборатория Зураба Гуридзе?

— Я есть сам Зураб Гуридзе. Что надо?

— Поговорить.

Фотограф посмотрел на московского корреспондента, тот замотал головой еще отчаяннее.

— Сейчас, минуточку, уважаемый. Я только спрячу фотобумагу и пленку... — Подскочив к Стиву и фотокорреспонденту, он зашептал: — Клянусь мамой — это из милиции. Есть второй ход! Он за тем шкафом и ведет на балкон тети Зилицы. Скажете, что от меня, и извинитесь... — Он повернулся в сторону двери: — Минуточку. Сейчас возьму ключи. Интересно, кому это на ночь глядя потребовался бедный Зураб? Что, разве дня мало?..

В дверь постучали гораздо требовательнее:

— Открывайте! Милиция!

— Ах, милиция! — запричитал фотограф. — Это

совсем другое дело. — Он захлопнул дверь, ведущую на балкон, потом проскочил в залу и принялся сдирать с себя брюки и жилетку. — Девочка, быстренько в позу номер ноль... Так надо, дорогая.

Девица привычно и с улыбкой на устах принялась снимать то малое, что еще на ней оставалось: шляпу и чулки.

Дверь в коридоре рухнула в тот самый момент, когда Зураб и фотомодель, абсолютно голые, прижались друг к другу...

Завидев на пороге комнаты нескольких мужчин при пиджаках и галстуках, а одного и с пистолетом, девушка сперва тоненько вскрикнула, а потом пронзительно заверещала.

— Вы Зураб Гуридзе? — спросил лежавшего на полу обнаженного фотографа один из пришедших, тоже грузин, за спиной которого стоял высокий интересный мужчина с негрузинской бледностью в лице.

— Простите, но я не могу дать вам паспорт... В данный момент у меня нет кармана...

— Это действительно Зураб Гуридзе, — подтвердил один из вошедших, поглядывая на блондина. Я его знаю лично...

— Здравствуйте, батоно Вахтанг, — осклабился Гуридзе. — Я не признал вас сразу.

— Оставь девушку, Зураб.

— Нэ могу даже по приказу КГБ — она же без одежды. Я ее закрываю собой!

— Надо осмотреть все помещения... Может быть, они здесь! — приказал блондин и вышел в коридор.

Похоже, что ходом «через балкон» пользовались часто. Во всяком случае, стоило появиться там всей троице и постучать в стекло, как тотчас в квартире вспыхнул свет и страшная старуха в цветастом халате и с седыми, распушенными, словно пакля, волосами, грозно шевеля крючковатым носом, принялась отпирать дверь. Ругалась она вполголоса и по-грузински, так что никто из троих ничего не понял. Но старуха не была слепой. Она стремительно перешла на русский:

— Ах, Зураб, Зураб... Все такой же проказник. Но раньше от него выходили только девушки, а сегодня мужчины. Причем сразу трое. Вай мэ! Горе... Ладно, проходите. Платить как договорились — он или вы?

— За что платить? — шепча, склонился к самому уху старухи Вашко.

— Как за что? — изумилась она. — За сохранение тайны супружеской неверности.

— Чьей, нашей или Зураба?

— Вай мэ, какой скупой — я сохраню любую... — Он сунул ей в руки купюру и последовал вглубь квартиры, где у входной двери его уже ждали Стив и фотокорреспондент.

— Давай быстрее! Пока здесь чисто... — Стив кивнул на лестницу.

Вашко скользнул за дверь. Старуха поднесла деньги к глазам. Они были странные, непривычные, бело-зеленого цвета, и из овала гравюры на нее смотрел незнакомый мужик с длинными волосами.

— Вай мэ! Это что за деньги такие? «Ю-С-А», — прочла она английские буквы. — Десять долларов! Вай мэ! — она юлой проскользнула к входной двери, путаясь в полах халата, и заорала вниз: — Эй, молодой и красивый, приходи еще! Хорошо платишь!

— Приду... — растаял внизу голос убегавшего Вашко.

ГЛАВА 43. МИНИСТЕРСТВО БЕЗОПАСНОСТИ. ЛУБЯНКА. МОСКВА

Что-то опять плохо работала междугородная связь. Карелин ждал звонка вечером, но Тбилиси молчал. Не позвонил Липнявичус и утром. Это и пугало и удивляло одновременно. С тех пор, как Грузия объявила самостоятельность, подразделения бывшего КГБ как-то рассыпались сами по себе. И отправляя туда Иозаса, Карелин не знал, на кого он там будет опираться, кто сможет оказать ему помощь. Все было зыбко и неопределенно.

Зазвонил телефон. Алексей, истомленный ожиданием, сорвал торопливо трубку и только потом понял, что это аппарат внутренней связи.

— Слушаю, Карелин.

— Алексей Николаевич, это говорит Киселев. Можете зайти ко мне через пяток минут?

— Есть, товарищ генерал.

До самых недавних пор Киселев не имел к Карелину никакого отношения — он не являлся начальником, курирующим контрразведку, но он был из «старых» — не из тех, кто пришел с министром из милиции. Роль его возросла, как ни странно, не по служебной лестнице — до заместителей председателя КГБ он так и не добрался. Однако в те дни, когда Ельцин, испуганный августовским путчем, начал перетряхивать «органы» и под угрозой оказались основные службы, на почти подпольном, конспиративном совещании узкого круга проверенных сотрудников его выдвинули на руководящий пост в ОКО ГБ — общественный комитет. Припомнилось, что Киселев — тихий незаметный генерал, неплохой работник, который не выпячивал грудь для орденов, не лез на глаза начальству и к председателю в кабинет, а тихо тянул свою лямку...

— А, Алексей Николаевич! — выходя из-за стола и протягивая для приветствия руку, произнес Киселев.

На нем, как всегда, был безукоризненного покроя пиджак темного цвета, галстук в тон рубашке.

Карелин, влекомый рукой Киселева, удерживавшей его за локоть, подошел к самому удаленному от письменного стола темноватому углу кабинета. Там стояли вдоль стены стулья для посетителей. На них они и сели.

— Так будет лучше, — с многозначительной улыбкой произнес Киселев и сделал жест, как будто прижимал к уху телефонную трубку.

— Что Тбилиси? — шепотом поинтересовался Киселев, подпирая кулаком подбородок и глядя прямо в глаза Карелину.

— К сожалению, не позвонил...

— Ты думаешь, оп задержал этого американца?

— Думаю, что пока нет. Но то, что он находится в непосредственной близости от них, уверен.

— Это хорошо... Си-Эн-Эн вчера показывало этих субчиков. Банька понимаешь, шашлыки — все как положено. Физиономии — как после отпуска в Сочи.

Карелин при упоминании Сочи поморщился — ему еще не забылась история с вертолетом и «мерседесом» на пляже.

— И вот тут у меня возникла одна мысль, но надо посоветоваться.

— Слушаю, Леонид Николаевич.

— А что если мы вообще не будем их задерживать...

— Как это? — не понял Карелин.

— А так! Американцы к ним всякий интерес, похоже, потеряли. Ограничились, так сказать, публичным довольно эффектным жестом: провели для журналистов пресс-конференцию. Про Эпстайна они кричать и не будут. Точно так же, как и БНД Германии о Шлезингере. Что касается Вила, то давай размышлять — много ли он узнал в новом здании посольства? Ну, порылся в наших старых разработках, проверил внешние приемники подпитки, предположим, что даже понял их устройство. Что дальше? Все это и так известно американцам, благодаря нашему дураку. Вот и выходит, что этим задержанием мы не откроем ничего нового ни для себя, ни для них...

— Я не очень понимаю, товарищ генерал, — совершенно растерялся Карелин. — Надо сворачивать операцию?

— Погоди. Теперь давай посмотрим наши дивиденды. Кто получал задание поймать? Ты? — Нет. Я? — Нет. Сам Баранников! Вот пусть он и продемонстрирует свой опыт и тактические навыки. Дело на контроле президента — с Баранникова и спросят. Может быть, это натолкнет Ельцина на мысль, что в службах безопасности одной преданностью не обойдешься. Для нас же этот немецко-американский коктейль неинтересен. Ты согласен?

— В этом вы, товарищ генерал, правы...

— Но вот тут, Алексей Николаевич, мы подошли с тобой к самому главному — Вашко!

— Есть там такой отщепенец, — быстро и решительно произнес Карелин. — Бывший подполковник милиции, бывший сотрудник уголовного розыска.

Киселев поморщился, будто у него разом заболели все зубы.

— Не делай, Алексей Николаевич, скоропалительных выводов. Иосифа я знаю с младенческих лет. Считай, вместе родились, вместе женились...

Карелин внутренне напрягся — он боялся, что генерал сейчас попросит его о чем-то таком, что не вяжется с его — Карелина — пониманием долга и чести.

— Вот его надо задержать всенепременно.

Карелин вздохнул с облегчением.

— Что с ним произошло, я не очень понимаю. Как он попал в эту компанию — тем более. Но то, что он всегда куда-нибудь попадает, — это факт, не требующий как говорится, доказательств... Бедовая головушка! Может, помнишь историю с журналистом Орловским? Который уехал в Швецию?

— Нет, — честно признался Карелин.

— Так вот, там Вашко работал против всех — своих, наших, то есть милиции, КГБ... Причем происходило это не вчера, а позавчера, когда приснопамятная перестройка граничила с застоем. И все службы работали как надо.

— Крепкий орешек!

— Вот именно, — подтвердил Киселев... — Этого Вашко надо задержать и доставить в Москву в целости и сохранности.

— А если окажет сопротивление?

— Хм-м-м... — задумался Киселев. — И с сопротивлением задержать. Как в кино: живым или мертвым. Понимаешь, он не должен уйти на их сторону... И не подумай, что это опасно конкретно для меня. Мне на это насрать и растереть. Просто я хочу еще раз попробовать кое-что втемяшить в его лысую голову.

— Понял, товарищ генерал.

— Ничего ты не понял... В части Вашко мы работаем на ОКО ГБ — это будет наш успех, в части незадержания Эпстайна и Шлезингера мы тоже работаем на ОКО, но против баранниковского МБ. Теперь понял?

— В общих чертах... Я пойду? Может, Липнявичус прорвется из Тбилиси.

ГЛАВА 44. ТБИЛИСИ. ГРУЗИЯ

Тягны-Рядно отдал синюю книжицу с гордым американским орлом Стиву, тот спрятал свой паспорт в карман.

— Удостоверились, что не из КГБ?

Фотокорреспондент посмотрел на звезды, усыпавшие яркий южный небосклон, и вздохнул.

— Он действительно пришел ко мне в тот день... Слушайте, может, пойдем в гостиницу? Сядем, поговорим спокойно.

— Боюсь, что как раз там спокойно мы и не поговорим, — заключил Стив. — Ночь теплая, и здесь, на лавочке, нас никто не будет искать.

Они сидели под деревьями в парке «Мзиури». Вашко, прохаживающийся на некотором удалении, то поглядывал на дорогу, то изучал в темноте многофигурную композицию памятника: проказливый мальчишка с собакой, два старика, одна пожилая женщина. Когда-то давно он читал повесть Думбадзе «Я, бабушка, Илико и Илларион» и теперь не без любопытства рассматривал героев этого произведения, правда, отлитых в бронзе.

— Продолжайте, — попросил Стив.

— Он пришел. Мне показалось, что он чем-то здорово встревожен или напуган. Никогда раньше я не видел Роберта таким. Веселый, улыбчивый, настоящий фанат фотографии — это у него еще со студенческой скамьи. Может, помните, мы в МГУ даже делали совместную с ним фотовыставку? Нет? Хорошая была экспозиция! Я снимал его «Кодаком», а он моим «Зенитом». Так она и называлась: «Москва глазами двух студентов». Пользовалась успехом.

— Если можно, о Роберте, — попросил Стив.

— Да-да, конечно... Мы перекусили, я ему постелил на раскладушке, но он всю ночь не спал — часто подходил к окну и смотрел на улицу. Я понял, что он кого-то боится. Но кого? Не знал... Утром он сказал, что пойдет просить убежища. Я удивился, попытался отговорить его от этого шага. Говорил, что все в развале, жрать нечего и всякое такое. Он подумал и ничего не сказал. А потом...

— Что потом?

— Потом он спешно засобирался.

— Куда? В посольство?

— Нет. Я не знаю, куда. Кажется, он и сам этого не знал. У него была потребность куда-то идти, все равно, куда. Мне пришлось его заставить рассказать все.

— Ну и?..

— Вам что-нибудь говорит название фирмы «Фрэнсис Беннет и сын»?

— Не больше, чем вам! Не удивляйтесь — я не обязан знать все фирмы, даже если они и расположены в Штатах...

— Мне тоже ничего не говорит. Но Роберт все время упоминал ее. Говорил о ней даже в те короткие мгновения, когда удавалось ему заснуть. Хотя все это больше походило на бред.

— «Фрэнсис Беннет и сын»? — повторил Стив. — Нет, не помню. Чем она хоть занимается? Вы знаете?

— Кажется, производством строительных материалов.

— Строительных? Причем здесь это?

— Не знаю — я так этого и не понял. Понял только одно — он боялся России и точно так же вашей страны.

— Любопытно. А вы не могли чего-нибудь перепутать? Вообще-то он походил на здравомыслящего?

— Иногда не очень.
— В чем это выражалось?
— Он сказал, что его облучили...
— Облучили? Чем? Чушь какая-то...
— Я понял, что когда он лазил по лесам или где-то там на самом верху крыши нового посольства и проводил какие-то исследования — какие не сказал, — он внезапно почувствовал себя плохо. Потом это пропало, а потом возобновилось так резко, как будто включили рубильник.

Стив пристально посмотрел на говорившего, но фотокорреспондент уставился на носки своих ботинок и не заметил проскользнувшего в глазах Эпстайна удивления.

— Потом это снова пропало, затем начало повторяться все чаще и чаще. Вроде бы Роберт проверил это на приборе — шел мощный поток узконаправленного электромагнитного излучения. Вроде бы его не хотели подпускать к этому углу здания. Тогда он продолжил поиски в другом месте, в противоположном углу здания, но тоже в районе крыши. Сперва ничего не было, а потом повторилось с еще большей силой. Он говорил, что это весьма неприятное чувство, на какие-то мгновения голова просто раскалывалась от боли, хотелось все бросить и бежать куда глаза глядят... Именно после одного из таких приступов он и обнаружил, что вышел из посольства и довольно далеко ушел по улицам в сторону Арбата. А на Арбате, как вам известно, живу я. Давно, со студенческих лет. Вот так он и появился у меня...
— Только причем здесь «Фрэнсис Беннет»?
— Этого я не знаю. Знаю только, что он все время вспоминал эту фирму.
— Где он сейчас? — внутренне боясь ответа, поинтересовался Эпстайн. Голос его напрягся, он боялся выдать волнение.
— Здесь, — спокойно ответил Тягны-Рядно.
— В гостинице? В Тбилиси?
— Не в гостинице...
— Где?
— На частной квартире. У моей знакомой.
— Так-к-к... — процедил с облегчением Стив. — Интересно, чего он хочет в дальнейшем?
— Прошли первые переговоры. Пока предварительные... Может, все образуется так, как он хочет...
— Чего-чего? Какие еще переговоры?

— А такие, — фотокорреспондент встал со скамьи и зябко передернул плечами. — Холодно, а еще Грузия.

— И все же — какие переговоры?

— О политическом убежище в республике Грузия. Это, по сути дела, третья страна: не США и не Россия. Здесь ему бояться нечего. Я его поддержал в этом. Кое-что помог предпринять...

— На что он собирается жить?

— Если его действительно примут на эту должность, то, поверьте, ему нечего будет беспокоиться о хлебе насущном. Грузины сейчас формируют новые органы безопасности. В них нужны толковые специалисты. Если все будет, как предполагается, то пост технического советника этого департамента ему гарантирован. Кроме того, он предпринял акцию по переводу части своих средств из Штатов.

— Каких средств? Откуда? Недвижимость, что ли, продает? По доверенности? — Стив вскочил с лавочки и энергичным движением принялся отряхивать брюки.

— Каких? — фотокорреспондент посмотрел странноватым взглядом на Стива и сделал неуверенную попытку закрыть собственной рукой рот. — Господи... Как я до этого раньше не додумался? Я же сам передавал эти бумаги...

— Кому? — со странной безучастностью поинтересовался Стив.

— Дагу Ларсену. Телевизионщику из Си-Эн-Эн. Он на днях выезжает в Штаты и там их должен передать доверенному лицу Вила.

— Очень любопытно. Но что вас так испугало?

— То, что там тоже упоминалась фирма «Фрэнсис Беннет и сын».

Стив расхохотался:

— Вот колечко и замкнулось! Неужто капиталы Вила имели отношение к той фирме, которая делала строительные материалы для посольства? Но тогда он своим расследованием и благодаря подарку экс-председателя КГБ Бакатина рыл яму под свои акции или что там у него было... А он про лучи! Ха-ха... Лучи смерти! Русские жгут специалиста на крыше посольства! Вот где корень-то. Вот!

Теперь что получается... Он спокойно, с помощью Ларсена или какого-нибудь другого доверенного лица, переводит деньги сюда и открывает здесь свой бизнес...

— Он не говорил про это, — возразил фотокорреспондент.

— Ну так скажет... Рано или поздно вся эта чепуха с «Фрэнсисом Беннетом и сыном» раскроется, поднимется приличный шум — они работали на КГБ — и плакали его вложения. С другой стороны, Вил, задержавшись здесь, перекачивает «мани» в Тбилиси, женится, и, как говорится, цветет и пахнет. Мне представляется, что стопроцентному «янки» всюду неплохо, особенно там, где смотрят в рот человеку с запада. Здесь преклоняются перед западом, Александр?

— Как и всюду, Стив! Вы его оставите в покое?

— Для этого мне сначала надо поговорить с ним самим.

— Вы считаете это необходимым?

— Безусловно. Если он после моего разговора решит остаться, я не буду препятствовать. Но некоторые расписочки я у него должен буду забрать в любом случае. Итак, где он?

— Пошли...

ГЛАВА 45. ТБИЛИСИ. ГРУЗИЯ

— И все же у вас сумасшедшие ночи, — зевнув, произнес Липнявичус. — У нас в Литве не так — туман, туман... А здесь каждая звездочка по отдельности.

С заднего сидения «Волги» отозвался черноволосый красавец Гвизандария:

— Приезжай летом, когда Шеварднадзе всех помирит — такой шашлык на природе устроим. Месяц, клянусь мамой, барашка буду одними орехами кормить. Вкусный будет, что первая девушка на сеновале...

— И вино будет? — принял игру Липнявичус.

— О чем спрашиваешь, дорогой... Какой хочешь — изабелла, гурджани, напареули... А можем от деда привезти — у него такой большой кувшин — квери — в землю закопан, всю Москву поить будем.

— Сколько времени? — спросил сидевший рядом с Гвизандарией Вахтанг Колидзе. — Часов пять?

— Без четверти... — ответил Гвизандария. — Скоро светает...

— А фотографа все нет, — сказал Липнявичус. — Как думаешь, не обманул нас Гуридзе?

— Нэт, — авторитетно заверил его Гвизандария. — Ему нет смысла. Я ему потом устрою веселую жизнь! Девочки, вино, понимаешь... Если бы он хотел надуть, то назвал бы адрес гостиницы: мы, правда, его и так знаем... Но он сказал честно — не пойдет он сегодня в «Мцхетию». Значит, ждать надо у знакомых. А знакомые где-то здесь... Плюс — минус три дома!

— Должен, должен появиться, — добавил Вахтанг Колидзе. — Подождем еще немного... Лучше скажи, Иозас, о чем вы там в Москве думали, когда Бакатин эту глупость сделал? Его, понимаешь, на такую должность ставили, а он... Судить надо!

— Да ни о чем не думали, — обернулся Иозас. — Со мной, что ли, советовались? Это все политика, а не думы о государстве. Зачем-то нужен Ельцину был такой подарок...

— Зачем?

— Сам подумай.

— Да... Как нас раньше в школе КГБ учили — все, что совершается, не совершается без чьего-нибудь умысла. Кому-то это нужно!...

— Тихо, мужики! — насторожился Липнявичус. — Шаги. Кто-то идет.

Действительно, со стороны переулка, где возвышался красивый старинный дом с резной верандой и причудливой высокой башенкой, увенчанной шпилем, приближался мужчина. Он часто оглядывался, подозрительно озирался по сторонам.

— Кажется, он, — прошептал Липнявичус, сползая ниже по сиденью, — его примеру последовали Колидзе и Гвизандария.

Бросив взгляд на «Волгу», притулившуюся на ночь у подъезда соседнего дома, Тягны-Рядно взялся за ручку калитки и исчез в полумраке сада. Потом зажегся огонь на веранде и хлопнула другая дверь.

— Не обманул, — прошептал Липнявичус.

— Будем брать? — спросил Колидзе.

— А где остальные? Американец и Вашко? — поинтересовался Гвизандария. — Хорошо бы всех вместе...

— Вместе, кажется, уже не получится, — с досадой произнес Липнявичус. — Хоть синицу в руках подержать бы... Сколько можно гоняться...

Они вышли из машины и бесшумно открыли калитку, за которой совсем недавно исчез фотокорреспондент. В саду под деревьями в напоенном ароматами цветов густом воздухе мелькали в вихре понятного только им танца огоньки светлячков.

Крыльцо дома было сделано из плиточного камня, и подняться по нему без лишнего шума не составляло труда. Но веранда оказалась с весьма ветхим полом, и старинные еловые доски, отполированные временем, предательски скрипели.

— Погоди, дорогой, — отстранил Гвизандария Липнявичуса и передернул затвор пистолета. — Первый раз шпиона в своей жизни вижу. Всякое может быть... — Он рывком распахнул дверь и единым махом оказался в комнате, за ним ворвался Колидзе, тоже с пистолетом в руке. Что же касается Липнявичуса, то оружия у него при себе не было.

— Всем оставаться на местах! — заорал Гвизандария. — Проверка документов! Милиция...

Но в комнате никого не было, следовательно, никто и не поспешил исполнить приказание.

— Кто там пришел? — послышался недовольный женский голос. — Это опять ты, Гоги? И когда кончится весь этот бедлам... Опять был у Резо?

Гвизандария переглянулся с Колидзе и отдернул парчовую занавесь. В постели под расшитым цветами одеялом лежала женщина. Лицо ее было обернуто к стене, и если бы даже глаза у нее были открыты, она все равно бы не видела вошедших.

— Уважаемая, — обратился к ней Гвизандария. — Можно попросить вас встать...

Женщина повернулась и удивленно уставилась на вошедших. Потерев глаза кулаком, она зажмурилась, словно пытаясь прогнать сновидение, потом помотала головой, но виденье не рассеялось — перед ней стояли три мужика с пистолетами в руках.

— А-а-а... — завыла она на высокой ноте. — Люди добрые, что это происходит! Вай мэ... Позор на мою седую голову... Кажется, они хотят делать насилие...

— Тс-с-с... — подскочил к ней Колидзе и зажал рукой рот. — Тихо ты. Мы из милиции. — Он неожиданно отдернул руку и затряс ей в воздухе.

— А-а-а... — снова заверещала женщина.

Колидзе со всего маху припечатал к ее лицу небольшую подушечку, лежавшую в изголовье.

— Кусается, понимаешь...

Женщина испуганно хлопала глазами. Колидзе поправил подушечку таким образом, чтобы женщина могла дышать носом.

— Кто еще здесь живет? — спросил он. — Отвечай!

— Как же она ответит? У нее же рот закрыт, — прошептал Липнявичус.

— Глазами пусть отвечает. Если «да», то пусть закрывает. «Нет» — оставляет открытыми. Поняла?

Женщина закрыла глаза.

— В доме еще кто-нибудь живет? — спросил он ее.

Глаза остались открытыми.

— Как же так? — отпустил он подушку.

— А-а-а... — закричала женщина с новой силой; Колидзе нажал на подушку сильнее.

— Отойди! — отпихнул его в сторону Липнявичус. — И больше не мешай. Женщина, — обратился он к лежавшей в кровати, — я прошу вас не кричать. Я из Москвы приехал специально к вам.

— Из Москвы? — не поверила женщина и привстала на локте.

Этот посетитель был не из местных, а значит, не такой страшный — своих хозяйка боялась много больше.

— Есть кто-то в доме еще?

— Нет.

— Как же так? Мы видели, сюда только что вошел мужчина.

— Молодой, высокий и тоже из Москвы?

— Да.

— Так он не ко мне, а к жиличке. Студентка тут из университета снимает у меня комнатку. Хорошая вроде. Сама из Кутаиси. Зачем к ней будут ходить мужчины? Не знаю — не ходили, — не слишком удачно соврала она.

— Вы рано ложитесь спать?

— А что мне еще делать...

— А встаете поздно?

— Так не корову доить, и кур у меня нет.

— Где комната вашей студентки?

Женщина села на кровати, спустив ноги на пол, почесала их одну о другую и прикрыла обнаженные колени одеялом.

— А вы точно из милиции?

— Точно, точно, — пробасил из-за спины Липнявичуса Колидзе.

— Вон там, — ткнула за стену рукой хозяйка. —

Через кухню в сад по тропинке, а во дворе комната для отдыхающих. Но я недорого сдавала, честное слово. Хоть у кого спросите — всего за триста.

— Одевайтесь, — сказал Липнявичус и, махнув рукой Гвизандарии, побежал в сад.

— Вахтанг, постереги ее, а то опять кричать начнет невзначай, — дал указание Гвизандария и исчез следом за Иозасом.

Стив и Вашко, не пошедшие с фотокорреспондентом из соображений предосторожности, оказались совершенно правы. Они видели, как из ворот дома вывели сначала высокого худощавого мужчину, а потом и Тягны-Рядно и повели их к черной «Волге». Появившаяся девушка, лет двадцати пяти, взглядом провожала их до самой машины.

— Роберт, — только и сказал Стив. — Это точно он. Никаких сомнений.

— Опоздали? Да? — тронул его за плечо Вашко.

— А успели бы, так беседовали бы с ними. — Он кивком указал на машину. — Теперь нам здесь больше нечего делать. Уезжаем! Причем, чем быстрее, тем лучше...

ГЛАВА 46. МИНИСТЕРСТВО БЕЗОПАСНОСТИ РОССИИ. ЛУБЯНКА. МОСКВА

Звонок из Тбилиси от Липнявичуса последовал лишь к обеду. Карелин уже и не думал, что дождется.

В трубке постоянно что-то шуршало и щелкало.

— Я его взял, Алексей. Как говорится, без шума и выстрелов.

— Кого? — без особого энтузиазма, под впечатлением от разговора с Киселевым, спросил Карелин.

— Роберта Вила.

Карелин поморщился — всегда все шло не так, как требовало начальство.

— Молодец.

— Ты что, Алексей? Вроде, не рад...

— Рад. Молодец, Иозас. А что остальные?

— Остальных пока нет. Но они здесь, в Тбилиси. Только сегодня ночью видел лично.

— Что Вил? Говорит, почему сбежал от них?

— Пока нет. Считаешь, что надо поговорить с ним сначала здесь?

— В этом нет необходимости. Отправь его в Москву.

— Нет, Алексей. Ты все-таки не рад...

— Да рад я, рад, — уже начиная раздражаться и злиться на самого себя, произнес Карелин в трубку.

— Не знаешь, им удалось встретиться до задержания?

— Эпстайну и Вилу? Нет.

— Значит, обменяться информацией они не успели?

— Нет. Но, может быть, этот корреспондент кое-что успел поведать...

— Какой еще корреспондент? — брови Карелина полезли на лоб.

— Есть здесь один. Фамилия тебе известна. Я называл, когда мы обсуждали варианты с МГУ. Помнишь?

— Иозас, ты слышишь меня? Центр тяжести переносится на лысого, бывшего подполковника милиции — он должен быть задержан всенепременно. Это не моя просьба. Понял?

— А немца и Эпстайна? Их что, не надо?.. — голос Липнявичуса, похоже, был растерянным.

— Да, — едва смог выдавить из себя Карелин.

— Что-то произошло, Алексей? Не томи душу...

— Ничего не произошло. Просто таково указание руководства. А большего я тебе по телефону все одно не объясню.

В трубку было слышно лишь сопение Липнявичуса.

— Ты меня понял? Лысого бери...

Трубка сосредоточенно молчала.

— Алло! Ты меня слышишь?

— Слышу, — потерянным голосом произнес Липнявичус, и это было произнесено так, как будто он находился не за тысячу с лишним километров, а в соседней комнате. — Я их «уделаю» всех!

— Не понял тебя, повтори...

— Плевать я хотел на ваши интриги! — заорал вдруг Липнявичус. — Я их буду «делать» всех! До единого.

И в трубке послышались сигналы отбоя.

— Алло! Междугородняя, междугородняя! Почему разъединили?

В трубке щелкнуло, и послышался голос телефонистки:

— Поговорили? Пять минут...

— Почему разъединили? Соедините снова...

— В Тбилиси положили трубку, — сказал мелодичный голосок и отключился.

«Черт знает что! — подумал Карелин. — То надо, то не надо...»

Он взял трубку внутренней связи:

— Леонид Николаевич, — сказал Карелин. — Это я... Поступила информация из Тбилиси.

— Ну и что хорошего?

— Да ничего, товарищ генерал. Он взял Вила и хочет добыть всех остальных.

— Про Вашко ему сказал?

— Да.

Киселев замолчал — он тер рукой подбородок, и это было слышно Карелину.

— Взял так взял... — задумчиво произнес генерал. — Теперь Баранников получает из наших рук козырь. Когда, говоришь, его привезут сюда? Сегодня? Хорошо. Будешь работать с ним лично! Вдруг удастся связать его появление с бакатинским подарком. Ох и умоется тогда кто-нибудь от его сообщений...

— Понял, товарищ генерал, — чуть более радостно сказал Карелин.

— И про Вашко, про Вашко не забудь...

ГЛАВА 47. ТРАССА ТБИЛИСИ — ЕРЕВАН

Кажется, не только Бог, но и человек забыл эти места. Горы, горы и снова горы... Они громоздились слева и справа. И только дорога петляла привычно по давним караванным тропам.

«Мерседес» заурчал двигателем, в нем что-то захлюпало, и машина остановилась. Курт молча вылез из-за руля и полез под машину. Поковырявшись там, позвякав ключами, он полез в кузов.

— Что произошло? — высунулся из кабины Стив.

— То, о чем я говорил тебе еще под Ростовом. Когда-нибудь мне пригодятся запасы...

— Солярка кончилась, — понял Вашко. — Сейчас, наверное, переливать будем...

Курт долго лазил под тентом.

— Ничего не понимаю, — вылез он с весьма озадаченным видом.

— Что такое? — пошел к нему Стив.

— Как будто уменьшилось количество коробок с лекарствами.

— Намного?

— Больше, чем в половину. А взамен... — Он бросил на землю бумажный мешок. — Вот!

Из мешка посыпались обрывки газет, промасленные тряпки.

— Интересное дело, — промолвил Вашко.

И они все втроем исчезли под тентом. Некоторое время там шла порядочная возня, а потом на дорогу полетел всякий мусор.

— Ты отходил от машины? Там, во дворе у гвардейцев? — поинтересовался Стив.

Курт растирал ладонью грязь по щеке:

— Конечно. По надобностям. За водой. Но не более, чем на десять минут...

— Вот бисовы дети! — изумился Вашко. — То, что не сделали в Москве, сделали в Тбилиси. Сколько вообще коробок осталось?

— Около восьмидесяти.

— Черт с ними, — раздраженно заметил Стив. — Сколько есть, столько и довезем. Не в них счастье... Надо быстрее заканчивать эту эпопею. Основное мы уже сделали.

Курт посмотрел на Стива, потом на Вашко и промолчал. Так же молча он орудовал шлангами, перебрасывал их концы в бак, щелкал кнопками, включая и выключая насосы. Вскоре мотор привычно набрал обороты.

— Сколько до границы с Арменией? — поинтересовался Стив у Вашко.

Тот достал из ниши карту и долго водил по ней пальцем.

— Проехали, похоже... Вроде до Кировакана совсем немного. А там Ленинакан, Октемберян и до Еревана рукой подать.

— А как дорога до Карабаха? — попытался заглянуть Курт.

— А нет никакой дороги. Только вертолетом. Но это уже не наша задача. Пусть сами перебрасывают. Сдадим под расписку, и точка.

— Резонно... — ответил Стив и погрузился в долгое молчание.

Еще никогда ему не приходилось испытывать такое тягостное чувство. Фактически, он не справился с поставленной задачей. Роберт Вил! Ах, Роберт, Роберт... Что-то он сейчас говорит на Лубянке? Наверное, оправдывает все любовной историей. Мол, встретил девушку, потерял сознание, очнулся обрученным... Держать его взаперти кагэбэшникам нет никакого смысла — отдадут по дипломатическим каналам. Чего доброго он вернется в Штаты быстрее него самого... А здесь не очень-то понятно, как вообще добираться. Через Москву путь, похоже, закрыт! И остается только один — вперед, вперед, вперед...

Впереди показалось селение, может быть, небольшой город.

— Кировакан? — повернулся Курт к сидевшему у окна Стиву.

— Не похоже, — задумчиво произнес Вашко. — Кировакан гораздо больше.

Впереди забелел указатель. Курт снизил скорость, но на залепленном пылью и грязью транспаранте нельзя было разобрать ни слова, тем более, что нижняя строка — на русском — к тому же была изрядно подскоблена.

— Кас... или Каз... — не понял Вашко и снова развернул на коленях карту.

Они подъехали к центру поселка. По улице проходили, благо было послеобеденное время, горожане. Мужчины в пиджаках и, несмотря на жару, отчего-то в зимних шапках. Более того, кое-кто носил теплые зимние шарфы...

— Чудеса... — промолвил Стив, отправляя ковбойскую шляпу на затылок. — Иосиф, ты чего-нибудь понимаешь?

— Только то, что на маршруте никакого «Каз...» или «Кас...» я не вижу. Пойти спросить, что ли?

Но идти было не нужно. Машину и так уже облепили сперва вездесущие мальчишки, потом степенно подошли мужчины.

— Самая золотозубая республика... — углядев обилие благородных металлов в челюстях, сделал открытие Стив.

— Откуда едем? — поинтересовался курчавый мужчина с сигаретой в зубах; он, пожалуй, единственный был без пиджака и в рубахе с коротким рукавом, что как-то больше подходило по погоде.

— Из Гамбурга, — выходя с картой в руках, сказал Вашко. — Гуманитарная помощь. Скажите, пожалуйста, как называется ваш город?

— Давай покажу, — предложил мужчина и, развернув карту на подножке, уверенно ткнул в кружочек, с названием «Казах». — Что везешь?

— Как «Казах»? — воскликнул Вашко, оглядываясь в кабину.

А тебе куда надо было? — подозрительно поинтересовался мужчина. — Уж не в Армению ли?

– Да нет, не в Армению, — пробормотал Вашко. — Но и не в Казах...

— Что везешь? — повторил вопрос парень помоложе, но в зимней шапке-ушанке.

— Лекарства, — потерянно промямлил Вашко и полез в кабину. — Трогай, трогай, — зашипел он Курту. — Прямо и побыстрее, черт нас всех дери...

— Что такое? — склонился к нему Стив.

За окном мелькнули магазины, киоски, жилые дома и снова потянулись запыленные кусты по обочинам.

— Притормози! — приказал Вашко Курту. — Тут, понимаете, мужики... Хреновое дело.

— Да в чем, в чем дело? — непонимающе смотрели на него оба спутника.

— Мы перепутали дорогу и вместо Армении угодили в Азербайджан. Они извечные враги — воюют друг с другом. Теперь самое умное, что мы можем сделать, так это быстро уничтожить все документы, которые получили в постпредстве в Москве. А дальше идем без сопроводительных.

— К чему такая осторожность? — не понял Курт.

— Если их у нас найдут — пиши пропало...

— Тебе не все равно, кому вручать лекарства? — повернулся к водителю Стив. — Мне так на это начхать! О другом уже пора думать.

Но, как показалось Вашко, у Курта была иная точка зрения.

Вашко вынул из ниши ворох документов — там было все: и гамбургские накладные, и записки, полученные в Грузии, и письмо на армянском языке из постпредства. Отделив несколько листков, Вашко вышел из кабины и поплелся к обочине. Спичек в кармане не оказалось.

— Стив, брось коробок... — тот начал шарить по карманам.

— Есть зажигалка! — Курт ступил на подножку и готов был передать зажигалку Вашко, но что-то его остановило.

Сзади, со стороны Казаха, в облаках пыли показались машины. Их было много. Грузовики, легковушки и даже обшарпанный автобус.

Вашко принялся чиркать зажигалкой. Ветер задувал пламя, и только занялся уголок одного из листа, как их окружили плотным кольцом. Мужчина с золотыми зубами и в шарфе поверх майки ударом кулака свалил Вашко на землю. На Курта и Стива накинулся добрый десяток молодцев.

— Что они там жечь собирались? — процедил, сплевывая, старец в каракулевой папахе и запыленных сапогах.

— Вот, посмотри, муалим! — протянул ему бумаги с подожженными краями «золотозубый».

Тот погрузился в документы, но ничего, похоже, в них не понимал. Однако это не помешало ему разглядеть печати с армянским гербом — с орлами и горой Арарат.

— Шпионы! Диаспора! — процедил сквозь зубы тот, кого назвали учителем, — «муалимом». — Заблудились, сволочи... Смерть им!

И беснующаяся толпа хором принялась скандировать: «Смерть! Смерть! Смерть!»

Их свалили в одну кучу — Вашко, Стива и Курта — и с наслаждением пинали ногами. Они не видели, как взрезáлся и летел на шоссе тонкий бирюзово-синий тент кузова, как бриллиантово блестели в закатных лучах солнца осколки разбитых фар. Почти теряя сознание от боли, они почувствовали, как резко запахло в воздухе разлитой соляркой, которую они так берегли и экономили. Потом ощутили на себе липкую густую маслянистую жидкость — избитых, не способных к сопротивлению, их облили топливом.

— Огонь! — скомандовал «муалим».

— Стой! Стой! — заорал чей-то голос, прорывавшийся сквозь треск мотоциклетного двигателя.

Милиционер, усатый и смуглый, отчаянно мотался в седле, размахивая полосатой палкой. Подойдя к окруженным толпой, он пристально посмотрел в их заляпанные соляркой лица.

— Не армяне! — с удивлением произнес он, обращаясь к соплеменникам. — Зачем так?

— Вот, — подал ему бумаги пожилой в папахе. — Видишь, заблудились...

Милиционер с видом мудреца поскреб пальцем шею, небрежно перелистал бумаги.

— Правильно... Смерть! Но только не здесь! Не на моей территории. Не в районе поселка! Отвезите куда-нибудь... — Он ткнул палкой в сторону гор. — Вместе с машиной... Чтобы ни одна сволочь их не нашла.

— Слушаюсь, — почтительно приложил к груди руку старик. — Как скажешь, дорогой.

Облитых топливом, избитых, почти терявших сознание, их схватили за ноги и, волоча головой по земле, потащили к кузову «мерседеса». Там уже не было никаких лекарств — коробки давным-давно перетащили в автобус, где несколько женщин, ругаясь и шипя друг на друга, делили добычу.

Как он оказался в кузове, Вашко не понял — похоже, его, как и друзей, раскачали и бросили. Он больно ударился спиной о какой-то выступ и от резкого удара очнулся. Голова Курта со светлыми волосами безвольно лежала прямо на железной обивке дна. Из уголка рта стекала тонкая струйка крови. Стива видно не было. Вашко решил чуть-чуть приподнять голову и осмотреться, но тотчас под ним что-то зашевелилось и раздался протяжный вздох. Вашко, как мог, откатился вбок. Стив, лежавший под ним, пошевелился... Потом, в забытьи, произнес непонятную фразу на английском.

В кузов со стороны заднего борта заглянула физиономия «муалима». Окинув взглядом «злодеев», он остался доволен:

— Без сознания. Армянские собаки! Эй, Али... — К нему подскочил «золотозубый». — Наш дорогой Казихан прав: их надо везти дальше. Лучше всего подбросить их к Карабаху, рассадить по сиденьям и тогда поджечь. Потом все спишется на этих грязных собак... Если они иностранцы, это даже лучше. Армяне получат подарок от ООН!

— Слушаюсь, муалим! — приложил руку к груди «золотозубый».

Задний борт закрыли, машина тронулась.

ГЛАВА 48. МВД РЕСПУБЛИКИ АРМЕНИЯ. ЕРЕВАН

— Нет-нет, уважаемый, могу совершенно точно заверить вас, что в Ереван в последние дни не приходила ни одна машина с помощью... Более того — даже на территорию республики не входила! — подполковник Виген Саркисян клятвенно приложил руку к груди.

Липнявичус ослабил узел галстука и замотал головой.

— Не понимаю... Куда же, в таком случае, они могли деться?

Саркисян поставил на стол два хрустальных стакана и вылил в них остатки минеральной воды из бутылки.

— Как связь с Москвой? — поинтересовался Липнявичус.

— Неуверенная... Когда есть, когда нет. Тбилиси тоже вставляет палки в колеса. Делают вид, что наши проблемы их не касаются.

— Давай все же попробуем!

Саркисян взял в руки трубку телефона и долго переговаривался с телефонисткой:

— Надо, милая Ирэн, очень надо... Попроси! — Он положил трубку. — Обещала в течение часа...

Липнявичус недовольно посмотрел за окно.

— Это очень плохо, что они пропали... А аварий не было зафиксировано? Может, в больницы, в морг поступала информация?

Саркисян с сожалением покачал головой:

— Нет-нет, дорогой Иозас...

— Хреново...

— Понимаю тебя. А что, действительно крупные птицы?

— Да.

— Кто, если не секрет?

— Двое из разведки, один наш...

— Из разведки? — удивленно переспросил Саркисян. — Нашей?

— Какой, к черту, нашей... Американской и германской.

— А наш кто?

— Твой бывший коллега.

— Милиционер?

— Подполковник.

— Как фамилия?

— Вашко.

— Иосиф Петрович? — воскликнул Саркисян. — Не может быть!

— Ты что, его знал?

— Да кто ж его не знал! Хороший сыщик. О нем в свое время легенды ходили — всех вязал самолично. Вроде ни одного нераскрытого дела за ним не числилось. Стопроцентная раскрываемость. Как он попал в эту компанию?

— А этого, дорогой Виген, никто не знает. Не слышал, кто у него в милиции был в ближайшем окружении? Ну, тот, кому он доверял, как самому себе?..

— Был такой человечек. Вашко его воспитал по своему образу и подобию. Он и сейчас в розыске работает. Фамилия такая странная. С нежностью какой-то... Лапушкин? Лапочкин? Не помню... Зовут, вроде бы, Евгением. Да его вся Петровка знает. Наведи справки. Он что, тоже с ним заодно?

— Хотелось бы, чтобы нет...

Телефон взорвался пронзительными частыми звонками.

— Слушаю, слушаю! — закричал Саркисян. — Спасибо, Ирэн... Спасибо, дорогая... — Он отдал трубку Липнявичусу. — Говори! Москва!

— Алло! Карелин? Это ты? Привет, Алексей! Липнявичус. Да-да, из Еревана. Слушай, тут такое дело... В общем, я их потерял. Нет, на территорию Армении они не въезжали, нет... — Он посмотрел на Саркисяна, тот в очередной раз сделал отчаянный жест и добавил: «Клянусь!» — Поспрошай у «космиков», чего видно через их спутник... Не на одних же американцев должна работать эта штучка. Так, так... Погоди, записываю... Стоит на месте или находится в движении? Стоит! Значит, это точно они! В Азербайджане? Понял! Алексей, есть еще одна просьба — на Петровке есть такой парень, фамилия Лапушкин или Лапочкин. Звать вроде Евгением. Мне бы его сюда, а? Поможешь? Ну, не знаю — уговори, убеди, как ты это умеешь... Да он все время был правой рукой этого Вашко... Откуда узнал? Да тут на месте товарищи подсказали. Что? Да, думаю подключить — кому, как не ему, знать его повадки. Что Роберт? Молчит? Понятно, будете передавать через МИД. Значит, Баранникову неймется получить похвалу от руководства. Это можно было предполагать. Что Киселев? Вашко интересуется? Понял — Вашко... Так про Лапушкина не забудь — буду ждать в Ереване. Пока, пока. Моим привет передай — скажи, все в норме. Жив и здоров... Пока!

Саркисян налил еще минеральной воды и залпом выпил. Липнявичус, положив трубку, посмотрел в только что сделанные записи.

— Ничего не понимаю... У тебя есть карта? Где эта точка?

Саркисян отдернул шторку на стене — за ней висела

секретная «километровка». Они вдвоем подошли к ней и со всей тщательностью принялись высчитывать: «Сорок градусов тридцать восемь минут в одну сторону и...»

— Черт побери! — воскликнул Саркисян. — А «точечка»-то гадостная — это же Агдам! Самая что ни на есть горячая точка... Азербайджанцы оттуда стреляют в нас установками «Град».

— Действительно, Агдам...

— Теперь за их голову я не дам и ломаного гроша, — ворчливо заметил Саркисян. — Какого черта, спрашивается, их понесло к этим бандитам?

Липнявичус помотал головой из стороны в сторону и еще раз уставился на карту, пытаясь уличить себя в ошибке, но ее как раз и не было.

— Вчера вечером в этом самом месте, — Саркисян ткнул пальцем в карту, — шла интенсивная перестрелка. Танки, ракеты, пулеметы и всякая такая дребедень... После обеда, если привезут раненых, что-нибудь да узнаем... Может, кто и видел этих ребят. На чем они приехали, говоришь? На «мерседесе»? Приметная машина. Может, кто и заметил...

ГЛАВА 49. НАГОРНЫЙ КАРАБАХ

Вашко очнулся. Воздух вонял гарью и порохом. Слышались воющие звуки запускаемых ракет и частые автоматные очереди. И еще — неумолчный веселый и совсем неуместный щебет птиц. Машина стояла. Привалившись спиной к борту, полулежал Стив. Глаза его были открыты, и на черном, измазанном соляркой лице сверкали белки. Курт, как и раньше, лежал на полу и, похоже, был без сознания. Вокруг его почерневших губ застыла корочкой подсохшая кровь.

Вашко попытался привстать и тотчас почувствовал острую боль в запястьях. Он попытался освободить путы — ему это не удалось. Кисти рук затекли и ныли.

— Э-э-э... — простонал Курт и пошевелился.

— Давно стоим? — изменившимся хриплым голосом спросил Вашко.

— Минут двадцать... — едва шевельнул губами Стив. — Точнее не скажу... Без часов.

— Сняли? — спросил Вашко.

— Да, и не только их.

Только тут Вашко заметил, что на Стиве нет ни рубахи, ни кроссовок... Зато шляпа — старая, ковбойская шляпа — валялась рядом. Наверное, не понравилась.

То же было и с полуживым Куртом — он был одет не больше американца. И только у самого Вашко не взяли ничего — «москвошвей» не вызывал у грабителей энтузиазма.

— Что они с нами собираются делать? — спросил Стив.

— Пустят в расход...

— Но мы же иностранные граждане. Они не имеют права... Есть паспорта, документы...

— На том свете покажешь! — бесстрастно процедил Вашко и сплюнул — слюна была красной.

— Суки! — как-то очень по-московски процедил Стив.

Снаружи послышались голоса. Стив и Вашко тотчас закрыли глаза и приняли безжизненные, по их разумению, позы.

— Этих, что ли? — Бесцеремонные руки начали поднимать их с пола и подтаскивать к заднему борту. — Вроде, еще теплые... Ну, ничего... Вечером будут еще теплее...

— Что с ними сделают? — полюбопытствовал другой голос.

— Впервой, что ли... То же самое! Только командир придумал веселую штуку — рассадят их в кабину — и с откоса... Получите подарочек, братья-армяне! — весельчак захохотал, и в нос Вашко ударил запах перегара. — А для полноты картины в кузов кое-что положим. Смотрите, что вам американы везут...

— Оружие, что ли? — до ушей Вашко долетел звук падения чего-то мягкого на землю и вслед за этим стон — похоже, это был Курт, потом выкинули Стива, а потом он и сам сильно ударился спиной о землю, твердую, как камень. В голове зашумело, и приступ тошноты подкатил к горлу — его вырвало.

— Грязный свинья!.. — заорал кто-то, кого Вашко не видел, так как глаза его были плотно закрыты, но от кого нещадно несло потом. — Убью!

— Потерпи, Касим! Он и так твой...

Но Касим терпеть не стал, и тотчас в бок Вашко посыпался град ударов ногой — они не были такими сильными, как вчера вечером, похоже, что человек был обут не в сапоги, возможно, в кроссовки.

Его подняли жесткие, грубые руки и понесли... Заскрипела дверь, его втащили в холодное помещение и бросили на пол, жесткий, как бетон. Через некоторое время еще два удара о пол известили о прибытии друзей. В дверной проем влетела шляпа Стива. Дверь хлопнула, и снаружи со стуком опустился засов.

— Порядок! — долетело снаружи. — Теперь эту красавицу надо загнать под навес. Вечером понадобится! — Кто-то засмеялся, послышался стук автомобильной дверцы, рокот двигателя «мерседеса» и шум отталкивающихся от гравия шин.

Вашко открыл глаза. В помещении, похожем на котельную, — столько здесь было толстенных заржавленных труб и каких-то котлов — царила темнота. Только из маленького окошечка, через которое не проскользнет и ребенок, падал скудный свет.

— Э-э-э... — донесся очередной стон Курта, свидетельствовавший, что он еще жив.

— Стив? — позвал Вашко. — Ты здесь?

— Да... — откуда-то совсем рядом донесся знакомый голос.

— Цел?

— Кажется, да... Что с Куртом? Без сознания?

Вашко не знал, что ответить.

— Эй, — чей-то тонкий голосок послышался из самого темного угла; и тотчас, похоже ребенок, заговорил на непонятном языке.

— Ты кто? — обернулся в сторону голоса Вашко.

Голос молчал.

— Где ты? Покажись! — попросил Иосиф.

— Армян? — поинтересовался голос.

— У нас тут полный интернационал, — как мог ласково, стараясь не испугать неизвестного, сказал Стив. — Я из Америки.

— Американ? — удивился голос, и в пятне света появился тщедушный мальчишка. — Он тоже американ? — спросил, садясь на корточки у ног Курта, парнишка и принялся тонкими пальчиками распутывать узлы на его ногах.

— Ты армянин? — спросил Вашко, приподнимаясь на локте.

— Заложник, — вздохнул мальчишка. — Все село заложник — я один остался. Остальных... — Он принялся тереть кулаком глаза. — Стреляли... Мама, бабушка, дед, сестра...

Развязав Курта, он принялся за узлы на руках и ногах Стива. Американец, освобожденный мальчиком, встал, потер занемевшие руки, подобрал с земли отцовскую шляпу и тотчас принялся развязывать Вашко.

Иосиф Петрович поднялся — ноги отчего-то дрожали, болели, но держали. Так же целы оказались и руки. Сильно болел затылок, и даже на ощупь Иосиф Петрович чувствовал, что там набухла здоровенная шишка.

— Тут есть вода? — на всякий случай спросил Стив.

— Не знаю... — пробормотал мальчишка.

— Как тебя зовут? — погладил его по затылку Вашко — мальчишка от неожиданной ласки разревелся и пробормотал сквозь слезы что-то, что Вашко едва смог разобрать.

— Самвел... Хорошее имя! Терпи, Самвел, глядишь, еще и выберемся — мы ведь тоже заложники...

Стив ходил по мрачному помещению и простукивал обломком доски котлы. Один из них отвечал на удары глуше, чем остальные.

— Вода, кажется, есть... Вот только как до нее добраться? — Стив принялся искать кран, но его нигде не было.

— Ключ бы какой, — мечтательно произнес Вашко, вспоминая блестящий хромированный инструмент Курта, оставшийся в машине, а скорее всего уже давным-давно украденный, как и его «координатор».

— Тут капает в одном месте, — проинформировал Стив. — Если найти какую-нибудь емкость, то сможем напиться.

— Ари, ари... Иди, иди... — обрадовался мальчишка. — Банка! Есть банка... Консервная. — Он подал большую жестянку.

— Откуда течет? — встал на колени рядом со Стивом Вашко.

— Из сочленения труб... Вот здесь, где резьба...

— Сейчас мы ее, падлу! — Иосиф принялся раскачивать ржавую трубу — в конце концов он добился требуемого результата — вода потекла тонкой струйкой и вскоре наполнила банку.

Сперва мальчишка жадно припал губами к банке, а потом напились Стив и Вашко. Вода была невкусной и ржавой. Снова наполнив банку до краев, они поднесли ее к губам Курта. Вода полилась по его щеке, потом, почувствовав на губах влагу и приходя в себя, он начал жадно глотать.

— Давай еще... — протянул Стив банку мальчишке, тот метнулся к трубе. Вскоре они попытались умыть Курта.

— Давай его разденем, — предложил Вашко.

Они содрали с водителя майку с эмблемой олимпийских игр в Альбервиле и начали осторожно ощупывать его тело.

— Переломов нет, — установил Стив. — Переворачивай на спину...

Под левой лопаткой водителя багровел изрядный крвоподтек.

— Так, понятно... — сказал Стив. — Держи его, Иосиф, в сидячем положении.

Ополоснув руки, Стив принялся производить странные манипуляции — он легонько, словно по клавишам пианино, пробегал пальцами по коже, потом выбирал одному ему известную точку и с силой вдавливал ноготь.

— Э-э-о-о-о... — выдохнул Курт, все еще не открывая глаз.

— Сейчас, минуточку... — приговаривал Стив. — Тибетская медицина делает и не такие чудеса. Еще бы капельку бальзама! Но чего нет, того нет...

Массаж продолжался не более минуты. Наконец Курт глубоко вздохнул, открыл глаза, обвел помещение осмысленным взглядом и слабым голосом произнес: «Копф шмерце...»

— Что, что оп сказал? — переспросил Вашко у Стива.

— Болит голова... — озадаченно произнес Стив. — Видимо, сотрясение мозга...

— Стив... — узнавая друзей, Курт попытался приподняться на локте; Вашко помог ему сесть. — О, Иосиф! — улыбнулся немец. — Где есть мы сегодня?

— Карабах! Как раз туда мы, кажется, и стремились.

— Ка-ра-бах, — по слогам произнес Курт. — Стреляют...

Действительно, где-то вдалеке, может в километре, может в двух, раздавались частые автоматные очереди, гулко били пушки, с завыванием уходили в небо ракеты...

— Карабах! — произнес Стив, соглашаясь. — Сумасшедшая земля...

— У нас здесь раньше красиво было, — заметил мальчишка.

— Кто это? — прищурился Курт.

— Его зовут Самвел. Армянин, — сказал Вашко.

— Самвел... — послушно повторил Курт. — Красивое имя. Друзья, если вы позволите, я еще немного полежу, так быстрее приду в себя... Чертовски болит голова!

— Полежи, полежи, — сказал Вашко и заметил, что лицо водителя постепенно начинало розоветь. — А мы со Стивом подумаем, что делать дальше...

ГЛАВА 50. МЕЖДУНАРОДНЫЙ АЭРОПОРТ. СТАМБУЛ. ТУРЦИЯ

— Хелло, док, рад вас приветствовать в нашей несусветной жаре. — Не успел Маккей сойти вниз по трапу, как попал в объятия Дэвида Джессела — резидента ЦРУ в Стамбуле. — Ты как всегда, прекрасно выглядишь...

— Спасибо, Дэвид! — обнял его по-дружески Кол. — Тут твоя разлюбезная Кирк прислала тебе небольшую посылку... — он протянул приятелю небольшую раскрашенную коробку с тортом.

— Ах, женушка! — воскликнул Дэвид и всплеснул руками. — Она все еще думает, что клубничный из соседней кондитерской на Пятой авеню лучше, чем у Халида в лавке у бань. Но спасибо, спасибо. Когда здесь наступает жара, Кирк всегда стремится куда-нибудь подальше — в Миннесоту, Дакоту или даже на Аляску. А я как-то привык... Хотя третий месяц без нее тяжеловато. Как дела в Лэнгли? Что шеф?

Маккей сел на заднее сидение «кадиллака», дверь которого предупредительно распахнул водитель. Машина тотчас помчалась к выходу из аэропорта и понеслась по залитым солнцем улицам.

— Вот... Последнее сообщение для тебя! — Джессел подал ему бланк — Маккей пробежал глазами и сощурился.

— У тебя есть карта? Давай сюда... — Он долго водил пальцем по коричневым узорам гор, зеленым складкам долин, голубым лентам озер.

— Что-нибудь плохое, док?

— Не совсем. Хотя... Ты же знаешь Стива Эпстайна?

— Отличный парень. Кажется, у него еще произошло несчастье во время Иракской компании?

— Да, умер отец...

— Так это он сейчас там — у русских?

— Да.

— Не позавидуешь. У них сейчас сам черт ногу сломит. На той неделе подъезжал к границе — стрельба идет. Пушки, ракеты, автоматные очереди... Красиво, конечно, когда издалека. Все небо в огнях, что в день благодарения у Капитолия, но быть сейчас на его месте?..

— В Ираке было не лучше...

— Как сказать, док. Как сказать... Так что там происходит? Зачем понадобилась карта?

— Хотел прикинуть, где он сейчас находится.

— Ну и...

— Вот здесь! — он кончиком карандаша ткнул в крохотный кружок на карте.

— Агдам. Хм... Неприятное местечко. Мы постоянно прослушиваем их радиопереговоры — и той и другой сторон. Валят вину, конечно, одни на других. Армейские тоже выходят в эфир. Редко, правда.

— Ну и что в районе Агдама?

— Это у них самое гиблое место. Хуже не бывает. Думаешь, будут подбираться к границе? Там уж и Иран недалеко. Хотя... Янки для них, что краснокожие для первых переселенцев.

— И тем не менее, придется как-то наблюдать весь участок — от Арарата до Черного моря...

— Сделаем, док! Сколько надо техники — поднимем всю! Можешь не волноваться...

ГЛАВА 51. КАРАБАХ

— Самвел, — позвал Стив мальчишку, встав у стены и приникнув лицом к окошку. — Где мы находимся?

— В котельной, — прозвучало из темного угла.

— Умный мальчик... — констатировал Вашко.

— А котельная где находится? — уточнил вопрос Стив и спрыгнул на землю.

— Здесь... — опять ответил невпопад мальчик.

— Что там за длинное белое здание? Метрах в ста отсюда.

— Казарма. Здесь русские военные стояли, потом ушли.

Стив посмотрел на Вашко.

— Их в марте отсюда вытурили. Нападений много было — оружие требовали. Они даже склады минировали.

— Ясно. Тут особенно не разгуляешься.

— Там, за казармой, кусты. В них бронетранспортер поломанный стоит, — сказал Самвел. — А дальше еще бензовозка взорвавшаяся. У нее двигатель сняли. Потом цистерна какая-то зеленая... — начал припоминать мальчишка. — А дальше ничего нет.

— Не густо... — Стив сел на корточки.

— Ничего, Стив, — попытался приободрить его сидевший у стены Курт — ноги его, широко раскинутые, слушались плохо: они не были повреждены, по крайней мере Стив, когда ощупывал, не нашел переломов и вывихов, но Курт ими владел неважно — стоять стоял, но двигался с трудом.

Эпстайн улыбнулся — его улыбка на заляпанном грязью и соляркой лице походила на оскал.

— Рассказывай, Самвел, что еще знаешь.

— Больше ничего... Туда опасно ходить. Там, говорили, мины остались, что солдаты ставили. Мне не велели туда ходить...

— Мины, — повторил Стив, погружаясь в размышления.

— Стив, — позвал его Вашко, — тебя всего обшарили? Ну, когда кроссовки с рубахой сдирали...

— Да. Всего обчистили.

— И «координатор» украли? — спросил Курт, выразительно посмотрев на Эпстайна, — тот лишь пожал плечами.

— Значит, мне повезло одному — никому не нужен московский покрой...

— Да у тебя и размеры неподходящие.

— А вот это видел? — он подкинул на ладони что-то черное, отливающее черным металлом.

— Что это? — Курт попытался наклониться, разглядывая предмет на вашковской ладони.

— Неплохо для начала... — с изумлением протянул Стив, беря в руки револьвер. — Откуда он у тебя? На табельное вооружение КГБ не похож...

— Пистолет? Тот самый? — вспомнил события на площадке для разгрузки гуманитарной помощи в Москве Курт.

— Тот самый...

Стив вскинул пистолет, в воздухе поймал его и моментально встал в «полицейскую» стойку — обе руки на рукояти, корпус наклонен, ноги полусогнуты: «Бах-бах-бах!.. Бум-бум-бум!..»

Курт и Вашко рассмеялись, настолько непринужденно, насколько это было возможно в их нынешнем состоянии, а мальчишка в углу захлопал в ладоши.

— На, держи... — с сожалением отдал револьвер Стив.

— Оставь себе... — отодвинул его руку Вашко. — Кажется, ты умеешь им пользоваться ничуть не хуже. А мы уж как-нибудь обойдемся...

— Спасибо, — поблагодарил Стив, садясь рядом. — Вечереет... Скоро ночь. Что-то она нам сулит?

— Стреляют? — поинтересовался Курт.

— Немного, вроде поутихло, — прислушался к тому, что происходило за стенами Вашко. — Надолго ли?

Ветерок, прорвавшийся сквозь окно, принес запах дыма и баранины. Вашко жадно сглотнул. Кадык на горле Стива тоже заходил вверх и вниз...

— А хорошо накормили нас грузины... — мечтательно произнес Курт. — «Сациви», «чахохбили», «шашлык», «чача»...

За стеной прошла группа людей. Слышались гортанные выкрики, звяканье оружия.

— Самвел, — позвал мальчика Стив. — А что здесь была за часть?

— Летчики... Они летали туда-сюда. Шумно очень было...

— Летчики... — повторил Стив и надолго погрузился в молчание, ковыряя щепкой землю.

Где-то раздалась одиночная автоматная очередь. Вскрик. Несколько грубых голосов захохотали. Опять тихо...

— Только бы не начали раньше, — пробормотал Стив. — Ночью все кошки одного цвета. — Он с тоской посмотрел на все еще светлое небо. — Поспать, что ли?

Никто не ответил. Стив лег на землю, уставившись в грязный потолок. Вашко подошел к Курту и дал ему банку с водой — тот с отвращением сделал несколько глотков.

— Как ты?

— Есть ничего, еще бывает сильно хуже, — попытался безмятежно улыбнуться водитель. — Помню, раз машиной придавило — семь часов лежал снизу, пока другой водители не достали. — Он взмахнул в воздухе рукой. — Три перелом. Ничего, как на собак...

— И сейчас все будет о'кей! — приободрил его Вашко. — Ты не лежи просто так, сгибай и разгибай ноги. Тренируй, тренируй...

Курт не замедлил последовать совету.

— Вот и порядок. Двигаются же... Разминай, не ленись...

Вашко отлучился за баки с водой, вскоре появился, застегивая на ходу брюки.

— Сволочи! — процедил он сквозь зубы и сплюнул на пол, потом лег на землю рядом со Стивом и смежил веки — сон, конечно же, не шел. Но усталость и нервотрепка последних дней сделали свое дело, как бы ни терзала безысходность ситуации, он уснул. Причем, так крепко, что, очнувшись, не знал, сколько прошло времени. Бодро вскочив на ноги, он огляделся. Стив стоял возле двери, пытаясь увидеть в щель происходившее снаружи. Курт, который совсем недавно лежал на земле пластом, тоже стоял на ногах, правда, держась за стену.

— Привет ребята! — бодро произнес Вашко. — Вы так приклеились к двери, будто там женское отделение бани...

— Т-с-с-с... — прошептал Стив. — Кажется, что-то начинается! По крайней мере, они говорят о нас...

— Поздравляю, ты здорово поднаторел в их языке. И что же они готовят?

— По-моему, ничего хорошего. Наш грузовик уже на самом склоне. Только толкни — и он на армянской территории. А перед этим они загрузили весь кузов...

— Чем? — приник глазом к щели чуть ниже головы Стива Вашко.

— Боюсь ошибиться, но, по-моему, это были трупы.

— Чьи? — воскликнул Вашко. — Армянские?

— К счастью, пока не наши. Но дело идет к тому. Сейчас они запихивают туда обломки оружия. Разбитые автоматы, гранаты в ящиках, что-то вроде минометов...

— Зачем им это есть надо? — поинтересовался Курт.

— Смотри, Иосиф, — произнес Стив. — Видишь, всех, что в кузове, они привязывают к сиденьям тонкими бечевками. Внизу машина загорится, и потом ни один эксперт не скажет, что в момент падения они не были живыми — веревки сгорят. А при них оружие... Вот она, наша гуманитарная помощь! Шуму будет на весь цивилизованный мир. Больше всего ему достанется, — кивнул он головой в сторону Курта. — Номера на «мерседесе» гамбургские.

— Не хотел бы я сидеть за рулем этого «морга», — потерянно произнес Вашко.

— Судя по всему — за рулем будет он, а мы рядом. Крепко задумано! Ничего не скажешь... Потом призовут борзописцев, Ларсен прискачет, и какая-нибудь красотка из «Таймса» защелкает на цветной слайд мою оскаленную физиономию на память соплеменникам...

— Ну, это мы еще посмотрим! — с угрозой процедил Курт. — Еще не есть слишком поздно! Вот когда «Таймс», тогда все, есть финал. А пока...

Приготовления, похоже, подходили к концу. Бородатые мужчины, все как будто на одно лицо и в одинаковой, украденной, наверное, с военных складов пятнистой десантной форме по одному отходили от машины к костру и, наливая из закопченного чайника темную жидкость, с наслаждением пили. Один из них, невысокого роста, обвешанный, словно революционер у Смольного в Петербурге, пулеметными лентами, был за главного. Это чувствовалось и по отношению к нему остальных, и по коротким, весомым, словно взмах ножа, словам, которые срывались с его губ.

Видимо, боевики тоже ждали полной темноты — то и дело они поглядывали на небо, где все ярче и ярче вспыхивали звезды.

Командир уселся на бревно, поджав под себя ноги в высоких армейских ботинках, и взял в руки чай. В отличие от остальных, он пил не из кружки, а из стеклянного стакана в мельхиоровом ажурном подстаканнике.

— Вот бисов сын! — изумился Вашко. — Ну погоди, напьешься ты у меня...

В углу котельной тихонько, как мышь, завозился мальчишка. Он спал, чуть посапывая во сне и причмокивая губами.

— У меня дома такой есть, — с грустью произнес Курт. — Девять лет, Пауль... Хорошо бы дать ему еды. Голодный совсем мальчик... Звери!

Командир, сидевший у костра, посмотрел на часы.

— Пора! Нариман, — отрывисто позвал он одного из товарищей. — Начинаем...

Стив, Вашко и Курт отпрянули от двери.

— Вы ложитесь на землю! — скомандовал Стив, а сам задвинулся в угол так, что в темноте его и вовсе не было видно.

Нариман, коренастый крепыш, сорвал с плеча автомат и начал прикладом бить по щеколде снаружи. Стукнул засов, и дверь распахнулась. Встав на пороге, охранник пытался что-то разглядеть в помещении. После света костра ему это плохо удавалось. Сняв автомат с предохранителя, мужчина сделал шаг вперед, и в этот самый момент сильный удар по затылку рукоятью револьвера поверг его на пол. Стив зажал ладонью его рот, тотчас подхватывая на лету ремень автомата.

— Тихо! — прошептал он. — Один звук, и к Аллаху. Понял?

Мужчина лишь бешено вращал глазами. Вскочившие с земли Курт и Вашко тотчас обрывками веревок связали его по рукам и ногам.

— Теперь, друг, тебе дается шанс выжить, — направив на него его же собственный автомат, прошептал Стив. — Будешь вести себя правильно — увидишь маму. Понял?

Тот заморгал глазами.

— Сейчас ты скажешь, что один из нас помер, и позовешь еще кого-нибудь на помощь. Мол, одному не донести... Понял?

Стив чувствовал, как дрожал пленный.

— По-русски пусть зовет. И ругается прилично... — пинком кулака сопроводил просьбу Вашко.

Стив отпустил руку от его рта.

— Эй! — заорал охранник. — Вашу маму... Одна собака сдохла сама. Гусейн, помоги вытащить!

У костра расхохотались. Нехотя поставив кружку с недопитым чаем на бревно, поднялся молодой парень. Пригнув голову, он скользнул в дверной проем и тотчас мешком повалился на пол. Очередной удар Стива попал точно в цель. Парень захрипел и затих.

— Кляп ему в рот! — скомандовал Вашко. — Как и этому, первому.

— Иосиф, сдирай одежду с того, а ты, Курт, со второго... Вы почти одного роста.

Переодевание заняло не более одной минуты. Брюки, куртки, ботинки, кепки — все слетало с боевиков моментально и безо всякого сопротивления. Курт и Вашко моментально облачились в десантное обмундирование. Стив оставался в своей шляпе.

— Куда их? — поинтересовался Вашко, вскидывая на плечо автомат.

— За баки. Пусть будут поближе к воде, — хмыкнул Стив.

— Самвел... — позвал Курт мальчишку. — Ты где?

Его местонахождение можно было без труда определить по едва слышным всхлипам.

— Пойдешь с нами?

Ответом был лишь плач.

— Мальчика есть надо забирать с собой, — привлекая его к себе и гладя по голове, произнес Курт. — Тут ему смерть!

— Ладно, сейчас чего-нибудь придумаем... Он может незаметно проскользнуть, и сразу за угол. Самвел, проходи потихоньку и беги к той казарме. Понял?

Мальчишка, размазывая ладошкой слезы и грязь по щеке, кивнул. Курт выглянул наружу — ничего не подозревавшие боевики безмятежно разговаривали, сидя в каких-нибудь двадцати метрах от котельной.

— Ну, бегом... — подтолкнул Самвела к двери немец и, дождавшись, когда легкие шаги мальчишки исчезли за углом, махнул рукой Стиву. Тот послушно лег на землю...

— Мог бы быть и полегче, — ворчливо заметил Вашко. — Чем только вас в этой Америке кормят...

Курт поправил автомат, висевший поперек груди, и взял приятеля за ноги. Они пронесли его через проем — играл Стив мастерски, даже отпустил правую руку так, что она волочилась по земле, в левой он прятал под рубахой вашковский револьвер.

Боевики бросили мимолетный взгляд на дверь котельной и кто-то из них произнес отрывисто и резко: «Поехали!»

Хохот заглушил все остальные слова.

Приблизившись к разбитому, покореженному «мерседесу», Вашко и Курт положили Стива на землю. В нос им ударил сильный запах разложения. Вонь шла из кузова — трупы, привязанные к сиденьям, похоже, выдерживались перед последней поездкой не один день.

От костра послышалась команда. Боевики зашевелились и начали вставать со своих мест.

Вашко отпрянул от машины в сторону. Прыжком отскочил за куст Стив и увлек за собой жестом Курта. Только автоматы в их руках поблескивали в лучах дальнего костра.

Командир что-то крикнул на родном языке.

Несколько человек ринулись к кабине, кто-то заглянул в котельную, тотчас поднялся шум и крик.

Застучали частые автоматные очереди. Над головами беглецов с треском ломались скошенные пулями веточки кустарника. Вашко передернул затвор.

— Отползайте, ребята! Я немножко поучу их и за вами...

Шорох травы возвестил, что его предложение принято.

— К казарме, Иосиф... — уже издалека долетел до Вашко голос Стива.

— Это мы сейчас посмотрим, на что вы годитесь, — пробормотал Вашко, поглядывая, как мужчины в форме приближаются к машине. — Это хорошо, ближе, ближе...

Гулкий удар короткой очереди отозвался в ушах. Пули в автомате оказались трассирующими и веером рассыпались по кабине машины и проползли к тому месту, где был топливный бак.

Вашко резво откатился в сторону, в какое-то углубление, и затих. Место, где он только что лежал, буквально нашпиговывалось свинцом. Пули бились о камень и брызгами летели в стороны. По щеке Вашко скользнуло что-то горячее. Он провел ладонью по лицу — пальцы ощутили липкость.

— Посекли все-таки, суки! — буркнул он себе под нос и полоснул очередью по ногам напиравших.

Несколько человек с криками и руганью покатились по земле, а Вашко уже оказался метрах в трех от своей прежней позиции.

Из-за спины гулко ответил второй автомат — стрелял Курт.

— Понял вас, ребятки... Даете мне отойти! Сейчас, милые. — И послал еще одну очередь целенаправленно в бак машины — он решетил его долго и с наслаждением.

Пламя вспыхнуло разом, потом струйками потекло на землю, и вот уже вся машина полыхала. Боевики, которые лежали к ней спиной, начали оглядываться, и это сослужило службу Вашко — он вскочил на ноги и бочком, словно краб, начал передвигаться подальше от этого места, в темноту, к дальней казарме.

Командир суетился, кричал на бойцов, размахивая автоматом. Но у них, видимо, не было особого желания ввязываться в ближний бой — сказывалась, видимо, привычка стрелять издалека и по безоружным.

Вашко под веером случайных пуль, то и дело пролетавших над головой, отполз метров на пятьдесят.

Автомат Курта отплевывался короткими очередями совсем из другого места, нежели раньше. Он не позволял активно преследовать их. Стоило раскричаться командиру, как несколько «пятнистых» нехотя вставали с земли и пытались бежать в темноту, но тотчас раздавался залп из темноты.

— Ты, приятель, давно мне на нравишься...— процедил Вашко. — Чай, понимаешь, из подстаканника... Буржуй! — И, положив автомат на камень, он начал водить мушкой за одним-единственным человеком.

Прицелиться было трудно — он все время, словно обезьянка, скакал по площадке, прикрываясь от огня другими людьми.

— Жить будешь, — цедил Вашко, поводя стволом, — но сам не обрадуешься... — Одиночный выстрел прозвучал среди прочей трескотни вовсе незамеченным, но шуму наделал не меньше, чем все вместе взятые залпы разом.

Командир заорал благим матом, хватаясь обеими руками за пах. В свете объятой огнем машины отчетливо виднелась проступавшая сквозь штаны кровь — ее было все больше и больше.

— Не мужчина! — констатировал Вашко и по-пластунски пополз к тому месту, откуда слышались последние выстрелы Курта.

Темнота была им на руку. Но горящий и видимый издалека автомобиль сослужил плохую службу. Конечно же, он отвлек на некоторое время внимание преследовавших, но вслед за этим привлек взоры кого-то еще...

Со стороны сопки с визгом и воем, оставляя за собой огненный след, сорвалась ракета. Тотчас ударил крупнокалиберный пулемет. И площдка возле котельной превратилась в кромешный ад: летели камни, падали люди, рвались боеприпасы...

Вашко пробежал несколько шагов и свалился в яму. Упал он на что-то мягкое.

— Это я, Курт! — поспешил успокоить он товарища по несчастью. Но это оказался вовсе не Курт.

— Привет, Иосиф! Давно не виделись! — Эпстайн переставлял рожок автомата.

— Где Курт? Ранен?

— Все в порядке. Побежал за мальчишкой...

Вашко лежал на спине, делая глубокие вдохи и выдохи; он никак не мог отдышаться.

— Война — дело тяжелое... — многозначительно произнес он.

Стив усмехнулся.

— Что дальше? — стараясь перекричать гул пламени и грохот выстрелов у котельной, спросил Вашко.

— Надо уходить дальше. Казарма — не спасение.

— А может, туда? — Вашко указал на сопку, откуда все чаще и чаще гремели выстрелы.

— Ты думаешь, что армянам мы нужны больше, чем азербайджанцам?

Вашко лишь вздохнул в ответ. Они выбрались из рытвины и, пригибаясь, побежали дальше, туда, где белела бывшая казарма. Курт сидел у стены, держа в одной руке пистолет Вашко, а другой прижимая к себе тщедушное тельце мальчишки; он нашептывал ему что-то по-немецки.

— Бежим! — крикнул Стив и, увлекая за собой всю компанию, ринулся в непроглядную темень.

Спотыкаясь и падая, сбивая в кровь руки, колени, локти, они добрались до оврага. Камни, чахлый кустарник, жесткая трава. Слева от оврага угадывалось какое-то нагромождение мертвого металла. Еще дальше — развалины небольшого, некогда беленого домика с высоким металлическим шпилем. Около него стояла то ли цистерна, то ли бензовоз.

— Что там? — взял за руку мальчишку Стив, указав на кучу металлолома.

— Бронетранспортер. Дом — это командиры самолетов сидели. Над ним еще такая полосатая штука висела — ветер показывала...

— Понятно, — Стив облизнул пересохшие губы.

Бой стихал. Догорал остов машины. Погас раскиданный взрывами ракет костер, освещая последними бликами развалины котельной. Все реже звучал пулемет, и вовсе стихли ответные очереди автоматов.

— Пошли! — предложил Стив, вставая и поправляя на плече ремень автомата.

— Куда? — спросил Вашко, поглядывая на Курта, не отпускавшего от себя ни на шаг мальчишку.

Они миновали лежавший на боку бронетранспортер, вышли на забетонированную дорожку, миновали искореженный прямым попаданием или взрывом бензовоз и подошли к домику со шпилем.

Деревянная лестница певуче скрипела под их ногами, где-то тоненько попискивали вездесущие мыши, и всюду витал запах пыли и запустения.

— Переведем дух, — предложил Стив, осматривая помещение, где они оказались, — все четыре стороны его были застеклены, так что открывался широкий вид на окрестности. Вдоль стен стояли какие-то столы, больше похожие на аппаратные пульты. В них зияли огромные дыры из-под демонтированной аппаратуры.

— Командный пункт, — констатировал Вашко, кладя автомат на стол и разуваясь; он долго и сосредоточенно вытряхивал камни из ботинок.

Курт взял с подоконника треснутый пыльный кувшин и отправился искать воду. Вскоре он появился с победной улыбкой. Стив припал губами к кувшину — вода была хоть и чистой, но с сильным привкусом ржавчины.

— Смывной бачок в туалете, — пояснил Курт. — Оставьте Паулю.

Стив непонимающе посмотрел на Курта, потом на Вашко, потом на мальчика.

— Самвел, держи... — протянул Эпстайн ему кувшин. — Жаль, еды у нас никакой нет.

— Да, это бы не помешало, — скорбно сказал Вашко, массируя ладонью живот.

— «Чахохбили», «шашлык», «сациви», «чача», — словно заклинание или молитву произнес Курт.

— Не трави душу... — Стив отвернулся к окну.

Очень своевременно, не раньше и не позже, а именно тогда, когда она уже была не опасна, появилась луна. И все моментально окрест залилось мертвым безжизненным светом.

— Что там такое? — заинтересовался Стив, глядя через стеклянную стену.

На огромной бетонной площадке, расчерченной красными и желтыми линиями, громоздилось несколько непонятных сооружений, обмотанных полусгоревшими или полуистлевшими полотнищами. Там же, в некотором удалении, на боку, пузырем из алюминия и стекла пучилось некое подобие головастика. Рваные листы алюминия, усеивавшие площадку, и множество расколотых зеленых ящиков довершало картину разгрома.

— Самолеты... — пояснил мальчик. — Я вам вчера говорил.

— Бьюсь об заклад, что парень называет самолетами

все, что способно подниматься в воздух, — сказал Стив. — Это же та самая штука, которая не дала нам толком ощутить все прелести купания в Черном море!

— Действительно, похоже на вертолеты! — сказал Курт. — Но почему они здесь?

— Те, что военные не могли увезти, они ломали, — пояснил мальчик, — снимали приборы, всякие блестящие штучки. Они давно так стоят, еще с зимы...

— А быстро уходили военные? — повернулся к нему Стив.

— Не знаю... Вечером солдаты были, а ночью зашумело все, затряслось, и утром никого нет, — впервые за весь день улыбаясь своим былым испугам, произнес мальчишка.

— Хм-м-м... — посмотрел Стив на своих приятелей. — Забавно...

Вашко смотрел не в сторону вертолетной площадки, а в другую сторону.

— Такую машину сгубили, — ворчливо заметил он, — что наш «КАМАЗ», но поманевреннее...

Машина догорала. Уже не сыпались в стороны искры, не рвались в небо высокие языки пламени, и лишь горящие шины чадящим пламенем освещали место былой схватки.

— Чудом выпутались, — задумчиво сказал Курт, — я не дал бы за нашу жизнь и пфеннинга. Это есть настоящее чудо!

— Чудо будет, если мы выберемся отсюда, — заметил Вашко, — мне до Москвы, кажется, немного ближе. А вам... Как до Луны.

И эта фраза Вашко навела на всех не то чтобы уныние, но желание говорить дальше пропало.

ГЛАВА 52. ПОГРАНИЧНЫЙ ОТРЯД № 117 ИМЕНИ КАРАЦУПЫ. АРМЕНИЯ

— Вам, конечно, в Москве там виднее... — сказал, прохаживаясь по ковру, полковник Осетров, командир отряда. — Но что делать? Охраняем-то мы границу России, а тут... С одной стороны армяне, с другой — азербайджанцы, с третьей — Иран, а с четвертой... — он сделал рукой отмашку, как будто рубанул саблей, — все с оружием... А мы в круговой обороне? Таможенник без таможни. Смотрел «Белое солнце пустыни»? Вот и мы так... Только тот икру ложкой хлебал: икры навалом, а хлеба нет. А у нас ни того, ни другого — ничего не дают. А много ли с огорода возьмешь? Ну, копаются у нас бойцы, что не на службе. Да в хлеве с десяток хрюшек... Так что вы там, в Москве, определяйтесь — где граница, где заграница...

В дверь постучали.

— Войдите!

Солдат с зелеными погонами неумело приложил руку к пилотке:

— Разрешите, товарищ полковник! Пакет для подполковника Липнявичуса...

Иозас встал с кресла, взял конверт и начал отрывать край.

— Когда пришел?

— Из Еревана доставили только что, а там получили по бильд-связи ночью...

— Спасибо, идите! — скомандовал Осетров.

— Ты смотри, разве это боец? Руку к пилотке два года учишь прикладывать. А и в том резон... Спроси, чего ему здесь, этому казаху, делать? У него ж самого душа болит по Алма-Ате. Там для него сейчас государственная граница. Ну, рассказывай, чего там пришло? Фотографии какие-то...

— Вчера в семнадцать двадцать работал спутник, — начал Липнявичус, — как раз проходил над Карабахом.

— Ну и чего он такого интересного нафотографировал?

— Район Агдама.

— Это где твои субчики пропали?

— Да.

— Давай посмотрим, — Осетров взял ворох снимков и разложил их на столе, — какая машина у них? «Мерседес»? Это не то... Это тоже... Разве что вот это? — Он взял один из снимков и поднес к нему большую лупу. — Похоже... Похоже. Километрах в шести от поселка. Похоже на войсковую часть... Ну, конечно, вот плац для шагистики. Это котельная с трубой! Это командный пункт... А вот это что? Судя по кругам на асфальте, вертолетная площадка... А чего ж они, черти неумытые, технику побросали? Это же, Иозас, знаешь что такое? Это же армейские вертолеты боевой поддержки МИ-24! Те самые, что в Афгане воевали. Не понимаю... У меня и то только один такой...

— Дай посмотрю! — Липнявичус вооружился лупой и долго изучал снимок, — это их машина... Точно! Хорошо, что точка съемки оказалась на подлете — борт попал. Вот еще остатки красных крестов угадываются. Но вид у машины, я бы сказал, печальный.

— Этим чуркам только попади в руки техника... Все растащат. Вон вертолеты стоят — думаю, что ни одного прибора не осталось. Если сами летуны не сняли, то эти «усатые» в сортирах и во дворе их словно лук развесят. А ты думал? Только так...

— Почему машина стоит носом к обрыву? — озадаченно решал Липнявичус, — где «подопечные»?

— Я тебе так скажу: для этих горячих джигитов ничего святого нет. Маму родную зарежут... Американцы, французы, шотландцы в юбочках — им все едино. Калым давай! Куш наваривай! Армян режь... Извечная борьба, вековая! А вот почему они машину иностранную не толкнули на продажу, а так уделали — это действительно вопрос! Тут у них есть, понимаешь, какая-то задумка! Может, даже провокацию затеяли... Но если это действительно так, то ты не трать попусту энергию и вертолет не проси. Их, твоих шпионов или лазутчиков, давным-давно нет в живых. Как пить дать...

— Может, ты и прав... — со вздохом сказал Иозас, — но я привык доверять лишь собственным глазам. И точно могу сказать лишь то, что мы с тобой сидим на краю земли и самый ближайший к нам городишко не Москва, не Питер, а Кафан. Да и то час лету на север...

— И городок дерьмо, — произнес Осетров закуривая, — и граница наша — дерьмо, и мы с тобой... Дерьмо!

ГЛАВА 53. КАРАБАХ

Оказалось, что Курт разбирается не только в автомобилях. На удивление Вашко он, забыв про былую немощь ног, долго и обстоятельно осматривал наименее, на его взгляд, поврежденный вертолет и сделал свое заключение: «Вполне возможно!» Что возможно, Курт не уточнял. Стив к его затее отнесся скептически. Наблюдая за тем, как немец обследовал полуразобранную приборную панель, как водил пальцем по пулевым пробоинам в корпусе, он занимался делом, на его взгляд, боле перспективным — чистил автомат.

Курт простучал топливный бак — тот отвечал то звонким, то глухим гулом. Потом он засунул в горловину бака обрывок проволоки, затем достал и долго водил ею около носа.

— Бензин...

— Все одно не хватит! — заметил Стив.

Аккумулятор тоже еще подавал признаки жизни. При переключении тумблеров вспыхивали на мгновение какие-то лампочки.

— Летающий гроб! — выразился еще более точно Вашко, но продолжал помогать Курту: по его указанию отвинчивал со стоявшей рядом машины какие-то детальки и привинчивал их к облюбованному Куртом вертолету.

Небо на востоке заметно начало розоветь.

— Вон та штуковина надежнее, — усмехаясь, сказал Стив, показывая на видневшийся в овраге бронетранспортер, — по крайней мере, отсидимся еще денек, до следующей ночи.

— И есть умирать голодной смертью, — дополнил Курт; он взял с земли кувшин с водой, принесенный Самвелом, и сделал несколько глотков.

— Ешь вода, пей вода, спать не будешь никогда... — вспомнил расхожую шуточку Вашко.

Он время от времени обходил площадку, смотрел в сторону еще дымившегося «мерседеса», вздыхал и возвращался назад.

— Спокойно? — вскидывал голову Стив.

Вашко утвердительно кивал и шел к возившемуся внутри вертолета Курту в надежде быть полезным. Через некоторое время в машине на высокой ноте пронзительно взвыл какой-то моторчик. При этом сохранившиеся лампы на приборной панели, соседствующие с зияющими дырами, вспыхивали ярким светом и снова гасли. Вашко задрал голову и смотрел на дернувшиеся было лопасти, но, похоже, это утренний ветерок качнул их и только.

— Где мальчишка? — обернулся Вашко к Стиву.

— Спит, — тот кивком указал на лежавший на боку остаток вертолетного корпуса, похожего на головастика, — набрал обрывков брезента и свернулся калачиком... Это ему заменяет еду.

— Эх, передать бы его по назначению, — мечтательно произнес Вашко, — пропадет он с нами...

— Кому передашь? Сам не уходит... А гнать нельзя.

— Это точно, — Вашко снова подошел к люку вертолета, в котором возился Курт, — ну, чего, камарад? Помочь?

— Нейн, нейн, — отозвался немец, — тут все есть сильно запутано...

Из-за сопки, откуда ночью взлетали ракеты, показался краешек солнца, и тотчас воздух наполнился щебетом и гомоном птиц. Но и какой-то другой звук, пока далекий, неуверенный, вмешивался, разрушал тишину. Больше всего это напоминало мирное гудение трактора. Вот только шел звук не с поля или от склона горы, нежно зеленевшего весенней травой, а откуда-то сверху, с той же стороны, где взошло солнце.

— Мать честная! — воскликнул Вашко, — вертолет!

Стив вскочил на ноги, забросил на плечо автомат и приложил ладонь к глазам. Шляпа с затылка чуть не свалилась на землю.

— Вертолет!

Курт взглянул на небо и тоже замер словно вкопанный. Небольшая пестро раскрашенная птичка села на качавшуюся над его головой лопасть и радостно чирикнула.

— Прячемся! — предложил Стив.

— Куда? — огляделся Вашко.

— В эти железяки... — Стив вскарабкался в люк и исчез в чреве совершенно разбитой машины.

Вашко последовал его примеру и метнулся к Курту, но тот очевидно решил сменить укрытие и скачками понесся к той лежавшей на боку кабине, где спал мальчишка.

Сквозь дыры в кузове Вашко видел, что к ним подлетал обычный гражданский вертолет, причем самый маленький из всех существующих. С крохотными колесиками шасси, маленькими моргающими фонариками.

— Не «Сикорский», — крикнул Стив Вашко из кабины в кабину.

Вашко понял его по-своему и, передернув рычаг, снял автомат с предохранителя. Вертолет шел на посадку, на эту же самую площадку, разве что на самый ее край, который был наиболее свободен от обломков. От рева двигателя, свиста лопастей начало закладывать уши. Загремели, задвигались оторванные листы алюминия, разъезжаясь по бетону, поднялась пыль, взвихренная вертолетом.

Нараставший свист рассекаемого воздуха вдруг разом стих. Лопасти еще некоторое время крутились, а потом безвольно повисли, и наступила тишина. В машине открылись дверцы, и на бетон соскочил пилот в форме гражданской авиации: серая фуражка, рубашка, брюки... Оглохший, он чересчур громко позвал кого-то из салона, и в двери показалась полноватая физиономия в обрамлении курчавых волос, а потом на подножке появился и весь человек — в кожаной куртке, джинсах и пестрых бело-красных высоких кроссовках.

— Это точно то место? — заорал он пилоту.

— Как сказали... Вчера, когда звонили, про это говорили — триста метров от бывшей войсковой части. Так это она и есть!

Человек в кожаной куртке озирался явно в поисках встречающих. Но никого не было.

— Вот так всегда, — ворчливо начал кричать он, — пресса, пресса! Давай сюда, давай туда... А встретить — хрен с маслом. Сенсацию, понимаешь, им подавай...

— Давайте отрабатывайте поскорее и назад, в Баку! — скомандовал летчик. — Нечего здесь быть дольше положенного...

— Где эта чертова машина? — Мужчина продолжал оглядываться, — эй, соня! — заорал он внутрь кабины, — вылазь... Бери камеру и все остальное! Пошли поищем.

Из кабины появился заспанный парнишка лет восемнадцати-девятнадцати со шнурами в руках, телекамерой на плече и связкой аккумуляторов на поясе.

— А стрелять не будут? — опасливо осмотрелся он по сторонам.

— Вон что-то похожее... — показал рукой в сторону «мерседеса» старший, — материал будет больше, чем сенсация! Супер-сенсация! Клянусь мамой, толканем его за валюту — гуманитарная помощь наоборот... Вечером уже зарезервировал время на телевидении. Сам президент Азербайджана в курсе... Пошли!

И они, пугливо озираясь и пригнувшись, понеслись к развалинам котельной.

Решение у Стива и Вашко созрело практически одновременно. Они не более секунды наблюдали за тем, как пилот обходит со всех сторон вертолет, дергает какие-то тяги, проверяя крепления, а потом медленно, держа в руках автоматы, начали подходить к нему. Под ботинок Вашко попала железка и жестяным пронзительным звуком скрипнула по камню. Летчик обернулся и онемел от ужаса — на него шли две страшные фигуры с темными безобразными лицами, пятнисто расплывшимися в зловещих улыбках.

— Не надо шуметь, дорогой... — негромко сказал Вашко и подошел вплотную. — Не рекомендую...

— Армяне? Азербайджанцы? — вопрошающе воскликнул пилот, стараясь определить национальные черты этих чудовищ.

— Твоя как фамилия? — тихо процедил Вашко.

— Гусев, Гусев я... Из-под Вятки. Русский. В ваших играх не участвую.

— А зачем летаешь? Здесь зачем летаешь? — поинтересовался Стив, махнув Курту, уже подсаживавшему мальчишку в машину.

— Так деньги какие, братцы... Рисковать приходится! Вы же наши... По-нашему говорите, — попытался обрадоваться он, — армейские, что ли? Так вроде ушли все...

Над вертолетом с воем начали вращаться лопасти — Курт уже сидел на пилотском месте и, отчаянно жестикулируя, призывал садиться.

— Значит, так, дядя, — сказал Вашко. — Бегать умеешь? Быстренько скачи вон до того сарайчика. — Он повел стволом автомата в сторону казармы. — А то чем черт не шутит — пистолет у тебя вдруг окажется. А так я за тобой послежу. Ну, быстро, быстро!

Пилот, оглядываясь, побежал в указанную сторону. Стив тем временем уже заскочил в кабину дрожавшего от вибраций вертолета, и только Вашко отчего-то медлил закрывать дверцу.

— Порядок! — произнес он наконец.

Вертолет стремительно взмыл вверх и полетел в сторону обрыва, откуда вчера они должны были сверзиться вместе с их несчастным «мерседесом». Внизу мелькнули и исчезли два цветных пятнышка — размахивающие руками корреспонденты — и еще одно — серенькое, испуганно бегущее к растерзанному сгоревшему грузовику — это был пилот.

— Это есть порядок! — радостно улыбаясь, прокричал Курт, поднимая вверх большой палец руки, — топливо на пятьсот километров!

— Ловок ты, парень, как я посмотрю... — похлопал его по плечу Вашко. — Будто шпион из их фильмов. — Он ткнул пальцем в сторону Стива. — На всем ездишь, на всем летаешь.

— И плавает, Иосиф, поверь, как шпион, — подначивая Курта, со значением посмотрел Стив на немца. — Ты это видел... Там, около Сочи!

— А ты не шпион! — авторитетно заявил Вашко Эпстайну, — разве настоящий шпион может так позеленеть от вертолета?

— Я, Иосиф, шпион, который не любит летать... — прокричал ему прямо в ухо Стив. — Скажи Курту, чтобы набирал максимальную высоту. В этом чертовом Карабахе, я слышал, сбивают, когда низко летаешь. Это птичка, кажется, способна на большее.

Курт передернул рычаг газа, нажал на педаль, и машина, завершив вираж, резко начала набирать высоту.

— Куда летим? — прокричал Вашко Курту. — Тот то ли не понял его вопроса, то ли и сам еще на знал, куда лететь.

ГЛАВА 54. ПОГРАНЗАСТАВА № 10 ОТРЯДА № 117 ИМЕНИ КАРАЦУПЫ. АРМЕНИЯ

Липнявичус оторвал от глаз бинокль; солдат на вышке отошел на шаг в сторону, уступая место полковнику — командиру отряда Осетрову, рядом с ними стоял еще коренастый, простоватый мужчина, вызванный срочно из Москвы, майор милиции Лапочкин. Его круглая физиономия выражала крайнюю степень удовольствия — вместо того, чтобы торчать в душном кабинете на Петровке и вдыхать аромат чужих сигарет, он здесь — среди цветущих яблонь и еще каких-то деревьев, усыпанных всеми оттенками розового.

— Что-то они там все-таки затевают, — проговорил Липнявичус. — Выкатили передвижной локатор... Вертолет рядом! Хитрят...

— Они, в принципе, это делают часто, — пробормотал Осетров, поворачивая бинокль на треноге. — Вон погранцы турецкие из стороны в сторону бродят... Никакой дисциплины.

— Хотите посмотреть? — повернул к Лапочкину окуляр командир отряда.

— Неа-а-а... — протяжно отказался Евгений. — Чего я, турков, что ли, не видал? Они у нас «Пассаж» строили. Чернявые, вроде узбеков.

Липнявичус с удивлением посмотрел на Лапочкина –

ему впервые в жизни попался человек, который не хотел видеть заграницу.

— Товарищ полковник! Товарищ полковник! — донесся снизу голос вестового.

— Чего? — перегнулся через перила Осетров.

— К телефону просят.

Осетров жестом пригласил Липнявичуса и Лапочкина спускаться — они тотчас заскрипели ступеньками лестницы.

В тесном кабинете командира заставы полковнику протянул трубку молоденький старший лейтенант.

— Откуда? — спросил его Осетров, беря в руку трубку.

— Из сто пятнадцатого отряда.

— Да... — ронял в трубку Осетров, — да... Понял.... Гражданский? На какой высоте? Идет вдоль границы? Нет... Понял. Даже если будет стремиться на сторону Ирана, огонь не открывать. Старайтесь обойтись привентивными мерами. Что? Да зажмите в клещи и сажайте в любой точке! Так точно! Правильно поняли.

Он положил трубку и с видом победителя посмотрел на присутствующих.

— Кажется, Иозас, ты прав!

Липнявичус радостно всплеснул руками.

— Есть. Почти нарушитель! Гражданский «милюшка» прет без всяких сигналов на Кафан. Часто маневрирует, обходя населенные пункты. Дважды создавалось впечатление, что идет на нарушение границы с Ираном, но вовремя отворачивает. Часто меняет высоту полета.

— Может, неисправность какая? — предположил Лапочкин.

— Вон она, их неисправность, — ткнул рукой в сторону окна Осетров, — неспроста они выставились...

ГЛАВА 55. ДОЛИНА РЕКИ АРАКС. ПОГРАНИЧНАЯ ЗОНА ТУРЦИИ

— Учения или нет, русских это не касается, — назидательно произнес Маккей, отставляя в сторону чашку из-под кофе.

— Как сказать, док... — усмехнулся Дэвид Джессел, — чуть чего, так они сразу бегут в МИД и строчат ноты протеста. Потом настает мой черед давать объяснения, а идти к нашему послу по этому делу — затятие не из приятных.

— Ничего, не впервой... Эй, парень! — коснулся он плеча негра-радиста в армейской форме. — Узнай, нет ли чего-нибудь нового?

— Есть, сэр! — он принялся манипулировать кнопочками своей мудреной аппаратуры.

Маккей вышел из помещения передвижной станции и с наслаждением потянулся.

— Этот Ной был не дурак, как считаешь, Дэвид? Высадиться после потопа на таком месте... Здесь можно начинать жизнь!

— Что показали последние замеры по координатам? — с серьезным видом спросил Джессел.

— Чепуху какую-то... Целых двое суток двигались в сторону юга, потом замерли на одном месте, а теперь...

— Лучше бы координаты изменялись в нашу сторону.

— К сожалению, они движутся в обратную — к берегу Каспия.

— Чего он там потерял? Вила уже передали... Пора бы и возвращаться.

— К сожалению, дорогой Дэвид, это не по Нью-Йорку кататься. Я вообще склонен уже не слишком доверять показаниям электроники. Предположим, что ее изъяли чекисты. Ну и что тогда?

— Как изъяли? — не поверил своим ушам Джессел. — Тогда и он должен быть под арестом.

— Или у него ее попросту украли, — не слыша сомнений коллеги продолжал Маккей, — а мы будем ей верить...

— Но почему мы обосновались именно здесь? Почему такая уверенность, док? Интуиция?

— Интуиция? — прищурился Маккей и пристально посмотрел прямо в глаза Джесселу. — Ну уж нет. Только расчет! Только! Смотри — назад, на Москву, ему возвращаться нельзя. Думаю, что если они не совсем остолопы, они ждут его ничуть не меньше, чем мы, — это видно без бинокля: видишь, какая суета? Начальство бродит, на вышку ходят не одни солдаты. А вон то зеленое пятнистое расчехленное чудовище к чему?

— Где? Какое?

— Эта игрушка называется «вертолет огневой поддержки», или иначе «МИ-24». Не случайно стоит, я думаю! Теперь дальше — какие у нас отношения с Ираном, не мне тебе рассказывать... Мы же исчадье ада! Какой резон в таком случае ему лезть головой в петлю? Никакого... Вот и выходит, что ждать его, едущего, ползущего, плывущего или летящего надо именно здесь, в Турции. Вот и Ной это место выбрал...

— Ну разве Ной... — не слишком весело обронил Джессел и полез назад, в фургон оператора, — что нового с координатами?

— Простите, сэр, но они уже на берегу Каспия. Там, где у них эта самая столица... Ба-ку! — по складам произнес он непривычное название.

ГЛАВА 56. БОРТ ВЕРТОЛЕТА МИ-2

— Бинтов нет, черт возьми! — прокричал Вашко и начал раздирать на себе рубаху; он рвал ее на длинные лоскуты и передавал Стиву, а тот уже в свою очередь бинтовал мальчишке ногу. Произошло это тогда, когда они, потеряв всякую бдительность, обрадованные жизнерадостностью расстилавшегося под ними пейзажа, снизились до полукилометра, стараясь разобраться в хитросплетении дорог и лоскутах поселков. Автоматные очереди ударили с края деревни и, прошив салон, оставили множественные дыры в корпусе. Вертолет на секунду вздрогнул и, резко снижаясь, ринулся к реке.

— Курт, Курт! — завопил Эпстайн. — Только не снижайся! Молю тебя, только не снижайся!

Лопасти, казалось, замолотили воздух с невероятной скоростью, и вертолет медленно поднялся. Самвел лежал на холодном алюминиевом полу и стонал.

— Что с ним? — всполошился Вашко, перегибаясь через сиденье.

— Ранен! — Американец принялся быстро перетягивать жгутом ногу мальчишке.

— Надо было им попасть в единственного армянина! — с досадой обернулся Курт, — лучше бы в меня... Лицо его скорчилось в гримасу боли.

— Кость цела, — пробормотал Стив, — задета одна мякоть. Выше, выше держи!

В салоне подозрительно запахло гарью. Это был смешанный запах резины и пластика.

— Ниже надо лететь, — обронил Вашко, — горим!

Курт заложил машину в очередной вираж и понесся

вдоль голубой ленты реки, петлявшей меж горных хребтов и склонов холмов. Впереди, в нескольких десятках километров четко обозначилась огромная гора с двухглавой снежной вершиной, искрящейся на солнце, словно россыпь мелких бриллиантов.

— Арарат! — гордо провозгласил Курт. — Это есть Турция!

— Арарат... — Вашко делал попытки пробраться в хвост машины, откуда, клубясь, просачивался дым.

Стив уложил мальчика на длинной, идущей вдоль салона лавке и возился с его ногой. Рубиновые капельки крови падали на алюминиевый пол.

— Потерпи, Самвел... Потерпи, малыш! Сейчас, уже немного...

Руки Стива были в крови, и Вашко не мог взять в толк, откуда столько. Самое странное, что в крови была и его майка — на плече расплывалось пятно.

— Ты, случаем, сам не ранен? — всполошился Вашко, осторожно дотрагиваясь до рукава майки и пытаясь приподнять ее край.

Материя плотно прилипла к телу, и малейшее прикосновение причиняло Стиву боль; он поморщился.

— Ерунда, вскользь задело...

Вашко содрал с себя остатки рубахи и принялся пеленать плечо американца.

Клубы дыма тем временем густели, чернели, струйки его начали сочиться из швов на обшивке потолка.

Курт что-то изумленно воскликнул, и вертолет начал резко снижаться. На приборной панели тревожно полыхали красные лампы, метались по шкалам стрелки. Но двигатель, как ни странно, гудел в том же ритме.

Арарат медленно, но верно заслонял небо. Он приближался, надвигался заснеженной громадой, угрожал крутизной коричневато-зеленых крутых склонов.

— Этого есть нам не хватать! — заорал Курт, оглядываясь.

— Что? Что такое? — откликнулись Вашко и Стив.

— Перехват! — заорал Курт и ткнул в правое окно кабины, обращенное в сторону Армении.

От скопления небольших строений с зелеными крышами, крохотными садиками и сараями рядом со сторожевой вышкой в воздух стремительно поднималось пятнистое краснозвездное чудовище, ощетинившееся ракетными установками и множеством пулеметов.

— Туда смотри! — заорал радостно Стив, указывая на склон Арарата, где стоял небольшой фургон с антеннами и еще какие-то крохотные непонятные металлические сооруженьица.

— Где? — ткнул Стива, забыв про больное плечо, Вашко и попал именно в него; Стив закусил губу.

И Вашко увидел — из-за укрытия, больше похожего не на капонир, а на полуразвалившийся сарай, столь же стремительно в небо взмывал бешено вращающий лопастями другой вертолет, только он был не пятнистый а, скорее, серый или темно-синий. Он напоминал многотонную чугунную скороварку с многочисленными толстенными хоботами пушек на носу.

— «Пэйв Лоу»! — заорал, радостно колотя кулаком по колену, Стив. — Стоимость 26 миллионов долларов. Лучший в мире!

— Наш тоже неплохой, — обиженно произнес Вашко, поглядывая в сторону четко выписывающей вираж и старающейся отсечь их маленький МИ-2 от границы грозной громадины.

Курт, закусив губу, резко дернул какой-то рычаг вниз — маленькая желто-голубая машина, оставляя за собой черные глубы дыма, резко клюнула носом и, буквально цепляя колесами поверхность воды, пошла точно по фарватеру. А над ними разыгрывался странный спектакль. Вертолет с американскими звездами и полосами на борту пытался закрыть своим телом летевшую крохотную букашку. Русские, в свою очередь угрожая отсечь хвост «Пэйв Лоу», молотили мощными лопастями в опасной близости от его бронированного зада, форсируя двигатель, ревя мотором и пуская клубы дыма.

Потоки спрессованного лопастями воздуха ударялись о поверхность воды и с пеной и брызгами разлетались в разные стороны, закручивая буруны и маленькие радужные круги.

— Приготовиться к десантированию! — приказал Стив, задыхаясь от дыма.

Сверху послышался громовой залп, и в каком-нибудь десятке метров перед их вертолетом вода взметнулась взрывом.

— Русские приказывают остановиться! — заорал Курт.

В этот самый момент все окна и иллюминаторы вертолета разом лишились солнечного света, на всю машину легла огромная черная тень. Стив задрал лицо к верхнему окошку — прямо над ними, сквозь мелькающие лопасти «мишки» виднелась намалеванная на брюхе «Пэйв Лоу» звезда — она была таких размеров, что могла бы, кажется, покрыть, словно флагом гроб, весь их вертолет.

— Кажется, эти парни хотят, чтобы мы им почесали брюшко... — пошутил Курт.

— Интересно, что предпримут на этот раз русские? — ткнул пальцем в правый борт Стив; МИ-24 выполнял хитроумный и не совсем понятный маневр: он снизился до той же высоты, что и их МИ-2, и наверняка бы подошел и ближе, если бы позволяли ножи их «мясорубок» на крыше.

— Они нас будут выталкивать! — проорал Курт. — Сейчас сдадут влево и немножко плавать...

Но у сидящих на борту МИ-24 была, видимо, иная цель: сквозь иллюминаторы на них взирало несколько физиономий и мелькали руки, отчаянно жестикулируя.

— Иосиф! — заорал Курт. — Переводи!

Вашко, кашляя, оглянулся сначала в хвост собственной машины, где в дыму уже проскакивали язычки пламени, а потом перевел взгляд на пятнистое чудовище. Оттуда на него поглядывал совершенно незнакомый пилот, какой-то мужик в светлой рубашке при галстуке, — от вида его чистоты и галстука Вашко передернуло — и самое интересное... из хвостового узенького окошечка в чудно́м армейском шлеме на голове ему подавал знаки, отчаянно указывая на хвост их машины, Женька Лапочкин...

«Ты-то какого черта здесь оказался?..» В какой-то миг Вашко показалось, что он сошел с ума, — он посмотрел еще раз в иллюминатор, но ошибки никакой не было — это был именно Лапочкин.

— Ах ты сукин сын! — заорал Вашко, но, естественно, Лапочкин не услышал, а лишь помахал рукой — мол, сюда, сюда лети.

— А вот это видел! — выставил дулю в окно Вашко.

И тотчас армейский краснозвездный вертолет резко взмыл вверх, одновременно заходы в хвост маленькому «мишке».

— Остров! — повернулся Курт к приятелям, указывая взглядом на небольшой кусок земли точно по центру Аракса, заросший кустарником и с большой каменистой отмелью.

— Остров? — переспросил Стив. — Чей он?

— Ничей! — рявкнул Вашко. — Когда у тебя горит жопа, не время спрашивать, какой водой заливать портки. Пусть хоть из женского сортира.

И в этот самый момент раздался громкий хлопок, потом еще один. Курт бросил взгляд на приборную панель:

— Топливо! Все, до последней капли...

Они летели на столь малой высоте, что падение заняло доли секунды. Вертолет взметнул в воздух тучи брызг, резко остановился, задев колесами первую попавшуюся волну, и, заваливаясь на бок, начал погружаться в реку. Над ними промелькнули и тотчас унеслись обе тени — и «Пэйв Лоу» и «Ми-24», а в кабину потоками хлынула вода. Жестяной царапающий звук искореженных лопастей, дерущих корпус, ударил по ушам и стих.

— Двери открывай! Бей стекла! Верхние люки! — кричал Стив, энергично орудуя какой-то железкой.

Вода в кабине доходила уже до груди, но, странное дело, вертолет дальше не погружался.

— Ха-ха-ха!.. — радостно завопил Курт, — отмель... Это есть большое везение.

Они благополучно выбрались из разбитого вертолета, Стив подхватил на руки мальчишку, и они, нащупывая ногами грунт, побрели к недалекому зеленевшему посреди реки кустарнику.

Вашко обернулся — их машина зарылась носом в воду, но хвост продолжал гореть и дымиться. Небо по-прежнему грохотало ревом вертолетных двигателей, но теперь они, словно состязаясь, старались не подпустить друг друга к клочку земли, чтобы противник не сбросил лестницу.

— С приземленьицем! — радостно воскликнул Вашко, выйдя на берег и начав сдирать с себя промокшую одежду. — Бр-р-р... Ну и водичка!

Стив и Курт склонились над мальчиком:

— Как дела, Самвел?

Тот попытался улыбнуться, но улыбка вышла жалкой.

— Ничего, есть немножко терпеть, Пауль! Теперь недолго, — сказал Курт, махнул в сторону турецкого берега. — Госпиталь, сначала Стамбул, потом лететь Гамбург... Домой!

Мальчишка посмотрел в сторону армянского берега. Туда же посмотрел Вашко:

— Метров пятьдесят — не меньше...

Стив мял в руке шляпу:

— Никогда не думал, Иосиф, что придется расставаться именно так. С виски и шампанским было бы лучше! А может?.. — Он многозначительно посмотрел на Вашко, потом на барражирующий над ними «Пэйв Лоу». — Он прикроет. Пошли?

Вашко задумчиво посмотрел на Стива, на вертолет, на турецкий берег.

— Как-нибудь в другой раз, мужики...

— Лубянка, Лефортово, КГБ... — попытался убедить Стив.

— К счастью, — вздохнул Вашко, — все это в Москве. Он, может быть, и суровый город, но мой. И нести мне этот крест до конца... Плывите, братцы. Мальчишку забираете с собой? Уходишь, Самвел?

Мальчишка молчал, поглядывая на Стива и Курта.

— Это не есть Самвел — его зовут Пауль, — решительно возразил Курт. — Один Пауль есть. Будет Пауль два! Эльза меня поймет!

— Ну, дай-то Бог... — Вашко подошел к Стиву и медвежьей хваткой облапил его. — Прощай, шпион! Прощай, дорогой. И ты, Курт, прощай... Свидимся ли когда? Впрочем, вы мой адрес знаете. Плывите... Видишь, какое чудище вас прикрывает! — Он кивком указал на прикрывающее их с воздуха синее чудовище с пушками и пулеметами.

— Иосиф, — сглатывая ком в горле, — пробормотал Стив, — я напишу... Обязательно напишу! — Он сорвал с головы отцовскую шляпу и протянул ее Вашко. — Мне больше нечего тебе дать. Держи на память! Будешь вспоминать про наше путешествие.

Вашко взял шляпу и, держа ее в руке, долгим взглядом смотрел, как Стив и Курт подхватили Самвела и начали медленно входить в воду. Грязно-коричневые струи плотно обхватили их колени, потом поднялись выше, заструились вокруг плеч. Они плыли уверенно, как тогда, на Черном море под Сочи, держа Самвела под мышки. Стремительное течение сносило их в сторону, и, точно повторяя их маршрут, поднимая водяную пыль, заслоняя собственным могучим корпусом, «Пэйв-Лоу» по-крабьи пятился за ними бочком, прикрывая всем бронированным корпусом от застывшего над островом краснозвездного вертолета.

МИ-24 завис в двух метрах от земли, чуть в отдалении

от Вашко. Кусты затрепетали листвой, отчего-то засеребрились, как бывает только при очень сильном ветре, и вся развешенная одежда Вашко запорхала бабочками далеко-далеко от острова. Он остался в трусах и со шляпой, которую не выпускал из рук.

По выброшенной с вертолета лестнице спустились двое. Вашко узнал обоих: первым шел Лапочкин, за ним, осторожно ступая по камням, пробирался тот самый чекист, что встретился им в Тбилиси.

Вашко отвернулся от них и смотрел в сторону плывущих.

— Петрович! — заорал радостно Евгений. — Ты как здесь оказался? Ни на один день нельзя оставлять одного...

Курт и Стив доплыли до бетонного причала для лодок и, помогая друг другу, начали выкарабкиваться наверх. Двое мужчин в светлых брюках и таких же рубашках, не боясь измазаться, начали помогать им, потом обнимать, что-то кричать и радоваться. Подхватив под руки мальчишку, Курт пошел от берега. Стив повернулся в сторону острова и махал рукой, широко раскрывая рот, но что он кричал, Вашко не слышал, — вертолет по-прежнему висел над его головой и свистел лопастями, ревел двигателем.

«Пэйв-Лоу», дождавшись, когда приплывшие и встречающие отошли от берега, резко накренился, вписываясь в новый вираж, и, словно издеваясь, уже улетая, снова показал огромную белую звезду на брюхе.

— Гуд бай, Америка! — неожиданно для самого себя произнес Вашко. Ему было горько и обидно, как будто сейчас он потерял что-то очень дорогое для себя.

— Летим, Петрович! — взял его за локоть подошедший Лапочкин. — Чекисты обещают, что тебе ничего за это не будет...

Иосиф, словно видел его впервые, изумленно посмотрел на него.

— Чего молчишь? Может, решил объявить этот остров суверенной территорией? Летим, кончай дурить!

— Суверенная территория? — переспросил Вашко. — Неплохая мысль.

Он напялил на голову подаренную шляпу, шлепнул по животу резинкой от трусов и с маху бросился в воду; он плыл в ту сторону, где далеко-далеко, за тысячи километров, за лесами и горами была его Москва. Ненавидимый им и одновременно горячо любимый город, без которого он бы не смог прожить. И он отдавал себе отчет, что это были вовсе не пустые слова — это было состояние его души, суть его мироощущения...

Он плыл, не оглядываясь, выбрасывая из воды руки, резко отталкиваясь ногами, и с каждым очередным гребком ему отчего-то становилось легче — душевная тоска уходила, тупая игла отпускала сердце, переставало щемить в груди.

А вертолет, словно поняв свою ненужность, спешно подобрал сошедших к Вашко пассажиров и ринулся к армянскому берегу. Стоило ему приземлиться, как из него выскочил полковник и резко взмахнул рукой, подавая какой-то сигнал. Из укрытий выскочили бойцы с автоматами. Пограничники плотной цепочкой вытянулись вдоль берега, к которому приближался Вашко. Он не заставил себя ждать. Встал, оставаясь еще по пояс в воде, поправил шляпу на затылке, огляделся, увидел молоденьких безусых мальчишек в форме, напряженно сжимавших автоматы и сказал:

— Чего вылупили глаза, сынки? Шпиона, что ль, никогда не видели? — И, вздохнув, добавил: — Хрен с вами — давайте вяжите!

Конец

СОДЕРЖАНИЕ

Литературно-художественное издание

Николай Николаевич Александров

ЧЕРЕЗ ПРОПАСТЬ В ДВА ПРЫЖКА

Ответственный редактор *А. В. Иванова*
Редактор *И. И. Стеблевская*
Оформление художника *В. А. Крючкова*
Технический редактор *Т. А. Скляревская*
Корректор *Г. В. Данилова*

ЛР № 061622 от 23 сентября 1992 г.
Сдано в набор 01.02.94. Подписано в печать с готовых диапозитивов 25.03.94. Формат 60×90/16. Бумага типографская. Гарнитура «Таймс». Печать офсетная. Уч.-изд. л. 33,99. Усл.-печ. л. 33,0. Тираж 50 000 экз. Заказ 4402.

ТОО «Лирус».
Издательский дом «Дрофа». При участии ТОО «Карно».
105318, Москва, ул. Щербаковская, д. 3.

Отпечатано на Смоленском полиграфическом комбинате Комитета Российской Федерации по печати. 214020, Смоленск, ул. Смольянинова, 1.

Качество воспроизведения текста соответствует качеству представленных диапозитивов